튼튼한 **개념!** 흔들리지 않는 **실력!**

숨마쿰라우데 중학수학

개념기본서

2-하

숨마쿰라우데® 중학수학 개념기본서 2-하

이 책을 집필한 선생님

강순모	동신중학교	김동은	대신고등학교	김명수	저현고등학교
신지영	개운중학교	박정숙	양재고등학교	설정수	신목고등학교
한혜정	창덕여자중학교	원슬기	신일고등학교	천태선	자카르타 한국국제학교
이서진(이산)	메가스터디, 엠베스트 인강				

1판 8쇄 발행일 : 2023년 5월 1일

펴낸이 : 이동준, 정재현
기획 및 편집 : 박영아, 남궁경숙, 김재열, 강성희, 박문서
디자인 : 굿윌디자인

펴낸곳 : (주)이룸이앤비
출판신고번호 : 제2009-000168호
주소 : 경기도 성남시 수정구 위례광장로 21-9 kcc 웰츠타워 2층 2018호
대표전화 : 02-424-2410
팩스 : 070-4275-5512
홈페이지 : www.erumenb.com
ISBN : 978-89-5990-485-3

이 책을 펴내면서

수학 공부를 아주 열심히 하는 학생이 상담을 요청한 적이 있었습니다.
그 학생은 의기소침한 얼굴로 말하더군요.

"선생님, 하루도 안 빼고 문제집을 푸는데 왜 점수는 그대로일까요?"

짐작이 가는 점이 있었지만 일단 옆에서 공부하는 모습을 지켜보기로 했습니다.
그리고 이 학생의 공부법에 문제가 있다는 것을 아는 데는 오랜 시간이 걸리지 않았습니다.
많은 학생들이 그렇듯이 이 학생 역시 개념과 원리 부분은 대충 훑어보고 지나가는 것이었습니다.
오히려 굳이 공식이 필요하지 않은 문제인데 공식에 집착하였고,
풀이가 잘못되었어도 답만 맞으면 다음 문제로 넘어갔습니다.
그래서 "너 이 문제 잘 알고 푼 거니? 한번 설명해 줄래?"했더니 우물쭈물하였습니다.

여러분은 어떤가요?
지금까지 보아 온 많은 학생들이 다양한 문제를 풀면서도 이렇게 원리를 제대로 탐구하지 않아
수학의 무게에 항상 힘겨워하곤 했습니다.
시중에 나와 있는 문제집들도 개념은 간략하게 설명하고, 문제만 많이 실어 이런 잘못된 학습 방법을 계속하게 합니다.
개념을 잘 알면 굳이 많은 문제를 풀지 않아도 되는데 말입니다.
공식 위주로만 공부하면 습관적으로 문제를 풀게 되어 변형 문제에 대한 응용력이 현저하게 떨어지게 됩니다.

수학을 공부하는 가장 바람직한 방법은 많은 문제 풀이보다는 개념 공부에 힘쓰는 것입니다.
잘 이해한 개념 하나가 열 개의 문제를 풀 수 있게 합니다.

『숨마쿰라우데 개념기본서』로 개념을 통한 수학 공부를 시작해 보세요.

QA를 통한 이야기식 문답법으로 개념을 쉽게 이해할 수 있을 뿐 아니라,
직접 설명하면서 점검할 수 있도록 하여 자연스럽게 개념을 자기 것으로 만들 수 있도록 하였습니다.
꿈을 위해 나아가는 길에 『숨마쿰라우데 개념기본서』가 등불이 되어 줄 것입니다.

저자 일동

숨마쿰라우데® 중학수학 [개념기본서] 2-하

개념
BOOK

INTRO to Chapter V
도형의 성질
SUMMA CUM LAUDE · MIDDLE SCHOOL MATHEMATICS

1. 삼각형의 성질

01 이동변삼각
· 유형 EXER
02 삼각형의
· 유형 EXER

단원의 감을 잡자! INTRO to Chapter

학습을 시작함에 있어 가장 중요한 것은 내가 무엇을 공부하는지,
어떻게 공부해야 하는지를 아는 것입니다.
대단원 전체의 흐름, 배경, 학습 목표 등을 통해 학습을 즐겁게 시작할 수
있도록 하였습니다.

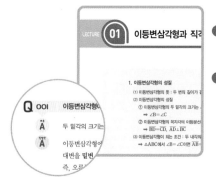

LECTURE **01** 이등변삼각형과 직각

1. 이등변삼각형의 성질
(1) 이등변삼각형의 뜻 : 두 변의 길이가
(2) 이등변삼각형의 성질
 ① 이등변삼각형의 두 밑각의 크기는
  → ∠B=∠C
 ② 이등변삼각형의 꼭지각의 이등분선
  → BD=CD, AD⊥BC
(3) 이등변삼각형이 되는 조건 : 두 내각의
  → △ABC에서 ∠B=∠C이면 AB=

Q 001 이등변삼각형이

A 두 밑각의 크기는

A 이등변삼각형에
대변을 밑변
즉, 오른

단원의 핵심개념을 모은 SUMMA NOTE

공부할 내용 중 핵심적인 개념을 모아 정리해 두었습니다.

이보다 더 상세할 수 없다! QA를 통한 스토리텔링 강의

Q 001 공부를 하면서 꼭 필요한 물음

A Q에 대한 짧고 확실한 Answer

A Q에 대한 친절하고 자세한 Answer

본문 설명에 있어서 중요한 개념, 주의할 점, 기억해야 할 점 등 모든 것을 묻고
답하는 형식으로 설명함에 따라 충분한 이해를 기반으로 공부할 수 있습니다.

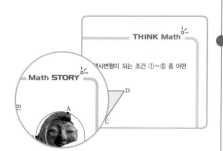

THINK Math

사변형이 되는 조건 ①~⑤ 중 어떤

Math STORY

창의적 사고를 위한 THINK Math

사고를 한 단계 UP 할 수 있는 내용을 담아 수학을 생각하게 하였습니다.

*재미있는 쉼터 Math STORY

역사적인 일화, 수학자 이야기 등 본문과 관련된 흥미 있는 이야기를 담았습니다.

스스로 익히는 개념 CHECK

개념 확인
(1) 평행사변형은 두 쌍의 대변이 각
각 ⬜ 사각형이다.
(2) 평행사변형은 두 대각선이 서로
다른 ⬜ 한다.
(3) 한 쌍의 대변이 평행하고, 그 길
이가 같은 사각형은
⬜ 이다.

01 다음 그림과 같은 평행사변형 ABCD에서

02 오른쪽 그림과 같은 □ABCD가 평행사
조건을 ⬜ 안에 알맞게 서술하여라. (단, 정
교하다)

개념을 이해했는지 확인하는 개념 CHECK

개념 확인 이 강에서 새로 배운 용어 또는 학습 원리를 간단하게 ⬜ 안에 넣기
로 확인합니다.
개념 CHECK 앞에 배운 개념들을 완벽히 이해하고 있는지 확인합니다.
틀린 문제가 있다면 본문을 다시 한 번 읽어 주세요!

이 책의 구성과 특징

유형으로 문제를 정리하는 **유형 EXERCISES**

소단원별로 시험에 반드시 나오는 유형들을 모아 정리해 놓았습니다.
어려운 부분이 생기면 본문 QA로 Go Go~
문제 이해도를 ☺, ☺, ☹으로 표시해 보고 이해가 잘 되지 않는 문제는
반드시 다시 풀어 봅니다.

실력을 완성하는 **중단원 EXERCISES**

유형에서 벗어나 스스로 문제를 파악하여 해결하는 시간입니다.
시험에 출제되는 다양한 유형의 문제를 풀어 볼 수 있습니다.
• **Step 1** (내신기본), **Step 2** (내신발전) 2단계로 구성
• 난이도 표시 (●○○ : 하, ●●○ : 중, ●●● : 상)
• 창의융합 : 새 교육과정에서 강조하는 수학적 창의성 신장 문제를 풀어 봅니다.

QA로 완벽 정리하는 **대단원 REVIEW**

본문 속 Q를 따라 학습의 흐름을 정리하는 시간입니다.
묻고 답하면서 복습해 보세요. 내용이 더욱 오래 기억될 거예요.

단원을 마무리짓는 **대단원 EXERCISES**

한 단원 전체의 내용을 문제를 통해 확인하는 시간입니다.
개념을 잘 이해하고 있으니 서술형 문제도 술술~ 풀릴 거예요!

숨마쿰라우데® 중학수학 개념기본서 2-하

한 단계 높은 차원의 수학을 원한다면 Advanced Lecture

수학의 개념을 확장해 놓은 수학의 장입니다. 본문 개념의 확장 및 고학년의 수학으로의 연계 뿐만 아니라 교과서 밖의 해결 방법 등을 논함으로써 한 차원 높은 수학을 맛볼 수 있습니다.

수학으로 보는 세상 Math Essay

실생활에서 볼 수 있는 흥미 있는 수학 이야기, 수학자 이야기 등을 실어 놓았습니다. 술술 읽어 가며 가볍게 단원을 마무리하세요~

테스트 BOOK

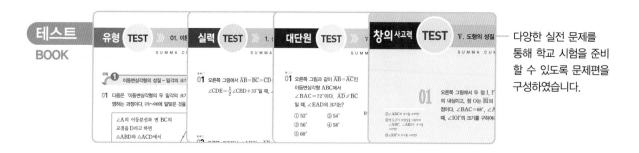

다양한 실전 문제를 통해 학교 시험을 준비 할 수 있도록 문제편을 구성하였습니다.

해설 BOOK

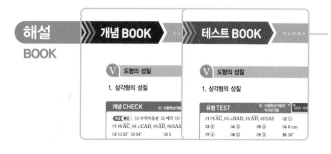

스스로 학습하는 데 어려움이 없도록 상세한 해설과 문제에 대한 다양한 풀이를 실어 놓았습니다.

이 책의 학습 시스템

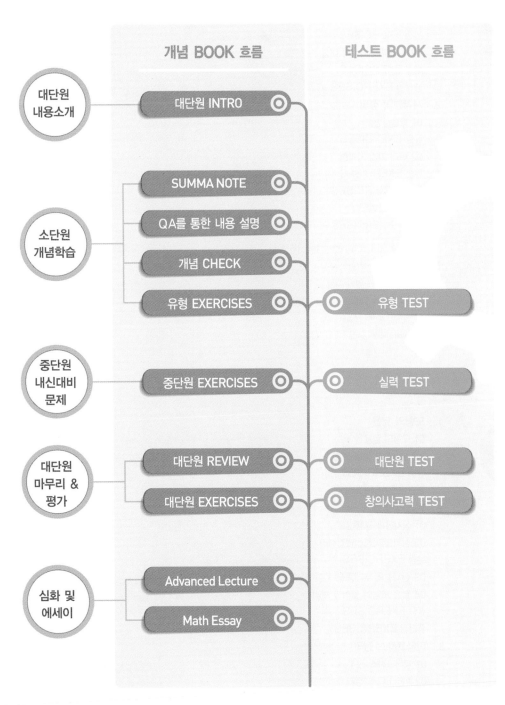

개념 BOOK 흐름	테스트 BOOK 흐름

대단원 내용소개 — 대단원 INTRO ◎

소단원 개념학습
- SUMMA NOTE ◎
- QA를 통한 내용 설명 ◎
- 개념 CHECK ◎
- 유형 EXERCISES ◎ ─ ◎ 유형 TEST

중단원 내신대비 문제 — 중단원 EXERCISES ◎ ─ ◎ 실력 TEST

대단원 마무리 & 평가
- 대단원 REVIEW ◎ ─ ◎ 대단원 TEST
- 대단원 EXERCISES ◎ ─ ◎ 창의사고력 TEST

심화 및 에세이
- Advanced Lecture ◎
- Math Essay ◎

숨마쿰라우데® 중학수학 개념기본서 2-하

이 책의 차례

책 속의 책!
● 테스트 BOOK (문제 은행)
● 해설 BOOK (정답 및 해설)

묻고 답하면서 공부하는

숨마쿰라우데® 중학수학 개념기본서 2-하

QA

학습할 부분의 질문(Question)을 대단원별로 읽어 보세요.
학습 순서에 따라 제시되는 핵심 주제이므로 단원의 흐름을 한눈에 파악할 수 있습니다.
흐름에 따라 내용을 숙지하면 이해력과 기억력이 높아지므로 공부의 효율 또한 높아집니다.

❶ 예습 — 주제들을 읽어 보며 학습의 감을 잡자!
❷ 자율학습 — 궁금한 주제가 있다면 본문으로 들어가 바로바로 확인!
❸ 복습 — 주제를 읽으며 학습한 내용을 떠올려 보자. ○△×에 체크하여 모두 ○가 되는 그날까지 화이팅!
❹ 시험 대비 — 중요QA 를 중점적으로 공부하여 실전에 대비!

※ 아래의 Q를 읽고 스스로에게 물어 보세요! 정확하게 설명할 수 있으면 ○에, 보통이면 △에, 미흡하면 ×에 각각 체크해 보세요.

묻고 답하면서 공부하는

숨마쿰라우데® 중학수학 개념기본서 2-하

QA

학습할 부분의 질문(Question)을 대단원별로 읽어 보세요.
학습 순서에 따라 제시되는 핵심 주제이므로 단원의 흐름을 한눈에 파악할 수 있습니다.
흐름에 따라 내용을 숙지하면 이해력과 기억력이 높아지므로 공부의 효율 또한 높아집니다.

① 예습 — 주제들을 읽어 보며 학습의 감을 잡자!
② 자율학습 — 궁금한 주제가 있다면 본문으로 들어가 바로바로 확인!
③ 복습 — 주제를 읽으며 학습한 내용을 떠올려 보자. ○△×에 체크하여 모두 ○가 되는 그날까지 화이팅!
④ 시험 대비 — 중요QA 를 중점적으로 공부하여 실전에 대비!

※ 아래의 Q를 읽고 스스로에게 물어 보세요! 정확하게 설명할 수 있으면 ○에, 보통이면 △에, 미흡하면 ×에 각각 체크해 보세요.

슬로베니아의 마리보
슬로베니아는 유럽의 동남쪽에 있는 작은 나라이다.
사진 속 정경은 슬로베니아에서 두 번째로 큰 도시인 마리보이다.
강변을 따라 마을들이 위치해 있어서 자연과 하나 되는 평온함을 느끼게 되는 곳이다.

V

도형의 성질

숨마쿰라우데® 개념기본서

INTRO to Chapter V
도형의 성질

SUMMA CUM LAUDE - MIDDLE SCHOOL MATHEMATICS

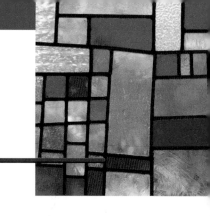

기하학 − 측량에서 논리로 발전하다...

고대 이집트에서는 잦은 나일강의 범람으로 토지를 측량하거나 건물을 짓는 등 실용적인 측면에서의 기하학이 발달되었다. 반면 그리스에서는 추상적이고 논리적인 사고를 중요시 하여 기하학을 실용적인 기술보다는 논리적인 학문으로 발전시켜 나갔다.

그리스의 수학자들은 직관적으로 옳다고 받아들여진 사실들이 정말 옳은지 논리적인 과 정, 즉 증명을 통해 체계적으로 밝혀 나갔다.

이와 같이 증명을 통해 발전한 기하학을 논증기하학이라고 한다. 논리적인 사고를 중요시한 그리스인들은 기하학을 모든 학문에 접근하기 위한 기본 소양으로 생각하였다. "신은 기하학적으로 사고한다."고 했던 플라톤의 말은 당시 기하학이 차지했던 위상을 단적으로 보여준다.

유클리드 – 논증기하학을 집대성하다...

왕에게 "기하학에는 왕도가 없습니다."라고 말한 것으로 유명한 그리스 수학자 유클리드는 그동안 연구된 도형의 성질을 체계화하여 「원론」을 펴냄으로써 엄격한 논리 체계를 가진 학문으로서의 수학으로 자리 잡게 하였다. 원론은 13권으로 이루어진 책으로 점, 선, 면, 선분, 직선, 각, 직각 등과 같은 기본적인 요소에 대한 정의는 물론 모든 정리에 대한 증명을 제시해 놓음으로써 수학적 논증의 기본적인 틀을 보여주었다. 기존 정리들만을 수록한 것이 아니라 모든 정리에 대한 증명도 제시해 놓은 점이 유클리드의 「원론」이 지닌 역사적인 위대함이다. 우리가 중학교 과정에서 배우는 기하학 내용이 대부분 이 「원론」에 수록되어 있다.

이 단원에서 배울 내용들...

이 단원에서는 삼각형과 사각형의 성질에 대해 배운다.
삼각형 단원에서는 이등변삼각형의 성질과 삼각형의 외심, 내심에 대해 살펴보고, 사각형 단원에서는 평행사변형의 성질을 바탕으로 하여 여러 가지 사각형들 사이의 관계를 살펴본다. 특히 이 단원에서는 각 성질이 성립함을 수학적인 증명을 통해 확인해 볼 것이다. 수학적인 증명이라 하여 어려운 것처럼 들릴 수 있겠지만 이 단원에서 하는 증명은 기껏해야 두 삼각형이 합동인가를 따져 보는 정도이므로 겁먹지 말자.

묻지도 따지지도 않고 공식만 줄줄 외우는 공부는 이제 그만!

도형을 공부할 때에는 항상 그리스 시대의 수학자들처럼 "왜 그럴까?", "정말 그럴까?" 하고 의심해 보는 자세를 갖도록 하자. 이런 자세로 도형을 이해해 나가면 논리적인 사고력 또한 자연스럽게 길러질 것이다. 자, 그럼 도형의 세계로 출발~

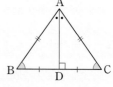

SUMMA **NOTE**

1. 이등변삼각형의 성질

(1) 이등변삼각형의 뜻 : 두 변의 길이가 같은 삼각형

(2) 이등변삼각형의 성질

　① 이등변삼각형의 두 밑각의 크기는 서로 같다.

　　➡ $\angle B = \angle C$

　② 이등변삼각형의 꼭지각의 이등분선은 밑변을 수직이등분한다.

　　➡ $\overline{BD} = \overline{CD}$, $\overline{AD} \perp \overline{BC}$

(3) 이등변삼각형이 되는 조건 : 두 내각의 크기가 같은 삼각형은 이등변삼각형이다.

　➡ $\triangle ABC$에서 $\angle B = \angle C$이면 $\overline{AB} = \overline{AC}$

2. 직각삼각형의 합동 조건

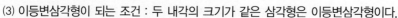

(1) 빗변의 길이와 한 예각의 크기가 각각
　 같은 두 직각삼각형은 합동이다.

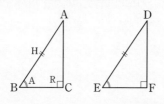

$\triangle ABC \equiv \triangle DEF$ (RHA 합동)

(2) 빗변의 길이와 다른 한 변의 길이가
　 각각 같은 두 직각삼각형은 합동이다.

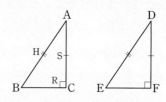

$\triangle ABC \equiv \triangle DEF$ (RHS 합동)

1. 이등변삼각형의 성질

오른쪽 그림과 같이 직사각형 모양의 종이를 반으로
접어 선분 AB를 따라 자른 후 펼치면 삼각형이 된다.
이때 잘라서 펼친 삼각형 ABC는 $\overline{AB} = \overline{AC}$이므로
이등변삼각형이다.

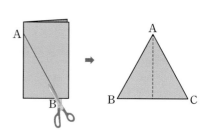

Q 001 이등변삼각형에는 어떤 성질이 있을까?

A 두 밑각의 크기는 서로 같고, 꼭지각의 이등분선은 밑변을 수직이등분한다.

A 이등변삼각형에서 길이가 같은 두 변이 이루는 각을 **꼭지각**, 꼭지각의
대변을 **밑변**, 밑변의 양 끝 각을 **밑각**이라고 한다.
즉, 오른쪽 그림과 같은 △ABC에서 ∠A가 꼭지각, $\overline{BC}$가 밑변,
∠B와 ∠C가 밑각이다.

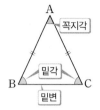

접었다 펼친 그림으로부터 다음과 같은 이등변삼각형의 성질을 알 수 있다.
처음에 겹쳐진 부분이므로 두 밑각의 크기가 같고, 접힌 삼각형이 직각삼각형이므로 꼭지각을
이등분하는 선이 밑변을 수직이등분하는 것이다.

> **이등변삼각형의 성질**
> ① 이등변삼각형의 두 밑각의 크기는 서로 같다.
> ② 이등변삼각형의 꼭지각의 이등분선은 밑변을 수직이등분한다.

Q 002 이등변삼각형의 성질이 성립함을 어떻게 증명할까?

A 성질을 가정과 결론으로 나눈 후, 결론이 성립하는 이유를 찾아본다.

A 접었다 펼친 그림에서 이등변삼각형의 성질 ①, ②가 성립함을 직관적으로 이해할 수 있지만 일
반적인 모든 이등변삼각형에서 성립한다는 사실을 보이려면 좀 더 수학적인 설명이 필요하다.
이때 수학적인 설명을 '증명'이라고 일컫는다.
증명을 할 때에는 항상

알고 있는 것과 보여야 하는 것의 구분

이 확실해야 한다. 증명 과정에서 알고 있는 것을 가정, 보여야 하는 것을 결론이라고 하는데 한
마디로 증명은 가정에서 출발하여 결론에 도달할 수 있는 길을 찾는 과정이라고 할 수 있다.

증명, 가정, 결론은 고등 과정
에서 나오는 수학 용어이지만
중등 과정에서 미리 배워도
무리가 없으리라 생각하여 제
시하였다.

이제 본격적으로 이등변삼각형의 성질을 증명해 보도록 하자. 우선 이등변삼각형의 성질을 가정과 결론으로 나누어 보고, 문장을 수식 기호로 표현해 보자.
그런 다음 결론이 성립함을 밝히면 끝~!

① 이등변삼각형의 두 밑각의 크기는 서로 같다.

가정	이등변삼각형이다. ➡ $\triangle ABC$에서 $\overline{AB}=\overline{AC}$
결론	두 밑각의 크기가 같다. ➡ $\angle B=\angle C$
증명 1	$\angle A$의 이등분선과 변 BC가 만나는 점을 D라고 하면 $\triangle ABD$와 $\triangle ACD$에서 $\overline{AB}=\overline{AC}$, $\angle BAD=\angle CAD$, $\overline{AD}$는 공통이므로 $\triangle ABD\equiv\triangle ACD$ (SAS 합동) ∴ $\angle B=\angle C$
증명 2	꼭짓점 A와 변 BC의 중점 D를 이으면 $\triangle ABD$와 $\triangle ACD$에서 $\overline{AB}=\overline{AC}$, $\overline{BD}=\overline{CD}$, $\overline{AD}$는 공통이므로 $\triangle ABD\equiv\triangle ACD$ (SSS 합동) ∴ $\angle B=\angle C$

② 이등변삼각형의 꼭지각의 이등분선은 밑변을 수직이등분한다.

가정	이등변삼각형이다. ➡ $\triangle ABC$에서 $\overline{AB}=\overline{AC}$ 꼭지각을 이등분한다. ➡ $\angle BAD=\angle CAD$
결론	꼭지각의 이등분선은 밑변을 수직이등분한다. ➡ $\overline{BD}=\overline{CD}$ $\angle ADB=\angle ADC=90°$
증명	$\angle A$의 이등분선과 변 BC가 만나는 점을 D라고 하면 $\triangle ABD$와 $\triangle ACD$에서 $\overline{AB}=\overline{AC}$, $\angle BAD=\angle CAD$, $\overline{AD}$는 공통이므로 $\triangle ABD\equiv\triangle ACD$ (SAS 합동) ∴ $\overline{BD}=\overline{CD}$ ...... ㉠ $\angle ADB=\angle ADC$이고, $\angle ADB+\angle ADC=180°$이므로 $\angle ADB=\angle ADC=90°$ ...... ㉡ ㉠, ㉡에서 $\overline{AD}$는 $\overline{BC}$를 수직이등분한다.

| 참고 | 이등변삼각형에서 다음은 모두 같은 말이다!
　　　(꼭지각의 이등분선)=(밑변의 수직이등분선)
　　　　　　　　　　　=(꼭짓점에서 밑변에 내린 수선)
　　　　　　　　　　　=(꼭짓점과 밑변의 중점을 이은 선분)

예제 1 다음 그림과 같은 이등변삼각형 ABC에서 $\angle x$의 크기를 구하여라.

(1)

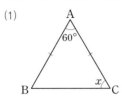

(2)

풀이 (1) $\overline{AB}=\overline{AC}$ ➡ $\angle B=\angle C$

$\angle B=\angle C=\angle x$이므로

$60°+2\angle x=180°$ $\therefore \angle x=$ **60°**

(2) $\overline{BA}=\overline{BC}$ ➡ $\angle BAC=\angle C$

$\angle BAC=\dfrac{1}{2}\times(180°-30°)=75°$

$\therefore \angle x=180°-75°=$ **105°**

Q 003 이등변삼각형이 되는 조건은?

A 두 변의 길이가 같거나 두 내각의 크기가 같으면 돼.

A 두 변의 길이가 같아도 이등변삼각형이 되지만 두 내각의 크기가 같아도 이등변삼각형이 된다.

두 변의 길이가 같으므로 이등변삼각형!

두 각의 크기가 같으므로 이등변삼각형!

다음 증명을 통해 두 내각의 크기가 같아도 이등변삼각형이 되는지 확인해 보자.

두 내각의 크기가 같은 삼각형은 이등변삼각형이다.

가정	두 내각의 크기가 같다. ➡ △ABC에서 $\angle B=\angle C$
결론	이등변삼각형이다. ➡ $\overline{AB}=\overline{AC}$
증명	$\angle A$의 이등분선과 변 BC가 만나는 점을 D라고 하면 △ABD와 △ACD에서 $\angle BAD=\angle CAD$ ……㉠ $\overline{AD}$는 공통 ……㉡ $\angle B=\angle C$이고 삼각형의 세 내각의 크기의 합은 180°이므로 $\angle ADB=\angle ADC$ ……㉢ ㉠, ㉡, ㉢에 의하여 △ABD≡△ACD (ASA 합동) $\therefore\ \overline{AB}=\overline{AC}$

|참고| 두 내각의 크기가 같은 삼각형이 이등변삼각형이므로 세 내각의 크기가 모두 같은 정삼각형도 당연히 이등변삼각형이다.

2. 직각삼각형의 합동 조건

일반적으로 두 삼각형이 합동임을 보일 때에는 다음 세 조건 중 하나를 보이면 된다.

SSS 합동   SAS 합동   ASA 합동

그런데 한 각의 크기가 90°로 고정되어 있는 직각삼각형은 한 예각의 크기가
정해지면 다른 예각의 크기도 정해지기 때문에 두 가지 정보만으로 합동인지
아닌지 알 수 있다. 즉, 직각삼각형에서만 쓸 수 있는 합동 조건이 있다는 말씀!

Q 004 직각삼각형에서만 사용되는 합동 조건이 있다?

 RHA 합동과 RHS 합동이 있어.

 한 각이 직각인 삼각형을 직각삼각형이라 하고, 직각삼각형에서 직각의
대변을 빗변이라고 한다.

모든 직각삼각형은 한 각이 직각이므로

두 직각삼각형의 빗변의 길이가 같을 때

다음 두 가지 조건 중 하나를 만족하면 두 직각삼각형이 합동이 된다.

한 예각의 크기가 같다.   또는   다른 한 변의 길이가 같다.

합동   합동

그 이유는 다음과 같이 쉽게 보일 수 있다.

① 빗변의 길이와 한 예각의 크기가 각각 같은 두 직각삼각형은 합동이다.

[증명] 두 직각삼각형 ABC와 DEF에서
$\angle C = \angle F = 90°$
$\overline{AB} = \overline{DE}$, $\angle B = \angle E$이고
$\angle A = 90° - \angle B = 90° - \angle E = \angle D$이므로
$\triangle ABC \equiv \triangle DEF$ (ASA 합동)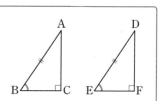

② 빗변의 길이와 다른 한 변의 길이가 각각 같은 두 직각삼각형은 합동이다.

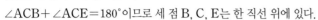

[증명] 두 직각삼각형 ABC와 DEF에서
∠C=∠F=90°, $\overline{AB}=\overline{DE}$,
$\overline{AC}=\overline{DF}$라고 하자.
△DEF를 뒤집어 길이가 같은 변 AC와
변 DF가 겹치도록 놓으면
∠ACB+∠ACE=180°이므로 세 점 B, C, E는 한 직선 위에 있다.
이때 △ABE는 $\overline{AB}=\overline{AE}$인 이등변삼각형이므로 ∠B=∠E이다.
따라서 두 직각삼각형의 빗변의 길이와 한 예각의 크기가 각각 같으므로
△ABC≡△DEF

위에서 증명한 ①, ②를 **직각삼각형의 합동 조건**이라 하고,

Right angle(직각), Hypotenuse(빗변), Angle(각), Side(변)

의 첫 글자를 사용하여 간단히 RHA 합동, RHS 합동이라고 한다.

직각삼각형의 합동 조건

① 빗변의 길이와 한 예각의 크기가 각각 같은 두 직각삼각형은 합동이다.

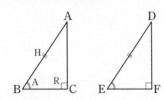

∠C=∠F=90°, $\overline{AB}=\overline{DE}$,
∠B=∠E이면
△ABC≡△DEF (RHA 합동)

② 빗변의 길이와 다른 한 변의 길이가 각각 같은 두 직각삼각형은 합동이다.

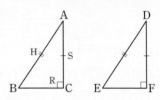

∠C=∠F=90°, $\overline{AB}=\overline{DE}$,
$\overline{AC}=\overline{DF}$이면
△ABC≡△DEF (RHS 합동)

> **예제 2** 다음 그림과 같은 두 직각삼각형이 합동임을 기호로 나타내고, 합동 조건을 말하여라.
>
> (1)
>
>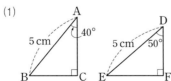
>
> (2)
>
>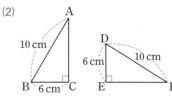

풀이 (1) ∠C=∠F=90°, $\overline{AB}=\overline{ED}$
　　 ∠B=90°−∠A=50°=∠D
　　 ∴ △ABC≡△EDF (RHA 합동)

(2) ∠C=∠E=90°, $\overline{AB}=\overline{FD}$
　 $\overline{BC}=\overline{DE}$
　 ∴ △ABC≡△FDE (RHS 합동)

Q **005** 각의 이등분선에는 어떤 성질이 있을까?

A

A 직각삼각형의 합동을 이용하면 각의 이등분선의 성질을 알 수 있다.

각의 이등분선의 성질

① 각의 이등분선 위의 한 점에서 그 각의 두 변까지의 거리는 같다.

→ ∠AOP＝∠BOP이면 $\overline{PA}=\overline{PB}$

② 각의 두 변에서 같은 거리에 있는 한 점은 그 각의 이등분선 위에 있다.

→ $\overline{PA}=\overline{PB}$이면 ∠AOP＝∠BOP

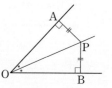

∠XOY의 이등분선 위의 한 점 P에서 각을 이루는 두 변 OX, OY에 내린 수선의 발을 각각 A, B라 하고, 위 성질을 증명하면 다음과 같다.

① △POA와 △POB에서

∠PAO＝∠PBO＝90°, $\overline{PO}$는 공통

∠AOP＝∠BOP

∴ △POA≡△POB (RHA 합동)

∴ $\overline{PA}=\overline{PB}$

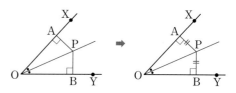

② △POA와 △POB에서

∠PAO＝∠PBO＝90°, $\overline{PO}$는 공통

$\overline{PA}=\overline{PB}$

∴ △POA≡△POB (RHS 합동)

∴ ∠AOP＝∠BOP

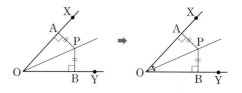

각의 이등분선에 대한 성질은 문제에서 많이 활용되므로 잘 기억해 두자.

예제 3 다음 그림과 같은 직각삼각형 ABC에서 x의 값을 구하여라.

(1)

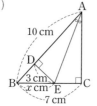
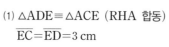

(2)

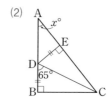

풀이 (1) △ADE≡△ACE (RHA 합동)

$\overline{EC}=\overline{ED}=3$ cm

∴ $x=7-3=$ **4**

(2) △DBC≡△DEC (RHS 합동)

∠BCD＝∠ECD＝90°-65°＝25°

∴ $x=90-2\times25=$ **40**

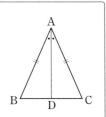
개념 (확인)

(1) 이등변삼각형의 꼭지각의 이등
분선은 밑변을 [   ]한
다.

(2) 빗변의 길이와 한 [   ]의 크
기가 각각 같은 두 직각삼각형
은 합동이다. (RHA 합동)

(3) 빗변의 길이와 다른 한 [   ]의
길이가 각각 같은 두 직각삼각
형은 합동이다. (RHS 합동)

01 다음은 이등변삼각형의 두 밑각의 크기가 서로 같음을 증명하는 과정이다.
☐ 안에 알맞은 것을 써넣어라.

△ABC에서 ∠A의 이등분선과 $\overline{BC}$의 교점을 D라고 하면
△ABD와 △ACD에서

$\overline{AB}$= [(가)]　　…… ㉠

∠BAD= [(나)]　　…… ㉡

[(다)] 는 공통　　…… ㉢

㉠, ㉡, ㉢에 의하여 △ABD≡△ACD ([(라)] 합동)

∴ ∠B=∠C

02 다음 그림에서 △ABC가 이등변삼각형일 때, ∠x의 크기를 구하여라.

(1)
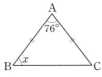

(2)

03 다음 그림과 같은 두 직각삼각형에 대하여 x의 값을 구하여라.

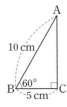

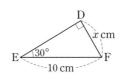

자기 (진단)

Q.001 ⊙ 019쪽
이등변삼각형에는 어떤 성질이 있
을까?

Q.004 ⊙ 022쪽
직각삼각형에서만 사용되는 합동
조건이 있다?

Q.005 ⊙ 024쪽
각의 이등분선에는 어떤 성질이 있
을까?

04 오른쪽 그림과 같이 ∠AOB의 이등분선 위의 한 점 P에서
$\overline{OA}$, $\overline{OB}$에 내린 수선의 발을 각각 C, D라고 할 때, 다음
중 옳지 <u>않은</u> 것은?

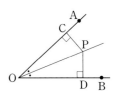

① ∠COP=∠DOP
② ∠PCO=∠PDO
③ $\overline{PC}=\overline{PD}$
④ △COP≡△DOP
⑤ ∠COD=∠DPC

문제 이해도를 ☺, ☺, ☹으로 표시해 보세요.

해설 BOOK **002**쪽 | 테스트 BOOK **002**쪽

유형 **1** 이등변삼각형의 성질 – 밑각의 크기

오른쪽 그림과 같이 $\overline{AB}=\overline{AC}$인 이등변삼각형 ABC에서 ∠B의 이등분선과 변 AC의 교점을 D라고 하자. ∠A=40°일 때, ∠ABD의 크기를 구하여라.

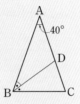

Summa Point
이등변삼각형의 두 밑각의 크기가 같음을 이용하여 ∠ABC의 크기를 먼저 구한다.

019쪽 **Q** 001 ↻

1-1 ☺☺☹

오른쪽 그림과 같이 $\overline{AB}=\overline{AC}$인 이등변삼각형 ABC에서 ∠B=65°일 때, ∠A의 크기를 구하여라.

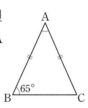

1-2 ☺☺☹

오른쪽 그림과 같은 직각삼각형 ABC에서 $\overline{AC}=\overline{DC}$이고, ∠CDA=50°일 때, ∠$x$의 크기를 구하여라.

1-3 ☺☺☹

오른쪽 그림에서 △ABC는 $\overline{AB}=\overline{AC}$인 이등변삼각형이고, ∠BAC=70°이다. $\overline{AD}/\!/\overline{BC}$일 때, ∠EAD의 크기를 구하여라.

유형 **2** 이등변삼각형의 성질 – 꼭지각의 이등분선

오른쪽 그림과 같이 $\overline{AB}=\overline{AC}$인 이등변삼각형 ABC에서 ∠A의 이등분선과 $\overline{BC}$의 교점을 D라고 하자. 다음 중 옳지 <u>않은</u> 것은?

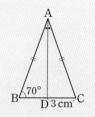

① $\overline{BD}=3$ cm
② ∠BAD=20°   ③ ∠B=∠C
④ $\overline{AD}\perp\overline{BC}$ ⑤ $\overline{AB}=6$ cm

Summa Point
이등변삼각형의 꼭지각의 이등분선은 밑변을 수직이등분한다.

019쪽 **Q** 001 ↻

2-1 ☺☺☹

오른쪽 그림과 같이 △ABC는 $\overline{AB}=\overline{AC}$인 이등변삼각형이고 $\overline{AD}$는 ∠A의 이등분선일 때, ∠x의 크기를 구하여라.

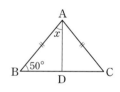

2-2 ☺☺☹

오른쪽 그림과 같이 $\overline{AB}=\overline{AC}$인 △ABC에서 ∠A의 이등분선과 $\overline{BC}$의 교점을 D라고 하자. 이때 $x+y$의 값을 구하여라.

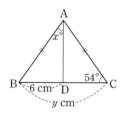

유형 **3** 이등변삼각형의 성질을 이용하여 각의 크기 구하기

오른쪽 그림에서
$\overline{AB}=\overline{AC}=\overline{CD}$이고,
$\angle BAC=98°$일 때, $\angle x$의
크기를 구하여라.

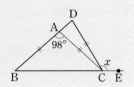

Summa Point
• 이등변삼각형의 두 밑각의 크기는 같다.
• (삼각형의 한 외각의 크기)
　＝(그와 이웃하지 않는 두 내각의 크기의 합)

019쪽 **Q** 001 ↻

3-1 ☺☹☹

오른쪽 그림과 같이 $\overline{AB}=\overline{AC}$
인 이등변삼각형 ABC에서
$\angle B$의 이등분선과 $\angle C$의 외각
의 이등분선이 만나는 점을 D라
고 하자. $\angle DCE=55°$일 때,
$\angle D$의 크기를 구하여라.

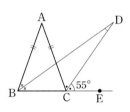

3-2 ☺☹☹

오른쪽 그림과 같은 $\triangle ABC$에서
$\overline{AB}=\overline{AC}$, $\overline{AD}=\overline{BD}=\overline{BC}$일 때,
$\angle x$의 크기를 구하여라.

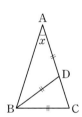

3-3 ☺☹☹

다음 그림에서 $\overline{AB}=\overline{BC}=\overline{CD}=\overline{DE}$이고 $\angle ADE=100°$
일 때, $\angle A$의 크기를 구하여라.

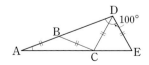

유형 **4** 이등변삼각형이 되는 조건

오른쪽 그림과 같이 $\overline{AB}=\overline{AC}$인 이등
변삼각형 ABC에서 점 D는 $\angle B$의 이
등분선과 $\overline{AC}$의 교점이다. $\angle A=36°$,
$\overline{BC}=12$ cm일 때, $\overline{BD}$의 길이를 구하
여라.

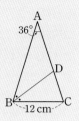

Summa Point
• 이등변삼각형의 두 밑각의 크기가 같음을 이용하여
　$\angle ABC$의 크기를 구한다.
• 두 내각의 크기가 같은 삼각형은 이등변삼각형임을 이용한다.

021쪽 **Q** 003 ↻

4-1 ☺☹☹

오른쪽 그림과 같은 $\triangle ABC$에서
$\angle B=48°$, $\angle BCD=96°$, $\overline{AC}=6$ cm
일 때, $\overline{BC}$의 길이는?

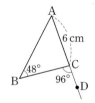

① 4 cm　　　② 5 cm

③ 6 cm　　　④ 7 cm

⑤ 8 cm

4-2 ☺☹☹

오른쪽 그림과 같이 $\overline{AB}=\overline{BC}$이고,
$\angle B=90°$인 직각이등변삼각형
ABC에서 $\angle B$의 이등분선과 $\overline{AC}$의
교점을 M이라고 할 때, 다음 중 옳지
<u>않은</u> 것은?

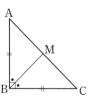

① $\angle A=45°$　　　② $\overline{BM}\perp\overline{AC}$　　　③ $\overline{AM}=\overline{CM}$

④ $\overline{AB}=\overline{CM}$　　　⑤ $\overline{BM}=\dfrac{1}{2}\overline{AC}$

직사각형 모양의 종이를 오른쪽 그림과 같이 접었다.
∠ABC=54°일 때, ∠x의 크기를 구하여라.

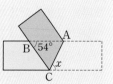

Summa Point
∠BAC=∠BCA이므로 △ABC는 $\overline{BA}=\overline{BC}$인 이등변삼각형이다.

021쪽 **Q 003** ↻

5-1 ☺☺☹
폭이 일정한 종이를 오른쪽 그림과 같이 접었을 때, x의 값을 구하여라.

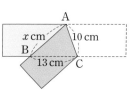

5-2 ☺☺☹
폭이 일정한 종이를 오른쪽 그림과 같이 접었다.
∠ABC=49°일 때, ∠x의 크기를 구하여라.

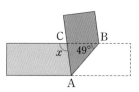

5-3 ☺☺☹
폭이 6 cm로 일정한 종이를 오른쪽 그림과 같이 접었다.
$\overline{AB}$=10 cm일 때, △ABC의 넓이를 구하여라.

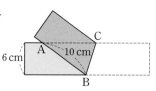

다음 중 오른쪽 그림과 같은 두 직각삼각형이 서로 합동이 되기 위한 조건이 **아닌** 것은?

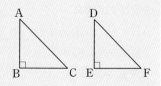

① $\overline{AB}=\overline{DE}$, $\overline{CA}=\overline{FD}$
② $\overline{AB}=\overline{DE}$, $\overline{BC}=\overline{EF}$
③ $\overline{CA}=\overline{FD}$, ∠C=∠F
④ $\overline{CA}=\overline{FD}$, ∠A=∠D
⑤ ∠A=∠D, ∠C=∠F

Summa Point
• 삼각형의 합동 조건 : SSS 합동, SAS 합동, ASA 합동
• 직각삼각형의 합동 조건 : RHS 합동, RHA 합동

022쪽 **Q 004** ↻

6-1 ☺☺☹
오른쪽 그림과 같이 두 직각삼각형 ABC와 DEF의 빗변의 길이가 서로 같을 때, 이 두 직각삼각형이 RHS 합동이 되기 위해 더 필요한 조건을 구하여라.

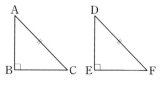

6-2 ☺☺☹
다음 보기의 직각삼각형 중 서로 합동인 것을 골라라.

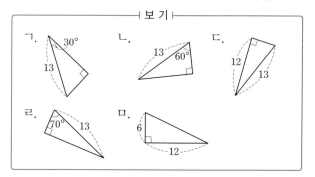

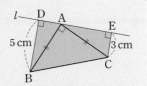

오른쪽 그림과 같이 $\overline{AB}=\overline{AC}$인 직각이등변 삼각형 ABC의 꼭짓점 A를 지나는 직선 l이 있다.

두 꼭짓점 B, C에서 직선 l에 내린 수선의 발을 각각 D, E라고 하자. $\overline{BD}=5\,\text{cm}$, $\overline{CE}=3\,\text{cm}$일 때, 다음을 구하여라.

(1) $\overline{DE}$의 길이

(2) □DBCE의 넓이

Summa Point

• 먼저 합동인 두 직각삼각형을 찾는다.

• 두 직각삼각형의 빗변의 길이가 같을 때, 크기가 같은 한 예 각이 있으면 RHA 합동이다.

022쪽 **Q 004** ⟳

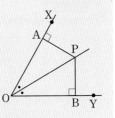

오른쪽 그림과 같이 ∠XOY의 이등분선 위의 점 P에서 두 반 직선 OX, OY에 내린 수선의 발을 각각 A, B라고 할 때, 다 음 중 옳지 <u>않은</u> 것은?

① $\overline{OA}=\overline{OB}$ ② $\overline{PA}=\overline{PB}$

③ ∠OPA=∠OPB   ④ $\angle AOB=\dfrac{1}{2}\angle APB$

⑤ △AOP≡△BOP

Summa Point

• 각의 이등분선 위의 임의의 점은 그 각의 두 변에서 같은 거 리에 있다.

• 각의 두 변에서 같은 거리에 있는 점은 그 각의 이등분선 위 에 있다.

024쪽 **Q 005** ⟳

7-1 ☺☺☹

오른쪽 그림과 같이 ∠C=90° 인 직각삼각형 ABC에서 $\overline{AD}=\overline{AC}$, $\overline{AB}\perp\overline{DE}$, ∠AED=55°일 때, ∠B의 크기는?

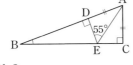

① 10°   ② 15°   ③ 20°

④ 25°   ⑤ 30°

8-1 ☺☹☹

오른쪽 그림과 같이 ∠B=90°인 직각 삼각형 ABC에서 ∠A의 이등분선이 변 BC와 만나는 점을 D라고 하자. $\overline{BD}=2\,\text{cm}$, $\overline{AC}=8\,\text{cm}$일 때, △ADC 의 넓이를 구하여라.

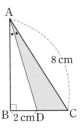

7-2 ☺☹☹

오른쪽 그림과 같이 △ABC 의 꼭짓점 A와 $\overline{BC}$의 중점 M 을 지나는 직선 l에 대하여 △ABC의 두 꼭짓점 B, C에 서 직선 l에 내린 수선의 발을 각각 D, E라고 하자.

$\overline{AM}=8\,\text{cm}$, $\overline{AE}=5\,\text{cm}$, $\overline{CE}=4\,\text{cm}$일 때, △ABD의 넓이를 구하여라.

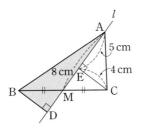

8-2 ☺☹☹

오른쪽 그림과 같이 ∠B=90°인 직각삼각형 ABC에서 점 D는 $\overline{AC}$의 중점이고, $\overline{BE}=\overline{DE}$, $\overline{AC}\perp\overline{DE}$이다. 이때 ∠$x$의 크기 는?

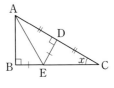

① 25°   ② 30°   ③ 35°

④ 40°   ⑤ 45°

LECTURE 02 삼각형의 외심과 내심

V-1. 삼각형의 성질

SUMMA **NOTE**

1. 삼각형의 외심

(1) 삼각형의 외접원 : △ABC의 세 꼭짓점을 지나는 원

(2) 외심 : 삼각형의 외접원의 중심

(3) 삼각형의 외심의 성질

① 삼각형의 세 변의 수직이등분선은 한 점(외심)에서 만난다.

② 삼각형의 외심에서 세 꼭짓점에 이르는 거리는 같다.

➡ $\overline{OA}=\overline{OB}=\overline{OC}$=(외접원의 반지름의 길이)

(4) 삼각형의 외심의 활용 : 점 O가 △ABC의 외심일 때

① $\angle x+\angle y+\angle z=90°$

② $\angle BOC=2\angle A$

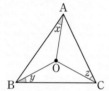 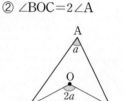

2. 삼각형의 내심

(1) 삼각형의 내접원 : △ABC의 세 변에 접하는 원

(2) 내심 : 삼각형의 내접원의 중심

(3) 삼각형의 내심의 성질

① 삼각형의 세 내각의 이등분선은 한 점(내심)에서 만난다.

② 삼각형의 내심에서 세 변에 이르는 거리는 같다.

➡ $\overline{ID}=\overline{IE}=\overline{IF}$=(내접원의 반지름의 길이)

(4) 삼각형의 내심의 활용 : 점 I가 △ABC의 내심일 때

① $\angle x+\angle y+\angle z=90°$

② $\angle BIC=90°+\dfrac{1}{2}\angle A$

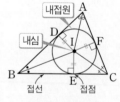

원과 직선이 한 점에서
만날 때, 이 직선은 원
에 접한다고 한다.

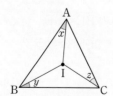 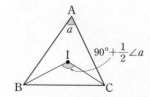

1. 삼각형의 외심

오른쪽 그림과 같이 △ABC의 세 꼭짓점이 원 O 위에 있을 때,

원 O는 △ABC에 **외접**한다고 하고,

외접하는 원 O를 △ABC의 **외접원**,

이 외접원의 중심 O를 △ABC의 **외심**이라고 한다.

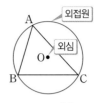

바깥 외 : 外

Q 006 삼각형의 외심은 어떻게 찾을까?

A 두 변의 수직이등분선의 교점을 찾으면 돼!

A 외심은 외접원의 중심이므로 다음과 같이 △ABC에서 외심 O와 삼각형의 두 꼭짓점을 이으면 이등변삼각형이 만들어진다.

외접원의 반지름의
길이는 같으므로
이등변삼각형

 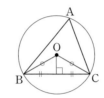 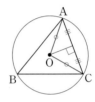

△OAB, △OBC, △OCA가 모두 이등변삼각형이므로 각각의 밑변,
즉 $\overline{AB}$, $\overline{BC}$, $\overline{CA}$의 수직이등분선은 모두 외심 O를 지나게 된다.
이에 착안하면

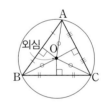

외심은 삼각형의 세 변의 수직이등분선의 교점

임을 알 수 있다. 여기서 궁금한 점이 하나 생긴다.

"삼각형의 세 변의 수직이등분선이 정말로 한 점에서 만날까?"

물론 답은 YES! 이 사실은 다음과 같이 간단히 증명된다.

[증명] △ABC에서 $\overline{AB}$, $\overline{AC}$의 수직이등분선의 교점을 O라고 하자.
점 O는 $\overline{AB}$, $\overline{AC}$의 수직이등분선 위의 점이므로
$\overline{OA} = \overline{OB}$, $\overline{OA} = \overline{OC}$ ∴ $\overline{OB} = \overline{OC}$
이때 점 O에서 $\overline{BC}$에 내린 수선의 발을 D라고 하면
△OBD와 △OCD에서
∠ODB = ∠ODC = 90°, $\overline{OB} = \overline{OC}$, $\overline{OD}$는 공통이므로
△OBD ≡ △OCD (RHS 합동)
즉 $\overline{BD} = \overline{CD}$이므로 $\overline{OD}$는 $\overline{BC}$의 수직이등분선이다.
따라서 △ABC의 세 변의 수직이등분선은 한 점 O에서 만난다.

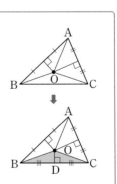

| 참고 | 선분의 수직이등분선의 성질

$\overline{AB}$의 수직이등분선 위의 한 점을 O라고 하면 점 O에서 양 끝 점 A, B
에 이르는 거리는 같다. ➡ $\overline{OA} = \overline{OB}$

외심에 대해 간단히 정리하면 다음과 같다.

삼각형의 외심

① 삼각형의 세 변의 수직이등분선은 한 점(외심)에서 만난다.
② 외심에서 삼각형의 세 꼭짓점에 이르는 거리는 같다.
➡ $\overline{OA} = \overline{OB} = \overline{OC} = $(외접원의 반지름의 길이)

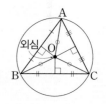

참고로, 외심을 찾기 위해 세 변의 수직이등분선을 모두 그을 필요는 없다.
세 직선이 한 점에서 만난다면 두 직선의 교점이 곧 세 직선의 교점이 되므로
두 변의 수직이등분선의 교점이 곧 외심이다.

| 참고 | 모든 삼각형은 외접원을 그릴 수 있다. 또한 모든 정다각형은 외접원을 그릴 수 있다.
하지만 이외의 다각형은 특별한 경우에만 외접원을 그릴 수 있다.

←외접원을
그릴 수 없다!

예제 4 다음 그림에서 점 O가 △ABC의 외심일 때, x, y의 값을 각각 구하여라.

(1)
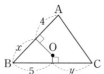

(2)
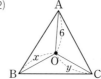

풀이 (1) 삼각형의 외심은 세 변의
수직이등분선의 교점이므로
$x = 4$, $y = 5$

(2) 점 O는 외접원의 중심이므로
$\overline{OA} = \overline{OB} = \overline{OC}$
∴ $x = y = 6$

Math STORY

모래로 찾는 삼각형의 외심

다음 그림과 같이 위쪽 그릇에 임의로 똑같은 크기의 3개의 구멍을 뚫고, 동시에 모래를 흘려 보냈다. 모래가 흘러내리면서 아래쪽에 생기는 3개의 모래더미의 경계선들은 모래를 뿌린 구멍을 이은 삼각형의 각 변의 수직이등분선이 된다. 따라서 세 경계선이 만나는 점이 삼각형의 외심이 된다.

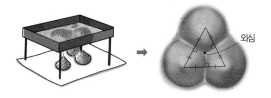

Q 007 삼각형의 모양에 따른 외심의 위치는?

A 예각삼각형은 내부, 직각삼각형은 빗변, 둔각삼각형은 외부에 있어.

A 모든 삼각형은 외접원이 항상 존재한다. 이때 외접원의 중심, 즉 외심은 삼각형의 모양에 따라 그 위치가 바뀌는데, 삼각형을 예각삼각형, 직각삼각형, 둔각삼각형으로 나누어 살펴보면 다음과 같다.

	예각삼각형	직각삼각형	둔각삼각형
삼각형의 모양			
외심의 위치	삼각형의 내부	빗변의 중점	삼각형의 외부

직각삼각형의 경우는 빗변의 중점이 외심이므로 다음 그림에서 $\overline{OA}$, $\overline{OB}$, $\overline{OC}$가 외접원의 반지름이 된다.

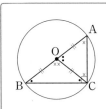

① (빗변)=(외접원의 지름)

② $\overline{OA}=\overline{OB}=\overline{OC}$

③ $\angle AOC=2\angle B$

④ $\angle BOC=2\angle A$

한편 이등변삼각형의 경우는 밑변의 수직이등분선이 곧 꼭지각의 이등분선이므로 이등변삼각형의 외심은 꼭지각의 이등분선 위에 있다.

예각이등변삼각형

직각이등변삼각형

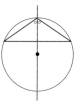

둔각이등변삼각형

예제 5 오른쪽 그림과 같은 직각삼각형 ABC에서 빗변 AC의 중점을 M이라고 할 때, $\overline{\text{BM}}$의 길이를 구하여라.

풀이 점 M이 빗변의 중점이므로 점 M은 삼각형 ABC의 외심이다.

➡ $\overline{\text{BM}} = \overline{\text{AM}} = \overline{\text{CM}} = \dfrac{8}{2} = 4(\text{cm})$

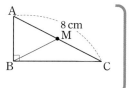

Q 008 삼각형의 외심의 성질을 이용하여 각의 크기를 어떻게 구할까?

A 외심을 한 꼭짓점으로 하는 삼각형이 이등변삼각형임을 이용해!

A 점 O가 △ABC의 외심일 때, 각의 크기에 대해 다음과 같은 두 가지 공식이 생긴다.

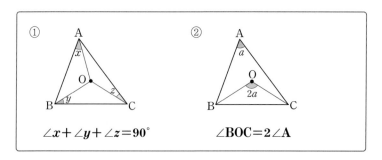

① $\angle x + \angle y + \angle z = 90°$

② $\angle \text{BOC} = 2\angle \text{A}$

위 식이 성립함은

삼각형의 외심에서 삼각형의 세 꼭짓점에 이르는 거리가 모두 같다

는 사실에서 자연스럽게 확인된다. 무조건 암기하려 들지 말고, 원리를 이해하자!

[공식 ①]   △ABC의 외심 O에서 각 꼭짓점

A, B, C를 연결하면

$\overline{OA}=\overline{OB}=\overline{OC}$

즉 △OAB, △OBC, △OCA는 모두

이등변삼각형이다.

이때 △ABC의 세 내각의 크기의 합은 180°이므로

$\angle A + \angle B + \angle C = (\angle x + \angle z) + (\angle x + \angle y) + (\angle y + \angle z)$

$= 2(\angle x + \angle y + \angle z) = 180°$

$\therefore \angle x + \angle y + \angle z = 90°$

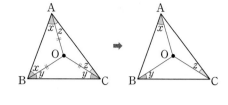

[공식 ②] $\overline{AO}$의 연장선과 $\overline{BC}$의 교점을 D라고

하면 $\angle OBA = \angle OAB$,

$\angle OCA = \angle OAC$

이므로 삼각형의 외각의 성질에 의해

$\angle BOC = \angle BOD + \angle COD$

$= 2\angle OAB + 2\angle OAC$

$= 2(\angle OAB + \angle OAC) = 2\angle A$

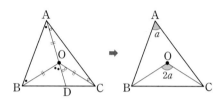

예제 6 다음 그림에서 점 O가 △ABC의 외심일 때, $\angle x$의 크기를 구하여라.

(1)

(2)

풀이 (1) $\angle x + 40° + 20° = 90°$

$\therefore \angle x = \mathbf{30°}$

(2) $120° = 2\angle x$

$\therefore \angle x = \mathbf{60°}$

Math STORY

삼각형의 외심의 활용

삼각형의 외심을 찾아 외접원을 그리는 방법을 이용하면 원의 일부만

있어도 원래 원의 모양을 찾을 수 있다.

오른쪽 그림은 경주의 영묘사 터에서 출토된 얼굴 무늬 수막새로 원래

원 모양이었는데 일부가 깨져 있었다. 이 유물의 모양을 복원하는 데

삼각형의 외심이 유용하게 사용되었다.

일단 수막새의 테두리에 세 점 A, B, C를 잡아 삼각형 ABC를 그린

다음 세 변의 수직이등분선의 교점(외심)을 찾아 외접원을 그리면 끝!

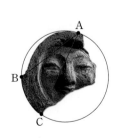

2. 삼각형의 내심

오른쪽 그림과 같이 원과 직선이 한 점에서 만나면 그 직선은 원에 **접한다**고 한다. 이때 원에 접하는 직선을 원의 **접선**이라 하고, 접선이 원과 만나는 점을 **접점**이라고 하는데, 중요한 사실은

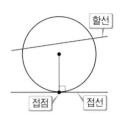

원의 중심과 접점을 이은 선분(원의 반지름)은 접선에 직교한다

는 점이다.

한편 접선과 달리 원과 두 점에서 만나는 직선을 그 원의 **할선**이라고 한다.

오른쪽 그림과 같이 원 I가 △ABC의 세 변에 접하고 있을 때,

원 I는 △ABC에 **내접**한다고 하고,
내접하는 원 I를 △ABC의 **내접원**,
이 내접원의 중심 I를 △ABC의 **내심**이라고 한다.

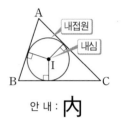

안 내 : 内

Q 009 삼각형의 내심은 어떻게 찾을까?

A 두 내각의 이등분선의 교점을 찾으면 돼!

A 원의 성질에 의해 다음과 같이 내심 I에서 삼각형의 세 변에 이르는 거리는 같다.

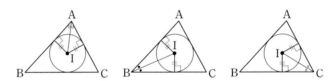

이때 점 I에서 삼각형의 세 변에 내린 수선의 발을 각각 D, E, F라고 하면
△ADI ≡ △AFI, △BDI ≡ △BEI, △CEI ≡ △CFI (RHS 합동)
이므로 ∠DAI = ∠FAI, ∠DBI = ∠EBI, ∠ECI = ∠FCI이다.
따라서 삼각형의 세 내각의 이등분선은 모두 내심 I를 지나게 된다.
이에 착안하면

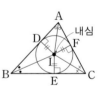

내심은 삼각형의 세 내각의 이등분선의 교점

임을 알 수 있다. 외심에서와 같이 내심에서도 다음과 같이 의심할 수 있다.

"삼각형의 세 내각의 이등분선이 정말로 한 점에서 만날까?"

역시 답은 YES! 이 사실은 다음과 같이 간단히 증명된다.

[증명] 오른쪽 그림과 같이 △ABC에서 ∠A, ∠B의 이등분선의 교점을
I라 하고, 점 I에서 세 변 AB, BC, CA에 내린 수선의 발을 각각 D,
E, F라고 하면

△ADI≡△AFI, △BDI≡△BEI (RHA 합동)

∴ $\overline{ID}=\overline{IE}=\overline{IF}$

△CEI와 △CFI에서

∠CEI = ∠CFI = 90°, $\overline{IE}=\overline{IF}$, $\overline{IC}$는 공통이므로

△CEI ≡ △CFI (RHS 합동)

즉, ∠ICE = ∠ICF이므로 $\overline{IC}$는 ∠C의 이등분선이다.

따라서 △ABC의 세 내각의 이등분선은 한 점 I에서 만난다.

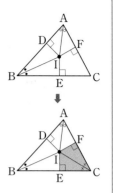

내심에 대해 간단히 정리하면 다음과 같다.

삼각형의 내심
① 삼각형의 세 내각의 이등분선은 한 점(내심)에서 만난다.
② 내심에서 삼각형의 세 변에 이르는 거리는 같다.
  ➡ $\overline{ID}=\overline{IE}=\overline{IF}$=(내접원의 반지름의 길이)

외심에서와 같이 위에서 증명한 사실에 의해 삼각형의 내심을 찾을 때에도 세 각의 이등분선을
모두 그을 필요는 없다는 것을 알 수 있다. 즉,

두 내각의 이등분선의 교점이 곧 내심이 된다.

내심 I에서 세 변에 이르는 거리가 반지름의 길이인 원을 그리면 삼각형 ABC의 세 변에 내접하
는 내접원이 그려진다.

예제 7 다음 그림에서 점 I가 △ABC의 내심일 때, x의 값을 구하여라.

(1)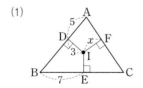

(2)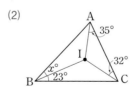

풀이

(1) 내심 I에서 세 변에 이르는 거리는
   같으므로 $\overline{ID}=\overline{IE}=\overline{IF}$
   ∴ $x=3$

(2) 내심 I는 세 내각의 이등분선의
   교점이므로 ∠IBA = ∠IBC
   ∴ $x=23$

A 모든 삼각형의 내심은 삼각형의 내부에 있다.

A 삼각형의 외심은 삼각형의 모양에 따라 그 위치가 내부와 외부 등으로 다르게 나타났다.
그렇다면 삼각형의 내심도 내부와 외부로 다르게 위치할까?
NO! 모든 삼각형의 내심은 삼각형의 내부에 있다. 내접원 자체가 삼각형 안에 있는 원이니 그 중심이 삼각형 안에 있음은 너무나 당연하다.

삼각형의 모양	예각삼각형	직각삼각형	둔각삼각형
	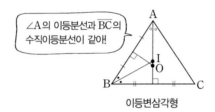	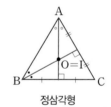	
내심의 위치	삼각형의 내부		

여러 삼각형 중 내심의 위치를 짐작할 수 있는 것은 이등변삼각형과 정삼각형이다.
이등변삼각형의 내심은 외심에서와 같이 꼭지각의 이등분선 위에 있고, 정삼각형의 내심과 외심은 일치한다.

∠A의 이등분선과 $\overline{BC}$의 수직이등분선이 같아!

이등변삼각형   정삼각형

Math STORY

모래로 찾는 삼각형의 내심

삼각형 모양의 판 위에 모래가 흘러내릴 때까지 충분히 모래를 부으면 삼각형 내부의 어느 한 부분이 가장 높게 쌓이게 된다. 이때 모래가 높게 쌓여 생기는 세 선은 삼각형의 세 내각의 이등분선이 되고, 이 세 선이 만나는 점은 삼각형의 내심이 된다.

내심

Q 에11 삼각형의 내심의 성질을 이용하여 각의 크기를 어떻게 구할까?

A 내심이 세 내각의 이등분선의 교점임을 이용해!

A 점 I가 △ABC의 내심일 때, 각의 크기에 대해 다음과 같은 두 가지 공식이 생긴다.

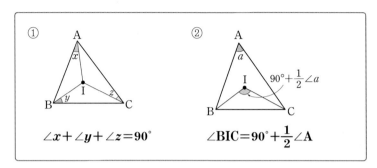

위 식이 성립함은

삼각형의 내심은 세 내각의 이등분선의 교점이다

는 사실에서 자연스럽게 확인된다. 무조건 암기하려 들지 말고, 원리를 이해하자!

[공식 ①] △ABC의 내심 I에서 각 꼭짓점
A, B, C를 연결하면 △ABC의
세 내각의 크기의 합은 $180°$이므로
$2∠x + 2∠y + 2∠z = 180°$
∴ $∠x + ∠y + ∠z = 90°$

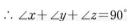

[공식 ②] $\overline{AI}$의 연장선과 $\overline{BC}$의 교점을 D라고 하면
$$∠BIC = ∠BID + ∠CID$$
$$= \left(\frac{1}{2}∠A + \frac{1}{2}∠B\right)$$
$$+ \left(\frac{1}{2}∠A + \frac{1}{2}∠C\right)$$
$$= \frac{1}{2}(∠A + ∠B + ∠C) + \frac{1}{2}∠A$$
$$= 90° + \frac{1}{2}∠A$$

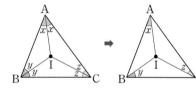

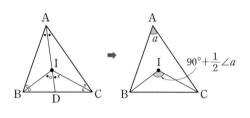

예제 8 다음 그림에서 점 I가 △ABC의 내심일 때, $∠x$의 크기를 구하여라.

(1)

(2)

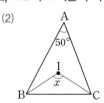

풀이 (1) $∠x + 25° + 33° = 90°$

∴ $∠x = 32°$

(2) $∠x = 90° + \frac{1}{2} × 50° = \mathbf{115°}$

내심과 외심은 완전히 다르면서도 유사하게 보이므로 헷갈리는 경우가 많다. 비교하여 알아두자.

	외심	내심
그림	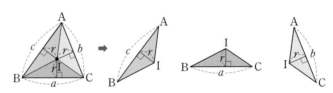	
뜻	삼각형의 외접원의 중심	삼각형의 내접원의 중심
위치	삼각형의 세 변의 수직이등분선의 교점	삼각형의 세 내각의 이등분선의 교점
성질	외심에서 세 꼭짓점에 이르는 거리가 같다.	내심에서 세 변에 이르는 거리가 같다.

Q 012   내접원의 반지름의 길이를 이용하여 삼각형의 넓이를 어떻게 구할까?

A (바른) △ABC의 내접원의 반지름의 길이가 r이면 $\triangle ABC = \frac{1}{2}r(\overline{AB}+\overline{BC}+\overline{CA})$

A (친절한) △ABC의 세 변의 길이가 각각 a, b, c이고 내접원의 반지름의 길이가 r일 때, 다음 그림과 같이 높이가 r인 세 개의 삼각형으로 나누어 △ABC의 넓이를 구할 수 있다.

$$\triangle ABC = \triangle IBC + \triangle ICA + \triangle IAB$$
$$= \frac{1}{2}ar + \frac{1}{2}br + \frac{1}{2}cr = \underbrace{\frac{1}{2}r(a+b+c)}_{\text{둘레의 길이}}$$

위 식에서 알 수 있듯이 삼각형의 각 변의 길이를 모르더라도

둘레의 길이와 내접원의 반지름의 길이만 알면

삼각형의 넓이를 구할 수 있다.

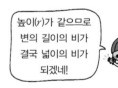

높이(r)가 같으므로 변의 길이의 비가 결국 넓이의 비가 되겠네!

예제 9 오른쪽 그림에서 점 I는 직각삼각형 ABC의 내심이다. △ABC의 둘레의 길이는 12 cm, 넓이는 6 cm²일 때, 내접원의 반지름의 길이 r를 구하여라.

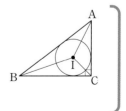

풀이 $\triangle ABC = \frac{1}{2} \times r \times 12 = 6$이므로

$6r = 6$ ∴ $r = 1$

A 합동인 세 쌍의 삼각형이 생기므로 길이가 같은 세 쌍의 선분이 생겨!

A 오른쪽 그림과 같이 △ABC의 내접원이 세 변과 접하는 점을 각각 D, E, F라고 하면

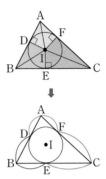

$$\triangle ADI \equiv \triangle AFI, \quad \triangle BDI \equiv \triangle BEI, \quad \triangle CEI \equiv \triangle CFI$$

이므로 다음이 항상 성립한다.

$$\overline{AD} = \overline{AF}, \quad \overline{BD} = \overline{BE}, \quad \overline{CE} = \overline{CF}$$

위의 사실을 이용하면 다음 예제에서와 같이 일부 정보만 주어져 있어도 나머지 선분의 길이와 삼각형의 둘레의 길이를 구할 수 있다.

예제 10 다음 그림에서 점 I가 △ABC의 내심일 때, △ABC의 둘레의 길이를 구하여라.

(1)

(2)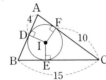

풀이 | (1) $\overline{BD} = 4$, $\overline{CF} = 3$, $\overline{AF} = 6$

∴ (둘레의 길이) $= 2 \times (4+3+6) = \mathbf{26}$

(2) $\overline{AF} = 4$, $\overline{CE} = 10$,

$\overline{BD} = \overline{BE} = 15 - 10 = 5$

∴ (둘레의 길이) $= 2 \times (4+10+5) = \mathbf{38}$

한편 위와 같은 내심의 성질을 이용하면 세 변의 길이가 주어진 직각삼각형의 내접원의 반지름의 길이를 구할 수 있다.

예제 11 오른쪽 그림에서 점 I가 직각삼각형 ABC의 내심일 때, 내접원의 반지름의 길이 r를 구하여라.

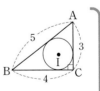

풀이 | 내심 I에서 각 변에 내린 수선의 발을 D, E, F라고 하면
□IECF는 한 변의 길이가 r인 정사각형이다.
$\overline{BD} = \overline{BE}$, $\overline{AD} = \overline{AF}$이므로
$\overline{AB} = (4-r) + (3-r) = 5$ ∴ $r = \mathbf{1}$

| 참고 | **Q 012** 방법을 이용하여 풀 수도 있다.

$\triangle ABC = \dfrac{1}{2} r(4+3+5) = \dfrac{1}{2} \times 4 \times 3$이므로

$6r = 6$ ∴ $r = 1$

개념 확인

(1) 삼각형의 세 변의 수직이등분선의 교점을 [   ]이라고 한다.

(2) 삼각형의 외심에서 세 [   ]에 이르는 거리는 같다.

(3) 삼각형의 세 내각의 이등분선의 교점을 [   ]이라고 한다.

(4) 삼각형의 내심에서 세 [   ]에 이르는 거리는 같다.

01 오른쪽 그림에서 점 O가 △ABC의 외심일 때, 다음 보기 중 옳은 것을 모두 골라라.

보기
ㄱ. $\overline{OD}=\overline{OE}=\overline{OF}$ ㄴ. $\overline{OA}=\overline{OB}=\overline{OC}$
ㄷ. $\overline{AD}=\overline{AF}$ ㄹ. $\overline{AD}=\overline{BD}$
ㅁ. △OAF≡△OCF

02 다음 그림에서 점 O가 △ABC의 외심일 때, ∠x의 크기를 구하여라.

(1)

(2)
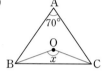

03 오른쪽 그림에서 점 I가 △ABC의 내심일 때, 다음 보기 중 옳은 것을 모두 골라라.

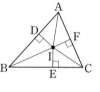

보기
ㄱ. $\overline{CE}=\overline{CF}$ ㄴ. $\overline{ID}=\overline{IE}=\overline{IF}$
ㄷ. $\overline{IA}=\overline{IB}=\overline{IC}$ ㄹ. △IAD≡△IAF
ㅁ. △IBD≡△IAD

04 다음 그림에서 점 I가 △ABC의 내심일 때, ∠x의 크기를 구하여라.

(1)
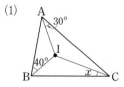

(2)
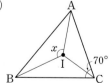

자기 진단

Q006 ◎ 031쪽
삼각형의 외심은 어떻게 찾을까?

Q008 ◎ 034쪽
삼각형의 외심의 성질을 이용하여 각의 크기를 어떻게 구할까?

Q009 ◎ 036쪽
삼각형의 내심은 어떻게 찾을까?

Q011 ◎ 039쪽
삼각형의 내심의 성질을 이용하여 각의 크기를 어떻게 구할까?

문제 이해도를 ☺, ☺, ☹으로 표시해 보세요.　　　　

유형 1 삼각형의 외심

오른쪽 그림에서 점 O는 △ABC의 외심이다. 다음 중 옳지 <u>않은</u> 것은?

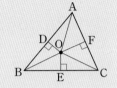

① $\overline{OA}=\overline{OB}=\overline{OC}$
② $\overline{BE}=\overline{CE}$
③ $\angle OAD=\angle OBD$
④ $\overline{OD}=\overline{OE}=\overline{OF}$
⑤ $\triangle OAD\equiv\triangle OBD$

Summa Point
• 삼각형의 외심은 삼각형의 세 변의 수직이등분선의 교점이다.
• 삼각형의 외심에서 세 꼭짓점에 이르는 거리는 같다.

031쪽 **Q 006** ↻

유형 2 직각삼각형의 외심의 위치

오른쪽 그림에서 점 O는 $\angle C=90°$인 직각삼각형 ABC의 외심이다. $\overline{AB}=10$ cm, $\overline{BC}=6$ cm, $\overline{CA}=8$ cm일 때, △OBC의 둘레의 길이를 구하여라.

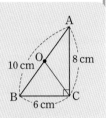

Summa Point
• 직각삼각형의 외심은 빗변의 중점과 일치한다.
• $\overline{OA}=\overline{OB}=\overline{OC}$

033쪽 **Q 007** ↻

1-1 ☺☺☹

오른쪽 그림에서 점 O가 △ABC의 외심이고, $\angle OAC=42°$, $\angle OBC=34°$일 때, $\angle C$의 크기를 구하여라.

2-1 ☺☺☹

오른쪽 그림에서 △ABC는 $\angle B=90°$인 직각삼각형이다. $\overline{AB}=12$ cm, $\overline{BC}=16$ cm, $\overline{CA}=20$ cm일 때, △ABC의 외접원의 둘레의 길이를 구하여라.

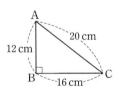

1-2 ☺☺☹

오른쪽 그림에서 점 O가 △ABC의 외심이고, $\angle AOB=80°$, $\angle AOC=60°$일 때, $\angle BAC$의 크기를 구하여라.

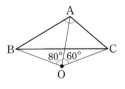

2-2 ☺☺☹

오른쪽 그림과 같이 $\angle A=90°$인 직각삼각형 ABC에서 점 M은 $\overline{BC}$의 중점이다. $\angle ABC=30°$일 때, $\angle AMC$의 크기를 구하여라.

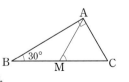

유형 ❸ 삼각형의 외심의 성질

오른쪽 그림에서 점 O는 △ABC
의 외심이다. ∠OAB=30°,
∠OCA=34°일 때, ∠BOC의 크
기를 구하여라.

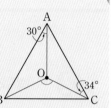

Summa Point
점 O가 △ABC의 외심이므로
• ∠OAB+∠OBC+∠OCA=90°
• ∠BOC=2∠BAC

034쪽 **Q 008** ↻

3-1 ☺☺☹

오른쪽 그림에서 점 O는 △ABC의
외심이다. ∠OBC=26°,
∠OCA=40°일 때, ∠x의 크기를
구하여라.

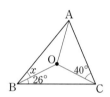

3-2 ☺☺☹

오른쪽 그림에서 점 O는 △ABC
의 외심이다. ∠C=42°일 때,
∠x의 크기를 구하여라.

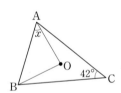

3-3 ☺☺☹

오른쪽 그림에서 점 O는 △ABC의
외심이다. ∠ABO=25°, ∠BOC=96°
일 때, ∠x의 크기를 구하여라.

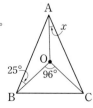

유형 ❹ 삼각형의 내심

오른쪽 그림에서 점 I는 △ABC
의 내심이다. 다음 중 옳지 <u>않은</u>
것은?

① $\overline{ID}=\overline{IE}=\overline{IF}$
② ∠IBD=∠IAD
③ ∠IAD=∠IAF
④ $\overline{BD}=\overline{BE}$
⑤ △IBD≡△IBE

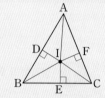

Summa Point
• 삼각형의 내심은 삼각형의 세 내각의 이등분선의 교점이다.
• 삼각형의 내심에서 세 변에 이르는 거리는 같다.

036쪽 **Q 009** ↻

4-1 ☺☺☹

오른쪽 그림에서 점 I는 △ABC의
내심이다. $\overline{FC}$의 길이를 구하여라.

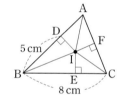

4-2 ☺☺☹

오른쪽 그림에서 점 I는 △ABC의 내심
이다. ∠ABI=40°, ∠ACI=35°일
때, ∠BIC의 크기를 구하여라.

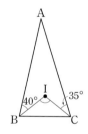

4-3 ☺☺☹

오른쪽 그림에서 점 I는 △ABC의 내심
이다. ∠IBC=31°, ∠ICB=38°일 때,
∠x의 크기를 구하여라.

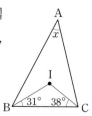

유형 ⑤ 삼각형의 내심의 성질

오른쪽 그림에서 점 I는
△ABC의 내심이다.
∠A=80°, ∠ABI=30°일
때, ∠x의 크기를 구하여라.

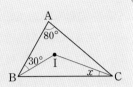

Summa Point
점 I가 △ABC의 내심이므로
- ∠ABI+∠BCI+∠CAI=90°
- ∠BIC=90°+$\frac{1}{2}$∠A

039쪽 **Q 011** ○

유형 ⑥ 삼각형의 넓이와 내접원의 반지름의 길이

오른쪽 그림에서 점 I는
∠B=90°인 직각삼각형
ABC의 내심이다.
$\overline{AB}$=6 cm, $\overline{BC}$=8 cm,
$\overline{CA}$=10 cm일 때, △ABC의
내접원의 반지름의 길이를 구하여라.

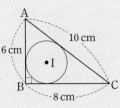

Summa Point
△ABC의 내접원의 반지름의 길이를 r라 하면
△ABC=$\frac{1}{2}$×r×(△ABC의 둘레의 길이)

040쪽 **Q 012** ○

5-1 ☺☺☹

오른쪽 그림에서 점 I는 △ABC
의 내심이다. ∠IAB=30°,
∠ICA=36°일 때, ∠x−∠y의
크기를 구하여라.

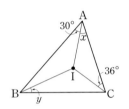

5-2 ☺☺☹

오른쪽 그림에서 점 I는 △ABC의
내심이다. ∠BAI=24°일 때,
∠BIC의 크기를 구하여라.

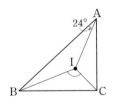

5-3 ☺☺☹

오른쪽 그림에서 점 I는 $\overline{AB}$=$\overline{AC}$
인 이등변삼각형 ABC의 내심이
다. ∠BAC=80°일 때, ∠AIC의
크기를 구하여라.

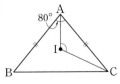

6-1 ☺☺☹

오른쪽 그림에서 점 I는
△ABC의 내심이고 내접원
의 반지름의 길이는 2 cm이
다. $\overline{AB}$=5 cm, $\overline{BC}$=13 cm,
$\overline{AC}$=12 cm일 때, △ABC의 넓이를 구하여라.

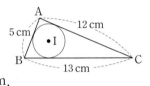

6-2 ☺☺☹

오른쪽 그림에서 점 I는 △ABC
의 내심이다. △ABC의 둘레의
길이가 36 cm이고, 넓이가
60 cm²일 때, 내접원의 반지름
의 길이를 구하여라.

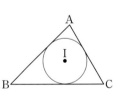

6-3 ☺☺☹

오른쪽 그림에서 점 I는
∠C=90°인 직각삼각형 ABC
의 내심이다. $\overline{AB}$=20 cm,
$\overline{BC}$=16 cm, $\overline{CA}$=12 cm
일 때, △IBC의 넓이를 구하
여라.

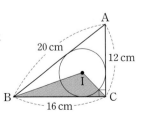

유형 ⑦ 삼각형의 내심의 활용

오른쪽 그림에서 점 I는
△ABC의 내심이고,
세 점 D, E, F는 내접원과 삼각
형의 세 변의 접점이다. $\overline{AB}=9$,
$\overline{BC}=10$, $\overline{CA}=8$일 때, $\overline{CE}$의
길이를 구하여라.

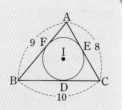

Summa Point
· $\overline{CE}=x$라 하고, $\overline{AB}$의 길이를 x를 이용하여 나타낸다.
· $\overline{CD}=\overline{CE}$, $\overline{AF}=\overline{AE}$, $\overline{BF}=\overline{BD}$임을 이용한다.

041쪽 **Q** 013 ↻

7-1 ☺😐☹

오른쪽 그림에서 점 I는 △ABC의
내심이고, 세 점 P, Q, R는 내접원과
세 변의 접점이다. $\overline{AB}=16$ cm,
$\overline{AC}=18$ cm, $\overline{AP}=12$ cm일 때,
$\overline{BC}$의 길이를 구하여라.

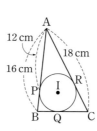

7-2 ☺😐☹

오른쪽 그림과 같이 $\angle B=90°$
인 직각삼각형 ABC의 내접원
의 반지름의 길이는 3 cm이다.
$\overline{AB}=9$ cm, $\overline{AC}=15$ cm일
때, $\overline{BC}$의 길이를 구하여라.

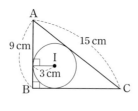

7-3 ☺😐☹

오른쪽 그림에서 점 I는 △ABC의
내심이다. $\overline{AB}=\overline{AC}$, $\overline{DE}/\!/\overline{BC}$,
$\overline{BC}=10$ cm이고, △ABC의 둘레
의 길이가 30 cm일 때, $\overline{AD}+\overline{DI}$의
길이를 구하여라.

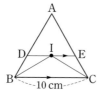

유형 ⑧ 삼각형의 외심과 내심

오른쪽 그림에서 점 O와 점 I는
각각 △ABC의 외심과 내심이
다. $\angle BOC=104°$일 때, $\angle BIC$
의 크기와 $\angle A$의 크기의 차를
구하여라.

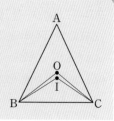

Summa Point
· 점 O가 △ABC의 외심일 때 ➡ $\angle BOC=2\angle A$
· 점 I가 △ABC의 내심일 때 ➡ $\angle BIC=90°+\dfrac{1}{2}\angle A$

038쪽 **Q** 010 ↻

8-1 ☺😐☹

다음 중 삼각형의 외심과 내심이 일치하는 것은?

① 예각삼각형　　　　② 직각삼각형

③ 둔각삼각형　　　　④ 이등변삼각형

⑤ 정삼각형

8-2 ☺😐☹

다음 그림에서 두 점 I, O는 각각 $\angle C=90°$인 직각삼각형
ABC의 내심과 외심이다. $\angle A=70°$일 때, $\angle BPC$의 크
기를 구하여라.

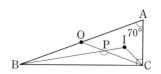

8-3 ☺😐☹

오른쪽 그림과 같이 $\overline{AB}=\overline{AC}$인 이
등변삼각형 ABC의 외심을 O, 내심
을 I라고 하자. $\angle A=40°$일 때,
$\angle OBI$의 크기를 구하여라.

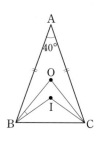

해설 BOOK 007쪽 | 테스트 BOOK 011쪽

Step 1 | 내·신·기·본

01 오른쪽 그림과 같은 $\overline{AB}=\overline{AC}$인 이등변삼각형 ABC에서 ∠$x$의 크기는?

① 15°　　② 20°
③ 25°　　④ 30°
⑤ 35°

02 오른쪽 그림의 △ABC는 $\overline{AB}=\overline{AC}$인 이등변삼각형이다. ∠B의 이등분선과 변 AC의 교점을 D라 할 때, ∠A+∠BDC의 크기는?

① 106°　　② 108°
③ 110°　　④ 112°
⑤ 114°

03 오른쪽 그림에서 △ABC와 △CDB는 각각 이등변삼각형이고, ∠ACD=∠DCE이다. ∠ACB=72°일 때, ∠x의 크기를 구하여라.

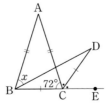

04 다음 그림에서 $\overline{AC}=\overline{AD}=\overline{DE}$, $\overline{BC}\;/\!/\;\overline{AD}$이고, ∠BCA=28°일 때, ∠$x$의 크기는?

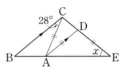

① 34°　　② 36°　　③ 38°
④ 40°　　⑤ 42°

05 오른쪽 그림과 같이 ∠B=∠C 인 △ABC에서 $\overline{BC}$ 위의 점 P 에서 $\overline{AB}$, $\overline{AC}$에 내린 수선의 발을 각각 D, E라 하자. $\overline{AB}=8$ cm, △ABC의 넓이가 24 cm²일 때, $\overline{PD}+\overline{PE}$의 길이를 구하여라.

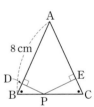

06 〔창의융합〕 오른쪽 그림은 어느 펜션의 지붕을 나타낸 것으로 $\overline{AB}=\overline{AC}$이고 점 D는 ∠A의 이등분선과 $\overline{BC}$의 교점이다. ∠BAD=45°, $\overline{BD}=3$ m일 때, $\overline{AD}+\overline{BC}$의 길이를 구하여라.

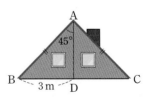

07 오른쪽 그림의 △ABC는 $\overline{AC}=\overline{BC}$인 직각이등변삼각형이다. $\overline{AC}=\overline{AD}$, $\overline{AB}\perp\overline{DE}$, $\overline{CE}=4\ \text{cm}$일 때, △BDE의 넓이를 구하여라.

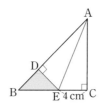

08 오른쪽 그림과 같이 $\angle C=90°$인 직각삼각형 ABC에서 $\overline{AB}$의 수직이등분선과 $\overline{AC}$의 교점을 D라고 하자. $\overline{DC}=\overline{DM}$일 때, $\angle A$의 크기는?

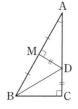

① 26°　　② 28°　　③ 30°

④ 32°　　⑤ 34°

09 오른쪽 그림과 같이 $\angle A=90°$이고 $\overline{AB}=\overline{AC}$인 직각이등변삼각형 ABC의 두 꼭짓점 B, C에서 꼭짓점 A를 지나는 직선에 내린 수선의 발을 각각 D, E라고 할 때, 다음 중 옳지 <u>않은</u> 것은?

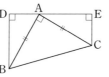

① $\angle BAD=\angle ACE$

② △ADB≡△CEA

③ $\angle ABD=\angle ACB$

④ $\overline{AD}=\overline{CE}$

⑤ $\angle BAD+\angle CAE=90°$

10 오른쪽 그림에서 점 O가 △ABC의 외심일 때, 다음 중 옳지 <u>않은</u> 것은?

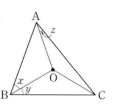

① $\overline{OB}=\overline{OC}$

② $\angle OBC=\angle OCB$

③ $\angle BOC=2\angle BAC$

④ $\angle y=\angle z$

⑤ $\angle x+\angle y+\angle z=90°$

11 오른쪽 그림과 같은 원 위에 세 점 A, B, C가 있다. 다음 중 이 원의 중심을 찾는 방법은?

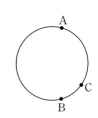

① $\angle ABC$와 $\angle ACB$의 이등분선의 교점

② 점 A, B에서 $\overline{BC}$, $\overline{AC}$에서 내린 수선의 교점

③ $\overline{AB}$와 $\overline{BC}$의 수직이등분선의 교점

④ 점 A, B와 $\overline{BC}$, $\overline{AC}$의 중점을 연결한 선분의 교점

⑤ $\angle ABC$의 이등분선과 $\overline{AB}$의 수직이등분선의 교점

12 오른쪽 그림에서 점 O는 △ABC의 외심이고 $\angle OAB=50°$, $\angle OBC=30°$이다. 부채꼴 OAB의 넓이가 24 cm²일 때, 부채꼴 OAC의 넓이를 구하여라.

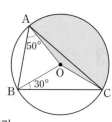

13 오른쪽 그림에서 점 O는
∠C=90°인 직각삼각형
ABC의 외심이다.
$\overline{AB}$=16 cm, $\overline{AC}$=8 cm
일 때, ∠B의 크기를 구하여라.

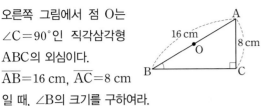

16 다음 그림과 같은 삼각기둥 모양의 상자에 공을 넣으
려고 한다. 세 옆면에 모두 접하는 공을 하나 넣으려
고 할 때, 이 공의 반지름의 길이를 구하여라.

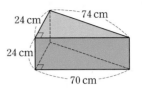

14 오른쪽 그림에서 점 I는 △ABC
의 내심이다. ∠ABI=30°,
∠ACI=40°일 때, ∠x+∠y의
크기를 구하여라.

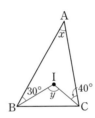

17 오른쪽 그림과 같이 높이가
9 cm인 정삼각형 ABC의
내접원의 반지름의 길이는
3 cm이다. △ABC의 외접
원의 반지름의 길이는?

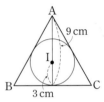

① 2 cm   ② 3 cm   ③ 4 cm

④ 5 cm   ⑤ 6 cm

15 오른쪽 그림에서 점 I는
△ABC의 내심이다.
$\overline{DE}$ ∥ $\overline{BC}$이고, $\overline{AB}$=9 cm,
$\overline{BC}$=11 cm, $\overline{CA}$=10 cm
일 때, △ADE의 둘레의 길
이를 구하여라.

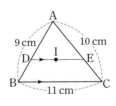

18 오른쪽 그림과 같이
∠A=90°인 △ABC에서
점 I는 내심, 점 O는 외심
이다. $\overline{AB}$=8 cm,
$\overline{BC}$=10 cm, $\overline{CA}$=6 cm
일 때, 외접원과 내접원의
넓이의 합을 구하여라.

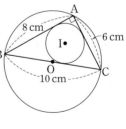

19 오른쪽 그림과 같이 $\overline{AB}=\overline{AC}$인 이등변삼각형에서 $\overline{DE}$를 접는 선으로 하여 점 A가 점 B와 겹치도록 접었다. ∠A의 크기를 구하여라.

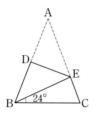

20 오른쪽 그림과 같이 $\overline{AB}=\overline{AC}$인 이등변삼각형 ABC에서 $\overline{BF}=\overline{CD}$, $\overline{BD}=\overline{CE}$가 되도록 점 D, E, F를 잡았다. ∠A=52°일 때, ∠x의 크기를 구하여라.

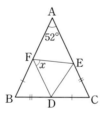

21 오른쪽 그림과 같이 $\overline{AB}=\overline{BC}$인 직각이등변삼각형 ABC가 있다. 두 점 A, C에서 점 B를 지나는 직선 l에 내린 수선의 발을 각각 D, E라고 하자. $\overline{AD}=14$ cm, $\overline{CE}=6$ cm일 때, $\overline{DE}$의 길이를 구하여라.

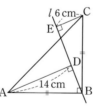

22 오른쪽 그림에서 점 O는 △ABC의 외심이다. ∠ABC=30°, ∠OBC=20°일 때, ∠A의 크기를 구하여라.

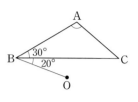

23 오른쪽 그림에서 점 I는 △ABC의 내심이고, $\overline{AI}$, $\overline{BI}$의 연장선과 $\overline{BC}$, $\overline{AC}$와의 교점을 각각 D, E라고 한다. ∠AEB=87°, ∠ADB=84°일 때, ∠C의 크기를 구하여라.

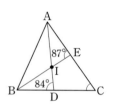

24 다음 그림에서 점 I는 직각삼각형 ABC의 내심이고 $\overline{AB}$, $\overline{BC}$가 원 I와 접하는 점이 각각 D, E일 때, 사각형 DBEI의 넓이를 구하여라.

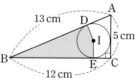

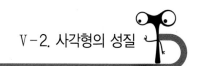
SUMMA **NOTE**

1. 평행사변형의 성질

(1) 평행사변형의 뜻 : 두 쌍의 대변이 각각 평행한 사각형

(2) 평행사변형의 성질

① 두 쌍의 대변의 길이는 각각 같다.

② 두 쌍의 대각의 크기는 각각 같다.

③ 두 대각선은 서로 다른 것을 이등분한다.

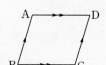

2. 평행사변형이 되는 조건

① 두 쌍의 대변이 각각 평행하다. ➡ $\overline{AB} /\!/ \overline{DC}$, $\overline{AD} /\!/ \overline{BC}$

② 두 쌍의 대변의 길이가 각각 같다. ➡ $\overline{AB} = \overline{DC}$, $\overline{AD} = \overline{BC}$

③ 두 쌍의 대각의 크기가 각각 같다. ➡ $\angle A = \angle C$, $\angle B = \angle D$

④ 두 대각선이 서로 다른 것을 이등분한다. ➡ $\overline{OA} = \overline{OC}$, $\overline{OB} = \overline{OD}$

⑤ 한 쌍의 대변이 평행하고 그 길이가 같다. ➡ $\overline{AB} /\!/ \overline{DC}$, $\overline{AB} = \overline{DC}$

3. 평행사변형과 넓이

평행사변형 ABCD에서

(1) $\triangle ABC = \triangle BCD = \triangle CDA = \triangle DAB = \frac{1}{2} \square ABCD$

(2) $\triangle ABO = \triangle BCO = \triangle CDO = \triangle DAO = \frac{1}{4} \square ABCD$

(3) 평행사변형 내부의 한 점 P에 대하여

$\triangle PAB + \triangle PCD = \triangle PDA + \triangle PBC = \frac{1}{2} \square ABCD$

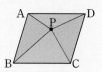

1. 평행사변형의 성질

삼각형 ABC를 기호로 △ABC와 같이 나타내듯이 사각형 ABCD를
기호로 **□ABCD**와 같이 나타낸다.

또 사각형에서 서로 마주 보는 변을 **대변**, 서로 마주 보는 각을 **대각**이
라고 한다. 즉, 오른쪽 그림과 같은 □ABCD에서 $\overline{AB}$와 $\overline{DC}$는 대변이
고, $\angle A$와 $\angle C$는 대각이다.

먼저 사각형 중에서 가장 기본이 되는 평행사변형에 대해서 알아보자.

직사각형이나 마름모는 모두 평행사변형의 특수한 경우이기 때문에 평행사변형에 대해 확실히 이해한다면 나머지 다른 사각형들도 쉽게 이해할 수 있을 것이다.

Q 014 평행사변형에는 어떤 성질이 있을까?

 길이가 같은 변, 크기가 같은 내각이 있어.

 이전에 배웠듯이

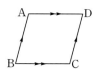

평행사변형은 두 쌍의 대변이 각각 평행한 사각형이다.

➡ $\overline{AB}/\!/\overline{DC}$, $\overline{AD}/\!/\overline{BC}$

두 쌍의 대변이 평행하다는 사실로부터 다음과 같은 평행사변형의 성질을 찾아낼 수 있다.

> **평행사변형의 성질**
>
> ① 두 쌍의 대변의 길이는 각각 같다.   ➡ $\overline{AB}=\overline{DC}$, $\overline{AD}=\overline{BC}$
>
> ② 두 쌍의 대각의 크기는 각각 같다.   ➡ $\angle A=\angle C$, $\angle B=\angle D$
>
> ③ 두 대각선은 서로 다른 것을 이등분한다.➡ $\overline{OA}=\overline{OC}$, $\overline{OB}=\overline{OD}$
>
>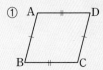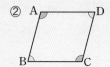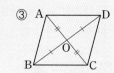

위의 성질은 두 쌍의 대변이 각각 평행하다는 평행사변형의 뜻과 삼각형의 합동을 이용하여 확인할 수 있다. 두 쌍의 대변이 평행하므로 평행선의 성질을 이용하여 크기가 같은 각을 찾을 수 있다.

  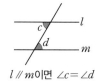

$l/\!/m$이면 $\angle a=\angle b$ $l/\!/m$이면 $\angle c=\angle d$

그러면 다음과 같이 성질 ①, ②와 성질 ③으로 나누어 확인해 보자.

가정	□ABCD가 평행사변형이다.
결론	① 두 쌍의 대변의 길이는 각각 같다. ➡ $\overline{AB}=\overline{DC}$, $\overline{AD}=\overline{BC}$ ② 두 쌍의 대각의 크기는 각각 같다. ➡ $\angle A=\angle C$, $\angle B=\angle D$
증명	평행사변형 ABCD에서 대각선 AC를 그으면 △ABC와 △CDA에서 $\overline{AC}$는 공통, $\angle BAC=\angle DCA$ (엇각), $\angle BCA=\angle DAC$ (엇각) ∴ △ABC≡△CDA (ASA 합동) 따라서 $\overline{AB}=\overline{DC}$, $\overline{AD}=\overline{BC}$ 이고, $\angle A=\angle C$, $\angle B=\angle D$ 이다.

가정	□ABCD가 평행사변형이다.
결론	③ 두 대각선은 서로 다른 것을 이등분한다. ➡ $\overline{OA}=\overline{OC}$, $\overline{OB}=\overline{OD}$
증명	평행사변형 ABCD에서 두 대각선 AC, BD의 교점을 O라고 하자. △ABO와 △CDO에서 $\overline{AB}=\overline{CD}$ (평행사변형의 성질 ①) ∠ABO=∠CDO (엇각), ∠BAO=∠DCO (엇각) ∴ △ABO≡△CDO (ASA 합동) ∴ $\overline{OA}=\overline{OC}$, $\overline{OB}=\overline{OD}$

예제 12 다음 그림과 같은 평행사변형 ABCD에서 x, y의 값을 각각 구하여라.

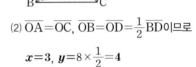

(1)

(2)

풀이 (1) $\overline{AB}=\overline{DC}$이므로 $x=2$

∠B=∠D이므로 $y=72$

(2) $\overline{OA}=\overline{OC}$, $\overline{OB}=\overline{OD}=\dfrac{1}{2}\overline{BD}$이므로

$x=3$, $y=8\times\dfrac{1}{2}=4$

Q 015 평행사변형에서 이웃하는 두 내각의 크기의 합은 [ ]이다?

A 180°!

A 평행사변형은 두 쌍의 평행선이 만난 것과 같으므로 평행선이
한 직선과 만날 때,

동측내각의 크기의 합이 180°이다 ➡ ∠a+∠b=180°

라는 성질은 평행사변형에서도 그대로 나타난다. 즉,

이웃하는 두 내각의 크기의 합은 180°이다.

➡ ∠A+∠B=180°, ∠B+∠C=180°

따라서 평행사변형에서 한 내각의 크기가 주어지면 대각과 이웃하는 각의 크기를 구할 수 있으
므로 결국 네 각의 크기를 모두 알 수 있게 된다.

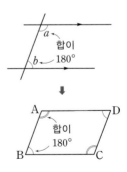

예제 13 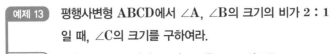 평행사변형 ABCD에서 ∠A, ∠B의 크기의 비가 $2:1$
일 때, ∠C의 크기를 구하여라.

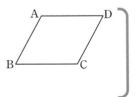

풀이 ∠A+∠B=180°이고 ∠A : ∠B=2 : 1이므로

$\angle A=180°\times\dfrac{2}{2+1}=120°$ ∴ ∠C=∠A=**120**

2. 평행사변형이 되는 조건

두 쌍의 대변이 각각 평행한 사각형은 평행사변형이다.

그러므로 어떤 사각형이 평행사변형인지 아닌지를 알려면 두 쌍의 대변이 각각 평행한지를 알아 보면 된다.

그렇다면 두 직선이 평행한지는 어떻게 확인해야 할까? 다음과 같이 평행선이 되기 위한 조건을 이용하면 된다.

평행선이 되기 위한 조건

서로 다른 두 직선이 다른 한 직선과 만날 때

① 동위각의 크기가 같으면 두 직선은 평행하다.

② 엇각의 크기가 같으면 두 직선은 평행하다.

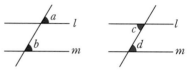

$\angle a = \angle b$이면 $l /\!/ m$ 　 $\angle c = \angle d$이면 $l /\!/ m$

Q 016 　 어떤 사각형이 평행사변형이 되기 위한 조건은?

 　 모두 5가지의 조건이 있어.

 　 □ABCD가 다음 조건 중 하나를 만족하면 평행사변형이 된다.

평행사변형이 되는 조건

① 두 쌍의 대변이 각각 평행하다. ← 평행사변형의 뜻
  ➡ $\overline{AB} /\!/ \overline{DC}$, $\overline{AD} /\!/ \overline{BC}$

② 두 쌍의 대변의 길이가 각각 같다.
  ➡ $\overline{AB} = \overline{DC}$, $\overline{AD} = \overline{BC}$

③ 두 쌍의 대각의 크기가 각각 같다.
  ➡ $\angle A = \angle C$, $\angle B = \angle D$

④ 두 대각선이 서로 다른 것을 이등분한다.
  ➡ $\overline{OA} = \overline{OC}$, $\overline{OB} = \overline{OD}$

⑤ 한 쌍의 대변이 평행하고, 그 길이가 같다.
  ➡ $\overline{AB} /\!/ \overline{DC}$, $\overline{AB} = \overline{DC}$

조건 ①은 평행사변형의 뜻과 같으므로 조건 ①을 만족하면 평행사변형이 됨은 당연하다.
남은 조건 ②~⑤ 중 하나에 해당하는 사각형이 평행사변형임을 보이는 과정은 간단하다.
사각형의 두 쌍의 대변에 대하여

동위각이나 엇각의 크기가 같다. ➡ 대변이 서로 평행하다.

라는 성질을 이용하면 된다. 따라서 각 그림마다 동위각, 엇각의 크기가 같은지 생각한 후에 과정을 써 내려가면 된다.

[조건 ③] 두 쌍의 대각의 크기가 각각 같은 사각형은 평행사변형이다.

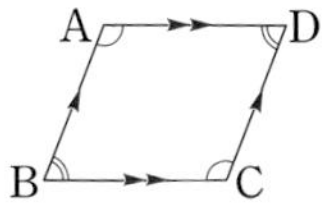

가정	$\angle A = \angle C$, $\angle B = \angle D$	
결론	$\overline{AB} /\!/ \overline{DC}$, $\overline{AD} /\!/ \overline{BC}$	
증명	$\square ABCD$에서 $\angle A = \angle C$, $\angle B = \angle D$이면 $\angle A + \angle B = 180°$ ······㉠ $\overline{AB}$의 연장선 위에 점 E를 잡으면 $\angle DAB + \angle DAE = 180°$ ······㉡ ㉠, ㉡에 의하여 $\angle B = \angle DAE$ (동위각) $\therefore \overline{AD} /\!/ \overline{BC}$ ······㉢ 또, $\angle B = \angle D$이므로 $\angle D = \angle DAE$ (엇각) $\therefore \overline{AB} /\!/ \overline{DC}$ ······㉣ ㉢, ㉣에 의하여 두 쌍의 대변이 각각 평행하므로 $\square ABCD$는 평행사변형이다.	

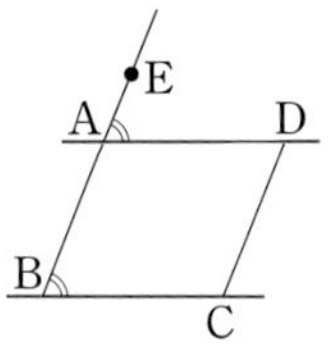

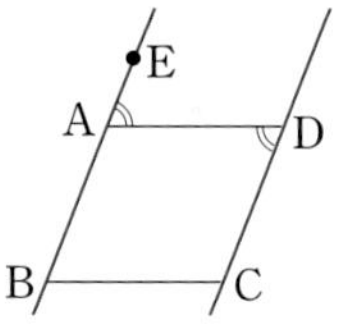

조건 ②, ④, ⑤는 삼각형의 합동을 이용하여 동위각이나 엇각의 크기가 같음을 밝히면 된다.
다음 그림을 눈으로 따라가며 증명 과정을 머릿속에 그려 보자.

[조건 ②]	두 쌍의 대변의 길이가 각각 같은 사각형은 평행사변형이다.	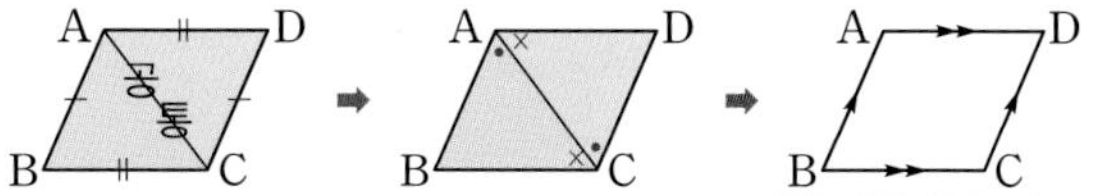 $\triangle ABC \equiv \triangle CDA$ ➡ $\angle BAC = \angle DCA$ $\angle ACB = \angle CAD$ ➡ $\overline{AB} /\!/ \overline{DC}$, $\overline{AD} /\!/ \overline{BC}$
[조건 ④]	두 대각선이 서로 다른 것을 이등분하는 사각형은 평행사변형이다.	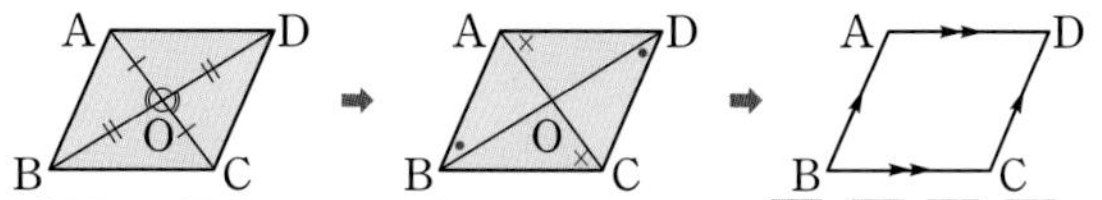 $\triangle AOB \equiv \triangle COD$ $\triangle AOD \equiv \triangle COB$ ➡ $\angle ABO = \angle CDO$ $\angle DAO = \angle BCO$ ➡ $\overline{AB} /\!/ \overline{DC}$, $\overline{AD} /\!/ \overline{BC}$
[조건 ⑤]	한 쌍의 대변이 평행하고, 그 길이가 같은 사각형은 평행사변형이다.	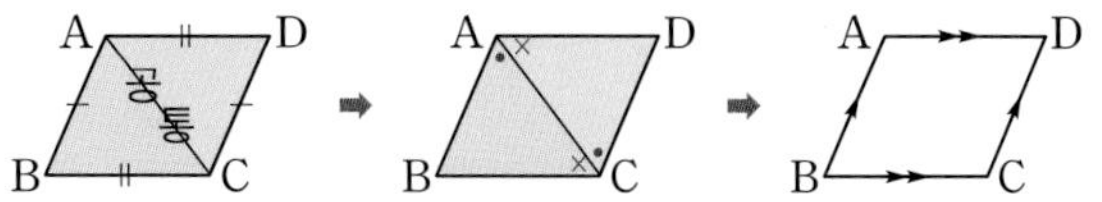 $\triangle ABC \equiv \triangle CDA$ ➡ $\angle ACB = \angle CAD$ ➡ $\overline{AD} /\!/ \overline{BC}$

조건 ①∼⑤를 생각하며 다음과 같은 조건이 주어질 때, □ABCD가 평행사변형이 되는지 알아보자. 주어진 조건을 사각형을 그려 표시해 보면 보다 쉽게 알 수 있다.

(1) $\overline{AB}=\overline{BC}=2$ cm, $\overline{CD}=\overline{DA}=3$ cm

 ➡ 대변의 길이가 다르므로 평행사변형이 아니다.

(2) $\angle A=110°$, $\angle B=70°$, $\angle C=110°$

 $\angle D=360°-(110°+70°+110°)=70°$
➡ 두 쌍의 대각의 크기가 같으므로 평행사변형이다.

(3) $\overline{OA}=\overline{OB}=3$ cm, $\overline{OC}=\overline{OD}=5$ cm (단, 점 O는 두 대각선의 교점)

 ➡ 두 대각선이 서로 다른 것을 이등분하지 않으므로 평행사변형이 아니다.

(4) $\overline{AB}=\overline{DC}=3$ cm, $\overline{AD}\,/\!/\,\overline{BC}$

 ➡ 평행한 대변의 길이가 같지 않으므로 평행사변형이 아니다.

 THINK Math

A4 용지를 이용하여 평행사변형 만들기

A4 용지로 여러 가지 평행사변형 모양을 만들어 보고 평행사변형이 되는 조건 ①∼⑤ 중 어떤 조건을 만족하여 평행사변형이 되는지 생각해 보자.

(1)
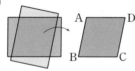
➡ 조건 ① 만족

(2)
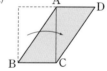
➡ 조건 ② 만족

(3)
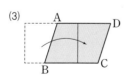
➡ 조건 ③ 만족

(4)
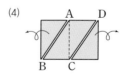
➡ 조건 ⑤ 만족

A 평행사변형 내부에 만들어진 새로운 사각형이 평행사변형이 되는 조건을 생각해 봐.

A 다음은 평행사변형임을 보이는 문제로 자주 등장하는 유형이다. 평행사변형이 되는 5가지 조건 중 어느 것에 해당하는지 알아보자.

□ABCD가 평행사변형일 때, 색칠한 도형은 모두 평행사변형이다.	색칠한 도형은 왜 평행사변형인가?
 ∠ABE=∠EBF, ∠EDF=∠FDC	□EBFD에서 $\overline{ED}\,/\!/\,\overline{BF}$ ∠B=∠D이므로 ∠EBF=∠EDF 또, ∠AEB=∠EBF (엇각)이므로 ∠AEB=∠EDF (동위각) ∴ $\overline{BE}\,/\!/\,\overline{FD}$ 즉, 두 쌍의 대변이 각각 평행하다. ←─조건 ①
 점 E, F는 각각 $\overline{AD}$, $\overline{BC}$의 중점	□EBFD에서 $\overline{ED}\,/\!/\,\overline{BF}$ $\overline{ED}=\dfrac{1}{2}\overline{AD}=\dfrac{1}{2}\overline{BC}=\overline{BF}$ 즉, 한 쌍의 대변이 평행하고, 그 길이가 같다. ←─조건 ⑤
 $\overline{AE}=\overline{BF}=\overline{CG}=\overline{DH}$	△AEH≡△CGF (SAS 합동)이므로 $\overline{EH}=\overline{GF}$ △EBF≡△GDH (SAS 합동)이므로 $\overline{EF}=\overline{GH}$ 즉, 두 쌍의 대변의 길이가 각각 같다. ←─조건 ②
 $\overline{OE}=\overline{OF}$	□AECF에서 $\overline{OE}=\overline{OF}$, $\overline{OA}=\overline{OC}$ 즉, 두 대각선이 서로 다른 것을 이등분한다. ←─조건 ④
 두 점 E, F는 각각 꼭짓점 A, C에서 대각선 BD에 내린 수선의 발	△ABE≡△CDF (RHA 합동)이므로 $\overline{AE}=\overline{CF}$ ∠AEF=∠CFE (엇각)이므로 $\overline{AE}\,/\!/\,\overline{CF}$ 즉, 한 쌍의 대변이 평행하고, 그 길이가 같다. ←─조건 ⑤
 점 E, F, G, H는 각 변의 중점	□AFCH와 □AECG가 각각 평행사변형이므로 $\overline{AP}\,/\!/\,\overline{QC}$, $\overline{AQ}\,/\!/\,\overline{PC}$ 즉, 두 쌍의 대변이 각각 평행하다. ←─조건 ①

Q 018 평행사변형의 넓이는 두 대각선에 의하여 □등분된다?

 A 4등분된다!

A 오른쪽 그림과 같이 평행사변형 ABCD에서 대각선 AC를 그으면

$$\triangle ABC \equiv \triangle CDA \implies \triangle ABC = \triangle CDA = \frac{1}{2}\square ABCD$$

마찬가지로 대각선 BD를 그으면

$$\triangle ABD \equiv \triangle CDB \implies \triangle ABD = \triangle CDB = \frac{1}{2}\square ABCD$$

따라서 **평행사변형의 한 대각선은 평행사변형의 넓이를 이등분한다.**

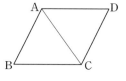

또 평행사변형 ABCD의 두 대각선의 교점을 O라고 하면

$$\triangle ABO \equiv \triangle CDO \implies \triangle ABO = \triangle CDO$$
$$\triangle ADO \equiv \triangle CBO \implies \triangle ADO = \triangle CBO$$

이때 △ABO와 △ADO는 밑변의 길이와 높이가 각각 같으므로
넓이가 서로 같다. 따라서

$$\triangle ABO = \triangle CDO = \triangle ADO = \triangle CBO = \frac{1}{4}\square ABCD$$

즉, **평행사변형의 두 대각선은 평행사변형의 넓이를 4등분한다.**

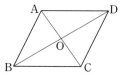

위의 사실과 더불어 평행사변형이 가지는 넓이에 관한 성질이 하나 더 있다.
다음 그림과 같이 평행사변형 ABCD에서 내부의 한 점 P와 각 꼭짓점을 연결하였을 때,
마주 보는 두 삼각형의 넓이의 합은 평행사변형의 넓이의 $\frac{1}{2}$이 된다.

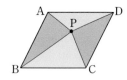

$$\triangle PAB + \triangle PCD = \triangle PDA + \triangle PBC = \frac{1}{2}\square ABCD$$

이는 다음 그림을 통해 간단히 확인할 수 있다.
점 P를 지나면서 평행사변형의 두 변에 각각 평행한 두 직선을 그리면 4개의 평행사변형이 만들어진다. 이때 각 평행사변형은 대각선에 의해 합동인 두 삼각형으로 나누어지므로 위 식이 성립한다.

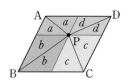

$$\triangle PAB + \triangle PCD = (a+b) + (c+d)$$
$$\triangle PDA + \triangle PBC = (a+d) + (b+c)$$
$$\therefore \triangle PAB + \triangle PCD = \triangle PDA + \triangle PBC = \frac{1}{2}\square ABCD$$

예제 14 다음 그림과 같은 평행사변형 ABCD의 넓이가 24 cm²일 때, 색칠한 부분의 넓이를 구하여라.

(1)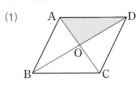

(2)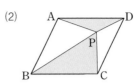

풀이 (1) $\triangle \text{AOD} = \dfrac{1}{4} \square \text{ABCD}$

$= \dfrac{1}{4} \times 24 = \mathbf{6(cm^2)}$

(2) $\triangle \text{PDA} + \triangle \text{PBC} = \dfrac{1}{2} \square \text{ABCD}$

$= \dfrac{1}{2} \times 24 = \mathbf{12(cm^2)}$

THINK Math

평행사변형을 이등분하는 방법

다음 그림과 같이 대각선을 긋거나 변의 중점을 이으면 간단하게 평행사변형을 이등분할 수 있다.

하지만 이외에도 평행사변형이 점대칭도형임을 이용하면 평행사변형을 이등분하는 선분은 무수히 많이 그을 수 있다.

평행사변형의 대칭점은 두 대각선의 교점이므로 이 대칭점을 지나는 모든 선분은 평행사변형을 이등분한다.

 대칭점 ➡

개념 **확인**

(1) 평행사변형은 두 쌍의 대변이 각각 [ ]한 사각형이다.

(2) 평행사변형의 두 대각선은 서로 다른 것을 [ ]한다.

(3) 한 쌍의 대변이 평행하고, 그 길이가 같은 사각형은 [ ]이다.

01 다음 그림과 같은 평행사변형 ABCD에서 a, b의 값을 각각 구하여라.

(1)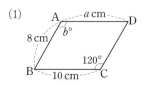

(2)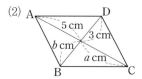

02 오른쪽 그림과 같은 □ABCD가 평행사변형이 되기 위한 조건을 □ 안에 알맞게 써넣어라. (단, 점 O는 두 대각선의 교점이다.)

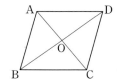

(1) $\overline{AB}$ // [ ], $\overline{AD}$ // [ ]

(2) $\overline{AB}=$ [ ], $\overline{AD}=$ [ ]

(3) $\angle A=$ [ ], $\angle B=$ [ ]

(4) $\overline{OA}=$ [ ], $\overline{OB}=$ [ ]

(5) $\overline{AB}$ // [ ], $\overline{AB}=$ [ ]

03 다음은 평행사변형 ABCD에서 $\angle B$, $\angle D$의 이등분선이 $\overline{AD}$, $\overline{BC}$와 만나는 점을 각각 E, F라고 할 때, □EBFD가 평행사변형임을 설명하는 과정이다. (개)~(대)에 알맞은 것을 써넣어라.

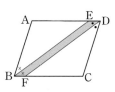

$\angle B=\angle D$이므로 $\frac{1}{2}\angle B=\frac{1}{2}\angle D$, 즉 $\angle EBF=$ [(가)] ······ ㉠

$\angle AEB=\angle EBF$ (엇각), $\angle DFC=\angle EDF$ (엇각)이므로

$\angle AEB=$ [(나)]

$\therefore \angle DEB=180°-\angle AEB=180°-\angle DFC=$ [(다)] ······ ㉡

따라서 ㉠, ㉡에 의해 □EBFD는 평행사변형이다.

자기 **진단**

Q 014 ◉ 052쪽
평행사변형에는 어떤 성질이 있을까?

Q 016 ◉ 054쪽
어떤 사각형이 평행사변형이 되기 위한 조건은?

문제 이해도를 ☺, ☺, ☹으로 표시해 보세요.

해설 BOOK 010쪽 | 테스트 BOOK 014쪽

유형 1 평행사변형

오른쪽 그림과 같은 평행사변형 ABCD에서 ∠BAC=70°, ∠ADB=26° 일 때, ∠x+∠y의 크기를 구하여라.

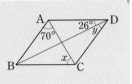

Summa Point
$\overline{AD} \parallel \overline{BC}$이면 엇각의 크기가 같다.

052쪽 Q 014

유형 2 평행사변형의 성질 (1) – 대변

오른쪽 그림과 같은 평행사변형 ABCD에서 $\overline{BC}$의 중점을 E라 하고 $\overline{DE}$의 연장선이 $\overline{AB}$의 연장선과 만나는 점을 F라고 하자. $\overline{AD}$=6 cm, $\overline{CD}$=4 cm일 때, $\overline{AF}$의 길이를 구하여라.

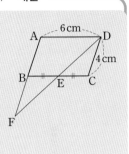

Summa Point
• 평행사변형의 두 쌍의 대변의 길이는 각각 같다.
• △DCE와 △FBE가 합동인 것을 이용한다.

052쪽 Q 014

1-1 ☺☺☹

오른쪽 그림과 같은 평행사변형 ABCD에서 ∠C의 이등분선과 $\overline{AB}$의 연장선의 교점을 E라고 하자. $\overline{AB}$=8 cm, $\overline{BC}$=12 cm 일 때, $\overline{AE}$의 길이를 구하여라.

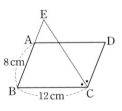

2-1 ☺☺☹

오른쪽 그림과 같은 평행사변형 ABCD에서 $\overline{AB}$=3x, $\overline{BC}$=2x+1, $\overline{CD}$=x+6일 때, $\overline{AD}$의 길이를 구하여라.

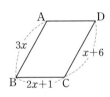

1-2 ☺☺☹

오른쪽 그림과 같은 평행사변형 ABCD에서 두 대각선의 교점을 O 라고 하자. ∠ABD=32°, ∠ACD=55°일 때, ∠AOD의 크기를 구하여라.

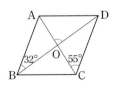

2-2 ☺☺☹

오른쪽 그림에서 △ABC는 $\overline{AB}$=$\overline{AC}$ 인 이등변삼각형이고, □ADEF는 평행사변형이다. $\overline{AD}$=2 cm, $\overline{DB}$=8 cm일 때, □ADEF의 둘레의 길이를 구하여라.

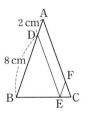

유형 ③ 평행사변형의 성질 (2) – 대각

오른쪽 그림과 같은 평행사변형 ABCD에서 ∠A의 이등분선이 $\overline{BC}$와 만나는 점을 E라고 하자. ∠AEB=55°일 때, ∠x의 크기를 구하여라.

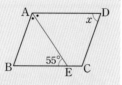

Summa Point
• 평행사변형의 두 쌍의 대각의 크기는 각각 같다.
• 평행사변형의 이웃하는 두 내각의 크기의 합은 180°이다.

052쪽 Q 014 ↻

유형 ④ 평행사변형의 성질 (3) – 대각선

오른쪽 그림과 같은 평행사변형 ABCD에서 점 O는 두 대각선의 교점이고 $\overline{AC}$=14 cm, $\overline{BD}$=18 cm, $\overline{CD}$=8 cm이다. 이때 △OAB의 둘레의 길이를 구하여라.

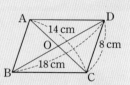

Summa Point
평행사변형의 두 대각선은 서로 다른 것을 이등분한다.

052쪽 Q 014 ↻

3-1 ☺😐☹

오른쪽 그림과 같은 평행사변형 ABCD에서 ∠A : ∠B=5 : 4일 때, ∠C 의 크기는?

① 95°   ② 100°
③ 105°   ④ 110°   ⑤ 115°

3-2 ☺😐☹

오른쪽 그림과 같은 평행사변형 ABCD에서 ∠DAC의 이등분선이 $\overline{BC}$의 연장선과 만나는 점을 E라고 하자. ∠B=72°, ∠E=36°일 때, ∠ACD의 크기를 구하여라.

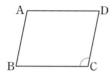

3-3 ☺😐☹

오른쪽 그림과 같은 평행사변형 ABCD에서 ∠D의 이등분선이 $\overline{BC}$와 만나는 점을 E, 꼭짓점 A에서 $\overline{ED}$에 내린 수선의 발을 F라고 하자. ∠B=64°일 때, ∠x의 크기를 구하여라.

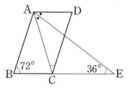

4-1 ☺😐☹

오른쪽 그림과 같이 평행사변형 ABCD의 두 대각선의 교점을 O라고 할 때, 다음 중 옳지 않은 것은?

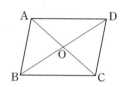

① $\overline{AD}=\overline{BC}$ ② ∠OBA=∠ODC
③ $\overline{OA}=\overline{OD}$ ④ △OAD≡△OCB
⑤ ∠B+∠C=180°

4-2 ☺😐☹

오른쪽 그림과 같은 평행사변형 ABCD에서 두 대각선의 교점을 O라 하고, 점 O를 지나는 직선이 두 선분 AB, CD와 만나는 점을 각각 P, Q라고 하자. ∠APO=90°일 때, △OCQ의 넓이를 구하여라.

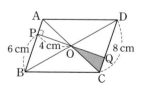

유형 ⑤ 평행사변형이 되는 조건

오른쪽 그림과 같은 □ABCD 에서 두 대각선의 교점을 O라 고 할 때, 다음 중 □ABCD가 평행사변형이 되는 조건으로 옳 지 <u>않은</u> 것은?

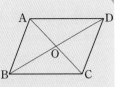

① $\overline{AB}=\overline{DC}=4$ cm, $\overline{AD}=\overline{BC}=5$ cm

② $\angle A=\angle C=80°$, $\angle B=\angle D=100°$

③ $\angle B=\angle C=60°$, $\overline{AD}/\!/\overline{BC}$

④ $\overline{AB}=\overline{DC}=6$ cm, $\overline{AB}/\!/\overline{DC}$

⑤ $\overline{OA}=\overline{OC}=3$ cm, $\overline{OB}=\overline{OD}=4$ cm

Summa Point

사각형이 평행사변형이 되는 5가지 조건 중에 하나를 만족하면 평행사변형이 된다.

054쪽 **Q** O16 ↻

5-1 ☺☺☹

다음은 두 쌍의 대변의 길이가 각각 같은 사각형은 평행사 변형임을 설명하는 과정이다. (개)~(래)에 알맞은 것을 써넣 어라.

$\overline{AB}=\overline{DC}$, $\overline{AD}=\overline{BC}$인 □ABCD에서 대각선 AC를 그어 보자.
△ABC와 △CDA에서
$\overline{AB}=\overline{CD}$, $\overline{BC}=$ 〔개〕, $\overline{AC}$는 공통이므로
△ABC≡△CDA (〔나〕 합동)
∴ $\angle BAC=$ 〔다〕, $\angle ACB=$ 〔라〕
즉, 엇각의 크기가 같으므로
$\overline{AB}/\!/\overline{DC}$, $\overline{AD}/\!/\overline{BC}$
따라서 □ABCD는 평행사변형이다.

5-2 ☺☺☹

다음은 한 쌍의 대변이 평행하고, 그 길이가 같은 사각형은 평행사변형임을 설명하는 과정이다. (개)~(래)에 알맞은 것을 써넣어라.

$\overline{AB}/\!/\overline{CD}$이고 $\overline{AB}=\overline{DC}$인 □ABCD에서 대각선 AC를 그어 보자.
△ABC와 △CDA에서
$\overline{AB}=\overline{CD}$, $\angle BAC=$ 〔개〕 (엇각), $\overline{AC}$는 공통이므로
△ABC≡△CDA (〔나〕 합동)
∴ $\angle BCA=$ 〔다〕
즉, 엇각의 크기가 같으므로 〔라〕
따라서 □ABCD는 평행사변형이다.

5-3 ☺☺☹

오른쪽 그림과 같은 □ABCD 에서 $\overline{DE}=\overline{DC}$가 되도록 $\overline{AD}$ 위에 점 E를 잡는다. $\angle B=68°$ 일 때, □ABCD가 평행사변 형이 되도록 하는 $\angle BCE$의 크기는?

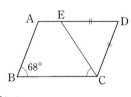

① 50°   ② 52°   ③ 54°

④ 56°   ⑤ 58°

유형 **6** 평행사변형의 활용

오른쪽 그림과 같은 평행사변형 ABCD에서 ∠A, ∠C의 이등분선이 두 변 BC, AD와 만나는 점을 각각 E, F라고 하자. $\overline{AD}=8$ cm, $\overline{AB}=6$ cm, ∠ABE=60°일 때, □AECF의 둘레의 길이를 구하여라.

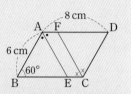

Summa Point

주어진 평행사변형의 성질과 제시된 조건을 활용하여 새로운 사각형이 평행사변형임을 설명한다.

057쪽 **Q 017** ⟳

유형 **7** 평행사변형과 넓이

오른쪽 그림과 같은 평행사변형 ABCD의 내부의 한 점 P에 대하여 △PAB의 넓이가 16 cm², △PDA의 넓이가 12 cm², △PCD의 넓이가 14 cm²일 때, △PBC의 넓이를 구하여라.

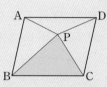

Summa Point

$$\triangle PAB+\triangle PCD=\triangle PDA+\triangle PBC=\frac{1}{2}\ \square ABCD$$

058쪽 **Q 018** ⟳

6-1 ☺☺☹

오른쪽 그림과 같이 평행사변형 ABCD의 두 변 AD, BC 위에 $\overline{AE}=\overline{FC}$가 되도록 두 점 E, F를 잡는다. ∠AEC=115°일 때, ∠AFB의 크기를 구하여라.

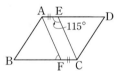

7-1 ☺☺☹

오른쪽 그림과 같은 평행사변형 ABCD에서 두 대각선의 교점을 O라 하고, $\overline{BC}$와 $\overline{DC}$의 연장선 위에 각각 $\overline{BC}=\overline{CE}$, $\overline{DC}=\overline{CF}$가 되도록 두 점 E, F를 잡는다. △ABO의 넓이가 6 cm²일 때, □BFED의 넓이를 구하여라.

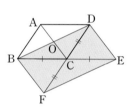

6-2 ☺☺☹

오른쪽 그림과 같이 평행사변형 ABCD의 꼭짓점 B, D에서 대각선 AC에 내린 수선의 발을 각각 E, F라고 할 때, 다음 중 옳지 않은 것은?

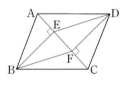

① $\overline{AE}=\overline{CF}$ 　　　② $\overline{BE}\,/\!/\,\overline{DF}$

③ $\overline{BE}=\overline{BF}$ 　　　④ ∠ABE=∠CDF

⑤ △ABE≡△CDF

7-2 ☺☺☹

오른쪽 그림과 같이 평행사변형 ABCD의 두 대각선의 교점 O를 지나는 직선과 $\overline{AB}$, $\overline{CD}$와의 교점을 각각 P, Q라고 하자. 평행사변형 ABCD의 넓이가 40 cm²일 때, △AOP와 △DOQ의 넓이의 합을 구하여라.

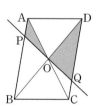

02 여러 가지 사각형

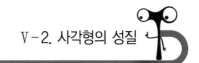

1. 여러 가지 사각형의 성질

	직사각형	마름모	정사각형	등변사다리꼴
그림				
뜻	네 내각의 크기가 모두 같은 사각형	네 변의 길이가 모두 같은 사각형	네 내각의 크기가 모두 같고, 네 변의 길이가 모두 같은 사각형	아랫변의 양 끝 각의 크기가 같은 사다리꼴
성질	두 대각선의 길이가 같고 서로 다른 것을 이등분한다.	두 대각선이 서로 다른 것을 수직이등분한다.	두 대각선의 길이가 같고 서로 다른 것을 수직이등분한다.	평행하지 않은 두 대변의 길이가 같다. 두 대각선의 길이가 같다.

2. 여러 가지 사각형 사이의 관계

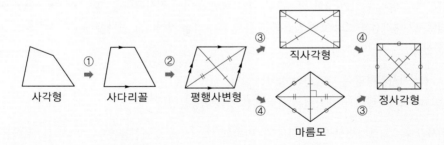

① 한 쌍의 대변이 평행하다.
② 다른 한 쌍의 대변이 평행하다.
③ 한 내각의 크기가 90°이거나 두 대각선의 길이가 같다.
④ 이웃하는 두 변의 길이가 같거나 두 대각선이 수직으로 만난다.

1. 여러 가지 사각형의 성질

직사각형, 마름모, 정사각형은 그 뜻을 살펴보면 모두 평행사변형이 되는 조건을 만족하고 있다.

직사각형	마름모	정사각형
네 내각의 크기가 모두 같은 사각형	네 변의 길이가 모두 같은 사각형	네 내각의 크기가 모두 같고, 네 변의 길이가 모두 같은 사각형
두 쌍의 대각의 크기가 각각 같다.	두 쌍의 대변의 길이가 각각 같다.	두 쌍의 대변의 길이가 각각 같다.

따라서 직사각형, 마름모, 정사각형은 평행사변형이므로 다음과 같은 평행사변형의 성질을 모두 가진다.

① 두 쌍의 대변의 길이가 각각 같다.
② 두 쌍의 대각의 크기가 각각 같다.
③ 두 대각선이 서로 다른 것을 이등분한다.

각각의 사각형의 뜻과 평행사변형의 성질을 바탕으로 직사각형, 마름모, 정사각형이 가지는 또 다른 성질에 대해 알아보도록 하자.

Q 019 직사각형의 두 대각선은 어떤 성질을 가지고 있을까?

 두 대각선은 길이가 같고, 서로 다른 것을 이등분한다.

 오른쪽 그림과 같이 일정한 간격으로 점이 찍힌 종이에 직사각형을 그리고, 그 대각선을 그려 보면 다음과 같은 성질을 가질 것이라고 짐작할 수 있다.

(ⅰ) 직사각형의 두 대각선의 길이는 같다.
(ⅱ) 직사각형의 두 대각선은 서로 다른 것을 이등분한다.

직사각형은 평행사변형의 성질을 모두 만족하므로 (ⅱ)가 성립함을 알 수 있다. (ⅰ)은 다음과 같이 두 삼각형의 합동을 이용하여 보일 수 있다.

(ⅰ) **직사각형의 두 대각선의 길이는 같다.**

[증명]
□ABCD에서 두 대각선 AC, BD를 그으면 △ABC와 △DCB에서
$\overline{AB}=\overline{DC}$ (평행사변형의 성질), $\angle ABC = \angle DCB = 90°$, $\overline{BC}$는 공통
따라서 △ABC≡△DCB (SAS 합동)이므로
$\overline{AC}=\overline{DB}$

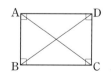

이상을 정리하면 다음과 같다.

> **직사각형의 성질**
> 직사각형의 두 대각선은 길이가 같고, 서로 다른 것을 이등분한다.
> ➡ $\overline{AC}=\overline{BD}$, $\overline{OA}=\overline{OB}=\overline{OC}=\overline{OD}$

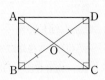

예제 15 다음 그림과 같은 직사각형 $ABCD$에서 x의 값을 구하여라.

(1)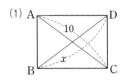

(2)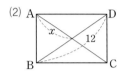

풀이 (1) 두 대각선의 길이가 같으므로

$$x=\mathbf{10}$$

(2) 두 대각선이 서로 다른 것을 이등분하므로

$$x=\frac{12}{2}=\mathbf{6}$$

한편 평행사변형이 다음 중 어느 한 조건을 만족하면 직사각형이 된다.

> **평행사변형이 직사각형이 되는 조건**
> ① 한 내각이 직각이다. ← 직사각형의 뜻
> ② 두 대각선의 길이가 같다. ← 직사각형의 성질
>
>

Q 020   마름모의 두 대각선은 어떤 성질을 가지고 있을까?

A (바른)

두 대각선은 서로 다른 것을 수직이등분한다.

A (친절한)

오른쪽 그림과 같이 일정한 간격으로 점이 찍힌 종이에 마름모를 그리고, 그 대각선을 그려 보면 다음과 같은 성질을 가질 것이라고 짐작할 수 있다.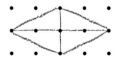

　(ⅰ) 마름모의 두 대각선은 수직으로 만난다.

　(ⅱ) 마름모의 두 대각선은 서로 다른 것을 이등분한다.

마름모는 평행사변형의 성질을 모두 만족하므로 (ⅱ)가 성립함을 알 수 있다. (ⅰ)은 다음과 같이 두 삼각형의 합동을 이용하여 보일 수 있다.

(i) 마름모의 두 대각선은 수직으로 만난다.

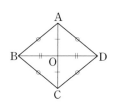

[증명]
마름모 ABCD의 두 대각선 AC, BD의 교점을 O라고 하면
△AOB와 △AOD에서
$\overline{AB}=\overline{AD}$, $\overline{OB}=\overline{OD}$, $\overline{AO}$는 공통이므로
△AOB≡△AOD (SSS 합동)   ∴ ∠AOB=∠AOD
이때 ∠AOB+∠AOD=180°이므로
∠AOB=∠AOD=90°   ∴ $\overline{AC}\perp\overline{BD}$

이상을 정리하면 다음과 같다.

마름모의 성질
마름모의 두 대각선은 서로 다른 것을 수직이등분한다.
➡ $\overline{AC}\perp\overline{BD}$, $\overline{OA}=\overline{OC}$, $\overline{OB}=\overline{OD}$

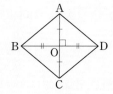

예제 16 다음 그림과 같은 마름모 ABCD에서 x, y의 값을 각각 구하여라.

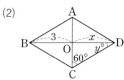

(1) A x D 6 O $y°$ B C

(2) A B 3 O x D $60°$ $y°$ C

풀이 (1) $x=6$, $y=90$ (2) $x=3$, $y=30$

한편 평행사변형이 다음 중 어느 한 조건을 만족하면 마름모가 된다.

평행사변형이 마름모가 되는 조건
① 이웃하는 두 변의 길이가 같다. ← 마름모의 뜻
② 두 대각선이 수직으로 만난다. ← 마름모의 성질

① $\overline{AB}=\overline{BC}$ 또는
② $\overline{AC}\perp\overline{BD}$

| 주의 | 우리가 다룬 직사각형이 되는 조건과 마름모가 되는 조건은 평행사변형 중에서 생각한 것이다.
평행사변형이 아닌 경우는 각 조건을 만족하더라도 직사각형이나 마름모가 되지 않는다.

Q 021 정사각형의 두 대각선은 어떤 성질을 가지고 있을까?

A 두 대각선은 길이가 같고, 서로 다른 것을 수직이등분한다.

A 정사각형은 네 내각의 크기가 모두 같으므로 직사각형이고, 네 변의 길이가 모두 같으므로 마름모이다. 따라서 정사각형의 두 대각선은 직사각형과 마름모의 성질을 모두 가진다.

정사각형의 성질
정사각형의 두 대각선은 길이가 같고, 서로 다른 것을 수직이등분한다.
└ 직사각형의 성질   └ 마름모의 성질

➡ $\overline{AC}=\overline{BD}$, $\overline{AC}\perp\overline{BD}$, $\overline{OA}=\overline{OB}=\overline{OC}=\overline{OD}$

예제 17 다음 그림과 같은 정사각형 ABCD에서 x, y의 값을 각각 구하여라.

(1)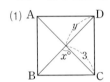

(2)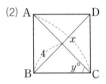

풀이 (1) $x=90$, $y=3$ (2) $x=8$, $y=45$

한편 직사각형과 마름모가 각각 다음 중 어느 한 조건을 만족하면 정사각형이 된다.

직사각형이 정사각형이 되는 조건
① 이웃하는 두 변의 길이가 같다. ◀ 정사각형의 뜻
② 두 대각선이 수직으로 만난다. ◀ 정사각형의 성질

① $\overline{AB}=\overline{AD}$ 또는
② $\overline{AC}\perp\overline{BD}$

마름모가 정사각형이 되는 조건
① 한 내각이 직각이다. ◀ 정사각형의 뜻
② 두 대각선의 길이가 같다. ◀ 정사각형의 성질

① ∠A=90° 또는
② $\overline{AC}=\overline{BD}$

A (바른)
평행하지 않은 두 대변의 길이가 같고, 두 대각선의 길이가 같다.

A (친절한)
사다리꼴은 한 쌍의 대변이 평행한 사각형이다. 그 중에서도 아랫변의
양 끝 각의 크기가 같은 사다리꼴을 **등변사다리꼴**이라고 한다.
즉, $\overline{AD} /\!/ \overline{BC}$, $\angle B = \angle C$
이때 $\angle A + \angle B = 180°$, $\angle C + \angle D = 180°$이고, $\angle B = \angle C$이므로
$\angle A = \angle D$임도 알 수 있다.

등변사다리꼴의 뜻을 이용하면 다음과 같은 등변사다리꼴의 성질을 알 수 있다.

등변사다리꼴의 성질
① 평행하지 않은 두 대변의 길이가 같다. ➡ $\overline{AB} = \overline{DC}$
② 두 대각선의 길이가 같다. ➡ $\overline{AC} = \overline{BD}$

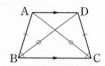

등변사다리꼴의 성질 ①, ②를 각각 증명해 보자.

① 평행하지 않은 두 대변의 길이가 같다.

[증명]
점 D를 지나고 변 AB에 평행한 직선을 그어 $\overline{BC}$와 만나는 점을
E라고 하면
$\angle B = \angle DEC$ (동위각), $\angle B = \angle C$이므로
$\angle DEC = \angle C$
△DEC는 이등변삼각형이므로 $\overline{DE} = \overline{DC}$ ......㉠
□ABED는 평행사변형이므로 $\overline{AB} = \overline{DE}$ ......㉡
㉠, ㉡에서 $\overline{AB} = \overline{DC}$

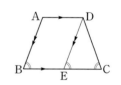

---

② 두 대각선의 길이가 같다.

[증명]
△ABC와 △DCB에서
$\overline{AB} = \overline{DC}$, $\angle B = \angle C$, $\overline{BC}$는 공통이므로
△ABC ≡ △DCB (SAS 합동)
∴ $\overline{AC} = \overline{DB}$

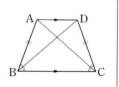

| 주의 | 이등변삼각형의 뜻은 두 변의 길이가 같은 삼각형이지만, 등변사다리꼴의
뜻은 두 변의 길이가 같은 사다리꼴이 아니다. 등변사다리꼴은 평행하지
않은 한 쌍의 대변의 길이가 같아야 하는데, 두 변의 길이가 같다는 것만
으로는 등변사다리꼴의 뜻을 나타낼 수 없기 때문이다. 따라서 혼동을 피
하기 위해 아랫변의 양 끝 각의 크기가 같은 사다리꼴로 그 뜻을 정한 것이다.
대부분 도형의 이름은 그 뜻에 따라 정해지지만 등변사다리꼴은 예외이다.

예제 18 다음 그림과 같이 $\overline{AD} /\!/ \overline{BC}$인 등변사다리꼴 ABCD에서 x의 값을 구하여라.

(1)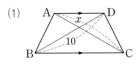

(2)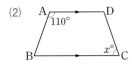

풀이 (1) $\overline{AC} = \overline{BD}$이므로 $x = 10$

(2) $\angle C = 180° - 110° = 70°$

$\therefore x = 70$

지금까지 직사각형, 마름모, 정사각형, 등변사다리꼴의 성질에 대하여 배웠다. 다음 표를 통해
각각의 사각형의 성질을 비교해 보고 기억해 두도록 하자.

사각형의 종류 / 대각선의 성질	평행사변형	직사각형	마름모	정사각형	등변사다리꼴
두 대각선이 서로 다른 것을 이등분한다.	○	○	○	○	×
두 대각선의 길이가 같다.	×	○	×	○	○
두 대각선이 서로 직교한다.	×	×	○	○	×
두 대각선이 서로 다른 것을 수직이등분한다.	×	×	○	○	×

2. 여러 가지 사각형 사이의 관계

Q 023 여러 가지 사각형 사이에는 어떤 관계가 있을까?

A 각 사각형의 뜻과 성질을 그림으로 나타내어 이해해 봐.

A 다음은 지금까지 다룬 여러 가지 사각형 사이의 관계를 하나의 그림으로 나타낸 것이다. 일반적
으로 사각형에서 출발하여 모든 성질의 집약체인 정사각형에 도착하기 위해 어떤 조건을 하나씩
추가하는지 살펴보자.

여러 가지 사각형 사이의 관계

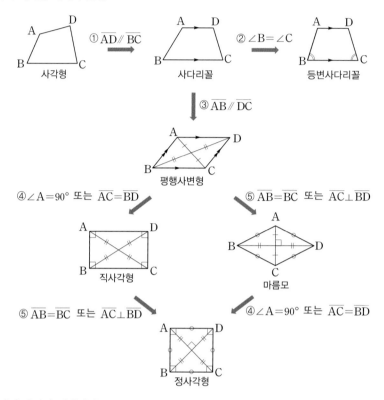

① $\overline{AD}\,/\!/\,\overline{BC}$ 사각형 → 사다리꼴 ② $\angle B = \angle C$ → 등변사다리꼴

③ $\overline{AB}\,/\!/\,\overline{DC}$ → 평행사변형

④ $\angle A = 90°$ 또는 $\overline{AC} = \overline{BD}$ → 직사각형

⑤ $\overline{AB} = \overline{BC}$ 또는 $\overline{AC} \perp \overline{BD}$ → 마름모

⑤ $\overline{AB} = \overline{BC}$ 또는 $\overline{AC} \perp \overline{BD}$ / ④ $\angle A = 90°$ 또는 $\overline{AC} = \overline{BD}$ → 정사각형

① 한 쌍의 대변이 평행하다.

② 아랫변의 양 끝 각의 크기가 같다.

③ 다른 한 쌍의 대변이 평행하다.

④ 한 내각의 크기가 90°이거나 두 대각선의 길이가 같다.

⑤ 이웃하는 두 변의 길이가 같거나 두 대각선이 수직으로 만난다.

이와 같은 여러 가지 사각형 사이의 포함 관계를 그림으로 나타내면 오른쪽 그림과 같다. 그림에서 안쪽에 있는 사각형은 바깥쪽에 있는 사각형의 성질을 모두 만족한다.

예제 19 오른쪽 그림과 같은 평행사변형 ABCD가 다음 조건을 만족시키면 어떤 사각형이 되는지 구하여라.

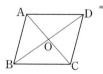

(1) $\overline{AC} \perp \overline{BD}$ (2) $\overline{AC} = \overline{BD}$

(3) $\overline{AB} = \overline{BC}$ (4) $\overline{AC} \perp \overline{BD}$, $\overline{AC} = \overline{BD}$

풀이 (1) 마름모 (2) 직사각형 (3) 마름모 (4) 정사각형

A 평행사변형 ⟺ 평행사변형, 직사각형 ⟺ 마름모, 정사각형 ⟺ 정사각형

A 여러 가지 사각형에서 각 변의 중점을 연결하면 다음과 같이 새로운 사각형이 만들어진다.

① 사각형   ② 사다리꼴   ③ 등변사다리꼴   ④ 평행사변형

⑤ 직사각형   ⑥ 마름모   ⑦ 정사각형

다음은 평행사변형의 각 변의 중점을 연결하여 만든 사각형이 평행사변형임을 증명한 것이다.

[증명]

$\triangle AEH \equiv \triangle CGF$ (SAS 합동) $\therefore \overline{EH} = \overline{GF}$

$\triangle EBF \equiv \triangle GDH$ (SAS 합동) $\therefore \overline{EF} = \overline{GH}$

즉, 두 쌍의 대변의 길이가 각각 같으므로

□EFGH는 평행사변형이다.

⑤, ⑥, ⑦도 위와 마찬가지 방법으로 삼각형의 합동을 이용하여 성립함을 보일 수 있다.

①, ②, ③은 Ⅵ단원 도형의 닮음을 배워야 성립함을 보일 수 있으므로 여기
에서는 일단 기억해 두기로 하자.

Ⅵ단원의 Q₀₄₂에서 이유를 배우게 돼!

3. 평행선과 넓이

삼각형의 넓이는 밑변의 길이와 높이로 결정된다.

따라서 어떤 두 삼각형의 밑변의 길이와 높이가 각각 같다면 모양이 서로 다르더라도 두 삼각형
의 넓이는 같다. 이 성질을 이용하여 다양한 도형의 넓이를 구해 보자.

Q 025 평행선과 삼각형의 넓이 사이에는 어떤 성질이 있을까?

A 평행선 사이의 거리를 높이로 하는 삼각형을 무수히 많이 그릴 수 있어.

A 오른쪽 그림과 같이 두 직선 l, m이 평행할 때, 변 BC를 직선 m에 고정시키고 직선 l 위에 점 A를 잡아 삼각형 ABC를 그려 보자.
직선 l 위에서 점 A를 움직이면 삼각형 ABC의 넓이는 점 A의 위치에 따라 다르게 나올까?

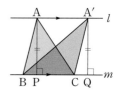

일단 밑변의 길이가 일정하므로 높이가 다르면 넓이도 다를 것이다. 그런데

평행한 두 직선 사이의 거리는 항상 일정하므로

직선 l 위에서 점 A를 움직여도 삼각형의 높이는 변하지 않는다.
즉, 그려진 △ABC와 △A′BC는 밑변의 길이와 높이가 각각 같으므로 그 넓이가 같다.

평행선과 삼각형의 성질
두 직선 l, m이 평행할 때, △ABC와 △A′BC는
밑변 BC가 공통이고 높이가 h로 같으므로 넓이가 같다.
➡ $l /\!/ m$이면 △ABC＝△A′BC

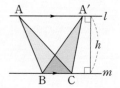

예제 20 오른쪽 그림과 같이 $\overline{AD} /\!/ \overline{BC}$인 사다리꼴 ABCD에서 넓이가 같은 삼각형을 찾아라.

(1) △ABC＝[　　　], △ABD＝[　　　]

(2) △OAB＝[　　　]

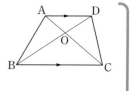

풀이 (1) $\overline{AD} /\!/ \overline{BC}$이므로 △ABC＝**△DBC**, △ABD＝**△ACD**

(2) △ABC와 △DBC에서 △OBC가 공통이므로 △OAB＝**△ODC**

한편 높이가 같은 두 삼각형의 넓이의 비는 어떻게 될까?
두 삼각형의 높이가 같더라도 밑변의 길이가 다르면 당연히 넓이가
다르다. 이때 삼각형의 넓이의 비는 밑변의 길이의 비와 같다.
즉, 오른쪽 그림에서

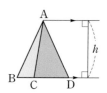

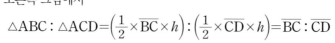

$$\triangle ABC : \triangle ACD = \left(\frac{1}{2} \times \overline{BC} \times h\right) : \left(\frac{1}{2} \times \overline{CD} \times h\right) = \overline{BC} : \overline{CD}$$

Q 026 평행선을 이용하여 사각형과 넓이가 같은 삼각형을 그릴 수 있다?

바른 A 평행한 직선을 그어서 넓이가 같은 삼각형을 찾으면 돼.

친절한 A 평행선을 이용하면 주어진 사각형의 넓이는 그대로 유지하면서 그 모양을 삼각형으로 변신시킬 수 있다.

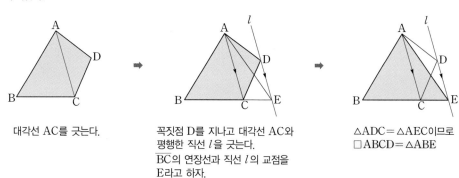

대각선 AC를 긋는다.

꼭짓점 D를 지나고 대각선 AC와 평행한 직선 l을 긋는다.
$\overline{BC}$의 연장선과 직선 l의 교점을 E라고 하자.

△ADC＝△AEC이므로
□ABCD＝△ABE

직선 l을 어느 대각선에 평행하게 그을지, 어느 변의 연장선과 직선 l의 교점을 잡을지에 따라 사각형 ABCD와 넓이가 같은 삼각형은 여러 가지가 나온다.

예제 21 오른쪽 그림과 같이 꺾은선 ABC를 경계로 하는 두 밭이 있다. 두 밭의 넓이가 모두 변하지 않으면서 점 A를 지나는 직선으로 된 새 경계선을 작도해 보아라.

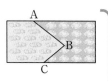

풀이 오른쪽 그림과 같이 점 B를 지나고 $\overline{AC}$에 평행한 직선이 밭의 경계와 만나는 점을 D라고 하면 △ABC와 △ADC의 넓이가 같으므로 $\overline{AD}$를 새 경계선으로 하면 된다.

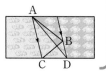

THINK Math

오각형과 넓이가 같은 삼각형

사각형과 같은 방법으로 평행선의 성질을 이용하여 다음과 같이 오각형 ABCDE와 넓이가 같은 삼각형도 그릴 수 있다.

❶ 대각선 AC, AD를 긋고, $\overline{CD}$의 연장선을 긋는다.

❷ $\overline{CD}$의 연장선 위에 두 점 P, Q를 잡는다.

❸ 삼각형 APQ를 그린다.

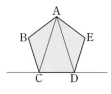 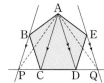 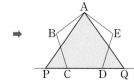

△ABC＝△APC,
△AED＝△AQD

(오각형 ABCDE의 넓이)
＝△APQ

개념 **확인**

(1) 두 대각선의 길이가 같은 사각
형은 직사각형, ☐,
정사각형이다.
(2) 두 대각선이 서로 다른 것을
수직이등분하는 사각형은
☐, 정사각형이다.

01 다음 그림에서 □ABCD의 두 대각선의 교점이 O일 때, x, y의 값을 각각 구하여라.

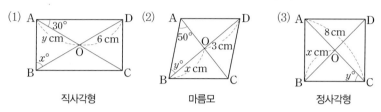

직사각형 　　　　　 마름모 　　　　　 정사각형

02 다음 그림은 여러 사각형 사이의 관계를 그림으로 나타낸 것이다. ㈎, ㈏에 알맞은
조건을 보기에서 모두 찾아 써라.

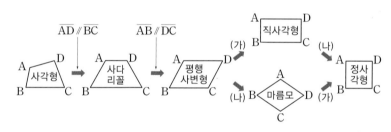

보기 　ㄱ. $\angle A=90°$ 　　ㄴ. $\overline{AB}=\overline{BC}$ 　　ㄷ. $\overline{AC}=\overline{BD}$ 　　ㄹ. $\overline{AC}\perp\overline{BD}$

자기 **진단**

Q.019 ○ 066쪽
직사각형의 두 대각선은 어떤 성질
을 가지고 있을까?

Q.020 ○ 067쪽
마름모의 두 대각선은 어떤 성질을
가지고 있을까?

Q.021 ○ 069쪽
정사각형의 두 대각선은 어떤 성질
을 가지고 있을까?

Q.023 ○ 071쪽
여러 가지 사각형 사이에는 어떤
관계가 있을까?

03 오른쪽 그림과 같이 $\overline{AD} /\!/ \overline{BC}$인 □ABCD에서 두 대각선
의 교점을 O라고 하자. △DBC의 넓이가 20 cm², △ABO
의 넓이가 6 cm²일 때, △OBC의 넓이를 구하여라.

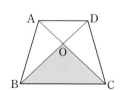

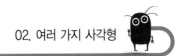
유형 1 직사각형의 뜻과 성질

오른쪽 그림과 같은 직사각형 ABCD에서 ∠BAC=64°이고, $\overline{AC}$=10 cm일 때, $x+y$의 값을 구하여라. (단, 점 O는 두 대각선의 교점이다.)

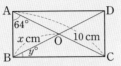

Summa Point
• 직사각형은 네 내각의 크기가 모두 같은 사각형이다.
• 직사각형의 두 대각선은 길이가 같고, 서로 다른 것을 이등분한다.

066쪽 Q 019

유형 2 마름모의 뜻과 성질

오른쪽 그림과 같은 마름모 ABCD에서 ∠BDC=30°일 때, ∠A의 크기를 구하여라.

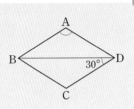

Summa Point
• 마름모는 네 변의 길이가 모두 같은 사각형이다.
• 마름모의 두 대각선은 서로 다른 것을 수직이등분한다.

067쪽 Q 020

1-1 ☺☺☹

오른쪽 그림과 같은 직사각형 ABCD에서 $\overline{BE}=\overline{DE}$, ∠BDE=∠EDC일 때, ∠DEC의 크기는?

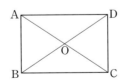

① 50°　　　② 55°　　　③ 60°
④ 65°　　　⑤ 70°

1-2 ☺☺☹

오른쪽 그림과 같은 직사각형 ABCD에서 점 O는 두 대각선의 교점일 때, 다음 중 옳지 <u>않은</u> 것은?

① $\overline{AB}=\overline{DC}$, $\overline{AD}=\overline{BC}$
② $\overline{AC}=\overline{BD}$
③ $\overline{AO}=\overline{BO}=\overline{CO}=\overline{DO}$
④ $\overline{AC}\perp\overline{BD}$
⑤ ∠ABO=∠DCO

2-1 ☺☺☹

다음 중 마름모에 대한 설명으로 옳지 <u>않은</u> 것을 모두 고르면?

(정답 2개)

① 두 대각선의 길이가 같다.
② 두 대각선이 서로 다른 것을 수직이등분한다.
③ 네 변의 길이가 모두 같다.
④ 네 내각의 크기가 모두 같다.
⑤ 두 쌍의 대변이 각각 평행하다.

2-2 ☺☺☹

오른쪽 그림과 같은 마름모 ABCD에서 두 대각선의 교점을 O라고 하자. 마름모 ABCD의 둘레의 길이가 24 cm이고, ∠OAD=30°일 때, $\overline{BO}$의 길이를 구하여라.

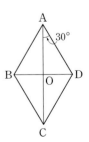

유형 ③ 평행사변형이 직사각형이나 마름모가 되는 조건

오른쪽 그림과 같은 평행사변형 ABCD에서 $\overline{AD}=8$ cm, $\overline{BD}=10$ cm일 때, 한 가지 조건을 추가하여 □ABCD가 직사각형이 되도록 하려고 한다. 이때 필요한 조건을 보기에서 모두 골라라. (단, 점 O는 두 대각선의 교점이다.)

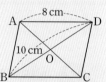

┤ 보 기 ├
ㄱ. $\overline{AC}=10$ cm   ㄴ. $\overline{CD}=8$ cm
ㄷ. ∠BAD=90°   ㄹ. ∠AOD=90°

Summa Point
평행사변형의 한 내각이 직각이거나 두 대각선의 길이가 같으면 직사각형이다.

067쪽 **Q** 020

3-1 ☺☺☹
오른쪽 그림과 같은 평행사변형 ABCD가 직사각형이 되는 조건이 아닌 것은? (단, 점 O는 두 대각선의 교점이다.)

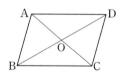

① ∠DAB=∠ABC   ② $\overline{AC}=\overline{BD}$
③ $\overline{AO}=\overline{DO}$ ④ $\overline{AC}\perp\overline{BD}$
⑤ ∠DAO=∠ADO

3-2 ☺☺☹
오른쪽 그림과 같은 평행사변형 ABCD가 마름모가 되는 조건을 모두 고르면? (단, 점 O는 두 대각선의 교점이다.) (정답 2개)

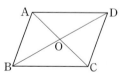

① $\overline{AB}=\overline{AD}$ ② $\overline{AC}=\overline{BD}$
③ $\overline{AC}\perp\overline{BD}$ ④ ∠DAB=90°
⑤ $\overline{AO}=\overline{BO}$, $\overline{CO}=\overline{DO}$

유형 ④ 정사각형의 뜻과 성질

오른쪽 그림과 같이 정사각형 ABCD의 대각선 AC 위에 ∠AED=70°가 되도록 점 E를 잡았다. ∠EBC의 크기를 구하여라.

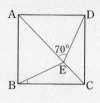

Summa Point
• 정사각형은 네 내각의 크기가 모두 같고, 네 변의 길이가 모두 같은 사각형이다.
• △ABE≡△ADE임을 이용하여 ∠AEB의 크기를 구한다.

069쪽 **Q** 021

4-1 ☺☺☹
오른쪽 그림과 같은 정사각형 ABCD에서 $\overline{BD}=6$ cm일 때, □ABCD의 넓이는? (단, 점 O는 두 대각선의 교점이다.)

① 15 cm²   ② 16 cm²   ③ 17 cm²
④ 18 cm²   ⑤ 19 cm²

4-2 ☺☺☹
오른쪽 그림의 정사각형 ABCD에서 $\overline{BC}=\overline{BE}=\overline{EC}$일 때, ∠$x$와 ∠$y$의 크기를 각각 구하여라.

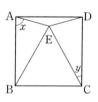

4-3 ☺☺☹
오른쪽 그림의 정사각형 ABCD에서 $\overline{DC}=\overline{DE}$, ∠DAE=25°일 때, ∠CEF의 크기를 구하여라.

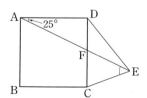

유형 5 정사각형이 되는 조건

오른쪽 그림과 같은 평행사변형 ABCD가 정사각형이 되는 조건을 모두 고르면? (단, 점 O는 두 대각선의 교점이다.) (정답 2개)

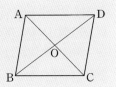

① $\overline{AC}=\overline{BD}$, $\angle ABC=90°$
② $\overline{AB}=\overline{BC}$, $\overline{AC}\perp\overline{BD}$
③ $\overline{AB}=\overline{BC}$, $\overline{OB}=\overline{OC}$
④ $\overline{AC}\perp\overline{BD}$, $\overline{AO}=\overline{CO}$
⑤ $\angle ABC=90°$, $\overline{AC}\perp\overline{BD}$

Summa Point
• 직사각형의 이웃하는 두 변의 길이가 같거나 두 대각선이 수직으로 만나면 정사각형이다.
• 마름모의 한 내각이 직각이거나 두 대각선의 길이가 같으면 정사각형이다.

069쪽 **Q** 021 ◠

5-1 ☺☺☹

오른쪽 그림과 같은 평행사변형 ABCD의 두 대각선의 교점을 O라 하자. $\overline{OA}=\overline{OB}=\overline{OC}=\overline{OD}$일 때, 다음 중 □ABCD가 정사각형이 되기 위한 조건을 모두 고르면? (정답 2개)

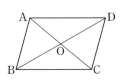

① $\overline{AB}=\overline{AD}$
② $\overline{AC}=\overline{BD}$
③ $\overline{AC}\perp\overline{BD}$
④ $\angle DAB=90°$
⑤ $\angle DAB+\angle ABC=180°$

5-2 ☺☺☹

오른쪽 그림과 같은 마름모 ABCD가 정사각형이 되는 조건을 보기에서 모두 골라라.
(단, 점 O는 두 대각선의 교점이다.)

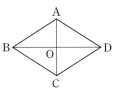

┤ 보 기 ├
ㄱ. $\overline{AB}=\overline{AD}$
ㄴ. $\overline{OB}=\overline{OC}$
ㄷ. $\angle ABC=\angle BCD$
ㄹ. $\angle AOB=\angle BOC$

유형 6 등변사다리꼴의 성질

오른쪽 그림과 같이 $\overline{AD}\,/\!/\,\overline{BC}$인 등변사다리꼴 ABCD에서 $\angle B=75°$, $\angle DAC=40°$일 때, $\angle ACD$의 크기를 구하여라.

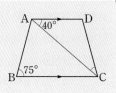

Summa Point
• $\overline{AD}\,/\!/\,\overline{BC}$이므로 엇각의 크기가 같다.
• $\angle ABC=\angle DCB$

070쪽 **Q** 022 ◠

6-1 ☺☺☹

오른쪽 그림과 같이 $\overline{AD}\,/\!/\,\overline{BC}$인 등변사다리꼴 ABCD에서 $\angle DBC=40°$이고, $\overline{AB}=\overline{AD}=\overline{CD}$일 때, $\angle C$의 크기는?

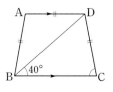

① 70°
② 75°
③ 80°
④ 85°
⑤ 90°

6-2 ☺☺☹

오른쪽 그림과 같이 $\overline{AD}\,/\!/\,\overline{BC}$인 등변사다리꼴 ABCD의 두 대각선의 교점을 O라고 할 때, 다음 중 옳지 <u>않은</u> 것은?

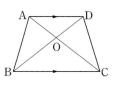

① $\angle ABC=\angle DCB$
② $\overline{AB}=\overline{AD}$
③ $\overline{AC}=\overline{DB}$
④ $\angle DBC=\angle ACB$
⑤ $\triangle AOB=\triangle DOC$

유형 **7** 여러 가지 사각형 사이의 관계

오른쪽 그림과 같은 평행사변형 ABCD의 네 내각의 이등분선의 교점을 E, F, G, H라고 할 때, □EFGH는 어떤 사각형인지 말하여라.

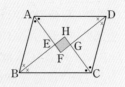

Summa Point
∠A+∠B=180°임을 이용하여 ∠HEF의 크기를 구한다.

071쪽 Q 023 ↻

7-1 😊😐☹️

오른쪽 그림과 같은 직사각형 ABCD의 대각선 BD의 수직이등분선과 $\overline{AD}$, $\overline{BC}$와의 교점을 각각 E, F라고 할 때, 다음 중 옳지 <u>않은</u> 것은?

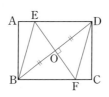

① ∠EBO=∠FBO
② $\overline{EO}=\overline{FO}$
③ $\overline{BE}=\overline{DE}$
④ $\overline{BE}/\!/\overline{DF}$
⑤ $\overline{AB}=\overline{BF}$

7-2 😊😐☹️

다음 사각형 중 두 대각선이 서로 다른 것을 이등분하는 것이 <u>아닌</u> 것은?

① 직사각형
② 마름모
③ 정사각형
④ 등변사다리꼴
⑤ 평행사변형

7-3 😊😐☹️

사각형에 대한 다음 설명 중에서 옳지 <u>않은</u> 것은?

① 직사각형과 마름모는 평행사변형이다.
② 한 내각이 직각인 평행사변형은 직사각형이다.
③ 평행사변형에서 두 대각선이 서로 수직이면 마름모이다.
④ 직사각형에서 두 대각선이 서로 수직이면 정사각형이다.
⑤ 사각형에서 두 쌍의 대각의 크기가 각각 같으면 직사각형이다.

유형 **8** 평행선과 넓이

오른쪽 그림과 같은 □ABCD의 꼭짓점 D에서 대각선 AC에 평행한 직선을 그어 $\overline{BC}$의 연장선과의 교점을 E라고 하자. △ABC의 넓이가 20 cm², △ACE의 넓이가 12 cm²일 때, □ABCD의 넓이를 구하여라.

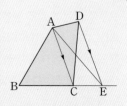

Summa Point
$\overline{AC}/\!/\overline{DE}$이므로 △ACD와 △ACE의 넓이가 같음을 이용한다.

075쪽 Q 026 ↻

8-1 😊😐☹️

오른쪽 그림과 같이 $\overline{AD}/\!/\overline{BC}$인 사다리꼴 ABCD에서 △ABC의 넓이가 35 cm², △OBC의 넓이가 20 cm²일 때, △DOC의 넓이는? (단, 점 O는 두 대각선의 교점이다.)

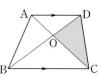

① 14 cm²
② 15 cm²
③ 16 cm²
④ 17 cm²
⑤ 18 cm²

8-2 😊😐☹️

오른쪽 그림과 같은 평행사변형 ABCD에서 $\overline{DC}$ 위에 점 F를 잡고, $\overline{BF}$의 연장선과 $\overline{AD}$의 연장선의 교점을 E라고 하자. 이때 △ADF와 넓이가 같은 삼각형을 모두 고르면?

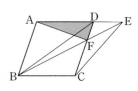

(정답 2개)

① △BCF
② △BDF
③ △CDE
④ △CEF
⑤ △BCE

해설 BOOK **014**쪽 | 테스트 BOOK **023**쪽

Step 1 | 내·신·기·본

01 오른쪽 그림과 같은 평행사변형 ABCD의 꼭짓점 A에서 두 변 BC, CD에 내린 수선의 발을 각각 E, F라고 하자. ∠B=70°일 때, ∠EAF의 크기를 구하여라.

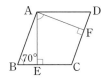

02 오른쪽 그림과 같이 평행사변형 ABCD를 대각선 BD를 따라 접어서 점 C를 점 E로 옮기고 두 선분 DE, BA의 연장선의 교점을 F라고 하자. ∠BDC=40°일 때, ∠BFD의 크기를 구하여라.

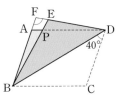

03 오른쪽 그림과 같은 평행사변형 ABCD에서 $\overline{AD}$의 중점을 M이라고 할 때, $\overline{MB}=\overline{MC}$이면 □ABCD는 어떤 사각형인지 구하여라.

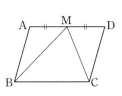

04 오른쪽 그림과 같은 평행사변형 ABCD에서 두 변 AD, BC의 중점을 각각 M, N이라고 할 때, 다음 중 옳지 <u>않은</u> 것은?

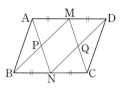

① $\overline{PN} /\!/ \overline{QM}$
② $\overline{PM} /\!/ \overline{QN}$
③ ∠MPN=∠MQN
④ $\overline{MP}=\overline{PN}=\overline{NQ}=\overline{QM}$
⑤ ∠QMP+∠MPN=180°

05 오른쪽 그림과 같은 □ABCD는 마름모이고 △ABP는 정삼각형이다. ∠ABC=70°일 때, ∠x의 크기를 구하여라.

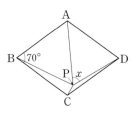

06 다음 그림과 같이 $\overline{AD} /\!/ \overline{BC}$인 등변사다리꼴 ABCD에서 ∠A=110°, ∠DBC=25°일 때, ∠BDC의 크기를 구하여라.

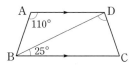

07 오른쪽 그림과 같은 평행사변형 ABCD에서 $\overline{BC}$, $\overline{CD}$의 중점을 각각 M, N이라고 하자. □ABCD의 넓이가 $16\,\text{cm}^2$일 때, △AMN의 넓이는?

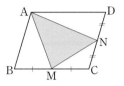

① $6\,\text{cm}^2$ ② $7\,\text{cm}^2$ ③ $8\,\text{cm}^2$

④ $9\,\text{cm}^2$ ⑤ $10\,\text{cm}^2$

08 오른쪽 그림과 같은 평행사변형 ABCD에서 $\overline{BD}$∥$\overline{EF}$일 때, △ABE와 넓이가 같은 삼각형을 모두 말하여라.

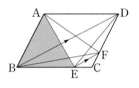

09 다음 중 옳지 <u>않은</u> 것은?

① 두 대각선의 길이가 같은 평행사변형은 직사각형이다.

② 이웃하는 두 내각의 크기가 같은 평행사변형은 마름모이다.

③ 두 대각선이 서로 수직으로 만나는 평행사변형은 마름모이다.

④ 이웃하는 두 내각의 크기가 같은 마름모는 정사각형이다.

⑤ 두 대각선이 서로 수직으로 만나는 직사각형은 정사각형이다.

10 오른쪽 그림과 같이 가로의 길이가 8 cm, 세로의 길이가 6 cm인 직사각형 ABCD의 각 변의 중점을 차례로 이어서 만든 □PQRS의 넓이를 구하여라.

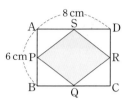

11 오른쪽 그림과 같은 평행사변형 ABCD에서 ∠A, ∠B의 이등분선이 $\overline{BC}$, $\overline{AD}$와 만나는 점을 각각 E, F라고 할 때, □ABEF는 어떤 사각형인지 구하여라.

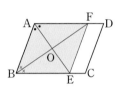

12 오른쪽 그림과 같이 △ABC의 변 AB 위의 한 점 P에 대하여 $\overline{PC}$∥$\overline{AQ}$이고, $\overline{BM} : \overline{QM} = 2 : 3$이다. △PBM의 넓이가 $6\,\text{cm}^2$일 때, □APMC의 넓이는?

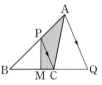

① $8\,\text{cm}^2$ ② $9\,\text{cm}^2$ ③ $10\,\text{cm}^2$

④ $11\,\text{cm}^2$ ⑤ $12\,\text{cm}^2$

13 오른쪽 그림과 같은 평행사변형 ABCD에서 $\overline{DF}$는 ∠D의 이등분선이고 $\overline{AE} \perp \overline{DF}$이다. $\overline{AB}=6$ cm, $\overline{AD}=8$ cm일 때, $\overline{EF}$의 길이를 구하여라.

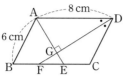

14 오른쪽 그림과 같은 평행사변형 ABCD에서 ∠B, ∠C의 이등분선과 변 AD와의 교점을 각각 E, F라 하고 ∠C의 이등분선과 변 AB의 연장선과의 교점을 G라고 하자. ∠G=55°일 때, ∠BED의 크기를 구하여라.

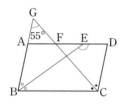

15 오른쪽 그림과 같이 정사각형 ABCD의 두 변 BC, CD 위에 ∠PAQ=45°, ∠APQ=65°가 되도록 두 점 P, Q를 잡았다. ∠x의 크기는?

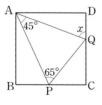

① 50° ② 55° ③ 60°
④ 65° ⑤ 70°

16 오른쪽 그림과 같이 $\overline{AD} /\!/ \overline{BC}$인 사다리꼴 ABCD에서 △OAD의 넓이는 2 cm²이고, $\overline{OA} : \overline{OC} = 1 : 2$일 때, □ABCD의 넓이는?

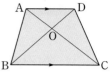

① 14 cm² ② 16 cm² ③ 18 cm²
④ 20 cm² ⑤ 22 cm²

17 오른쪽 그림과 같은 △ABC에서 점 M은 $\overline{BC}$의 중점이다. 꼭짓점 A에서 $\overline{BC}$에 내린 수선의 발을 P라 하고, $\overline{PA} /\!/ \overline{MD}$가 되도록 $\overline{AC}$ 위에 점 D를 잡을 때, △DPC의 넓이를 구하여라.

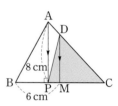

18 오른쪽 그림과 같은 평행사변형 ABCD에서 △ABF=16 cm², △BCE=12 cm²일 때, △DEF의 넓이를 구하여라.

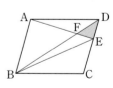

1. 삼각형의 성질

01. 이등변삼각형과 직각삼각형

001 이등변삼각형에는 어떤 성질이 있을까?

① 두 밑각의 크기는 서로 같아.
② 꼭지각의 이등분선은 밑변을 수직이등분해.

003 이등변삼각형이 되는 조건은?

두 내각의 크기가 같으면 이등변삼각형!

004 직각삼각형에서만 사용되는 합동 조건이 있다?

① 빗변의 길이와 한 예각의 크기가 각각 같은 두 직각삼각형은 합동이야.
② 빗변의 길이와 다른 한 변의 길이가 각각 같은 두 직각삼각형은 합동이야.

005 각의 이등분선에는 어떤 성질이 있을까?

① 각의 이등분선 위의 한 점에서 그 각의 두 변까지의 거리는 같아.
② 각의 두 변에서 같은 거리에 있는 한 점은 그 각의 이등분선 위에 있어.

02. 삼각형의 외심과 내심

006 삼각형의 외심은 어떻게 찾을까?

삼각형의 세 변의 수직이등분선의 교점을 찾으면 돼.

007 삼각형의 모양에 따른 외심의 위치는?

예각삼각형은 내부, 직각삼각형은 빗변의 중점, 둔각삼각형은 외부.

008 삼각형의 외심의 성질을 이용하여 각의 크기를 어떻게 구할까?

$\angle x + \angle y + \angle z = 90°$

$\angle BOC = 2\angle A$

009 삼각형의 내심은 어떻게 찾을까?

삼각형의 세 내각의 이등분선의 교점을 찾으면 돼.

010 삼각형의 모양에 따른 내심의 위치는?

모든 삼각형의 내심은 삼각형의 내부에 있어. 특히, 정삼각형은 내심과 외심이 일치해.

011 삼각형의 내심의 성질을 이용하여 각의 크기를 어떻게 구할까?

$\angle x + \angle y + \angle z = 90°$

$\angle BIC = 90° + \frac{1}{2}\angle A$

012 내접원의 반지름의 길이를 이용하여 삼각형의 넓이를 어떻게 구할까?

$\triangle ABC = \frac{1}{2}r(a+b+c)$

013 내심의 성질을 이용하여 삼각형의 둘레의 길이를 어떻게 구할까?

$\overline{AD} = \overline{AF}, \ \overline{BD} = \overline{BE}, \ \overline{CE} = \overline{CF}$

2. 사각형의 성질

01. 평행사변형

OI4 평행사변형에는 어떤 성질이 있을까?

① 두 쌍의 대변의 길이는 각각 같아.
② 두 쌍의 대각의 크기는 각각 같아.
③ 두 대각선은 서로 다른 것을 이등분해.

OI5 평행사변형에서 이웃하는 두 내각의 크기의 합은 □이다?

이웃하는 두 내각의 크기의 합은 180°야.

OI6 어떤 사각형이 평행사변형이 되기 위한 조건은?

① 두 쌍의 대변이 각각 평행하다.
② 두 쌍의 대변의 길이가 각각 같다.
③ 두 쌍의 대각의 크기가 각각 같다.
④ 두 대각선이 서로 다른 것을 이등분한다.
⑤ 한 쌍의 대변이 평행하고, 그 길이가 같다.

OI8 평행사변형의 넓이는 두 대각선에 의하여 □등분된다?

평행사변형의 넓이는 두 대각선에 의하여 4등분돼.

02. 여러 가지 사각형

OI9 직사각형의 두 대각선은 어떤 성질을 가지고 있을까?

$\overline{AC}=\overline{BD}$
$\overline{OA}=\overline{OB}=\overline{OC}=\overline{OD}$

O2O 마름모의 두 대각선은 어떤 성질을 가지고 있을까?

$\overline{AC}\perp\overline{BC}$
$\overline{OA}=\overline{OC}, \overline{OB}=\overline{OD}$

O2I 정사각형의 두 대각선은 어떤 성질을 가지고 있을까?

$\overline{AC}=\overline{BD}, \overline{AC}\perp\overline{BD}$
$\overline{OA}=\overline{OB}=\overline{OC}=\overline{OD}$

O22 등변사다리꼴은 어떤 성질을 가지고 있을까?

$\overline{AB}=\overline{DC}, \overline{AC}=\overline{BD}$

O23 여러 가지 사각형 사이에는 어떤 관계가 있을까?

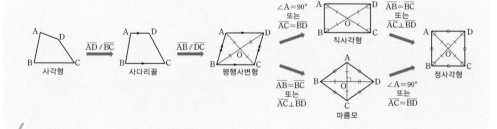

O24 사각형의 각 변의 중점을 이어서 만든 사각형은 어떤 사각형이 될까?

사각형, 사다리꼴, 평행사변형 ➡ 평행사변형
등변사다리꼴, 직사각형 ➡ 마름모
마름모 ➡ 직사각형
정사각형 ➡ 정사각형

O25 평행선과 삼각형의 넓이 사이에는 어떤 성질이 있을까?

$l /\!/ m$이면 $\triangle ABC=\triangle A'BC$

01 오른쪽 그림과 같은 직사각형 ABCD에서 $\overline{AE}=\overline{CE}$, ∠BAE＝∠EAC일 때, ∠$x$의 크기는?

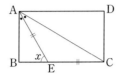

① 55° ② 60° ③ 65°
④ 70° ⑤ 75°

02 오른쪽 그림과 같이 $\overline{AB}=\overline{AC}$인 이등변삼각형 ABC에서 ∠A의 이등분선과 밑변 BC의 교점을 D, $\overline{AD}$ 위의 한 점을 P 라고 할 때, 다음 중 옳지 <u>않은</u> 것은?

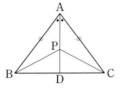

① $\overline{PD}\perp\overline{BC}$ ② $\overline{BD}=\overline{CD}$
③ $\overline{AP}=\overline{BP}$ ④ △ABP≡△ACP
⑤ ∠BPC＝2∠BPD

03 오른쪽 그림과 같이 $\overline{AB}=\overline{AC}$인 이등변각형 ABC에서 $\overline{BC}=\overline{BD}$ 이고, ∠C＝70°일 때, ∠ABD의 크기는?

① 25°   ② 30°
③ 35°   ④ 40°   ⑤ 45°

04 오른쪽 그림과 같이 $\overline{AB}=\overline{AC}$인 이등변삼각형 ABC에서 ∠B의 이등분선과 ∠C의 외각의 이등분선의 교점을 D라고 하자. ∠A＝52°일 때, ∠D의 크기를 구하여라.

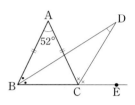

05 오른쪽 그림과 같이 ∠A＝90°, $\overline{AB}=\overline{AC}$인 직각 이등변삼각형 ABC에서 꼭짓점 A를 지나는 직선 l을 긋고, 두 꼭짓점 B와 C에서 직선 l에 내린 수선의 발을 각각 D, E라고 하자. $\overline{BD}=12\,cm$, $\overline{CE}=5\,cm$일 때, $\overline{DE}$의 길이를 구하여라.

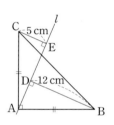

06 오른쪽 그림은 '∠AOB의 이등분선 $\overrightarrow{OC}$ 위의 한 점 P에서 $\overrightarrow{OA}$, $\overrightarrow{OB}$에 내린 수선의 발을 각각 Q, R라고 할 때, $\overline{PQ}=\overline{PR}$이다.'를 설명하기 위해 그린 것이다. 다음 중 필요한 조건이 <u>아닌</u> 것은?

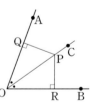

① $\overline{OP}$는 공통 ② ∠QOR＝∠QPR
③ ∠QOP＝∠ROP ④ △POQ≡△POR
⑤ ∠PQO＝∠PRO＝90°

07 오른쪽 그림에서 점 O는 △ABC의 외심이다. ∠ABO=42°, ∠BOC=136°일 때, ∠x의 크기는?

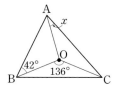

① 23° ② 24° ③ 25°
④ 26° ⑤ 27°

08 오른쪽 그림에서 점 I는 ∠B=90°인 직각삼각형 ABC의 내심이다. $\overline{AB}$=8 cm, $\overline{BC}$=6 cm, $\overline{CA}$=10 cm일 때, 색칠한 부분의 넓이는?

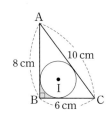

① $(4-\pi)$ cm² ② $(2-\pi)$ cm²
③ π cm² ④ $(1+\pi)$ cm²
⑤ $(2+\pi)$ cm²

09 오른쪽 그림에서 점 I는 △ABC의 내심이고, 세 점 D, E, F는 내접원과 삼각형의 세 변의 접점이다. $\overline{AB}$=10 cm, $\overline{BC}$=15 cm, $\overline{CA}$=13 cm일 때, $\overline{AD}$의 길이는?

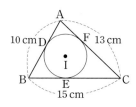

① 3 cm ② 3.5 cm ③ 4 cm
④ 4.5 cm ⑤ 5 cm

10 오른쪽 그림에서 점 I는 △ABC의 내심이고, △ADE의 내접원의 반지름의 길이는 2 cm이다. $\overline{DE}$∥$\overline{BC}$이고, $\overline{AB}$=6 cm, $\overline{AC}$=9 cm일 때, △ADE의 넓이는?

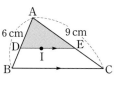

① 15 cm² ② 16 cm² ③ 18 cm²
④ 20 cm² ⑤ 21 cm²

11 오른쪽 그림과 같은 평행사변형 ABCD에서 ∠A의 이등분선이 $\overline{DC}$의 연장선, $\overline{BC}$와 만나는 점을 각각 E, F라고 하자. $\overline{AB}$=5 cm, $\overline{AD}$=9 cm, ∠B=60°일 때, △FEC의 둘레의 길이는?

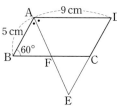

① 10 cm ② 12 cm ③ 14 cm
④ 15 cm ⑤ 18 cm

12 오른쪽 그림과 같은 평행사변형 ABCD에서 $\overline{AB}$=$\overline{BE}$, $\overline{EC}$=$\overline{CF}$일 때, ∠x의 크기는?

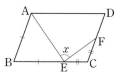

① 80° ② 85° ③ 90°
④ 95° ⑤ 100°

13 오른쪽 그림에서
□ABCD가 평행사변형이
되도록 점 D의 좌표를 정
하여라.

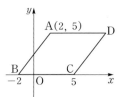

14 오른쪽 그림과 같은 직사각
형 ABCD에서 $\overline{BE}$, $\overline{DF}$는
각각 ∠ABD, ∠BDC의
이등분선이고 $\overline{BE}=\overline{DE}$일
때, $x+y$의 값은?

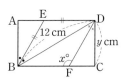

① 120   ② 122   ③ 124
④ 126   ⑤ 128

15 오른쪽 그림과 같은 평행사변
형 ABCD에 대한 다음 설명
중 옳지 <u>않은</u> 것은? (단, 점 O
는 두 대각선의 교점이다.)

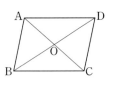

① $\overline{AO}=\overline{DO}$이면 직사각형이다.
② ∠AOD=90°이면 마름모이다.
③ ∠ABD=∠ADB이면 마름모이다.
④ $\overline{AB}=\overline{BC}$, ∠B=90°이면 정사각형이다.
⑤ △ABO≡△ADO이면 직사각형이다.

16 오른쪽 그림과 같은 정사각형
ABCD의 대각선 AC 위에
∠AEB=65°가 되도록 점
E를 잡을 때, ∠EBC의 크기
는?

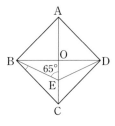

① 10°   ② 15°
③ 20°   ④ 25°   ⑤ 30°

17 오른쪽 그림과 같은 마름
모 ABCD의 꼭짓점 A에
서 $\overline{CD}$에 내린 수선의 발
을 H라 하고, $\overline{AH}$와 $\overline{BD}$
가 만나는 점을 P라고 하
자. ∠C=120°일 때, ∠APB의 크기는?

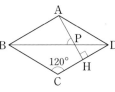

① 50°   ② 54°   ③ 60°
④ 64°   ⑤ 68°

18 오른쪽 그림과 같은 평행사변
형 ABCD가 대각선 AC 위
의 한 점 P에 대하여
$\overline{BP}=\overline{DP}$를 만족할 때,
□ABCD는 어떤 사각형인지 말하여라.

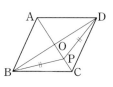

19 다음 중 마름모의 각 변의 중점을 연결하여 만든 사각형의 성질이 <u>아닌</u> 것을 모두 고르면? (정답 2개)

① 두 대각선의 길이가 같다.
② 두 대각선이 서로 수직으로 만난다.
③ 네 변의 길이가 모두 같다.
④ 네 각이 모두 직각이다.
⑤ 두 쌍의 대변이 각각 평행하다.

20 오른쪽 그림과 같이 $\overline{AD}=2\overline{AB}$인 평행사변형 ABCD에서 $\overline{DC}$의 연장선 위에 $\overline{DC}=\overline{CE}=\overline{FD}$가 되도록 점 E, F를 잡고, $\overline{AE}$와 $\overline{BF}$의 교점을 P라고 할 때, 다음 중 옳지 <u>않은</u> 것은?

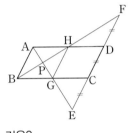

① $\overline{AB}=\overline{DH}$
② $\overline{AB}=\overline{BG}$
③ $\overline{AG}=\overline{BH}$
④ $\triangle ABH\equiv\triangle DFH$
⑤ $\triangle FPE$는 직각삼각형이다.

21 오른쪽 그림과 같이 □ABCD의 꼭짓점 D를 지나고 $\overline{AC}$에 평행한 직선이 $\overline{BC}$의 연장선과 만나는 점을 E라 하고, 꼭짓점 A에서 $\overline{BC}$에 내린 수선의 발을 H라고 하자. $\overline{BC}=6\,cm$, $\overline{CE}=3\,cm$, $\overline{AH}=6\,cm$일 때, □ABCD의 넓이를 구하여라.

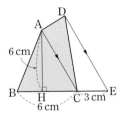

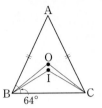

22 오른쪽 그림에서 두 점 O와 I는 각각 $\overline{AB}=\overline{AC}$인 이등변삼각형 ABC의 외심과 내심이다. $\angle ABC=64°$일 때, $\angle OCI$의 크기를 구하여라.

답 _____

23 다음 그림과 같은 평행사변형 모양의 종이 ABCD를 접어서 꼭짓점 A가 꼭짓점 C에 오도록 접었더니 정오각형이 되었다. 이때 $\angle ACB$의 크기를 구하여라.

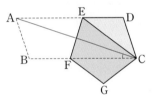

답 _____

24 오른쪽 그림에서 □ABCD, □EOCD는 평행사변형이고 점 O는 대각선 AC의 중점이다. $\overline{AB}=8\,cm$, $\overline{BC}=10\,cm$일 때, $\overline{AF}+\overline{FO}$의 길이를 구하여라.

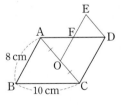

답 _____

V Advanced Lecture

1 삼각형의 오심

삼각형의 오심이란 삼각형의 5개의 중심, 즉 외심, 내심, 무게중심, 수심, 방심을 한꺼번에 일컫는 말이다. 삼각형의 외심과 내심은 앞에서 배웠으므로 여기서는 삼각형의 무게중심, 수심, 방심에 대하여 알아보자.

(1) 삼각형의 무게중심

무게중심은 원래 물리학에서 나온 말이다. 무게중심은 모든 힘이 균형을 이루는 지점으로, 이 점을 받치면 어느 방향으로도 기울어지지 않고 평형을 이룬다. 삼각형에서는 세 중선의 교점이 무게중심이 되는데 무게중심은 세 중선을 각 꼭짓점으로부터 2 : 1로 나누는 중요한 성질을 가지고 있다.

(2) 삼각형의 수심

삼각형의 수심은 세 꼭짓점에서 각각의 대변에 내린 세 개의 수선이 만나는 점이다.
다음 그림과 같이 예각삼각형의 수심은 삼각형의 내부에, 직각삼각형의 수심은 직각인 꼭짓점에, 둔각삼각형의 수심은 삼각형의 외부에 있다.

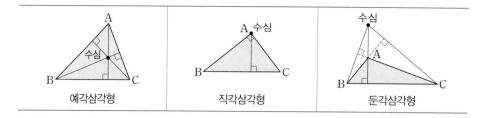

(3) 삼각형의 방심

방심은 삼각형의 한 내각과 다른 두 외각의 이등분선의 교점이다. 오른쪽 그림과 같이 △ABC에서 $\overline{AB}$와 $\overline{AC}$의 연장선 AD, AE를 각각 그은 다음 ∠B, ∠C의 외각과 ∠A의 이등분선을 그으면 한 점에서 만나게 된다. 이 점이 바로 △ABC의 방심이다. 외심, 내심, 무게중심, 수심이 삼각형에 오직 하나만 있는 것과 달리 방심은 하나의 삼각형에 3개가 나온다.

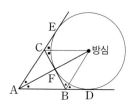

삼각형의 오심을 간단히 정리하면 다음과 같다.

	외심	내심	무게중심	수심	방심
뜻	세 변의 수직이등분선의 교점	세 내각의 이등분선의 교점	세 중선의 교점	세 수선의 교점	한 내각과 두 외각의 이등분선의 교점
작도					

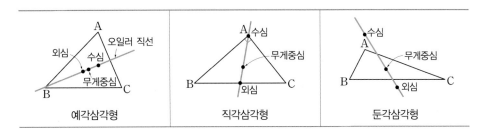

TOPIC 2 오일러 직선

스위스의 수학자 오일러는 삼각형의 모양과 상관없이

외심, 무게중심, 수심은 항상 한 직선 위에 놓인다

는 것을 발견하게 되었다. 발견자 오일러의 이름을 붙여 외심, 무게중심, 수심을 지나는 직선을 특별히 **오일러 직선**이라고 부른다.

예각삼각형	직각삼각형	둔각삼각형

이등변삼각형에서 외심, 무게중심, 수심은 모두 꼭지각의 이등분선 위에 존재한다. 즉, 이등변삼각형에서 꼭지각의 이등분선이 오일러 직선이 된다.
이등변삼각형 중에서 정삼각형은 더욱 특별하여 내심, 외심, 무게중심, 수심이 모두 한 점에서 만나게 된다.

01 에펠탑과 트러스 구조

1889년 프랑스 정부는 프랑스 혁명 100주년 기념 만국박람회를 계획하면서 이에 적합한 기념물의 설계안을 공모했고, 유명한 건축설계가인 구스타브 에펠(1832~1923)의 설계안을 채택하였다. 에펠탑은 이 설계자의 이름을 따서 붙여진 것이다.

에펠탑은 목재나 돌로 만들어진 이전 고딕건물들과 달리 철근으로 이루어져 있어서 파리의 경치를 해친다는 이유로 설계 당시부터 반발이 심했다. 유명한 예술가와 지식인들의 반발이 끊이지 않아 완공 이후에도 해체설까지 나왔으나 파리의 풍경을 한눈에 볼 수 있는 에펠탑은 관광객들의 시선을 사로잡았고, 파리시의 상징적인 명물로 자리잡게 되었다.

사람들은 기술적인 면에서도 당시의 기술로 300 m나 되는 높은 탑이 과연 무거운 철근의 무게를 버티며 무너지지 않고 서 있을지 의문을 가졌다. 그래서 많은 사람들은 철탑인 에펠탑이 오래 버틸 수 없을 것이라 예상했다. 하지만 에펠은 트러스 구조를 이용하여 무게를 잘 견디는 탑을 만들었다.

트러스 구조란 삼각형 형태로 재료들을 서로 연결한 구조를 말하는데 오늘날 튼튼함과 안정성을 필요로 하는 건축물에 많이 쓰이고 있다. 재료들을 삼각형 모양으로 연결하면 어느 쪽으로 힘을 주던지 모양이 변하지 않지만 사각형, 오각형 모양 등으로 연결하면 모양이 쉽게 변하게 된다. 에펠은 이러한 트러스 구조의 장점을 반영하여 에펠탑의 철근들을 꼼꼼하게 연결하여 쌓았다. 이렇게 만들어진 에펠탑은 100여 년이 지난 지금도 원래 모습 그대로를 유지하며 명물로 손꼽히고 있다.

02 비비아니의 정리

갈릴레오의 제자였던 비비아니(1622~1703)는 정삼각형에 대해 다음과 같은 성질을 발견하였다.

> 정삼각형의 내부에 있는 한 점에서 세 변에 이르는 거리의 합은 정삼각형의 높이와 같다.

오른쪽 그림과 같이 정삼각형 ABC 내부에 임의의 점 P를 잡고, 점 P에서 △ABC의 각 변 AB, BC, CA에 내린 수선의 발을 각각 D, E, F라고 하면 $\overline{PD}+\overline{PE}+\overline{PF}$의 길이는 정삼각형의 높이, 즉 $\overline{AH}$의 길이와 같다.

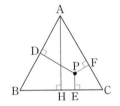

이는 정삼각형 ABC의 한 변의 길이를 a라고 하면 다음 넓이에 관한 식으로부터 간단히 확인할 수 있다.

$$\triangle ABC = \triangle APB + \triangle BPC + \triangle CPA$$
$$\frac{1}{2}a \times \overline{AH} = \frac{1}{2}a \times \overline{PD} + \frac{1}{2}a \times \overline{PE} + \frac{1}{2}a \times \overline{PF}$$
$$\therefore \overline{AH} = \overline{PD} + \overline{PE} + \overline{PF}$$

비비아니의 정리는 다음과 같이 그림으로도 간단히 확인할 수 있다.

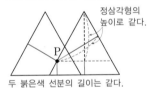

정삼각형의 높이로 같다.

두 붉은색 선분의 길이는 같다.

비비아니의 정리는 정사면체에서도 생각할 수 있다.

> 정사면체의 내부에 있는 한 점에서 네 면에 이르는 거리의 합은 정사면체의 높이와 같다.

정사면체 O-ABC 내부에 임의의 점 P를 잡고, 점 P에서 △ABC, △OAB, △OBC, △OCA에 내린 수선의 발을 각각 D, E, F, G라고 하면

$$\overline{OH} = \overline{PD} + \overline{PE} + \overline{PF} + \overline{PG}$$

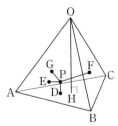

가 성립한다. 이는 점 P와 각 꼭짓점을 연결하여 나누어진 4개의 사면체의 부피의 합이 정사면체 O-ABC의 부피와 같음을 이용하여 간단히 확인할 수 있다.

이탈리아의 로마
서양 문명을 이끌어온 로마 제국의 수도이자 카톨릭의 중심지인 로마는
역사적, 문화적, 종교적 중심지로서 생명력을 여전히 과시하고 있다.
사진 속 정경은 산탄젤로 성 꼭대기에서 바라보는 로마 시내의
풍경으로 아름다움과 웅장함을 엿볼 수 있다.

VI

도형의 닮음과
피타고라스 정리

숨마쿰라우데® 개념기본서

INTRO to Chapter Ⅵ
도형의 닮음과 피타고라스 정리

SUMMA CUM LAUDE - MIDDLE SCHOOL MATHEMATICS

일상에서의 닮음과 수학에서의 닮음...

'아빠와 아기가 닮았다.', '친구끼리 서로 닮았다.'와 같이 '닮았다'라는 말은 일상에서 자주 쓰는 말이다. 이때의 '닮았다'라는 말은 서로 비슷한 생김새나 성질을 지녔을 때 쓴다.

아빠와 아기가 아무리 많이 닮았다고 해도 아기의 얼굴을 확대했을 때 아빠의 얼굴과 완전하게 일치하지는 않는다.

확대 또는 축소했을 때, 완전하게 일치하는 경우는 수학에서 흔히 다루어진다. 수학에서는 비슷하다는 정도가 아닌 확대 또는 축소했을 때 다른 하나와 꼭 맞을 때, 즉 합동이 되었을 때 서로 닮았다고 말한다.

닮음을 이용하여 피라미드의 높이를 재다...

지금부터 약 2500년 전, 그리스의 수학자 탈레스(B.C.640~B.C.546)는 이집트를 여행하던 중 막대기 하나로 피라미드의 높이를 측정하여 사람들을 놀라게 하였다. 탈레스는

막대와 그림자만 있으면 비율로 높이를 구할 수 있어!

> 피라미드의 높이와 그 그림자의 비율이
> 막대기의 높이와 그 그림자의 비율과 같다

고 보고 피라미드의 높이를 구하였다. 이는 곧 닮음의 원리를 이용하여 계산한 것이다.

마땅한 측정 도구가 없던 시대에 닮음이라는 수학적 원리는 강을 건너지 않고도 강의 너비를 알아내게 해주고, 직접 갈 수 없는 곳까지의 거리도 측정할 수 있게 해주었다.

심지어 지구와 달 사이의 거리도 측정할 수 있게 해주었는데 수학자 아리스타르코스(B.C.310?~B.C.230?)는 그의 논문 '태양과 달의 크기와 거리에 관하여'에서 닮음을 이용하여 지구와 달 사이의 거리를 계산하고, 지구와 달의 상대적인 크기를 추측하여 소개하기도 하였다.

피타고라스 학파와 수....

피타고라스 학파는 "만물은 수 (All is number)"라고 여길만큼 수를 중요시 하였다. 그들에게 우주의 근본은 수이며 특히 정수와 이들의 비(분수)로 모든 것을 나타낼 수 있다고 믿었다. 그들은 각각의 수를 평화, 완전, 풍부, 자기연민 등의 의미와 결부시켜 생각하였고 수 자체의 성질을 연구하여 홀수, 짝수, 소수, 서로소인 수, 완전수, 과잉수, 부족수, 친화수 등의 이름을 붙이기도 하였다. 예를 들어 완전수란 $28 = 1 + 2 + 4 + 7 + 14$와 같이 자기 자신을 제외한 모든 약수의 합이 자기 자신과 같아지는 수를 말한다.

피타고라스는 수를 음악에도 적용하였다. 피타고라스는 처음에 길이가 1인 현을 울려서 소리를 내고, 다음에 길이가 $\frac{1}{2}$인 현을 울려서 소리를 내며 처음의 소리보다 5도 높은 소리가 나고 또 길이가 $\frac{1}{3}$인 현은 원래의 소리보다 8도 높은 소리가 나는 것을 발견하여 이들을 기초로 해서 음계를 만들었다. 이는 오늘날 피타고라스 음계로 알려져 있다.

피타고라스 정리는 그 이전에도 사용되었다...

피타고라스는 다음과 같은 유명한 정리를 남겼다.

"직각삼각형에서 빗변의 길이의 제곱은 다른 두 변의 길이의 제곱의 합과 같다."

이 정리를 피타고라스 정리라고 부르는데 이러한 이름이 붙게 된 것은 피타고라스가 이 정리를 증명하였기 때문이다. 수학적인 증명을 하지 못했을 뿐 이 정리는 피타고라스 시대이전에도 사용되었다는 기록이 있다. 역사적 기록을 살펴보면 바빌로니아인들이 피타고라스 정리를 알고 있었다는 것을 보여 주는 증거로 정사각형의 대각선의 길이를 표시하고 있는 점토판이 있고 고대 이집트에서는 끈에 12개의 매듭을 만들어 끈의 길이의 비가 3 : 4 : 5가 되도록 삼각형을 만들어 직각이 됨을 측정했다고 한다. 그리고 이것을 피라미드의 건설에 이용했다고 한다. 이러한 피타고라스 정리는 고대 중국의 수학책 주비산경에도 등장한다. 이 책에는 '구(勾)를 3, 고(股)를 4라고 할 때, 현(弦)은 5가 된다.'는 '구고현의 정리'가 실려 있다.

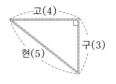

이 단원에서 공부할 내용들...

이 단원에서는 닮음의 뜻과 그 성질을 배우고 도형에서 활용해 볼 것이다.
삼각형의 합동 조건과 삼각형의 닮음 조건의 유사성 때문에 많은 학생들이 합동과 닮음을 헷갈려하는 경우가 있다. 합동은 닮음비가 1 : 1인 닮음의 특별한 경우이다.

모양 전체를 같은 비율로 확대, 축소할 때만 닮음

이 되므로 특정한 방향으로만 확대, 축소한 것은 닮음이 될 수 없음에 유의하자.
또한 닮음과 더불어 삼각형의 무게중심에 대해 배운다. 일반적으로 도형마다 다음과 같이 두 번의 시행으로 무게중심을 찾을 수 있는데 삼각형에서는 보다 간단한 방법으로 찾을 수 있다. 본문에서 또 다른 방법을 배워 비교해 보도록 하자.

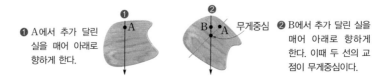

❶ A에서 추가 달린 실을 매어 아래로 향하게 한다.   ❷ B에서 추가 달린 실을 매어 아래로 향하게 한다. 이때 두 선의 교점이 무게중심이다.

한편 피타고라스 정리는 직각삼각형이 있는 도형이라면 어디서든 사용할 수 있으므로 눈으로 직접 직각삼각형을 확인할 수 있는 도형뿐만 아니라 수선을 그어 직각삼각형을 만들어 낼 수 있는 도형까지 활용된다. 더 나아가 피타고라스 정리는 피타고라스 학파와 페르마의 마지막 정리라는 재미있는 수학사를 가지고 있으므로 이러한 내용들에 관심을 가지고 공부한다면 피타고라스 정리에 대한 흥미를 좀 더 느낄 수 있을 것이다.

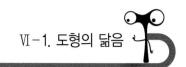

SUMMA **NOTE**

1. 닮은 도형

(1) 한 도형을 일정한 비율로 확대 또는 축소하여 다른 도형과 합동이 될 때, 이 두 도형을 닮음
인 관계에 있다고 하고 서로 닮음인 관계에 있는 두 도형을 닮은 도형이라고 한다.

(2) △ABC와 △DEF가 서로 닮은 도형일 때, 이것을 기호로

$$\triangle ABC \backsim \triangle DEF$$

와 같이 나타낸다. (단, 대응하는 점의 순서대로 쓴다.)

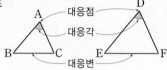

2. 도형에서의 닮음의 성질

(1) 닮음비 : 두 닮은 도형에서 대응변의 길이의 비

(2) 평면도형에서 닮음의 성질 : 닮은 두 평면도형에서

① 대응변의 길이의 비는 일정하다.

② 대응각의 크기는 각각 같다.

(3) 입체도형에서 닮음의 성질 : 닮은 두 입체도형에서

① 대응하는 모서리의 길이의 비는 일정하다.

② 대응하는 면은 닮은 도형이다.

1. 닮은 도형

Q 027 닮음이란?

A 크기는 상관없이 모양이 같은 경우!

A 컴퓨터를 이용하여 원래 사진을 (가), (나), (다)와 같은 여러 가지 모양으로 확대 또는 축소하였다.

원래 사진

(가)
가로로 20 % 확대

(나)
세로로 20 % 축소

(다)
가로로 20 % 확대
세로로 20 % 축소

원래 사진과 닮은 사진은 어느 것일까? 언뜻 생각하면 위의 사진들은 모두 닮았다고 생각할 수 있지만 수학적으로는 ㈎, ㈏, ㈐ 모두 원래 사진과 닮지 않았다. 수학적으로 닮음이 되기 위해서는 가로와 세로의 길이를 모두 같은 비율로 확대 또는 축소해야 한다.

가로, 세로를 모두 20 %씩 축소하면 원래 사진과 모양이 같아.

전체를 20 % 축소

가로, 세로를 모두 20 %씩 확대하면 원래 사진과 모양이 같아.

전체를 20 % 확대

'닮음'에 대해 좀 더 수학적인 문구로 정확히 표현해 보면

한 도형을 일정한 비율로 확대 또는 축소하여 다른 도형과 합동이 될 때,

이 두 도형은 서로 **닮음**인 관계에 있다고 한다. 또 닮음인 관계에 있는 두 도형을 **닮은 도형**이라고 한다. 즉, 닮음은 두 도형의 크기와는 상관없이 <u>모양이 같은 경우</u>를 말한다.
물론 모양과 크기가 모두 같은 합동도 닮음에 속한다는 말씀!

Q 028　'△ABC와 △DEF가 닮았다.'를 기호로 나타내면?

A △ABC ∽ △DEF

A 오른쪽 그림에서 △ABC를 2배로 확대하면 △DEF와 합동이 된다.
즉, △ABC와 △DEF는 서로 닮은 도형이므로 꼭짓점 A와 D, 꼭짓점 B와 E, 꼭짓점 C와 F는 각각 대응점이 된다.

또 $\overline{AB}$와 $\overline{DE}$, $\overline{BC}$와 $\overline{EF}$, $\overline{CA}$와 $\overline{FD}$는 각각 대응변이 되고,
∠A와 ∠D, ∠B와 ∠E, ∠C와 ∠F는 각각 대응각이 된다.

△ABC와 △DEF가 합동일 때, 기호로 △ABC≡△DEF와 같이 나타내는 것처럼
△ABC와 △DEF가 닮음일 때, 이것을 기호 ∽를 사용하여

$$\triangle \textbf{ABC} \;\backsim\; \triangle \textbf{DEF}$$

와 같이 나타낸다.

이때 두 도형의 꼭짓점은 반드시 서로 대응하는 순서대로 써야 함에 주의하자.
두 도형이 닮음일 때, 대응하는 순서대로 쓰기 때문에 우리는 기호만 보고도 대응변을 쉽게 떠올릴 수 있다.

$\overline{AB}$의 대응변은 $\overline{DE}$
△ABC ∽ △DEF
$\overline{DF}$의 대응변은 $\overline{AC}$

기호 ∽, ≡, =의 차이

닮음 기호 ∽는 독일의 수학자 라이프니츠(1646~1716)에 의해 처음 사용되었다. 기호 ∽는 닮음을 뜻하는 라틴어 Similis (영어의 Similar)의 첫 글자 S를 옆으로 뉘어서 쓴 것이다. 간혹 ∽, ≡, =의 의미를 헷갈려 하는 경우가 있는데 잘 구분하도록 하자.

$$\triangle ABC \backsim \triangle DEF \qquad \triangle ABC \equiv \triangle DEF \qquad \triangle ABC = \triangle DEF$$
$$\text{(닮음)} \qquad\qquad \text{(합동)} \qquad\qquad \text{(넓이가 같음)}$$

2. 도형에서의 닮음의 성질

Q 029 닮은 두 도형에서 대응변의 길이의 비는 □□하다?

A 닮은 두 도형에서 대응변의 길이의 비는 일정해!

A 오른쪽 그림에서 $\triangle ABC \backsim \triangle DEF$이다.
이때 각각의 대응변의 길이의 비를 구하면

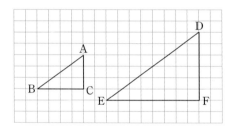

$$\overline{AB} : \overline{DE} = 5 : 10 = 1 : 2$$
$$\overline{BC} : \overline{EF} = 4 : 8\ = 1 : 2$$
$$\overline{CA} : \overline{FD} = 3 : 6\ = 1 : 2$$

즉, 모든 대응변의 길이의 비가 $1 : 2$로 일정하다.
이와 같이 서로 닮은 두 도형에서 일정한 대응변의 길이의 비를 **닮음비**라고 한다. 즉, 위의

$$\triangle ABC와 \triangle DEF의 닮음비는 1 : 2이다.$$

서로 닮은 두 삼각형 ABC와 DEF의 닮음비를 알면, 다음과 같이 두 삼각형의 각 변의 길이 사이의 관계도 알 수 있다.

$1 : 3$이면	$2 : 1$이면	$1 : 1$이면
$\triangle DEF$의 각 변의 길이는 $\triangle ABC$의 각 변의 길이의 3배	$\triangle DEF$의 각 변의 길이는 $\triangle ABC$의 각 변의 길이의 $\frac{1}{2}$배	두 삼각형의 변의 길이가 같다. (두 삼각형은 합동!)

한편 대응변의 길이의 비를 대응각의 크기의 비로 착각하지 않도록 하자.
두 삼각형에서 세 쌍의 대응각의 크기는 항상 각각 같다. 즉,

$$\angle A = \angle D,\ \angle B = \angle E,\ \angle C = \angle F$$

이상을 정리하면 다음과 같다.

> 닮은 두 평면도형에서
> ① 대응변의 길이의 비는 일정하다. (닮음비)
> ② 대응각의 크기는 각각 같다.

닮음비를 알면 비례식을 이용하여 대응변의 길이를 구할 수 있다.

예제 1 오른쪽 그림에서 □ABCD∽□EFGH
일 때, 다음을 구하여라.
(1) 닮음비   (2) $\overline{HG}$의 길이
(3) ∠H의 크기

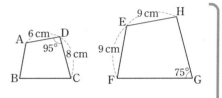

풀이
(1) $\overline{AD} : \overline{EH} = 6 : 9 = \mathbf{2 : 3}$
(2) $\overline{DC} : \overline{HG} = 2 : 3$, $8 : \overline{HG} = 2 : 3$ ∴ $\overline{HG} = \mathbf{12(cm)}$
(3) ∠H = ∠D = $\mathbf{95°}$

Math STORY

망원경과 현미경의 배율은 곧 닮음비!

우리 주변의 실생활에서도 닮음의 원리를 활용하는 예를 많이 찾을
수 있다. 망원경은 멀리 있는 물체를 가까이 보는 기구이고, 현미경
은 가까이 있지만 매우 작은 물체를 확대하여 보는 기구이다. 망원
경과 현미경의 배율은 물체를 몇 배나 확대하여 보여주는가를 말해
주는 수치이다.
즉, 망원경이나 현미경으로 본 물체와 실제의 물체를 닮은 도형으
로 생각하면 배율은 닮음비라고 할 수 있다.

세포가
크게 보여!

← 현미경

Q 030   닮은 두 입체도형의 닮음비는 어떻게 구할까?

A 대응하는 모서리의 길이의 비를 구해.

A 오른쪽 그림에서 사면체 A′-B′C′D′은 사면체 A-BCD
를 3배로 확대하여 그린 것이다. 즉, 두 사면체는 닮은 도
형이다. 도형을 3배로 확대하면 각각의 대응하는 모서리
의 길이도 3배가 되므로 대응하는 모서리의 길이의 비는
모두 1 : 3이 된다.

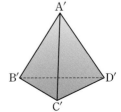

$$\overline{AB}:\overline{A'B'}=\overline{BC}:\overline{B'C'}=\overline{AC}:\overline{A'C'}=\overline{CD}:\overline{C'D'}$$
$$=\overline{AD}:\overline{A'D'}=\overline{BD}:\overline{B'D'}=1:3$$

이처럼 대응하는 모서리의 길이의 비는 모두 일정하므로 닮은 두 입체도형에서도 닮은 두 평면
도형에서와 마찬가지로 대응하는 모서리의 길이의 비를 닮음비라고 한다.

예를 들어 앞의 두 사면체 A–BCD와 A′–B′C′D′의 닮음비는 $1:3$이다. 입체도형에서 모서리
의 길이의 비가 일정하므로 대응하는 면끼리도 각각 닮은 도형이 된다.

이상을 정리하면 다음과 같다.

> 닮은 두 입체도형에서
> ① 대응하는 모서리의 길이의 비는 일정하다.
> ② 대응하는 면은 서로 닮은 도형이다.

예제 2 오른쪽 그림과 같은 닮은 두 삼각기둥에서 $\overline{AB}$에
대응하는 모서리가 $\overline{A'B'}$일 때, 다음을 구하여라.

(1) 닮음비   (2) $\overline{A'D'}$의 길이

(3) 면 BEFC에 대응하는 면

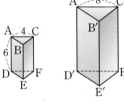

풀이 (1) $\overline{AC}:\overline{A'C'}=4:8=\mathbf{1:2}$

(2) $\overline{AD}:\overline{A'D'}=1:2,\ 6:\overline{A'D'}=1:2$ $\therefore\ \overline{A'D'}=\mathbf{12}$

(3) 면 B′E′F′C′

| 참고 | 다각형이나 다면체의 경우는 대응하는 선분의 길이의 비가 닮음비
가 되고, 원이나 구의 경우는 반지름의 길이의 비가 닮음비가 된다.
이때 길이의 비가 일정하므로 평면도형의 둘레의 길이의 비도 닮음
비와 같음을 알 수 있다.

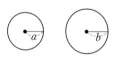

닮음비는 $a:b$

THINK Math

닮은 도형 그리기

(1) 도형의 내부의 점 O를 중심으로
닮은 도형을 그리는 방법

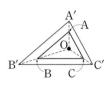

△ABC의 내부의 한 점 O를 잡아
$\overline{OA}:\overline{OA'}=\overline{OB}:\overline{OB'}=\overline{OC}:\overline{OC'}$
을 만족하도록 점 A′, B′, C′을 잡으면
△ABC $\backsim$ △A′B′C′

(2) 도형의 외부의 점 O를 중심으로
닮은 도형을 그리는 방법

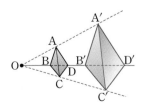

사면체 A–BCD의 외부의 한 점 O를 잡아
$\overline{OA}:\overline{OA'}=\overline{OB}:\overline{OB'}=\overline{OC}:\overline{OC'}=\overline{OD}:\overline{OD'}$
을 만족하도록 점 A′, B′, C′, D′을 잡으면
(사면체 A–BCD) $\backsim$ (사면체 A′–B′C′D′)

A 원이나 정다각형!

A 도형 중에는 대응하는 선분의 길이의 비가 일정한지 따져 볼 필요도 없이 항상 닮음인 도형들이 있다. 항상 닮음이 되는 도형은 어느 누구에게 물어봐도 같은 모양을 떠올리게 되는 도형이다.
다음 그림과 같이 두 마름모는 항상 닮음이 되지 않지만 두 정사각형은 항상 닮음이다.

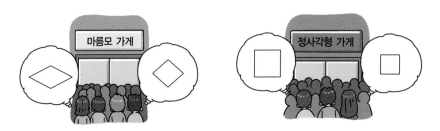

정사각형처럼 항상 같은 모양인 도형들이 또 있을까?
모든 정다각형, 모든 원, 모든 직각이등변삼각형, 모든 구, 모든 정다면체는 각각 항상 같은 모양이므로 항상 닮음이다. 다음과 같이 눈으로 익혀두자.

정다각형	정사각형 정삼각형
중심각의 크기가 같은 부채꼴	
밑각의 크기가 같은 이등변삼각형	직각이등변삼각형
원, 구	원 구
정다면체	정육면체 정사면체

예제 3 서로 항상 닮음인 두 도형이면 ○표, 아니면 ×표를 하여라.

(1) 두 정오각형 (   )   (2) 두 부채꼴 (   )   (3) 두 이등변삼각형 (   )

풀이 (1) ○ (2) × (3) ×
(2) 중심각의 크기가 다른 두 부채꼴은 서로 닮은 도형이 아니다.
(3) 밑각의 크기가 다른 두 이등변삼각형은 서로 닮은 도형이 아니다.

개념 확인

닮은 두 도형에서
(1) 대응변의 길이의 비는 □□ 하다.
(2) 대응각의 크기는 각각 □□.

01 오른쪽 그림에서 △ABC∽△DEF일 때, 다음을 구하여라.

(1) △ABC와 △DEF의 닮음비
(2) $\overline{DF}$의 길이
(3) ∠D의 크기

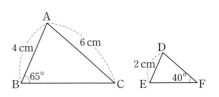

02 오른쪽 그림에서 □ABCD∽□EFGH 일 때, 다음을 구하여라.

(1) □ABCD와 □EFGH의 닮음비
(2) $\overline{BC}$의 길이
(3) ∠E의 크기

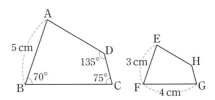

03 오른쪽 그림에서 두 삼각기둥은 서로 닮은 도형이 다. □ABED와 □A′B′E′D′이 서로 대응하는 면일 때, 다음을 구하여라.

(1) 두 삼각기둥의 닮음비
(2) x, y, z의 값

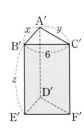

자기 진단

Q.028 ◯ 100쪽
'△ABC와 △DEF가 닮았다.'를 기호로 나타내면?

Q.029 ◯ 101쪽
닮은 두 도형에서 대응변의 길이의 비는 □□하다?

04 다음 중 항상 닮음인 도형이라고 할 수 <u>없는</u> 것은?

① 두 정사각형　　　② 두 원　　　③ 두 정삼각형
④ 두 직사각형　　　⑤ 중심각의 크기가 같은 두 부채꼴

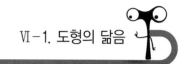

1. 삼각형의 닮음 조건

다음 조건 중 어느 하나를 만족하면 △ABC∽△A′B′C′

(1) 세 쌍의 대응변의 길이의 비가 같다. ➡ $a:a'=b:b'=c:c'$ (SSS 닮음)	
(2) 두 쌍의 대응변의 길이의 비가 같고, 그 끼인각의 크기가 같다. ➡ $a:a'=c:c'$, $\angle B = \angle B'$ (SAS 닮음)	
(3) 두 쌍의 대응각의 크기가 각각 같다. ➡ $\angle B = \angle B'$, $\angle C = \angle C'$ (AA 닮음)	

2. 직각삼각형의 닮음

$\angle A = 90°$인 직각삼각형 ABC의 꼭짓점 A에서 빗변 BC에
내린 수선의 발을 D라고 하면

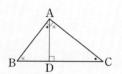

$$△ABC∽△DBA∽△DAC \text{ (AA 닮음)}$$

(1) △ABC∽△DBA이므로

$$\overline{AB}:\overline{DB}=\overline{BC}:\overline{BA} \implies \overline{AB}^2=\overline{BD}\times\overline{BC}$$

(2) △ABC∽△DAC이므로

$$\overline{AC}:\overline{DC}=\overline{BC}:\overline{AC} \implies \overline{AC}^2=\overline{CD}\times\overline{CB}$$

(3) △DBA∽△DAC이므로

$$\overline{AD}:\overline{CD}=\overline{BD}:\overline{AD} \implies \overline{AD}^2=\overline{DB}\times\overline{DC}$$

(4) △ABC의 넓이를 구하는 공식에서

$$\frac{1}{2}\times\overline{AB}\times\overline{AC}=\frac{1}{2}\times\overline{AD}\times\overline{BC} \implies \overline{AB}\times\overline{AC}=\overline{AD}\times\overline{BC}$$

1. 삼각형의 닮음 조건

Q 032 두 삼각형이 서로 닮음이 될 조건은?

빠른 A SSS 닮음, SAS 닮음, AA 닮음

친절한 A 두 삼각형이 서로 합동이 되는 조건은 세 가지가 있었다.

> S(side) : 변
> A(angle) : 각

SSS 합동, SAS 합동, ASA 합동

합동이 닮음의 한 가지임을 생각한다면 혹 두 삼각형이 서로 닮음이 되는 조건이 합동 조건과 관계가 있지 않을까 생각할 수 있을 것이다. 맞다. 즉,

합동에서는 대응변의 길이가 같아야 하고,

닮음에서는 대응변의 길이의 비가 같아야 한다

는 차이만 있을 뿐 같은 원리이다.

두 삼각형이 다음의 어느 한 조건을 만족하면 닮음이다. 이를 **삼각형의 닮음 조건**이라고 한다.

(1) **세 쌍의 대응변의 길이의 비가 같다.** ➡ SSS 닮음 ➡ $a : a' = b : b' = c : c'$	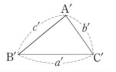
(2) **두 쌍의 대응변의 길이의 비가 같고, 그 끼인각의 크기가 같다.** ➡ SAS 닮음 ➡ $a : a' = c : c'$, $\angle B = \angle B'$	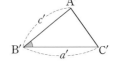
(3) **두 쌍의 대응각의 크기가 각각 같다.** ➡ AA 닮음 ➡ $\angle B = \angle B'$, $\angle C = \angle C'$	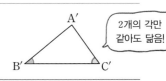

위의 삼각형의 닮음 조건을 이용하여 다음 두 삼각형이 서로 닮음이 되는지 확인해 보자.

(1)

$\overline{AB} : \overline{DE} = 2 : 3$

$\overline{BC} : \overline{EF} = 2 : 3$

$\overline{AC} : \overline{DF} = 2 : 3$

➡ $\triangle ABC \backsim \triangle DEF$

　(SSS 닮음)

(2)

$\overline{AE} : \overline{DE} = 1 : 2$

$\overline{BE} : \overline{CE} = 1 : 2$

$\angle AEB = \angle DEC$

➡ $\triangle AEB \backsim \triangle DEC$

　(SAS 닮음)

(3)

$\angle A$는 공통

$\angle ADE = \angle ABC$

➡ $\triangle ADE \backsim \triangle ABC$

　(AA 닮음)

예제 4 │ 오른쪽 그림과 같은 △ABC와 △DEF가 주어진 닮음 조건에 의해 닮음이 되도록 할 때, 필요한 조건을 말하여라.

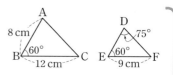

(1) SAS 닮음   (2) AA 닮음

풀이 │ (1) $\overline{DE}=6\,cm$ (2) $\angle A=75°$ 또는 $\angle C=45°$

Q 033   겹쳐져 있는 두 삼각형에서 닮음 조건을 찾는 방법은?

A │ 공통인 각을 기준으로 AA, SAS 닮음이 되는지 확인해.

A │ 두 삼각형이 겹쳐져 있는 경우에는 **공통인 각**이 있는지 찾아보자.
공통인 각이 있을 때,

다른 한 내각의 크기가 같으면 ➡ AA 닮음

공통인 각을 끼인각으로 하고 두 대응변의 길이의 비가 같으면 ➡ SAS 닮음

을 이용하면 된다. 다음 표를 통해 이해해 보자.

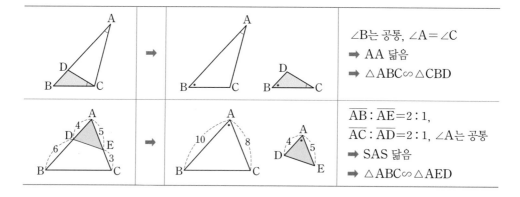

| | | $\angle B$는 공통, $\angle A=\angle C$ ➡ AA 닮음 ➡ $\triangle ABC \backsim \triangle CBD$ |
| | | $\overline{AB}:\overline{AE}=2:1,$ $\overline{AC}:\overline{AD}=2:1,$ $\angle A$는 공통 ➡ SAS 닮음 ➡ $\triangle ABC \backsim \triangle AED$ |

예제 5 │ 다음 그림에서 x의 값을 구하여라.

(1)

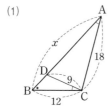

(2)

풀이 │ (1) $\triangle ABC \backsim \triangle CBD$ (AA 닮음)이므로
$\overline{AB}:\overline{CB}=\overline{AC}:\overline{CD}$
$x:12=18:9$ ∴ $x=\mathbf{24}$

(2) $\triangle ABC \backsim \triangle AED$ (SAS 닮음)이므로
$\overline{BC}:\overline{ED}=\overline{AB}:\overline{AE}$
$x:6=10:5$ ∴ $x=\mathbf{12}$

Q 034 직각삼각형에서 각 변의 길이 사이의 관계는?

A (바른)

닮음인 3개의 직각삼각형으로부터 세 가지 관계를 알 수 있어.

A (친절한)

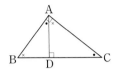

오른쪽 그림과 같이 $\angle A = 90°$인 직각삼각형 ABC의 꼭짓점 A에서
빗변 BC에 수선의 발 D를 내리면 3개의 직각삼각형, 즉
$\triangle ABC$, $\triangle DBA$, $\triangle DAC$가 생긴다.
이때 $\angle BAD = \angle C$, $\angle DAC = \angle B$이므로

$$\triangle ABC \backsim \triangle DBA \backsim \triangle DAC \ (\text{AA 닮음})$$

이와 같이 닮음인 3개의 직각삼각형으로부터 다음 세 가지 관계를 알 수 있다. 각각의 닮은 두 직각삼각형의 대응변의 길이의 비로부터 공식을 쉽게 유도할 수 있다.

$\triangle ABC \backsim \triangle DBA$	$\triangle ABC \backsim \triangle DAC$	$\triangle DBA \backsim \triangle DAC$
$\overline{AB} : \overline{DB} = \overline{BC} : \overline{BA}$	$\overline{AC} : \overline{DC} = \overline{BC} : \overline{AC}$	$\overline{AD} : \overline{CD} = \overline{BD} : \overline{AD}$
$\Rightarrow \overline{AB}^2 = \overline{BD} \times \overline{BC}$	$\Rightarrow \overline{AC}^2 = \overline{CD} \times \overline{CB}$	$\Rightarrow \overline{AD}^2 = \overline{DB} \times \overline{DC}$

다음과 같이 삼각형의 넓이를 통해 생기는 식도 있다.

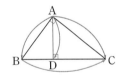

$$\frac{1}{2} \times \overline{AB} \times \overline{AC} = \frac{1}{2} \times \overline{BC} \times \overline{AD}$$

$$\Rightarrow \overline{AB} \times \overline{AC} = \overline{BC} \times \overline{AD}$$

닮음과 넓이를 통해 구한 4가지 공식을 기억하여 문제에 잘 적용하도록 하자.

예제 6 다음 그림과 같은 직각삼각형 ABC에서 x의 값을 구하여라.

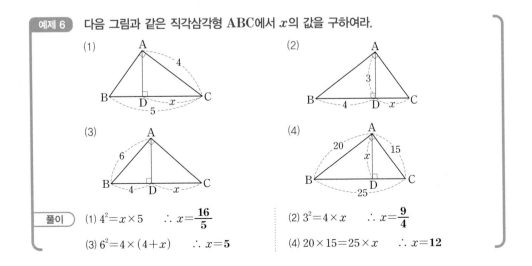

풀이
(1) $4^2 = x \times 5$ $\therefore x = \dfrac{16}{5}$

(2) $3^2 = 4 \times x$ $\therefore x = \dfrac{9}{4}$

(3) $6^2 = 4 \times (4+x)$ $\therefore x = 5$

(4) $20 \times 15 = 25 \times x$ $\therefore x = 12$

개념 **확인**

(1) 삼각형의 닮음 조건은 다음과 같이 세 가지가 있다.
　① SSS 닮음
　② ☐ 닮음
　③ ☐ 닮음

(2) 직각삼각형 ABC에서

B, C, D, A 삼각형 그림

　① $\overline{AB}^2 = \overline{BD} \times$ ☐
　② $\overline{AC}^2 = $ ☐ $\times \overline{CB}$
　③ $\overline{AD}^2 = $ ☐ $\times \overline{DC}$

01 다음 보기에서 서로 닮음인 삼각형을 모두 찾고, 이때 사용된 닮음 조건을 말하여라.

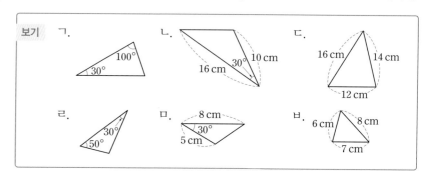

02 다음 그림에서 서로 닮음인 삼각형을 찾아 기호 ∽를 사용하여 나타내고, 이때 사용된 닮음 조건을 말하여라.

(1)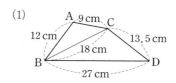

(2)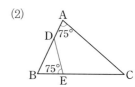

03 오른쪽 그림에서 $\overline{CD}$의 길이를 구하여라.

자기 **진단**

Q 032 ○107쪽
두 삼각형이 서로 닮음이 될 조건은?

Q 034 ○109쪽
직각삼각형에서 각 변의 길이 사이의 관계는?

04 다음 직각삼각형 ABC에서 x의 값을 구하여라.

(1)

(2)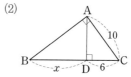

(3)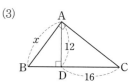

문제 이해도를 ☺, ☺, ☹ 으로 표시해 보세요.

해설 BOOK 020쪽 | 테스트 BOOK 030쪽

유형 ① 평면도형에서의 닮음의 성질

아래 그림에서 △ABC∽△DEF일 때, 다음 중 옳은 것은?

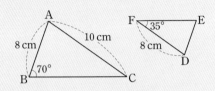

① $\overline{AB} : \overline{DE} = 4 : 5$
② $\overline{DE} = 6$ cm
③ ∠E = 75°
④ ∠C = 45°
⑤ ∠A = 75°

Summa Point
• 닮은 두 평면도형에서 대응변의 길이의 비는 일정하다.
• 닮은 두 평면도형에서 대응각의 크기는 서로 같다.

101쪽 Q 029 ↻

1-1 ☺☺☹

다음 그림에서 □ABCD∽□EFGH일 때, ∠A + ∠F의 크기를 구하여라.

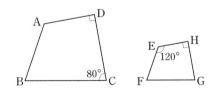

1-2 ☺☺☹

다음 그림에서 △ABC∽△A′B′C′이고, △ABC와 △A′B′C′의 닮음비가 3 : 2일 때, △A′B′C′의 둘레의 길이를 구하여라.

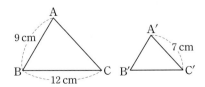

유형 ② 입체도형에서의 닮음의 성질

다음 그림의 두 직육면체는 서로 닮은 도형이다. $\overline{AB}$에 대응하는 모서리가 $\overline{A'B'}$일 때, $x+y$의 값을 구하여라.

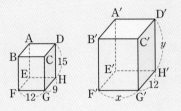

Summa Point
닮은 두 입체도형의 닮음비는 대응하는 두 모서리의 길이의 비와 같다.

102쪽 Q 030 ↻

2-1 ☺☺☹

다음 그림의 닮은 두 삼각기둥에서 △ABC∽△A′B′C′일 때, $x+y$의 값을 구하여라.

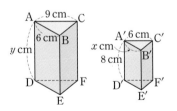

2-2 ☺☺☹

다음 그림에서 두 원뿔 A, B가 서로 닮은 도형일 때, 원뿔 A의 밑면의 둘레의 길이를 구하여라.

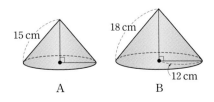

유형 ③ 삼각형의 닮음 조건

오른쪽 그림과 같은
△ABC에서
∠ABC=∠EDC이고,
$\overline{AD}$=4 cm, $\overline{CD}$=6 cm,
$\overline{CE}$=5 cm, $\overline{DE}$=3 cm일 때, 다음을 구하여라.

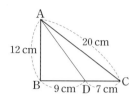

(1) $\overline{AB}$의 길이
(2) $\overline{BE}$의 길이

Summa Point
• 먼저 공통인 각과 크기가 같은 각을 이용하여 닮음인 두 삼각형을 찾는다.
• 닮음비를 구하고, 닮음 조건을 이용하여 변의 길이를 구한다.

107쪽 Q 032 ○

3-1 ☺☺☹

아래 그림에서 △ABC와 △DEF가 닮은 도형이 되려면 다음 중 어느 조건을 추가해야 하는가?

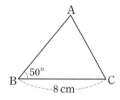

① ∠A=70°, ∠E=50°
② $\overline{AB}$=12 cm, $\overline{DE}$=6 cm
③ ∠C=45°, ∠D=45°
④ $\overline{AC}$=6 cm, $\overline{DF}$=3 cm
⑤ $\overline{AC}$=10 cm, $\overline{DF}$=5 cm

3-2 ☺☹☹

오른쪽 그림과 같은 △ABC에서
$\overline{AD}$=6 cm, $\overline{DB}$=2 cm,
$\overline{BC}$=4 cm, $\overline{CD}$=3 cm일 때,
$\overline{AC}$의 길이를 구하여라.

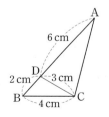

3-3 ☺☹☹

오른쪽 그림과 같은
△ABC에서 $\overline{AB}$=12 cm,
$\overline{BD}$=9 cm, $\overline{DC}$=7 cm,
$\overline{CA}$=20 cm일 때, $\overline{DA}$의
길이는?

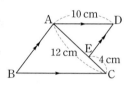

① 11 cm   ② 12 cm   ③ 13 cm
④ 14 cm   ⑤ 15 cm

3-4 ☺☹☹

오른쪽 그림에서
$\overline{AB}$∥$\overline{DE}$, $\overline{AD}$∥$\overline{BC}$이다.
$\overline{AD}$=10 cm, $\overline{AC}$=12 cm,
$\overline{CE}$=4 cm일 때, $\overline{BC}$의 길이는?

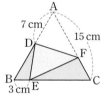

① 12 cm   ② 13 cm   ③ 14 cm
④ 15 cm   ⑤ 16 cm

3-5 ☺☹☹

오른쪽 그림은 한 변의 길이가
15 cm인 정삼각형 모양의 종이
ABC의 꼭짓점 A가 변 BC 위의
점 E에 오도록 접은 것이다.
$\overline{BE}$=3 cm, $\overline{AD}$=7 cm일 때,
$\overline{AF}$의 길이는?

① 10 cm   ② $\frac{21}{2}$ cm   ③ 11 cm
④ $\frac{23}{2}$ cm   ⑤ 12 cm

유형 **4** 직각삼각형의 닮음

오른쪽 그림과 같은 △ABC에서
$\overline{AB}\perp\overline{CE}$, $\overline{AC}\perp\overline{BD}$이고
$\overline{AD}:\overline{DC}=2:3$이다.
$\overline{AB}=16$ cm, $\overline{AC}=20$ cm일 때,
$\overline{BE}$의 길이를 구하여라.

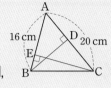

Summa Point
두 직각삼각형에서 한 예각의 크기가 같으면 두 직각삼각형은
AA 닮음이다.

109쪽 **Q 034** ↻

4-1 ☺☺☹

오른쪽 그림과 같은 △ABC에서
$\overline{AD}=\overline{BD}$이고
$\angle ADE=\angle ACB=90°$이다.
$\overline{AB}=10$ cm, $\overline{BC}=6$ cm,
$\overline{CA}=8$ cm일 때, $\overline{DE}$의 길이는?

① $\dfrac{15}{8}$ cm   ② 2 cm   ③ $\dfrac{5}{2}$ cm

④ $\dfrac{15}{4}$ cm   ⑤ 4 cm

4-2 ☺☺☹

오른쪽 그림과 같은 △ABC에서
$\overline{AB}\perp\overline{CE}$, $\overline{AC}\perp\overline{BD}$이고 점 F는
$\overline{BD}$와 $\overline{CE}$의 교점일 때, 다음 중 나머
지 네 삼각형과 닮은 도형이 <u>아닌</u> 것
은?

① △ABD   ② △ACE   ③ △BCD
④ △FBE   ⑤ △FCD

4-3 ☺☺☹

오른쪽 그림과 같이 $\angle A=90°$
인 직각삼각형 ABC에서
$\overline{AH}\perp\overline{BC}$일 때, 다음 중 옳지
<u>않은</u> 것은?

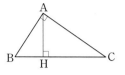

① △ABH ∽ △CAH
② $\overline{AH}:\overline{AB}=\overline{AC}:\overline{AH}$
③ $\overline{AH}^2=\overline{BH}\times\overline{CH}$
④ $\overline{BH}:\overline{AB}=\overline{AH}:\overline{AC}$
⑤ $\overline{AB}^2=\overline{BC}\times\overline{BH}$

4-4 ☺☺☹

오른쪽 그림과 같이 $\angle A=90°$인
직각삼각형 ABC에서 $\overline{AD}\perp\overline{BC}$
이고 $\overline{BD}=9$ cm, $\overline{AD}=12$ cm
일 때, $x-y$의 값은?

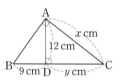

① 2   ② 3   ③ 4
④ 5   ⑤ 6

4-5 ☺☺☹

오른쪽 그림과 같이 직사각형
모양의 종이 ABCD를 $\overline{BE}$를
접는 선으로 하여 꼭짓점 C가
$\overline{AD}$ 위의 점 F에 오도록 접었
다. $\overline{AB}=9$ cm, $\overline{BC}=15$ cm, $\overline{AF}=12$ cm일 때, $\overline{FE}$의
길이를 구하여라.

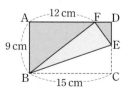

해설 BOOK 022쪽 | 테스트 BOOK 034쪽

Step 1 | 내·신·기·본

01 다음 그림과 같은 두 사면체가 서로 닮은 도형이고, △ABC에 대응하는 면이 △A′B′C′일 때, 모서리 B′C′의 길이는?

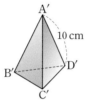

① 4 cm   ② 5 cm   ③ 6 cm
④ 8 cm   ⑤ 9 cm

02 오른쪽 그림에서 □ABCD∽□AEFG, □ABCD∽□HIJA이다. $\overline{AH}=4$ cm, $\overline{HD}=8$ cm, $\overline{DG}=8$ cm, $\overline{HI}=3$ cm 일 때, $\overline{BE}$의 길이는?

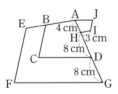

① 4 cm   ② 5 cm   ③ 6 cm
④ 7 cm   ⑤ 8 cm

03 다음 그림에서 $\overline{AB}$∥$\overline{DE}$이고 $\overline{AE}$와 $\overline{BD}$의 교점을 C라고 한다. $\overline{AB}=7$ cm, $\overline{AC}=3$ cm, $\overline{CE}=6$ cm 일 때, $\overline{DE}$의 길이를 구하여라.

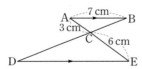

04 수영이는 건물의 높이를 알아보기 위하여 건물의 끝이 보이는 지점에 거울을 놓고 거리를 측정하였다. 수영이의 눈높이는 1.5 m이고, 수영이와 거울 사이의 거리는 2.5 m, 거울과 건물 사이의 거리는 8 m이다. 이때 건물의 높이를 구하여라.

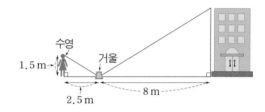

05 다음 그림에서 △OAB∽△OBC∽△OCD일 때, $\overline{OD}$의 길이를 구하여라.

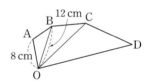

06 다음 그림의 평행사변형 ABCD에서 $\overline{AB}$의 연장선과 $\overline{DE}$의 연장선의 교점을 F라고 하자. $\overline{AD}=9$ cm, $\overline{AB}=4$ cm, $\overline{BF}=2$ cm일 때, $\overline{CE}$의 길이를 구하여라.

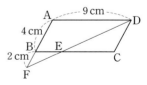

07 오른쪽 그림에서 $\overline{AD}\,/\!/\,\overline{BE}$, $\overline{AB}\,/\!/\,\overline{DC}$이고 $\overline{AB}=7$ cm, $\overline{BE}=8$ cm, $\overline{AE}=9$ cm, $\overline{EC}=3$ cm일 때, $\triangle ACD$의 둘레의 길이를 구하여라.

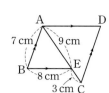

08 오른쪽 그림과 같은 직사각형 모양의 종이 ABCD를 대각선 BD를 접는 선으로 하여 접었을 때, $\overline{EF}$의 길이는?

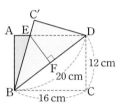

① 6 cm   ② $\dfrac{13}{2}$ cm   ③ 7 cm

④ $\dfrac{15}{2}$ cm   ⑤ 8 cm

09 오른쪽 그림과 같은 직사각형 ABCD에서 $\overline{EF}$가 대각선 AC를 수직이등분하고 $\overline{AC}$와 $\overline{EF}$의 교점을 G라고 한다. $\overline{AB}=6$ cm, $\overline{BC}=8$ cm, $\overline{CG}=5$ cm일 때, $\overline{GE}$의 길이는?

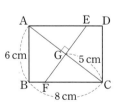

① 3 cm   ② $\dfrac{15}{4}$ cm   ③ 4 cm

④ $\dfrac{9}{2}$ cm   ⑤ 5 cm

10 오른쪽 그림과 같이 $\angle B=90°$인 직각삼각형 ABC의 변 AC 위의 점 F에서 $\overline{AB}$, $\overline{BC}$에 내린 수선의 발을 각각 D, E라고 할 때, $\square DBEF$가 정사각형이다. $\overline{AB}=6$ cm, $\overline{BC}=8$ cm일 때, $\square DBEF$의 둘레의 길이를 구하여라.

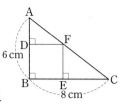

11 오른쪽 그림과 같이 $\angle A=90°$인 직각삼각형 ABC에서 $\overline{AD}\perp\overline{BC}$이고 $\overline{AD}=4$ cm, $\overline{CD}=6$ cm일 때, $\triangle ABD$의 넓이는?

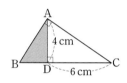

① 5 cm^2 ② $\dfrac{16}{3}$ cm^2 ③ 6 cm^2

④ $\dfrac{20}{3}$ cm^2 ⑤ 7 cm^2

12 오른쪽 그림과 같은 직사각형 ABCD에서 $\overline{AC}\perp\overline{DE}$, $\overline{AC}\perp\overline{BF}$이다. $\overline{DE}=3$ cm, $\overline{CE}=4$ cm일 때, $\square ABCD$의 둘레의 길이를 구하여라.

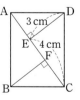

13 오른쪽 그림은 정오각형에 대각선을 그어 만든 도형이다. △ICD와 닮음인 삼각형의 개수는? (단, 자기 자신은 제외한다.)

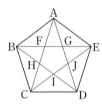

① 12   ② 13   ③ 14
④ 15   ⑤ 16

14 다음 그림과 같은 △ABC에서 ∠BAE=∠CBF=∠ACD이다. $\overline{AB}$=6 cm, $\overline{BC}$=7 cm, $\overline{CA}$=5 cm, $\overline{DF}$=3 cm 일 때, △DEF의 둘레의 길이를 구하여라.

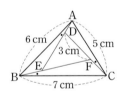

15 오른쪽 그림은 정삼각형 모양의 종이를 꼭짓점 A가 $\overline{BC}$ 위의 점 E와 만나도록 접은 것이다. $\overline{AF}$=10.5, $\overline{FC}$=7.5이고, $\dfrac{\overline{BE}}{\overline{EC}}=\dfrac{1}{2}$일 때, $\overline{AD}$의 길이를 구하여라.

16 다음 그림과 같은 정삼각형을 4등분하고 한가운데 정삼각형을 지운다. 그리고 남은 3개의 정삼각형을 이와 같은 방법으로 각각 4등분하고 한가운데 정삼각형을 지운다. 이와 같은 과정을 반복할 때, 제10단계에서 지워지는 정삼각형과 제12단계에서 지워지는 정삼각형의 닮음비를 구하여라.

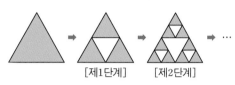

[제1단계]   [제2단계]

17 오른쪽 그림과 같이 정삼각형 ABC에서 $\overline{BD}:\overline{DC}$=3:2가 되도록 $\overline{BC}$ 위에 점 D를 잡고 $\overline{AD}$를 한 변으로 하는 정삼각형 AED를 만들었다. $\overline{AB}$와 $\overline{DE}$의 교점을 F라 하고, $\overline{AC}$의 길이를 $5k$라고 할 때, $\overline{AF}$의 길이는 ak이다. 이때 상수 a의 값을 구하여라.

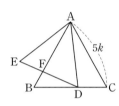

18 다음 그림과 같이 ∠A=90°인 직각삼각형 ABC에서 $\overline{BM}=\overline{CM}$, $\overline{AD}\perp\overline{BC}$, $\overline{DE}\perp\overline{AM}$이고, $\overline{BD}$=5 cm, $\overline{DC}$=20 cm일 때, $\overline{DE}$의 길이를 구하여라.

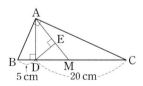

01 삼각형과 평행선

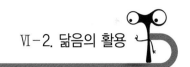

1. 삼각형에서 평행선과 선분의 길이의 비

△ABC에서 $\overline{AB}$, $\overline{AC}$ 또는 그 연장선 위에 각각 점 D, E가 있을 때, 다음이 성립한다.

(1) ① $\overline{BC} /\!/ \overline{DE}$이면

$\overline{AB} : \overline{AD} = \overline{AC} : \overline{AE}$

$\qquad = \overline{BC} : \overline{DE}$

② $\overline{AB} : \overline{AD} = \overline{AC} : \overline{AE}$이면

$\overline{BC} /\!/ \overline{DE}$

(2) ① $\overline{BC} /\!/ \overline{DE}$이면

$\overline{AD} : \overline{DB} = \overline{AE} : \overline{EC}$

② $\overline{AD} : \overline{DB} = \overline{AE} : \overline{EC}$이면

$\overline{BC} /\!/ \overline{DE}$

(3) 평행선 사이의 선분의 길이의 비

세 개 이상의 평행선이 다른 두 직선과 만날 때 생기는 선분의 길이의 비는 같다.

오른쪽 그림에서 $l /\!/ m /\!/ n$이면

$\overline{AB} : \overline{BC} = \overline{A'B'} : \overline{B'C'}$

$\overline{AB} : \overline{A'B'} = \overline{BC} : \overline{B'C'}$

 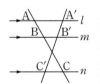

2. 삼각형의 내각 · 외각의 이등분선

(1) △ABC에서 $\overline{AD}$가 ∠A의 이등분선이면

$$\overline{AB} : \overline{AC} = \overline{BD} : \overline{CD}$$

(2) △ABC에서 $\overline{AD}$가 ∠A의 외각의 이등분선이면

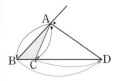

$$\overline{AB} : \overline{AC} = \overline{BD} : \overline{CD}$$

1. 삼각형에서 평행선과 선분의 길이의 비

이 단원에서는 두 삼각형에서 한 쌍의 대응변이 평행할 때 나타나는 성질에 대해 공부할 것이다. 평행하면 빠지지 않고 나타나는 평행선의 성질, 즉

평행한 두 직선이 다른 한 직선과 만날 때, 동위각 또는 엇각의 크기가 같다.

는 성질은 닮음인 두 삼각형을 찾는 데 아주 요긴하게 쓰인다. 닮음을 바탕으로 생기는 일정한 선분의 길이의 비를 이해하고, 그림으로 기억해 두도록 하자. 닮은 삼각형이 보이지 않는다면 평행선이나 보조선을 그어서 닮은 삼각형을 만들어 주면 된다.

Q 035 삼각형에서 평행선과 선분의 길이의 비 사이에는 어떤 관계가 있을까?

 AA 닮음인 두 삼각형이 생기므로 길이의 비가 일정해.

 아래 그림과 같이 △ABC에서 $\overline{AB}$, $\overline{AC}$ 또는 그 연장선 위에 각각 점 D, E가 있을 때, 다음이 성립한다.

$$\overline{BC} /\!/ \overline{DE}이면 \ \overline{AB}:\overline{AD}=\overline{AC}:\overline{AE}=\overline{BC}:\overline{DE}$$

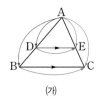 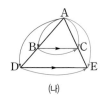 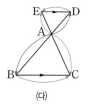

(가)   (나)   (다)

위의 성질은 전혀 새로운 것이 아니다. 두 닮은 삼각형에서 대응변의 길이의 비가 일정하다는 성질 그대로이다.

위 그림 (가)의 경우 다음과 같이 AA 닮음인 두 삼각형에 의해 성립한다.

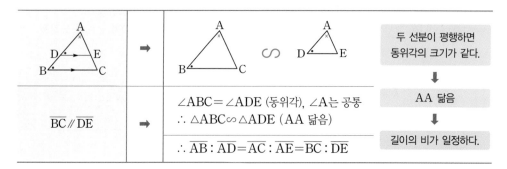

이처럼 닮은 두 삼각형만 찾으면 되므로 위의 식을 외우려고만 하지 말고 대응변을 재빠르게 찾는 연습을 하자.

앞에서 제시한 나머지 두 그림 (나), (다)에서도

$$\overline{BC} /\!/ \overline{DE}이면 \triangle ABC \backsim \triangle ADE \ (AA \ 닮음)$$

가 되므로 대응변의 길이의 비가 일정함을 알 수 있다.

또한 앞의 그림 (가), (나), (다)에서 $\overline{AB} : \overline{AD} = \overline{AC} : \overline{AE}$이면 $\overline{BC} /\!/ \overline{DE}$이다.
이는 다음과 같이 두 삼각형 ABC와 ADE가 닮음임을 이용하여 확인할 수 있다.

오른쪽 그림과 같은 $\triangle ABC$에서 $\overline{AB} : \overline{AD} = \overline{AC} : \overline{AE}$이면

    $\triangle ABC \backsim \triangle ADE \ (SAS \ 닮음)$

    $\therefore \angle ABC = \angle ADE$

즉, 동위각의 크기가 같으므로 $\overline{BC} /\!/ \overline{DE}$이다.

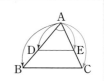

이와 같이 $\triangle ABC$에서 $\overline{AB}$, $\overline{AC}$ 또는 그 연장선 위에 각각 점 D, E가 있을 때, 다음이 성립한다.

삼각형에서 평행선과 선분의 길이의 비(1)

① $\overline{BC} /\!/ \overline{DE}$이면
    $\overline{AB} : \overline{AD} = \overline{AC} : \overline{AE} = \overline{BC} : \overline{DE}$

② $\overline{AB} : \overline{AD} = \overline{AC} : \overline{AE}$이면
    $\overline{BC} /\!/ \overline{DE}$

| 참고 | 위의 성질 ①을 확장하면 오른쪽 그림의 $\triangle ABC$에서 $\overline{BC} /\!/ \overline{DE}$일 때,
나누어진 삼각형들의 밑변의 길이의 비도 같음을 알 수 있다.
  ➡ $\overline{AD} : \overline{AB} = \overline{DF} : \overline{BG} = \overline{FE} : \overline{GC}$

예제 7 다음 그림에서 $\overline{BC} /\!/ \overline{DE}$일 때, x, y의 값을 각각 구하여라.

(1)

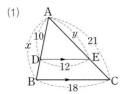

(2)

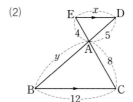

풀이
(1) $x : 10 = 18 : 12$ $\therefore x = 15$
     $21 : y = 18 : 12$ $\therefore y = 14$

(2) $x : 12 = 4 : 8$ $\therefore x = 6$
    $5 : y = 4 : 8$ $\therefore y = 10$

같은 원리로 △ABC에서 $\overline{AB}$, $\overline{AC}$ 또는 그 연장선 위에 각각 점 D, E가 있을 때, 다음 성질이 성립함도 알 수 있다.

삼각형에서 평행선과 선분의 길이의 비(2)

① $\overline{BC}/\!/\overline{DE}$이면
$\overline{AD}:\overline{DB}=\overline{AE}:\overline{EC}$

② $\overline{AD}:\overline{DB}=\overline{AE}:\overline{EC}$이면
$\overline{BC}/\!/\overline{DE}$

위의 성질 ①은 주어진 그림에 다음과 같이 변 AC에 평행한 보조선 DC′을 그어 닮은 두 삼각형을 만들면 결국 대응변의 길이의 비에 해당함을 알 수 있다.

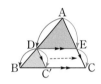 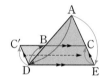 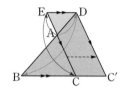

$$\triangle ADE \infty \triangle DBC' (AA\ \text{닮음}) \implies \overline{AD}:\overline{DB}=\overline{AE}:\overline{DC'}$$
$$\implies \overline{AD}:\overline{DB}=\overline{AE}:\overline{EC}$$

예제 8 다음 그림에서 $\overline{BC}/\!/\overline{DE}$일 때, x의 값을 구하여라.

(1)

(2)

풀이 (1) $2:4=3:x$ $\therefore x=6$

(2) $x:25=8:(8+12)$ $\therefore x=10$

Q 036 선분의 길이의 비를 이용하여 평행선을 찾는 방법은?

A (바른) 길이의 비가 일정하면 평행해!

A (진정한) 어떤 두 직선이 평행한지 알 수 있는 방법을 이미 배웠다.
자와 각도기만 있으면 된다.
두 직선을 지나는 한 직선을 긋고서 동위각 또는 엇각의
크기가 같은지 살펴보면 끝!

평행선?

평행선!

그런데 **Q035**의 내용을 잘 이용하면 자 하나만으로 평행한지 확인할 수가 있다. 다음과 같이 삼각형 모양이 되도록 선분을 그은 후, 선분의 길이의 비가 같은지 확인하면 끝!

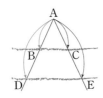

$\overline{AB} : \overline{AD} = \overline{AC} : \overline{AE}$이면
$\overline{BC} /\!/ \overline{DE}$

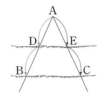

$\overline{AD} : \overline{DB} = \overline{AE} : \overline{EC}$이면
$\overline{BC} /\!/ \overline{DE}$

예제 9 다음 그림에서 $\overline{BC} /\!/ \overline{DE}$인지 확인해 보아라.

풀이 (1) $15 : 10 = 9 : 6$
➡ $\overline{BC} /\!/ \overline{DE}$

(2) $7 : 4 \neq 9 : 5$
➡ $\overline{BC} /\!\!/\!\!\!\backslash \overline{DE}$

(3) $18 : 6 \neq 16 : 8$
➡ $\overline{BC} /\!\!/\!\!\!\backslash \overline{DE}$

Q 037 평행선과 선분의 길이의 비 사이에는 어떤 관계가 있을까?

A 길이의 비가 일정해.

A 세 개의 평행선이 서로 다른 두 직선과 만나서 생긴 선분의 길이의 비는 같다. 즉,

평행선 사이의 선분의 길이의 비

$l /\!/ m /\!/ n$이면

$\overline{AB} : \overline{BC} = \overline{A'B'} : \overline{B'C'}$

$\overline{AB} : \overline{A'B'} = \overline{BC} : \overline{B'C'}$

다음과 같이 평행한 직선을 그어 닮은 두 삼각형을 만들어 보면 위의 관계는 삼각형에서 평행선과 선분의 길이의 비와 다를 바 없음을 알 수 있다.

위의 성질은 네 개 이상의 평행선이 서로 다른 두 직선과 만날 때에도 항상 성립한다.

하지만 **Q**035에서와 달리 위의 성질이 거꾸로 성립하지는 않는다.

즉, 선분의 길이의 비가 같더라도 세 직선이 모두 평행한 것은 아니다.

오른쪽 그림과 같이 선분의 길이의 비가 $2:4=3:6$으로 같지만 세 직선 l, m, n은 서로 평행하지 않는 경우가 있음을 기억하자.

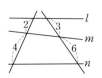

예제 10 다음 그림에서 $l /\!/ m /\!/ n$일 때, x의 값을 구하여라.

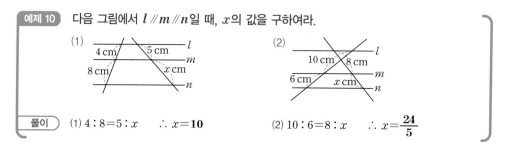

풀이 (1) $4:8=5:x$ $\therefore x=\mathbf{10}$ (2) $10:6=8:x$ $\therefore x=\dfrac{\mathbf{24}}{\mathbf{5}}$

평행선에서 세로로 된 선분의 길이가 아닌 가로로 된 선분의 길이를 구할 때에는 앞의 방법을 바로 이용할 수 없다.

이 경우에는 <u>보조선을 그어 삼각형을 만들어 주어야 한다.</u> 문제를 통해 확인하자.

예제 11 오른쪽 사다리꼴 ABCD에서 $\overline{\text{AD}} /\!/ \overline{\text{EF}} /\!/ \overline{\text{BC}}$일 때, $\overline{\text{EF}}$의 길이를 구하여라.

풀이

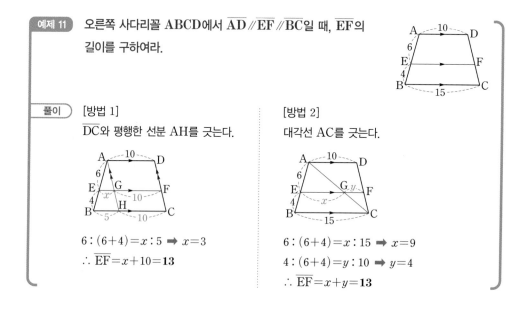

[방법 1]

$\overline{\text{DC}}$와 평행한 선분 AH를 긋는다.

$6:(6+4)=x:5 \;\Rightarrow\; x=3$

$\therefore \overline{\text{EF}}=x+10=\mathbf{13}$

[방법 2]

대각선 AC를 긋는다.

$6:(6+4)=x:15 \;\Rightarrow\; x=9$

$4:(6+4)=y:10 \;\Rightarrow\; y=4$

$\therefore \overline{\text{EF}}=x+y=\mathbf{13}$

2. 삼각형의 내각 · 외각의 이등분선

Q 038 삼각형의 한 내각의 이등분선을 그었을 때, 선분의 길이의 비는?

 삼각형에서 한 내각의 이등분선을 그으면 두 개의 삼각형이 생긴다. 이때 다음과 같은 선분의 길이의 비가 성립한다.

삼각형의 내각의 이등분선

△ABC에서 $\overline{AD}$가 ∠A의 이등분선이면

$$\overline{AB} : \overline{AC} = \overline{BD} : \overline{CD}$$
$$\text{❶} \quad \text{❷} \quad \text{❸} \quad \text{❹}$$

위 식이 성립하는 것을 닮음인 삼각형을 이용하여 알 수 있다.

> 오른쪽 그림과 같이 점 C를 지나고 $\overline{AD}$와 평행한 직선이 $\overline{AB}$의 연장
> 선과 만나는 점을 E라고 하면
> △BCE에서 $\overline{AD}$ // $\overline{EC}$이므로
> $$\overline{BA} : \overline{AE} = \overline{BD} : \overline{DC}$$
> △ACE는 이등변삼각형이므로
> $$\overline{AE} = \overline{AC}$$
> $$\therefore \overline{BA} : \overline{AC} = \overline{BD} : \overline{DC}$$

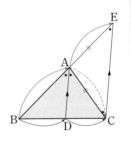

예제 12 △ABC에서 $\overline{AD}$가 ∠A의 이등분선일 때, x의 값을 구하여라.

(1)

(2)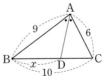

풀이

(1) $6 : 5 = 3 : x$

$$\therefore x = \frac{5}{2}$$

(2) $9 : 6 = x : (10 - x)$

$$\therefore x = 6$$

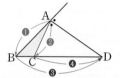

삼각형에서 한 외각의 이등분선을 그으면 다음과 같은 선분의 길이의 비가 성립한다.

삼각형의 외각의 이등분선

$\triangle ABC$에서 $\overline{AD}$가 $\angle A$의 외각의 이등분선이면

$$\overline{AB} : \overline{AC} = \overline{BD} : \overline{CD}$$
❶   ❷   ❸   ❹

위 식이 성립하는 것을 닮음인 삼각형을 이용하여 알 수 있다.

오른쪽 그림과 같이 점 C를 지나고 $\overline{AD}$에 평행한 직선이 $\overline{AB}$와
만나는 점을 E라고 하면 $\triangle BDA$에서 $\overline{EC} /\!/ \overline{AD}$이므로
$$\overline{BA} : \overline{AE} = \overline{BD} : \overline{DC}$$
이때 $\triangle AEC$는 이등변삼각형이므로
$$\overline{AE} = \overline{AC}$$
$$\therefore \overline{BA} : \overline{AC} = \overline{BD} : \overline{DC}$$

예제 13 $\triangle ABC$에서 $\overline{AD}$가 $\angle A$의 외각의 이등분선일 때, x의 값을 구하여라.

(1)

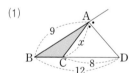

(2)

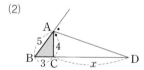

풀이   (1) $9 : x = 12 : 8$

$\therefore x = 6$

(2) $5 : 4 = (3 + x) : x$

$\therefore x = 12$

개념 CHECK

해설 BOOK **024쪽**

01 다음 그림에서 $\overline{BC}\,/\!/\,\overline{DE}$일 때, x의 값을 구하여라.

(1)
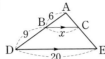

(2)
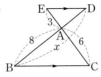

02 다음 그림에서 $l\,/\!/\,m\,/\!/\,n$일 때, x의 값을 구하여라.

(1)
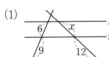

(2)

03 오른쪽 그림과 같은 △ABC에서 $\overline{AD}$가 ∠A의 이등분선일 때, $\overline{CD}$의 길이를 구하여라.

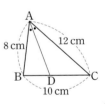

04 오른쪽 그림과 같은 △ABC에서 ∠A의 외각의 이등분선과 $\overline{BC}$의 연장선의 교점을 D라고 할 때, $\overline{BC}$의 길이를 구하여라.

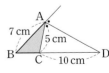

1. 삼각형의 중점연결정리

(1) △ABC에서 $\overline{AM}=\overline{MB}$, $\overline{AN}=\overline{NC}$이면

$\overline{MN}\,/\!/\,\overline{BC}$이고 $\overline{MN}=\dfrac{1}{2}\overline{BC}$

(2) △ABC에서 $\overline{AM}=\overline{MB}$, $\overline{MN}\,/\!/\,\overline{BC}$이면

$\overline{AN}=\overline{NC}$

2. 사다리꼴의 중점연결정리

$\overline{AD}\,/\!/\,\overline{BC}$인 사다리꼴 ABCD에서

$\overline{AB}$, $\overline{CD}$의 중점을 각각 M, N이라고 하면

(1) $\overline{AD}\,/\!/\,\overline{MN}\,/\!/\,\overline{BC}$

(2) $\overline{MN}=\dfrac{1}{2}(\overline{AD}+\overline{BC})$

1. 삼각형의 중점연결정리

삼각형의 중점연결정리는 앞에서 배운 '삼각형에서의 평행선과 선분의 길이의 비'에서 $\overline{AD}:\overline{AB}=1:2$인 특수한 경우에 해당한다.

118쪽 **Q** 035와 비교하며 특징을 이해해 두도록 하자.

$\overline{AD}:\overline{AB}=\overline{DE}:\overline{BC}$

Q 040   삼각형의 중점연결정리란?

A 두 변의 중점을 연결한 선분과 나머지 한 변 사이의 관계!

A 오른쪽 그림과 같이 삼각형의 두 변의 중점을 연결하면 두 삼각형이 생기는데 이 두 삼각형이 닮음이므로 다음이 성립한다.

평행, $\dfrac{1}{2}$

삼각형에서 두 변의 중점을 연결한 선분은 나머지 한 변과 평행하고,

그 길이는 나머지 한 변의 길이의 $\dfrac{1}{2}$과 같다.

이것을 간단히 **삼각형의 중점연결정리**라고 하는데 다음과 같이 삼각형의 닮음을 이용하여 확인할 수 있다.

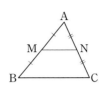

오른쪽 그림과 같이 △ABC에서 $\overline{AB}$, $\overline{AC}$의 중점을 각각 M, N이라고 할 때, △AMN과 △ABC에서

  $\overline{AM} : \overline{AB} = \overline{AN} : \overline{AC} = 1 : 2$, ∠A는 공통

  ∴ △AMN ∽ △ABC (SAS 닮음)

(i) ∠AMN = ∠ABC (동위각)이므로 $\overline{MN} /\!/ \overline{BC}$

(ii) 닮음비가 $1 : 2$, 즉 $\overline{MN} : \overline{BC} = 1 : 2$이므로 $\overline{MN} = \dfrac{1}{2}\overline{BC}$

이상을 정리하면 다음과 같다.

삼각형의 중점연결정리

△ABC에서 $\overline{AM} = \overline{MB}$, $\overline{AN} = \overline{NC}$이면

$\overline{MN} /\!/ \overline{BC}$, $\overline{MN} = \dfrac{1}{2}\overline{BC}$

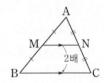

예제 14 다음 △ABC에서 두 점 D, E는 각각 변의 중점일 때, x, y의 값을 구하여라.

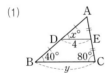

풀이 (1) $\overline{DE} /\!/ \overline{BC}$이므로 $x = 40$ (동위각)

  $y = 2\overline{DE} = 8$

(2) $x = 2\overline{EC} = 6$

  $y = \dfrac{1}{2}\overline{BC} = 5$

Math STORY

수학으로 이해하며 즐기는 착시

오른쪽 그림에서 각 삼각형의 중점을 이은 선분 AB, CD, EF, GH 중 어느 선분의 길이가 가장 길어 보이는지 물어 보면 보통 선분 AB가 가장 길어 보이고 선분 EF가 가장 짧아 보인다고 말한다. 하지만 이렇게 보이는 것은 선분의 길이가 원래 다른 것이 아니라 하나의 착시현상이다. 왜냐하면 삼각형의 중점연결정리에 의해 선분 AB, CD, EF, GH의 길이는 선분 IJ의 길이의 $\dfrac{1}{2}$로 모두 같음이 분명하기 때문이다.

Q 041 삼각형의 한 변의 중점을 이용하여 다른 변의 중점을 찾는 방법은?

A 중점을 지나고 한 변에 평행한 선분을 그어봐.

A 삼각형의 중점연결정리는 다음과 같이 변형되기도 한다.
즉, 오른쪽 그림과 같이

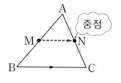

> 변 AB의 중점 M을 지나고 변 BC에 평행한 선분을 그을 때,
> 변 AC와 만나는 점 N은 변 AC의 중점이 된다.

이 성질이 성립함도 닮음을 이용하여 쉽게 확인할 수 있다.

오른쪽 그림과 같이 △ABC에서 변 AB의 중점 M을 지나고,
변 BC에 평행한 직선이 변 AC와 만나는 점을 N이라고 하면
$\overline{MN} /\!/ \overline{BC}$이므로　$\overline{AM}:\overline{MB}=\overline{AN}:\overline{NC}$
이때 $\overline{AM}:\overline{MB}=1:1$이므로　$\overline{AN}:\overline{NC}=1:1$
　∴ $\overline{AN}=\overline{NC}$
따라서 점 N은 변 AC의 중점이 된다.

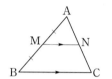

이상을 정리하면 다음과 같다.

△ABC에서
$\overline{AM}=\overline{MB}$, $\overline{MN} /\!/ \overline{BC}$이면
$\overline{AN}=\overline{NC}$

이제 '한 변의 중점을 지나고 밑변에 평행한 직선'이 주어져도 삼각형의 중점연결정리를 바로 떠올리도록 하자.

THINK Math

선분을 n등분하는 점 작도의 원리

평행선에서 선분의 길이의 비에 대한 성질을 이용하면 선분을 n등분할 수 있다.
예를 들어 오른쪽 그림과 같은 $\overline{AB}$를 3등분해 보자.
점 A에서 연장선을 그어 그 위에 한 점 C를 잡고,
$\overline{AC}=\overline{CD}=\overline{DE}$가 되도록 점 D, E를 잡는다.
그리고 나서 점 E와 B를 잇고 $\overline{CF} /\!/ \overline{DG} /\!/ \overline{EB}$가 되도록
점 F, G를 잡는다.

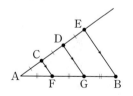

평행선에서 선분의 길이의 비에 의해
　$\overline{AF}:\overline{FG}:\overline{GB}=\overline{AC}:\overline{CD}:\overline{DE}=1:1:1$
이므로 두 점 F, G는 $\overline{AB}$의 3등분점이 된다.
이와 같은 방법으로 하면 주어진 선분의 n등분이 가능하다.

Q 042 어떤 사각형이든 네 변의 중점을 이으면 □□□□□이 된다?

A 평행사변형이 된다!

A 삼각형의 중점연결정리를 이용하면 다음과 같은 □ABCD의 네 변의 중점을 연결한 사각형이 각각 어떤 사각형이 되는지 알 수 있다.

사각형, 평행사변형 ➡ 평행사변형	등변사다리꼴, 직사각형 ➡ 마름모
마름모 ➡ 직사각형	정사각형 ➡ 정사각형

위에서 알 수 있듯이 □ABCD의 네 변의 중점을 연결하여 만든 새로운

사각형은 <u>마주 보는 변의 길이가 대각선의 길이의 $\frac{1}{2}$로 같다.</u>

즉, 어떤 사각형이든지 네 변의 중점을 연결하면 기본적으로 두 쌍의 대변의 길이가 같으므로 **평행사변형**이 됨을 알 수 있다. 여기에 추가적으로

　두 대각선의 길이가 같으면 ➡ 마름모가 되고,
　두 대각선이 수직으로 만나면 ➡ 직사각형이 된다.

또한 위 두 조건을 모두 만족하면 정사각형이 된다.

$$\overline{PQ}=\overline{SR}=\frac{1}{2}\overline{AC}$$

$$\overline{PS}=\overline{QR}=\frac{1}{2}\overline{BD}$$

2. 사다리꼴의 중점연결정리

Q 043 사다리꼴에서 양쪽 두 변의 중점을 연결한 선분의 길이는 어떻게 구할까?

A 대각선을 그어 두 삼각형에서 중점연결정리를 이용해.

A 사다리꼴의 중점연결정리는 삼각형의 중점연결정리의 확장으로 생각할 수 있다.
오른쪽 그림과 같이 $\overline{AD} /\!/ \overline{BC}$인 사다리꼴 ABCD에서 점 M, N이
각각 $\overline{AB}$, $\overline{CD}$의 중점일 때, 다음이 성립한다.

　(1) $\overline{AD} /\!/ \overline{MN} /\!/ \overline{BC}$　　(2) $\overline{MN}=\frac{1}{2}(\overline{AD}+\overline{BC})$

앞의 성질이 성립하는 것은 다음과 같이 $\overline{AD}$ // $\overline{BC}$인 사다리꼴에 보조선을 그어 삼각형의 중점
연결정리를 이용하여 보일 수 있다.

사다리꼴 ABCD에서 $\overline{AN}$과 $\overline{BC}$의 연장선의 교점을 E라고 하면

$\triangle AND \equiv \triangle ENC$ (ASA 합동)이므로

$\overline{AN}=\overline{EN}$

따라서 $\triangle ABE$에서 점 M, N이 두 변의 중점이므로

삼각형의 중점연결정리에 의해

① $\overline{MN}$ // $\overline{BE}$　　　② $\overline{MN}=\dfrac{1}{2}\overline{BE}$

이때 □ABCD는 사다리꼴이므로 ①에서

$\overline{AD}$ // $\overline{MN}$ // $\overline{BC}$

$\overline{BE}=\overline{BC}+\overline{CE}=\overline{BC}+\overline{AD}$이므로 ②에서

$\overline{MN}=\dfrac{1}{2}(\overline{BC}+\overline{AD})$

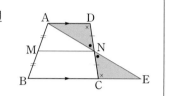

②에서 유도한 식은 공식처럼 외우기보다는 삼각형의 중점연결정리만 기억해두면 충분하다.
사다리꼴이 주어지면 보조선을 그어 삼각형으로 만들도록 하자. 그래야 삼각형의 중점연결정리
를 이용할 수 있기 때문이다.

예제 15　$\overline{AD}$ // $\overline{BC}$인 다음 사다리꼴 ABCD에서 점 M, N은 각각 변의 중점일 때, x의 값
을 구하여라.

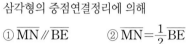

풀이

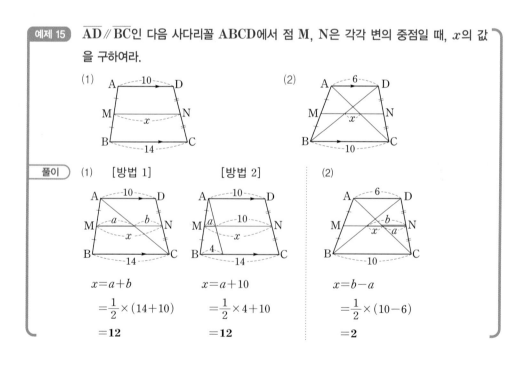

(1) [방법 1]

$x=a+b$

$=\dfrac{1}{2}\times(14+10)$

$=\mathbf{12}$

[방법 2]

$x=a+10$

$=\dfrac{1}{2}\times 4+10$

$=\mathbf{12}$

(2)

$x=b-a$

$=\dfrac{1}{2}\times(10-6)$

$=\mathbf{2}$

개념 CHECK

해설 BOOK 024쪽

개념 확인

(1)

$$\overline{MN}= \boxed{}\ \overline{BC}$$

(2) 마름모의 네 변의 중점을 연결하여 만든 사각형은 [ ]이다.

01 오른쪽 그림과 같은 △ABC에서 점 M, N이 각각 $\overline{AB}$, $\overline{AC}$의 중점일 때, x, y의 값을 각각 구하여라.

02 오른쪽 그림과 같은 △ABC에서 변 AB의 중점이 M이고, $\overline{MN}\ /\!/\ \overline{BC}$일 때, x, y의 값을 각각 구하여라.

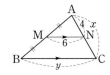

03 다음 그림에서 색칠한 도형은 각 변의 중점을 연결하여 만든 것이다. 색칠한 도형의 둘레의 길이를 구하여라.

(1)
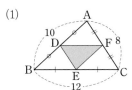

(2)
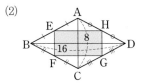

04 다음 그림과 같이 $\overline{AD}\ /\!/\ \overline{BC}$인 사다리꼴 ABCD에서 점 M, N이 각각 $\overline{AB}$, $\overline{CD}$의 중점일 때, x의 값을 구하여라.

(1)
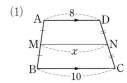

(2)
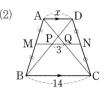

자기 진단

Q 040 ○126쪽
삼각형의 중점연결정리란?

Q 043 ○129쪽
사다리꼴에서 양쪽 두 변의 중점을 연결한 선분의 길이는 어떻게 구할까?

문제 이해도를 ☺, ☺, ☹으로 표시해 보세요.

해설 BOOK 024쪽 | 테스트 BOOK 036쪽

유형 ① 삼각형에서 평행선과 선분의 길이의 비

오른쪽 그림과 같은 △ABC에서
$\overline{BC} /\!/ \overline{DE}$일 때, $x+y$의 값을
구하여라.

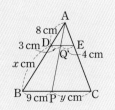

Summa Point

$\overline{BC} /\!/ \overline{DE}$일 때, $\overline{AB} : \overline{AD} = \overline{AC} : \overline{AE} = \overline{BC} : \overline{DE}$

118쪽 Q 035

1-1 ☺☺☹

오른쪽 그림과 같은 △ABC에서
두 점 F, G는 각각 $\overline{AB}$, $\overline{AC}$의
연장선 위의 점이고
$\overline{BC} /\!/ \overline{DE} /\!/ \overline{GF}$일 때, $x+y$의 값
을 구하여라.

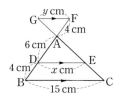

1-2 ☺☺☹

△ABC에서 두 점 D, E가 각각 $\overline{AB}$, $\overline{AC}$ 또는 그 연장선
위의 점일 때, 다음 보기에서 $\overline{BC} /\!/ \overline{DE}$인 것을 모두 골라라.

┤ 보 기 ├

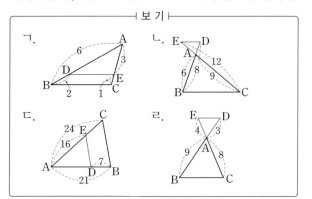

1-3 ☺☺☹

오른쪽 그림과 같은 사다리꼴
ABCD에서 $\overline{AD} /\!/ \overline{EF} /\!/ \overline{BC}$이고,
두 점 M, N은 각각 $\overline{EF}$와 $\overline{BD}$,
$\overline{AC}$의 교점이다. $\overline{AE} = 2\overline{EB}$일 때,
$\overline{MN}$의 길이는?

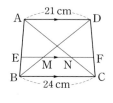

① 6 cm　　　② 7 cm　　　③ 8 cm

④ 9 cm　　　⑤ 10 cm

1-4 ☺☺☹

오른쪽 그림과 같은 사다리꼴
ABCD에서 $\overline{AD} /\!/ \overline{EF} /\!/ \overline{BC}$이
고, $\overline{AD} = 8$ cm, $\overline{BC} = 16$ cm이
다. $\overline{AE} : \overline{EB} = 3 : 5$일 때, $\overline{EF}$의
길이는?

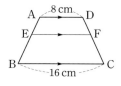

① 10 cm　　　② 10.5 cm　　　③ 11 cm

④ 11.5 cm　　　⑤ 12 cm

1-5 ☺☺☹

오른쪽 그림에서 점 E는
$\overline{AC}$와 $\overline{BD}$의 교점이고 $\overline{BC}$
위의 점 F에 대하여
$\overline{AB} /\!/ \overline{EF} /\!/ \overline{DC}$이다.
$\overline{AB} = 3$ cm, $\overline{EF} = 2$ cm일 때, x의 값을 구하여라.

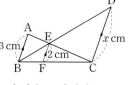

유형 2 평행선 사이에 있는 선분의 길이의 비

다음 그림에서 $l /\!/ m /\!/ n$일 때, $x+y$의 값을 구하여라.

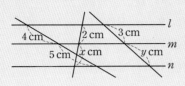

Summa Point

$l /\!/ m /\!/ n$이면
$\overline{AB} : \overline{BC} = \overline{A'B'} : \overline{B'C'}$ 또는
$\overline{AB} : \overline{A'B'} = \overline{BC} : \overline{B'C'}$

121쪽 **Q 037**

유형 3 각의 이등분선의 성질

오른쪽 그림과 같은 △ABC에서 $\overline{AD}$는 ∠A의 이등분선이고, $\overline{AB}=10\,cm$, $\overline{AC}=6\,cm$, $\overline{BD}=5\,cm$일 때, $\overline{DC}$의 길이를 구하여라.

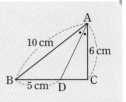

Summa Point

△ABC에서 $\overline{AD}$가 ∠A의 이등분선이면
$\overline{AB} : \overline{AC} = \overline{BD} : \overline{CD}$

123쪽 **Q 038**

2-1 ☺☺☹

오른쪽 그림에서 $l /\!/ m /\!/ n$일 때, x의 값을 구하여라.

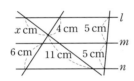

2-2 ☺☺☹

다음 그림에서 $l /\!/ m /\!/ n$일 때, x의 값을 구하여라.

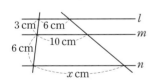

2-3 ☺☺☹

다음 그림에서 $l /\!/ m /\!/ n$일 때, x의 값을 구하여라.

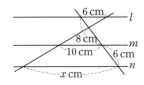

3-1 ☺☺☹

다음 그림과 같은 △ABC에서 ∠A의 외각의 이등분선과 $\overline{BC}$의 연장선의 교점을 D라고 하자.
$\overline{AB}=8\,cm$, $\overline{AC}=4\,cm$, $\overline{BD}=14\,cm$일 때, x의 값을 구하여라.

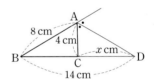

3-2 ☺☺☹

오른쪽 그림과 같은 △ABC에서 $\overline{AD}$는 ∠A의 이등분선이다. $\overline{AB}=9\,cm$, $\overline{AC}=6\,cm$이고, △ABD의 넓이가 $12\,cm^2$일 때, △ADC의 넓이는?

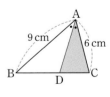

① $8\,cm^2$ ② $9\,cm^2$ ③ $10\,cm^2$

④ $11\,cm^2$ ⑤ $12\,cm^2$

오른쪽 그림에서 네 점 M, N, P, Q는 각각 $\overline{DB}$, $\overline{DC}$, $\overline{AB}$, $\overline{AC}$의 중점이다. $\overline{MN}=9$ cm, $\overline{RQ}=5$ cm일 때, $\overline{PR}$의 길이를 구하여라.

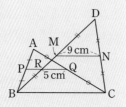

Summa Point

△ABC에서 $\overline{AB}$, $\overline{AC}$의 중점을 각각 M, N이라고 하면

$\overline{MN} /\!/ \overline{BC}$, $\overline{MN}=\dfrac{1}{2}\overline{BC}$

126쪽 **Q 040** ↻

4-1 ☺☺☹

오른쪽 그림과 같은 △ABC에서 $\overline{AM}=\overline{MB}$, $\overline{MN} /\!/ \overline{BC}$이고 $\overline{AN}=4$ cm, $\overline{BC}=10$ cm일 때, $x+y$의 값을 구하여라.

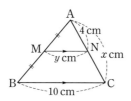

4-2 ☺☹☹

오른쪽 그림의 △ABC에서 $\overline{AD}=\overline{BD}$, $\overline{AE}=\overline{EF}=\overline{FC}$이고 $\overline{BF}=16$ cm일 때, $\overline{GF}$의 길이를 구하여라.

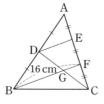

4-3 ☺☺☹

오른쪽 그림의 △ABC와 △BDE에서 $\overline{AE}=\overline{EB}$, $\overline{EG}=\overline{GD}$이고 $\overline{BD}=24$ cm일 때, $\overline{CD}$의 길이를 구하여라.

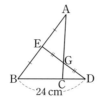

4-4 ☺☹☹

오른쪽 그림과 같은 마름모 ABCD에서 점 E, F, G, H는 각 변의 중점이다. $\overline{AC}=8$ cm, $\overline{BD}=6$ cm일 때, 마름모의 네 변의 중점을 연결한 □EFGH의 둘레의 길이를 구하여라.

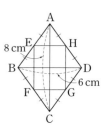

오른쪽 그림과 같이 $\overline{AD} /\!/ \overline{BC}$인 사다리꼴 ABCD에서 점 E, F는 각각 변 AB, CD의 중점이다. $\overline{AD}=5$ cm, $\overline{BC}=9$ cm일 때, $\overline{MN}$의 길이를 구하여라.

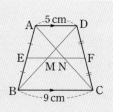

Summa Point

사다리꼴 ABCD에서 $\overline{AB}$, $\overline{CD}$의 중점을 각각 M, N이라고 하면 다음이 성립한다.
(1) $\overline{AD} /\!/ \overline{MN} /\!/ \overline{BC}$
(2) $\overline{MN}=\dfrac{1}{2}(\overline{AD}+\overline{BC})$

129쪽 **Q 043** ↻

5-1 ☺☹☹

오른쪽 그림과 같이 $\overline{AD} /\!/ \overline{BC}$인 사다리꼴 ABCD에서 $\overline{AB}$, $\overline{DC}$의 중점을 각각 M, N이라고 하자. $\overline{AD}=8$ cm, $\overline{MP}=\overline{PQ}=\overline{QN}$일 때, $\overline{BC}$의 길이는?

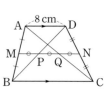

① 12 cm   ② 14 cm   ③ 15 cm

④ 16 cm   ⑤ 18 cm

1. 삼각형의 무게중심

SUMMA **NOTE**

(1) 삼각형의 중선 : 삼각형에서 한 꼭짓점과 그 대변의 중점을
　연결한 선분
(2) 삼각형의 무게중심 : 삼각형의 세 중선의 교점
(3) 삼각형의 무게중심은 세 중선의 길이를 각 꼭짓점으로부터
　각각 2 : 1로 나눈다. 즉,
$$\overline{AG} : \overline{GD} = \overline{BG} : \overline{GE} = \overline{CG} : \overline{GF} = 2 : 1$$
(4) 세 중선에 의해 나누어진 6개의 삼각형의 넓이는 모두 같다.
$$\triangle GAF = \triangle GBF = \triangle GBD = \triangle GCD$$
$$= \triangle GCE = \triangle GAE = \frac{1}{6}\triangle ABC$$

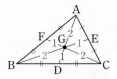

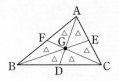

1. 삼각형의 무게중심

Q 044 　삼각형의 무게중심은 어디일까?

 A 　세 중선의 교점!

A 　연필을 손가락 위에 올려놓을 때 연필의 가운데 부분을 받쳐주면 평형을
유지한다. 이처럼 물체를 어떤 곳에 매달거나 받쳤을 때 균형을 이루는 점
을 무게중심이라고 하는데 물체마다 무게중심이 존재한다.

그렇다면 삼각형의 무게중심은 어디쯤에 있을까? 결론부터 말하면

　　　삼각형의 무게중심은 세 중선의 교점에 위치한다.

여기서 삼각형의 **중선**이란 삼각형의 한 꼭짓점과 그 대변의 중점을 이은
선분으로 한 삼각형에는 세 개의 중선이 있다.
이와 같은 삼각형의 세 중선의 교점을 삼각형의 **무게중심**이라고 한다.

따라서 어떤 삼각형이라도 세 중선을 그어 교점만 찾으면 그 점이 무게중심이 된다.

물론 세 중선을 모두 그을 필요는 없다. 2개의 중선만 그어도 그 교점이 무게중심이 된다.

나머지 한 중선 역시 교점을 지나게 되기 때문이다.

이는 다음과 같이 삼각형의 닮음에 의해 수학적으로 증명된다.

오른쪽 그림과 같이 △ABC에서 두 중선 BE, CF의 교점을 G라고 하자.

두 점 F, E는 각각 $\overline{AB}$, $\overline{AC}$의 중점이므로

삼각형의 중점연결정리에 의하여

$$\overline{EF} \parallel \overline{BC}, \quad \overline{EF} = \frac{1}{2}\overline{BC}$$

따라서 △GBC∽△GEF이고, 두 삼각형의 닮음비는 2 : 1이다. 즉,

$$\overline{BG} : \overline{GE} = \overline{CG} : \overline{GF} = 2 : 1 \qquad \cdots\cdots \text{㉠}$$

한편 오른쪽 그림과 같이 두 중선 AD, CF의 교점을 H라 하고

위와 같은 방법으로 생각하면

$$\overline{AH} : \overline{HD} = \overline{CH} : \overline{HF} = 2 : 1 \qquad \cdots\cdots \text{㉡}$$

㉠, ㉡에서 두 점 G와 H는 모두 중선 CF를 꼭짓점 C로부터

2 : 1로 나누는 점이므로 일치한다.

따라서 삼각형의 세 중선은 한 점에서 만난다.

Q 045 삼각형의 무게중심은 각 중선의 길이를 □ : □로 나눈다?

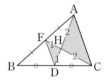

A 2 : 1

A 삼각형에서 세 중선이 한 점에서 만남을 증명하는 과정에서
다음과 같은 중요한 사실을 알았다.

무게중심 G는 각 중선의 길이를 꼭짓점으로부터
2 : 1로 나눈다.

이 성질은 삼각형에서 선분의 길이나 넓이를 구할 때 자주 이용된다.

무게중심이면
2 : 1을 떠올리자!

$$\overline{AG} : \overline{GD} = 2 : 1$$
$$\overline{AG} = \frac{2}{3}\overline{AD}$$
$$\overline{AD} = \frac{3}{2}\overline{AG}$$

예제 16 점 G가 △ABC의 무게중심일 때, x의 값을 구하여라.

(1)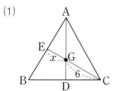

(2)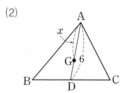

 풀이

(1) $\overline{CG} : \overline{GE} = 2 : 1$이므로

$$x = \overline{GE} = \frac{1}{2}\overline{CG} = 3$$

(2) $\overline{AG} : \overline{AD} = 2 : 3$이므로

$$x = \overline{AG} = \frac{2}{3}\overline{AD} = 4$$

THINK Math

사각형의 무게중심은 어디일까?

사각형의 무게중심은 삼각형의 무게중심을 이용하여 찾을 수 있다.

(ⅰ) □ABCD를 △ABC와 △ACD로 나눈 후, △ABC의 무게중심 P와 △ACD의 무게중심 P′을 찾아서 $\overline{PP'}$을 긋는다.

(ⅱ) □ABCD를 △ABD와 △BCD로 나눈 후, △ABD의 무게중심 Q와 △BCD의 무게중심 Q′을 찾아서 $\overline{QQ'}$을 긋는다.

(ⅲ) $\overline{PP'}$과 $\overline{QQ'}$의 교점 G가 □ABCD의 무게중심이다.

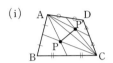 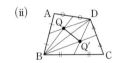 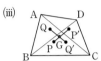

Q 046 세 중선으로 나누어진 삼각형의 넓이는 모두 같을까?

A 세 중선으로 나누어진 6개의 삼각형의 넓이는 모두 같다.

A 오른쪽 그림의 △ABC에서 점 G가 무게중심일 때, 세 중선에 의해 나누어진 삼각형들의 넓이 사이에 다음과 같은 관계가 성립한다.

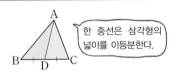 한 중선은 삼각형의 넓이를 이등분한다.	삼각형의 무게중심과 세 꼭짓점을 이으면 삼각형의 넓이가 삼등분된다.
$\triangle ABD = \triangle ADC = \dfrac{1}{2}\triangle ABC$	$\triangle GAB = \triangle GBC = \triangle GCA = \dfrac{1}{3}\triangle ABC$
 세 중선은 삼각형의 넓이를 6등분한다.	
$\triangle GAF = \triangle GBF = \triangle GBD = \triangle GCD$ $= \triangle GCE = \triangle GAE = \dfrac{1}{6}\triangle ABC$	$\square GEAF = \square GFBD$ $= \square GDCE = \dfrac{1}{3}\triangle ABC$

|참고| 다음 두 사실을 이용하여 넓이 사이의 관계가 성립함을 확인할 수 있다.

(1) 밑변의 길이와 높이가 각각 같은 두 삼각형의 넓이는 같다

(2) 무게중심은 중선의 길이를 꼭짓점부터 2 : 1로 나누므로
△ABG : △GBD = 2 : 1

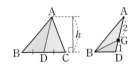

2. 닮음의 활용 **137** Ⅵ

예제 17 점 G가 △ABC의 무게중심이고, △ABC의 넓이가 18 cm²일 때 색칠한 부분의 넓이를 구하여라.

(1)

(2)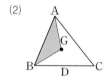

(3)

풀이 (1) $\triangle ABD = \frac{1}{2}\triangle ABC$
$= 9(\text{cm}^2)$

(2) $\triangle ABG = \frac{1}{3}\triangle ABC$
$= 6(\text{cm}^2)$

(3) $\triangle AFG = \frac{1}{6}\triangle ABC$
$= 3(\text{cm}^2)$

Q 047 평행사변형에서 삼각형의 무게중심을 활용한 문제를 해결할 수 있을까?

A 평행사변형의 두 대각선이 서로 다른 것을 이등분함을 떠올려 보자.

A 평행사변형은 무게중심을 활용한 문제에 자주 등장한다. 평행사변형과 무게중심에 관한 문제를 만나면 일단 평행사변형의 두 대각선이 서로 다른 것을 이등분함을 떠올려 보자.

다음 그림의 평행사변형 ABCD에서 두 점 M, N이 $\overline{BC}$, $\overline{CD}$의 중점일 때, 두 점 P, Q는 어떤 점일까? 그냥 두 선분이 만나는 점으로 보이지만 대각선 AC를 그어 보면 단순한 교점이 아님을 알게 된다. 두 대각선의 교점을 O라고 하면 $\overline{AO} = \overline{CO}$이므로 점 P, Q는 각각 △ABC, △ACD의 무게중심이 된다!

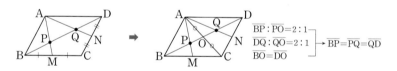

점 P, Q가 무게중심이므로 위 그림에서 $\overline{BP} = \overline{PQ} = \overline{QD}$임도 쉽게 확인할 수 있고, 평행사변형 전체 넓이에 대한 그 일부분의 넓이의 비율도 생각할 수 있다.

예제 18 다음 평행사변형 ABCD에서 두 점 E, F는 각각 변의 중점일 때, □ 안에 알맞은 수를 써넣어라.

(1) $\overline{BD} = 12$ cm이면
➡ $\overline{PQ} = \square$ cm

(2) □ABCD의 넓이가 48 cm²이면
➡ $\triangle ABP = \square$ cm²

풀이 (1) $\overline{PQ} = \frac{1}{3}\overline{BD} = 4(\text{cm})$

(2) $\triangle ABP = \frac{1}{3} \times \frac{1}{2}\square ABCD = 8(\text{cm}^2)$

개념 **확인**

(1) 삼각형의 세 중선의 교점을
　　□□□□이라고 한다.

(2) 무게중심은 각 중선의 길이를
　　□ : □로 나눈다.

01 다음 그림에서 점 G가 △ABC의 무게중심일 때, x의 값을 구하여라.

(1)
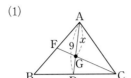

(2)
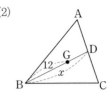

02 오른쪽 그림과 같은 △ABC에서 점 G, G'은 각각 △ABC와 △GBC의 무게중심이다. $\overline{AG}=24$일 때, $\overline{GG'}$의 길이를 구하여라.

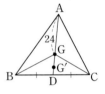

03 오른쪽 그림에서 점 G는 △ABC의 무게중심이다. △GFB의 넓이가 3 cm²일 때, 다음을 구하여라.

(1) △GBC의 넓이
(2) □GDCE의 넓이
(3) △ABC의 넓이

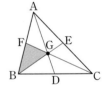

04 오른쪽 그림과 같은 평행사변형 ABCD에서 $\overline{PQ}=5$ cm일 때, $\overline{BD}$의 길이를 구하여라.

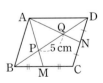

자기 **진단**

Q.044 ◐ 135쪽
삼각형의 무게중심은 어디일까?

Q.045 ◐ 136쪽
삼각형의 무게중심은 각 중선의 길이를 □:□로 나눈다?

05 오른쪽 그림과 같은 평행사변형 ABCD의 넓이가 60 cm²일 때, △APO의 넓이를 구하여라.

닮은 도형의 넓이와 부피

 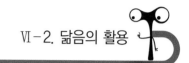

1. 닮은 두 도형에서의 넓이의 비와 부피의 비

(1) 닮은 두 평면도형의 닮음비가 $m:n$이면
  ① 둘레의 길이의 비 ➡ $m:n$
  ② 넓이의 비   ➡ $m^2:n^2$

(2) 닮은 두 입체도형의 닮음비가 $m:n$이면
  ① 겉넓이의 비 ➡ $m^2:n^2$
  ② 부피의 비   ➡ $m^3:n^3$

1. 닮은 두 도형에서의 넓이의 비와 부피의 비

Q 048 닮음비가 $m:n$인 두 평면도형의 넓이의 비는?

A (바른) $m^2:n^2$

A (친절한) 다음과 같이 한 변의 길이가 $1\,cm$인 정사각형 모양의 타일 (가)를 이어 붙여 큰 정사각형 (나), (다)를 만들었다.

 $1\,cm$

(가)   (나)   (다)

정사각형 (가), (나), (다)에서 한 변의 길이와 둘레의 길이를 각각 살펴보자.

정사각형	(가)	(나)	(다)
한 변의 길이	$1\,cm$	$2\,cm$	$3\,cm$

└─ 닮음비 $1:2$ ─┘└─ 닮음비 $2:3$ ─┘

정사각형	(가)	(나)	(다)
둘레의 길이	$1\times4=4(cm)$	$2\times4=8(cm)$	$3\times4=12(cm)$

└─ 둘레의 길이의 비 $1:2$ ─┘└─ 둘레의 길이의 비 $2:3$ ─┘

위의 표에서 확인할 수 있듯이 닮음비가 1 : 2인 정사각형 ㈎와 ㈏의 둘레의 길이의 비는 닮음비 그대로인 1 : 2이고, 닮음비가 2 : 3인 정사각형 ㈏와 ㈐의 둘레의 길이의 비도 닮음비와 같은 2 : 3이다. 즉,

둘레의 길이의 비는 닮음비와 같다.

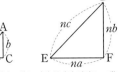

각 변의 길이를 n배로 늘이면 이들을 더한 값인 둘레의 길이 역시 n배로 늘어나므로 둘레의 길이의 비가 달라지지 않는다.

변의 길이가 n배로 되면 둘레의 길이도 n배!

반면 넓이의 비는 다르다. 정사각형 ㈎, ㈏, ㈐에서 넓이를 각각 살펴보자.

정사각형	㈎	㈏	㈐
넓이	$1 \times 1 = 1(\text{cm}^2)$	$2 \times 2 = 4(\text{cm}^2)$	$3 \times 3 = 9(\text{cm}^2)$

넓이의 비 1 : 4 ──┘ └── 넓이의 비 4 : 9

각 변의 길이를 n배로 늘이면 밑변의 길이와 높이 또는 가로와 세로의 길이의 곱인 넓이는 n^2배로 늘어난다.
이렇게 닮음비가 1 : n이면 넓이의 비는 $1^2 : n^2$이 되는데, 이는 닮음비의 두 항을 제곱한 것과 같다. 즉,

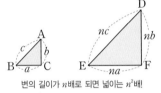

변의 길이가 n배로 되면 넓이는 n^2배!

닮음비가 $m : n$이면 넓이의 비는 $m^2 : n^2$이다.

따라서 닮은 두 평면도형의 닮음비가 $m : n$일 때 다음이 성립한다.

① 둘레의 길이의 비 ➡ $m : n$
② 넓이의 비 ➡ $m^2 : n^2$

이제 닮음인 두 평면도형에 대해 그 닮음비를 알면 자연스럽게 넓이의 비도 떠올리고, 넓이의 비를 알면 닮음비 역시 곧바로 떠올리도록 하자.

두 도형의 넓이의 비가 1 : 16이면 닮음비는?

$1 : 16 = 1^2 : 4^2$이니까 두 도형의 닮음비는 1 : 4야.

예제 19 오른쪽 그림의 두 직사각형은 서로 닮은 도형일 때, ☐ 안에 알맞은 수를 써넣어라.

(1) 닮음비 ➡ ☐ : ☐
(2) 둘레의 길이의 비 ➡ ☐ : ☐
(3) 넓이의 비 ➡ ☐ : ☐

┌6 cm┐   ┌── 8 cm ──┐

풀이 (1) 3, 4 (2) 3, 4 (3) 9, 16

닮음타일 (Reptile)

원래 도형과 닮음인 도형으로 등분되는 도형을 닮음타일이라고 부르는데 보통 n조각으로 나누어지는 닮음타일을 rep-n-tile이라고 부른다. 닮음타일의 가장 간단한 것으로는 삼각형과 평행사변형을 들 수 있고, 이외의 사각형이나 육각형 모양의 닮음타일 등이 있다.

다음은 처음 모양과 닮은 4개의 조각으로 나누어지는 도형들, 즉 rep-4-tile들이다.

Q 049 닮음비가 $m : n$인 두 입체도형의 부피의 비는?

A $m^3 : n^3$

A 다음과 같이 한 모서리의 길이가 1 cm인 정육면체 모양의 상자 (개)를 쌓아 큰 정육면체 (내), (대)를 만들었다.

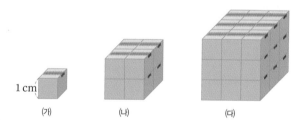

1 cm

(개)   (내)   (대)

정육면체 (개), (내), (대)에서 한 모서리의 길이와 겉넓이를 각각 살펴보자.

정육면체	(개)	(내)	(대)
한 모서리의 길이	1 cm	2 cm	3 cm

└── 닮음비 1 : 2 ──┘ └── 닮음비 2 : 3 ──┘

정육면체	(개)	(내)	(대)
겉넓이	$6 \times 1 \times 1 = 6(\text{cm}^2)$	$6 \times 2 \times 2 = 24(\text{cm}^2)$	$6 \times 3 \times 3 = 54(\text{cm}^2)$

└── 겉넓이의 비 1 : 4 ──┘ └── 겉넓이의 비 4 : 9 ──┘

위에서와 같이 정육면체 (개)에서 모서리의 길이를 2배로 늘이면 각각의 면의 넓이가 4배가 되고 이들의 넓이의 합인 겉넓이도 4배가 된다. 즉,

닮음비가 $m : n$이면 겉넓이의 비는 $m^2 : n^2$이다.

반면 부피의 비는 다르다. 정육면체 ㈎, ㈏, ㈐에서 부피를 각각 살펴보자.

정육면체	㈎	㈏	㈐
부피	$1 \times 1 \times 1 = 1(cm^3)$	$2 \times 2 \times 2 = 8(cm^3)$	$3 \times 3 \times 3 = 27(cm^3)$

└─── 부피의 비 $1 : 8$ ───┘ └─── 부피의 비 $8 : 27$ ───┘

각 모서리의 길이를 n배로 늘이면 세 모서리의 곱인 부피는 n^3배로 늘어난다. 이렇게 닮음비가 $1 : n$이면 부피의 비는 $1^3 : n^3$이 되는데 이는 닮음비의 두 항을 세제곱한 것과 같다. 즉,

닮음비가 $m : n$이면 부피의 비는 $m^3 : n^3$이다.

따라서 닮은 두 입체도형의 닮음비가 $m : n$일 때, 다음이 성립한다.

모서리의 길이가 n배로 되면
겉넓이는 n^2배로 되고
부피는 n^3배로 된다.

① 겉넓이의 비 ➡ $m^2 : n^2$
② 부피의 비 ➡ $m^3 : n^3$

닮음비를 알면 부피의 비를 알 수 있고, 부피의 비를 알면 닮음비를 알 수 있어!

예제 20 오른쪽 그림의 두 직육면체는 서로 닮은 도형일 때,
☐ 안에 알맞은 수를 써넣어라.

6 cm   10 cm

(1) 닮음비 ➡ ☐ : ☐
(2) 겉넓이의 비 ➡ ☐ : ☐
(3) 부피의 비 ➡ ☐ : ☐

풀이 (1) 3, 5 (2) 9, 25 (3) 27, 125

다음 두 그림에서 $\overline{AD} = \overline{DF} = \overline{FB}$이고, $\overline{DE} /\!/ \overline{FG} /\!/ \overline{BC}$일 때, 나누어진 세 도형의 넓이 또는 부피의 비에 대하여 알아보자.

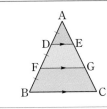 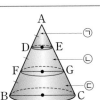

$\overline{AD} : \overline{AF} : \overline{AB} = 1 : 2 : 3$이므로	$\overline{AD} : \overline{AF} : \overline{AB} = 1 : 2 : 3$이므로
$\triangle ADE : \triangle AFG : \triangle ABC = 1 : 4 : 9$	세 원뿔의 부피의 비는 $1^3 : 2^3 : 3^3 = 1 : 8 : 27$
$\triangle ADE : \square DFGE : \square FBCG = 1 : 3 : 5$	㉠, ㉡, ㉢의 부피의 비는 $1 : 7 : 19$
$\triangle ADE$의 넓이가 $3 \, cm^2$일 때, $\triangle ABC = 3 \times 9 = 27(cm^2)$ $\square FBCG = 3 \times 5 = 15(cm^2)$	원뿔 ㉠의 부피가 $3 \, cm^3$일 때, 가장 큰 원뿔의 부피는 $3 \times 27 = 81(cm^3)$ 원뿔대 ㉢의 부피는 $3 \times 19 = 57(cm^3)$

닮은 도형의 크기와 개수의 관계

한 변의 길이가 1인 정사각형 안에 오른쪽 그림과 같이 원 1개, 4개, 9개를 각각 꼭맞게 그렸을 때, 정사각형에서 원들을 제외하고 남은 빈틈의 넓이는 어느 것이 가장 넓을까?

점점 작아지는 세 원의 닮음비는 $1 : \frac{1}{2} : \frac{1}{3}$이므로 넓이의 비는 $1 : \frac{1}{4} : \frac{1}{9}$이다.

이때 각 정사각형에 들어 있는 원의 개수는 1개, 4개, 9개이므로 각 정사각형에 들어 있는 원들의 넓이의 합의 비는 $(1 \times 1) : \left(\frac{1}{4} \times 4\right) : \left(\frac{1}{9} \times 9\right) = 1 : 1 : 1$이다.

따라서 세 정사각형에서 원을 제외하고 남은 빈틈의 넓이도 서로 같음을 알 수 있다.

Q 050 축척을 이용하여 실제 거리나 넓이를 어떻게 구할까?

A 축척은 닮음비야. 닮음을 이용해!

A 대상이나 그림을 일정한 비율로 줄여서 실제보다 작게 그린 그림을 **축도**라고 한다. 축도에서 실제 대상을 일정하게 줄인 비율을 **축척**이라고 하는데, 이것이 바로 닮음비에 해당한다.

지도의 축척이 $1 : 25000$이라는 것은 지도에서의 1 cm가 실제 거리에서는 25000 cm, 즉 250 m를 나타낸다는 것이다.

축척을 알면 지도에서의 거리 또는 넓이로부터 실제 거리나 넓이를 구할 수 있고, 실제 거리나 넓이가 지도에서 어느 정도로 나타나는지도 알 수 있다.

축척을 표현할 때 쓰이는 길이나 넓이의 단위는 cm나 cm^2이므로 문제에서 별도로 요구하는 단위(m, km, m^2, km^2 등)가 있는지 꼭 확인하도록 하자.

| 참고 | $1\,km = 1000\,m = 100000\,cm = 1000000\,mm$
$(1\,km)^2 = (1000\,m)^2 = (100000\,cm)^2$

예제 21 오른쪽 지도를 보고, $\overline{AB}$의 실제 거리와 정사각형 S의 실제 넓이를 구하여라.

풀이 지도의 축척이 $1 : 25000$이므로 거리의 비는 $1 : 25000$이고 넓이의 비는 $1 : 25000^2$이다.

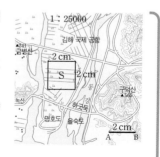

$\overline{AB}$의 실제 거리를 x cm, 정사각형 S의 실제 넓이를 y cm^2 라고 하면

$1 : 25000 = 2 : x \Rightarrow x = \mathbf{50000(cm)}$

$1 : 25000^2 = 4 : y \Rightarrow y = \mathbf{2500000000(cm^2)}$

개념 확인

(1) 닮은 두 도형의 닮음비가
$m : n$이면
넓이의 비는 ☐ : ☐
부피의 비는 ☐ : ☐

01 오른쪽 그림과 같이 ∠B=90°인 직각삼각형 ABC의 꼭짓점 B에서 빗변 AC에 내린 수선의 발을 D라고 할 때, △ABD와 △ACB의 넓이의 비를 구하여라.

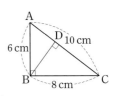

02 오른쪽 그림과 같이 닮음비가 2 : 3인 두 직육면체 모양의 상자가 있다. 작은 상자의 겉면을 모두 칠하는 데 400 mL의 페인트가 사용될 때, 큰 상자를 칠하는 데 필요한 페인트의 양을 구하여라.

03 오른쪽 그림의 두 사면체 A, B의 밑면의 둘레의 길이의 비는 2 : 3이다. 사면체 B의 부피가 405 cm³일 때, 사면체 A의 부피를 구하여라.

A   B

자기 진단

Q 048 🔵 140쪽
닮음비가 $m : n$인 두 평면도형의 넓이의 비는?

Q 049 🔵 142쪽
닮음비가 $m : n$인 두 입체도형의 부피의 비는?

04 축척이 $\dfrac{1}{50000}$인 지도에 대하여 다음 물음에 답하여라.

(1) 실제 거리가 5 km인 두 지점은 지도에서 몇 cm로 나타내어지는지 구하여라.
(2) 지도에서 넓이가 3 cm²인 영역의 실제 넓이는 몇 km²인지 구하여라.

문제 이해도를 ☺, ☺, ☹으로 표시해 보세요.

해설 BOOK 027쪽 | 테스트 BOOK 036쪽

유형 ① 삼각형의 무게중심

오른쪽 그림에서 점 G, G'은 각각 △ABC와 △GBC의 무게중심이다. $\overline{AD}=18$ cm일 때, $\overline{GG'}$의 길이를 구하여라.

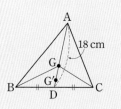

Summa Point
삼각형의 무게중심은 세 중선을 꼭짓점으로부터 각각 2 : 1로 나눈다.

136쪽 **Q 045** ↻

1-1 ☺☺☹

오른쪽 그림의 △ABC에서 점 D는 $\overline{BC}$의 중점이다. 점 G, G'은 각각 △ABD, △ACD의 무게중심이고 $\overline{GG'}=6$ cm일 때, $\overline{BC}$의 길이를 구하여라.

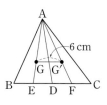

1-2 ☺☺☹

오른쪽 그림에서 점 G, G'은 각각 △ABC와 △GBC의 무게중심이다. △G'BD의 넓이가 3 cm²일 때, △ABC의 넓이는?

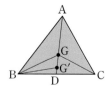

① 30 cm²　　② 36 cm²　　③ 42 cm²
④ 48 cm²　　⑤ 54 cm²

1-3 ☺☺☹

오른쪽 그림과 같은 △ABC에서 세 변의 중점을 각각 D, E, F라고 하자. △ABC의 넓이가 45 cm²일 때, □BDGF의 넓이를 구하여라.

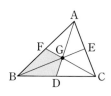

유형 ② 평행사변형에서 삼각형의 무게중심의 활용

오른쪽 그림과 같은 평행사변형 ABCD에서 점 M, N은 각각 $\overline{BC}$, $\overline{CD}$의 중점이고 $\overline{BD}=24$ cm일 때, $\overline{PQ}$의 길이를 구하여라.

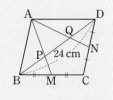

Summa Point
평행사변형 ABCD에서 점 P는 △ABC의 무게중심이고, 점 Q는 △ACD의 무게중심이다.

138쪽 **Q 047** ↻

2-1 ☺☺☹

오른쪽 그림의 평행사변형 ABCD에서 점 M, N은 각각 $\overline{BC}$, $\overline{CD}$의 중점이다. $\overline{BP}=6$ cm일 때, $\overline{MN}$의 길이를 구하여라.

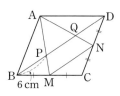

2-2 ☺☺☹

오른쪽 그림과 같은 평행사변형 ABCD에서 $\overline{BC}$의 중점을 M이라 하고, $\overline{BD}$와 $\overline{AM}$, $\overline{AC}$가 만나는 점을 각각 P, O라고 하자. □ABCD의 넓이가 24 cm²일 때, □OPMC의 넓이를 구하여라.

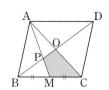

2-3 ☺☺☹

오른쪽 그림의 직사각형 ABCD에서 점 M, N은 각각 $\overline{CD}$, $\overline{AD}$의 중점이다. □ABCD의 넓이가 42 cm²일 때, △PBQ의 넓이를 구하여라.

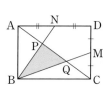

유형 **3** 닮은 도형의 넓이의 비

오른쪽 그림에서 $\overline{AD} : \overline{DB} = 3 : 2$이고 $\overline{BC} /\!/ \overline{DE}$이다. $\triangle ADE$의 넓이가 18 cm^2일 때, $\square DBCE$의 넓이를 구하여라.

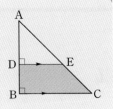

Summa Point

닮음비가 $m : n$인 닮은 두 평면도형의 넓이의 비는 $m^2 : n^2$

140쪽 Q 048 ↻

유형 **4** 닮은 도형의 부피의 비

오른쪽 그림과 같이 서로 닮음인 두 컵 A와 B의 밑넓이의 비가 $4 : 9$이다. A의 부피가 $24\pi \text{ cm}^3$일 때, B의 부피를 구하여라.

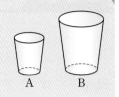

Summa Point

닮음비가 $m : n$인 닮은 두 입체도형의 부피의 비는 $m^3 : n^3$

142쪽 Q 049 ↻

3-1 ☺☺☹

오른쪽 그림에서 점 G는 $\triangle ABC$의 무게중심이고 $\triangle GED$의 넓이가 6 cm^2일 때, $\triangle GBC$의 넓이를 구하여라.

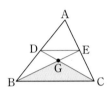

3-2 ☺☹☹

오른쪽 그림에서 $\overline{AB} : \overline{BC} : \overline{CD} = 1 : 2 : 3$이고, $\overline{BB'} /\!/ \overline{CC'} /\!/ \overline{DD'}$일 때, $\triangle ABB'$, $\square BCC'B'$, $\square CDD'C'$의 넓이의 비를 구하여라.

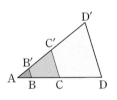

3-3 ☺☺☹

오른쪽 그림과 같이 닮은 두 원기둥 모양의 상자 A, B의 밑면의 반지름의 길이가 각각 3 cm, 4 cm이다. 상자 A의 겉면을 포장지로 싸는 데 216 cm^2의 포장지가 필요할 때, 상자 B의 겉면을 포장지로 싸는 데 몇 cm^2의 포장지가 필요한지 구하여라.

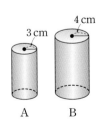

4-1 ☺☺☹

오른쪽 그림과 같은 원뿔 모양의 그릇에 일정한 속도로 물을 채우고 있다. 전체 높이의 $\frac{1}{2}$만큼 채우는 데 4분이 걸렸다면 가득 채울 때까지 몇 분이 더 걸리는지 구하여라.

4-2 ☺☺☹

큰 쇠구슬 한 개를 녹여서 같은 크기의 작은 쇠구슬 여러 개를 만들려고 한다. 큰 쇠구슬의 반지름의 길이는 5 cm이고, 작은 쇠구슬의 반지름의 길이는 1 cm라고 할 때, 작은 쇠구슬은 모두 몇 개를 만들 수 있는지 구하여라.

4-3 ☺☺☹

두 직육면체 P, Q는 닮은 도형이고, P의 부피는 250 cm^3, Q의 부피는 128 cm^3이다. 이때 두 직육면체 P와 Q의 겉넓이의 비를 구하여라.

Step 1 | 내·신·기·본

01 오른쪽 그림의 △ABC에서 $\overline{DE} /\!/ \overline{BC}$일 때, $x+y$의 값을 구하여라.

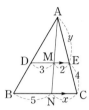

02 오른쪽 그림의 △ABC에서 $\overline{AB} /\!/ \overline{ED}$, $\overline{AD} /\!/ \overline{EF}$이고 $\overline{AE}=4$ cm, $\overline{EC}=2$ cm일 때, $\overline{BD} : \overline{DF} : \overline{FC}$를 구하여라.

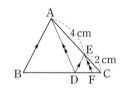

03 다음 그림과 같은 △ABC에서 $\overline{AD}$는 ∠BAC의 이등분선이고, 점 E는 ∠BAC의 외각의 이등분선과 $\overline{BC}$의 연장선의 교점이다. $\overline{AB}=12$ cm, $\overline{AC}=6$ cm, $\overline{BD}=8$ cm일 때, $\overline{CE}$의 길이를 구하여라.

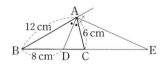

04 오른쪽 그림에서 $l /\!/ m /\!/ n$일 때, xy의 값을 구하여라.

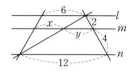

05 오른쪽 그림과 같은 사다리꼴 ABCD에서 $\overline{AD} /\!/ \overline{EF} /\!/ \overline{BC}$일 때, x, y의 값을 각각 구하여라.

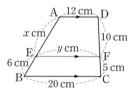

06 다음 그림에서 $\overline{AB} /\!/ \overline{EF} /\!/ \overline{DC}$일 때, $\overline{DC}$의 길이를 구하여라.

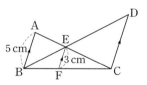

07 오른쪽 그림의 △ABC에서 점 D, F와 점 E, G는 각각 $\overline{AB}$, $\overline{AC}$의 삼등분점이다. 이때 $\overline{PQ}$의 길이를 구하여라.

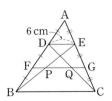

08 오른쪽 그림과 같은 □ABCD에서 $\overline{AD}$, $\overline{BC}$, $\overline{BD}$의 중점을 각각 E, F, G라고 하자. $\overline{AB}$와 $\overline{DC}$의 길이의 합이 18 cm이고 $\overline{EF}$=7 cm일 때, △EGF의 둘레의 길이를 구하여라.

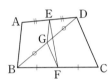

09 오른쪽 그림에서 점 D, E, F는 각각 $\overline{AB}$, $\overline{BC}$, $\overline{CA}$의 중점이다. △ABC의 둘레의 길이가 48 cm일 때, △DEF의 둘레의 길이를 구하여라.

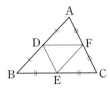

10 오른쪽 그림과 같이 $\overline{AD}$ // $\overline{BC}$인 사다리꼴 ABCD에서 점 M, N은 각각 $\overline{AB}$, $\overline{DC}$의 중점이고 $\overline{PQ}$=3 cm, $\overline{BC}$=14 cm일 때, $\overline{AD}$의 길이를 구하여라.

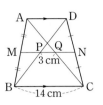

11 오른쪽 그림의 △ABC에서 $\overline{BC}$, $\overline{AC}$, $\overline{DC}$의 중점을 각각 D, E, F라고 하자. 점 G는 △ABC의 무게중심이고 $\overline{EF}$=9 cm일 때, $\overline{AG}$의 길이를 구하여라.

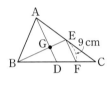

12 오른쪽 그림과 같은 평행사변형 ABCD에서 $\overline{AC}$와 $\overline{BD}$의 교점을 O, $\overline{BC}$의 중점을 M, $\overline{AC}$와 $\overline{DM}$의 교점을 P라고 할 때, $\overline{OP}$의 길이를 구하여라.

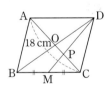

13 오른쪽 그림과 같이 $\overline{AD} \parallel \overline{BC}$인 사다리꼴 ABCD에서 △COB의 넓이가 36 cm²일 때, △AOD의 넓이를 구하여라.

(단, 점 O는 두 대각선의 교점이다.)

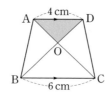

14 오른쪽 그림과 같은 원뿔 모양의 그릇에 물 2 L를 부었더니 그릇 높이의 $\frac{1}{3}$이 되었다. 그릇에 물을 가득 채우려면 물을 얼마나 더 부어야 하는지 구하여라.

15 오른쪽 그림과 같이 원뿔의 모선을 삼등분하여 원뿔을 밑면에 평행하게 잘랐을 때 생기는 세 입체도형을 각각 A, B, C라고 하자. 세 입체도형 A, B, C의 부피의 비를 구하여라.

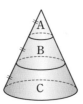

16 반지름의 길이가 15 cm인 큰 쇠공을 녹여서 반지름의 길이가 3 cm인 작은 쇠공을 만들려고 한다. 만들 수 있는 작은 쇠공의 개수를 구하여라.

17 실제 거리가 400 m인 두 지점 사이의 거리는 축척이 $\frac{1}{10000}$인 지도에서 몇 cm인가?

① 0.04 cm   ② 0.4 cm   ③ 4 cm
④ 40 cm   ⑤ 400 cm

18 다음 그림의 △DEF는 A지점에서 강 건너에 있는 B지점까지의 거리를 측정하기 위하여 △ABC를 축소하여 그린 것이다. 두 지점 A, B 사이의 거리는 몇 m인지 구하여라.

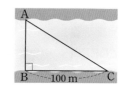

19 오른쪽 그림의 △ABC에서
$\overline{BC}$ // $\overline{DE}$, $\overline{DC}$ // $\overline{FE}$일 때,
x의 값을 구하여라.

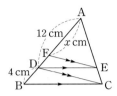

20 오른쪽 그림과 같은
△ABC에서 $\overline{AE}=\overline{EB}$
이고 $\overline{BD}:\overline{DC}=1:4$일 때,
$\overline{AF}:\overline{FD}$를 구하여라.

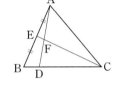

21 오른쪽 그림과 같이
$\overline{AD}$ // $\overline{BC}$인 사다리꼴
ABCD에서 점 E, G는
$\overline{AB}$의 삼등분점이고, 점 F, H
는 $\overline{DC}$의 삼등분점이다.
$\overline{AD}=12$ cm이고 $\overline{AC}$, $\overline{BD}$, $\overline{EF}$가 점 I에서 만날
때, $\overline{EF}:\overline{GH}$를 구하여라.

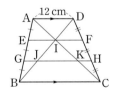

22 오른쪽 그림의 △ABC에서
$\overline{BC}$, $\overline{AC}$, $\overline{DC}$의 중점을 각각
D, E, F라고 하자. 점 G는
△ABC의 무게중심이고
△ABC의 넓이가 60 cm²일 때,
□GDFE의 넓이를 구하여라.

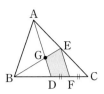

23 오른쪽 그림과 같이 평행사변
형 ABCD에서 $\overline{BC}$, $\overline{CD}$
의 중점을 각각 M, N이라
하고, $\overline{BD}$와 $\overline{AM}$, $\overline{AN}$의
교점을 각각 P, Q라고 할 때, △APQ와 △PBM의
넓이의 비를 구하여라.

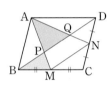

24 밑면은 원이고 높이가 모두 같은
세 원기둥 모양의 빵 A, B, C로
3단 케이크를 만들기 위하여 총
870 g의 반죽을 만들었다. 3개의
빵 A, B, C의 지름의 길이의 비가 2 : 3 : 4일 때, 반
죽을 각각 몇 g씩 나누어야 하는지 구하여라.
(단, 빵의 크기는 반죽의 양에 비례한다.)

피타고라스 정리 (1)

SUMMA **NOTE**

1. 피타고라스 정리

(1) 피타고라스 정리

직각삼각형에서 직각을 낀 두 변의 길이를 a, b라 하고, 빗변의 길이를
c라고 하면 다음이 성립한다.

$$a^2+b^2=c^2$$

(2) 직각삼각형의 변의 길이

직각삼각형에서 두 변의 길이만 알면 피타고라스 정리에 의해 나머지
한 변의 길이를 구할 수 있다. 즉, 위 그림에서

① $c^2=a^2+b^2$ ② $a^2=c^2-b^2$ ③ $b^2=c^2-a^2$

1. 피타고라스 정리

Q 051 피타고라스 정리란 무엇일까?

A (바른)
직각삼각형에서 (빗변의 길이의 제곱)=(나머지 두 변의 길이의 제곱의 합)

A (친절한)
다음 그림과 같이 모눈종이에 직각삼각형 ABC와 세 변을 각각 한 변으로 하는 정사각형 P, Q,
R를 그려 보면 직각을 낀 두 변 BC, AC를 각각 한 변으로 하는 정사각형 P, Q의 넓이의 합은
빗변 AB를 한 변으로 하는 정사각형 R의 넓이와 같음을 알 수 있다.

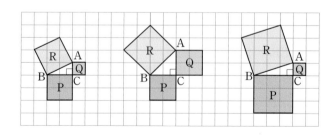

다시 말해 (P의 넓이)+(Q의 넓이)=(R의 넓이)이고, 이는 다음과 같이 삼각형의 세 변의 길
이의 제곱으로 나타낼 수 있다.

$$\overline{BC}^2+\overline{CA}^2=\overline{AB}^2$$

이로부터 모든 직각삼각형에서 직각을 낀 두 변의 길이의 제곱의 합은 항상 빗변의 길이의 제곱과 같음을 알 수 있는데, 이를 고대 그리스의 수학자 피타고라스(B.C.580?~B.C.500?)가 발견하였기에 **피타고라스 정리**라고 한다.

> **피타고라스 정리**
> 직각삼각형에서 직각을 낀 두 변의 길이를 a, b라 하고, 빗변의 길이를 c라고 하면 다음이 성립한다.
> $$a^2 + b^2 = c^2$$

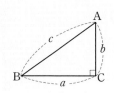

직각삼각형을 보면 피타고라스 정리를 떠올려~!

Q 052 피타고라스 정리가 성립함을 어떻게 증명하였을까?

A 도형의 넓이를 이용하여 피타고라스 정리가 성립함을 증명한다.

A 피타고라스 정리에 대한 증명은 옛날부터 많은 수학자들의 관심을 끌어왔다. 1940년 미국의 수학자 루미스(1852~1940)는 당시 알려져 있던 피타고라스 정리의 증명 방법만을 모아 책을 발간했는데, 무려 367가지의 방법이 수록되어 있다고 한다. 이후에도 많은 사람들이 다양한 방법으로 피타고라스 정리의 증명을 시도하고 있다. 여기서는 많이 알려져 있는 증명 방법 5가지를 소개한다.

❶ 유클리드의 증명

고대 그리스의 수학자 유클리드(?B.C. 325~?B.C. 265)는 오른쪽 그림에서 같은 색인 두 부분의 넓이가 각각 같음을 보여 피타고라스 정리를 증명하였다. 넓이가 같음을 어떻게 보였는지 다음 과정을 잘 살펴보자.

다음 그림과 같이 ∠C=90°인 직각삼각형 ABC에 대하여 세 변을 각각 한 변으로 하는 세 정사각형을 그리고, 꼭짓점 C에서 $\overline{AB}$에 내린 수선의 발을 L, 그 연장선과 $\overline{FG}$가 만나는 점을 M이라고 하면

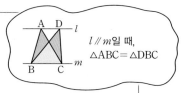
$l /\!/ m$일 때, △ABC=△DBC

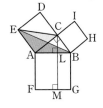
$\overline{EA} /\!/ \overline{DB}$이므로 △ACE=△ABE

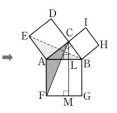
두 변의 길이와 그 끼인 각의 크기가 같으므로 △ABE≡△AFC

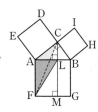
$\overline{CM} /\!/ \overline{AF}$이므로 △AFC=△AFL

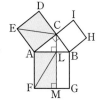
△ACE=△AFL이므로 □ACDE=□AFML

위와 같은 방법으로 하면
$$\triangle HCB = \triangle HAB = \triangle CGB = \triangle LGB$$
$$\therefore \square BHIC = \square LMGB$$

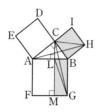

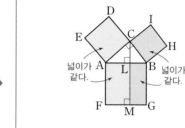

넓이가 같다. 넓이가 같다.

$$\square ACDE + \square BHIC = \square AFGB$$
$$\therefore \overline{AC}^2 + \overline{BC}^2 = \overline{AB}^2$$

예제 22 오른쪽 그림은 직각삼각형 ABC의 각 변을 한 변으로 하는 세 정사각형을 그린 것이다. $\overline{AB}=4$ cm, $\overline{AC}=3$ cm일 때, $\triangle BFN$의 넓이를 구하여라.

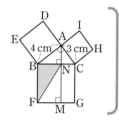

풀이 $\triangle BFN = \dfrac{1}{2}\square BFMN = \dfrac{1}{2}\square ADEB = \dfrac{1}{2} \times 4^2 = 8\,(\mathbf{cm}^2)$

❷ 피타고라스의 증명

피타고라스는 다음 그림과 같이 합동인 4개의 직각삼각형으로 합동인 정사각형을 만들고, 넓이를 비교함으로써 피타고라스 정리가 성립함을 확인하였다.

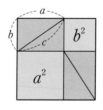

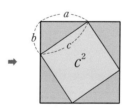

보라색 부분의 넓이가 서로 같아야 하므로 $a^2+b^2=c^2$

예제 23 오른쪽 그림에서 $\square ABCD$는 정사각형이고 4개의 직각삼각형은 모두 합동이다. 이때 $\square EFGH$의 넓이를 구하여라.

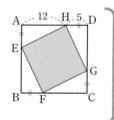

풀이 $\triangle AEH$에서 $\overline{AE}=\overline{DH}=5$이므로
피타고라스 정리에 의해 $\overline{EH}^2 = 12^2 + 5^2 = 13^2$
$\therefore \overline{EH}=13\ (\because \overline{EH}>0)$
따라서 정사각형 EFGH의 넓이는 $\overline{EH}^2 = 13^2 = \mathbf{169}$

참고로 두 번째 그림에서 큰 정사각형의 넓이가 4개의 직각삼각형과 가운데 정사각형의 넓이의 합과 같음을 등식으로 만들면 피타고라스 정리가 성립함을 수학적인 과정으로 확인할 수 있다. 단, 식을 전개하는 과정이 중 3 과정이므로 여기서는 식을 세우는 원리를 이해하는 정도로만 알고 넘어가도록 하자.

$$\underset{①}{\square CDFH} = \underset{②}{4 \times \triangle ABC} + \underset{③}{\square AEGB} \text{이므로}$$

$$(a+b)^2 = 4 \times \frac{1}{2}ab + c^2$$
$$a^2 + 2ab + b^2 = 2ab + c^2 \quad \Big\} \text{중3}$$
$$\therefore a^2 + b^2 = c^2$$

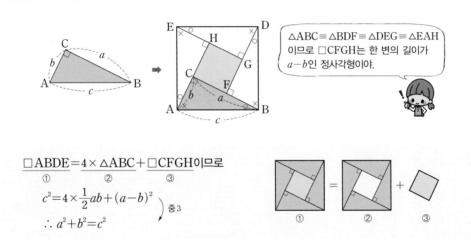

$\triangle ABC \equiv \triangle EAD \equiv \triangle GEF \equiv \triangle BGH$이므로
$\square AEGB$는 한 변의 길이가 c인 정사각형이야.

❸ 바스카라의 증명

인도의 수학자이자 천문학자인 바스카라($1114 \sim 1185$)는 다음 그림과 같이 직각삼각형 ABC와 이와 합동인 3개의 직각삼각형을 이용하여 정사각형 $ABDE$를 만들어 피타고라스 정리가 성립함을 확인하였다.

$\triangle ABC \equiv \triangle BDF \equiv \triangle DEG \equiv \triangle EAH$이므로 $\square CFGH$는 한 변의 길이가 $a-b$인 정사각형이야.

$$\underset{①}{\square ABDE} = \underset{②}{4 \times \triangle ABC} + \underset{③}{\square CFGH} \text{이므로}$$

$$c^2 = 4 \times \frac{1}{2}ab + (a-b)^2 \quad \Big\} \text{중3}$$
$$\therefore a^2 + b^2 = c^2$$

Math STORY

바스카라의 말 없는 증명

바스카라는 또한 오른쪽 그림과 같이 도형을 재배열하여 피타고라스 정리를 증명하였는데, 그는 '보라(See it)!' 라는 말 이외에는 어떠한 설명도 제시하지 않았다고 한다.
두 그림 중 왼쪽 그림의 넓이는 c^2, 오른쪽 그림의 넓이는 $a^2 + b^2$이므로 피타고라스 정리가 성립함을 확인할 수 있다.

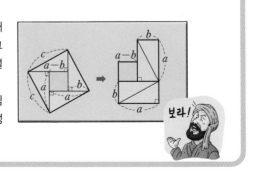

보라!

예제 24 오른쪽 그림은 합동인 직각삼각형 4개를 이용하여 정사각형 ABDE를 만든 것이다. $\overline{AB}=10$, $\overline{AC}=6$일 때, $\overline{AH}$의 길이를 구하여라.

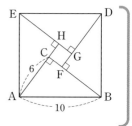

풀이 △EAH≡△ABC이므로 $\overline{AH}=\overline{BC}$

$\overline{BC}^2=10^2-6^2=8^2$ ∴ $\overline{BC}=8$ (∵ $\overline{BC}>0$)

∴ $\overline{AH}=\overline{BC}=8$

❹ 가필드의 증명

미국의 20대 대통령이었던 가필드(1831~1881)는 다음 그림과 같이 합동인 두 직각삼각형 ABC, EAD를 세 점 C, A, D가 한 직선 위에 있도록 놓고, 두 점 B, E를 이어 사다리꼴 BCDE를 만들어 피타고라스 정리가 성립함을 확인하였다.

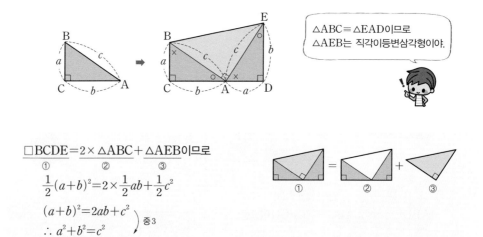

△ABC≡△EAD이므로 △AEB는 직각이등변삼각형이야.

$$\underset{①}{\underline{\square BCDE}}=\underset{②}{\underline{2\times△ABC}}+\underset{③}{\underline{△AEB}}\text{이므로}$$

$\dfrac{1}{2}(a+b)^2=2\times\dfrac{1}{2}ab+\dfrac{1}{2}c^2$

$(a+b)^2=2ab+c^2$

∴ $a^2+b^2=c^2$) 중3

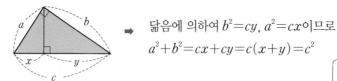

❺ 월리스의 증명

109쪽에서 배운 직각삼각형에서의 닮음을 이용하여 증명한 것으로 이는 17세기 영국의 수학자 월리스(1616~1703)가 증명한 것이다.

닮음에 의하여 $b^2=cy$, $a^2=cx$이므로

$a^2+b^2=cx+cy=c(x+y)=c^2$

❶~❺의 증명 방법보다 더 쉬운 방법을 찾으면 필즈상!

$\mathbf{Q}$ 051 ~ $\mathbf{Q}$ 052 를 통해 피타고라스 정리가 어떤 것인지 정확히 알았을 것이다.

$\mathbf{Q}$ 053 에서는 피타고라스 정리를 이용하여 직각삼각형에서 변의 길이를 구해 보도록 하자.

Q 053   직각삼각형에서 두 변의 길이만 알면 나머지 한 변의 길이를 알 수 있다?

A (바른)

① $c^2 = a^2 + b^2$ ② $b^2 = c^2 - a^2$ ③ $a^2 = c^2 - b^2$

A (친절한)

피타고라스 정리를 이용하면 직각삼각형에서 두 변의 길이를 알 때, 나머지 한 변의 길이를 구할 수 있다.

오른쪽 그림과 같이 $\angle C = 90°$ 인 직각삼각형 ABC에서

(1) 밑변의 길이 a 와 높이 b 를 알 때

   피타고라스 정리에 의해 ➡ $\overline{AB}^2 = a^2 + b^2$

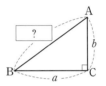

(2) 밑변의 길이 a 와 빗변의 길이 c 를 알 때

   $c^2 = a^2 + \overline{AC}^2$ 이므로 ➡ $\overline{AC}^2 = c^2 - a^2$

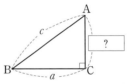

(3) 높이 b 와 빗변의 길이 c 를 알 때

   $c^2 = \overline{BC}^2 + b^2$ 이므로 ➡ $\overline{BC}^2 = c^2 - b^2$

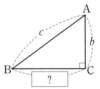

예제 25   다음 직각삼각형에서 x 의 값을 구하여라.

(1)
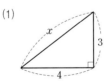

(2)

풀이   (1) $x^2 = 3^2 + 4^2 = 25 = 5^2$

       $\therefore x = 5 \ (\because x > 0)$

       (2) $x^2 = 10^2 - 6^2 = 64 = 8^2$

         $\therefore x = 8 \ (\because x > 0)$

이제부터는 직각삼각형이라고 하면 피타고라스 정리를 떠올리고, 피타고라스 정리라고 하면 직각삼각형을 떠올리자. 또한 직각삼각형이 보이지 않더라도 다음 그림과 같이

보조선을 그어 직각삼각형을 만들어주는 센스도 키워 보자.

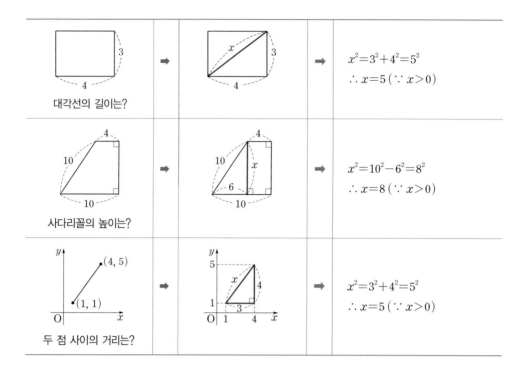

대각선의 길이는?		$x^2=3^2+4^2=5^2$ $\therefore x=5\,(\because x>0)$
사다리꼴의 높이는?		$x^2=10^2-6^2=8^2$ $\therefore x=8\,(\because x>0)$
두 점 사이의 거리는?		$x^2=3^2+4^2=5^2$ $\therefore x=5\,(\because x>0)$

Math STORY

페르마의 마지막 정리

직각삼각형에서 빗변의 길이를 c, 직각을 낀 두 변의 길이를 각각 a, b라고 하면 피타고라스 정리에 의하여 $a^2+b^2=c^2$이다. 이 식을 만족하게 하는 세 자연수 a, b, c는 $(3,\ 4,\ 5)$, $(5,\ 12,\ 13)$, $(6,\ 8,\ 10)$, $(7,\ 24,\ 25)$, $\cdots$ 등과 같이 무수히 많이 있다.

그렇다면 피타고라스 정리에서 제곱을 세제곱, 네제곱, $\cdots$으로 바꾼 식 $a^3+b^3=c^3$, $a^4+b^4=c^4$, $\cdots$을 만족하는 세 자연수 a, b, c는 무엇일까?

17세기 프랑스의 수학자 페르마(1601~1665)도 이 문제를 생각했는데 그의 결론은

"$n\geq3$일 때 $a^n+b^n=c^n$을 만족하게 하는 정수 a, b, c는 존재하지 않는다."

였다. 이를 페르마의 마지막 정리라고 한다.

그는 위 정리에 대한 증명을 남기지 않고 다음과 같이 책의 한 귀퉁이에 메모만 남겨 놓았는데 이로 인해 수많은 수학자들이 그 정리를 증명하려고 숱한 시간을 보내게 된다.

'나는 놀라운 방법으로 이 정리를 증명하였지만, 여백이 부족하여 증명은 생략한다.'

놀라워! 증명을 했다는군...

개념 확인

(1) $c^2 = $ ☐

(2) $a^2 = $ ☐

(3) $b^2 = $ ☐

01 다음 그림에서 x의 값을 구하여라.

(1)

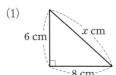

(2)

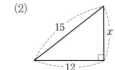

(3)

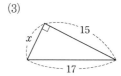

02 오른쪽 그림은 직각삼각형 ABC의 각 변을 한 변으로 하는 세 정사각형을 그린 것이다. □BFGC=81 cm², □ACHI=17 cm²일 때, 다음을 구하여라.

(1) □ADEB의 넓이

(2) $\overline{AB}$의 길이

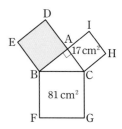

03 오른쪽 그림과 같은 정사각형 ABCD에서 $\overline{AE}=\overline{BF}=\overline{CG}=\overline{DH}=4$ cm, $\overline{AH}=\overline{BE}=\overline{CF}=\overline{DG}=3$ cm일 때, 다음을 구하여라.

(1) $\overline{EH}$의 길이

(2) □EFGH의 넓이

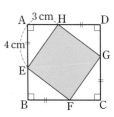

04 오른쪽 그림과 같은 사다리꼴 ABCD에서 $\overline{AD}$의 길이를 구하여라.

자기 진단

Q 051 ○ 152쪽

피타고라스 정리란 무엇일까?

피타고라스 정리 (2)

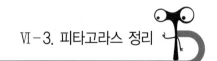

SUMMA **NOTE**

1. 직각삼각형이 되기 위한 조건

세 변의 길이가 각각 a, b, c인 △ABC에서

$$a^2 + b^2 = c^2$$

이면 이 삼각형은 빗변의 길이가 c인 직각삼각형
이다.

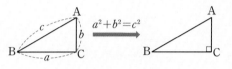

2. 삼각형의 각의 크기에 대한 변의 길이

△ABC에서 $\overline{AB} = c$, $\overline{BC} = a$, $\overline{AC} = b$이고 c가 가장 긴 변의 길이일 때

(1) $a^2 + b^2 > c^2$이면 $\angle C < 90°$	(2) $a^2 + b^2 = c^2$이면 $\angle C = 90°$	(3) $a^2 + b^2 < c^2$이면 $\angle C > 90°$
➡ △ABC는 예각삼각형	➡ △ABC는 직각삼각형	➡ △ABC는 둔각삼각형

3. 피타고라스 정리의 응용

(1) $\angle A = 90°$인 직각삼각형 ABC에서 점 D, E가 각각 $\overline{AB}$, $\overline{AC}$
위에 있을 때

➡ $\overline{DE}^2 + \overline{BC}^2 = \overline{BE}^2 + \overline{CD}^2$

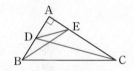

(2) □ABCD에서 두 대각선이 직교할 때

➡ $\overline{AB}^2 + \overline{CD}^2 = \overline{BC}^2 + \overline{AD}^2$

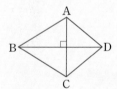

(3) 직사각형 ABCD의 내부에 있는 임의의 점 P에 대하여

➡ $\overline{AP}^2 + \overline{CP}^2 = \overline{BP}^2 + \overline{DP}^2$

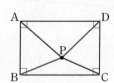

(4) 직각삼각형 ABC에서 직각을 낀 두 변을 지름으로 하는 반원의 넓이
를 각각 P, Q, 빗변을 지름으로 하는 반원의 넓이를 R라고 할 때

➡ $P + Q = R$

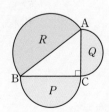

1. 직각삼각형이 되기 위한 조건

Q 054 세 변의 길이 사이에 어떤 관계가 있으면 직각삼각형이 될까?

A (가장 긴 변의 길이의 제곱)=(나머지 두 변의 길이의 제곱의 합)이면 직각삼각형이다.

A 앞에서는 피타고라스 정리를 이용하여 직각삼각형에서 세 변의 길이 사이의 관계를 알 수 있었다. 그렇다면 이 세 변의 길이 사이의 관계를 만족하는 삼각형은 직각삼각형이라고 말할 수 있을까?

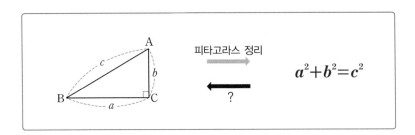

Yes! 세 변의 길이가 주어질 때, 가장 긴 변의 길이의 제곱이 나머지 두 변의 길이의 제곱의 합과 같으면 그 삼각형은 직각삼각형이 된다. 즉, 피타고라스 정리를 거꾸로 해도 성립한다.

직각삼각형이 되기 위한 조건
세 변의 길이가 각각 a, b, c인 △ABC에서
$$a^2+b^2=c^2$$
이면 이 삼각형은 빗변의 길이가 c인
직각삼각형이다.

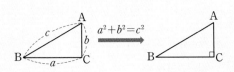

예를 들어 세 변의 길이가 3, 4, 5인 △ABC는 세 변의 길이 사이에
$$3^2+4^2=5^2$$
인 관계가 성립하므로 △ABC는 빗변의 길이가 5인 직각삼각형이다.
이와 같이 우리는 세 변의 길이가 주어지면 피타고라스 정리를 통해 주어진
삼각형이 직각삼각형인지 아닌지 간단히 판단할 수 있다.

예제 26 세 변의 길이가 각각 다음과 같은 삼각형이 직각삼각형인지 확인하여라.
  (1) 5 cm, 12 cm, 13 cm (2) 5 cm, 6 cm, 8 cm
풀이 (1) $5^2+12^2=13^2$ ➡ 직각삼각형이다.
  (2) $5^2+6^2 \neq 8^2$ ➡ 직각삼각형이 아니다.

Q 055   피타고라스 수는 몇 개나 될까?

빠른 A

무수히 많다.

친절한 A

직각삼각형의 세 변의 길이를 세 자연수의 쌍 (a, b, c)로 나타낼 때, $(3, 4, 5)$ 이외에도

$(5, 12, 13)$, $(6, 8, 10)$, $(7, 24, 25)$, $(8, 15, 17)$,

$(9, 40, 41)$, $(11, 60, 61)$, $(12, 35, 37)$, $(13, 84, 85)$,

$(16, 63, 65)$, $(20, 21, 29)$, $\cdots$

등이 있다.

이와 같이 $a^2+b^2=c^2$을 만족시키는 세 자연수 a, b, c를 **피타고라스 수**라고 한다.

a, b, c가 서로소인 피타고라스 수를 원시 피타고라스 수라고 하는데, 원시 피타고라스 수 각각에 2배, 3배, $\cdots$를 해도 피타고라스 수가 되므로 피타고라스 수가 무수히 많다는 것을 알 수 있다.

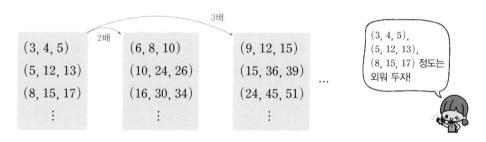

```
        2배                 3배
(3, 4, 5)        (6, 8, 10)        (9, 12, 15)
(5, 12, 13)      (10, 24, 26)      (15, 36, 39)      ...
(8, 15, 17)      (16, 30, 34)      (24, 45, 51)
   ⋮                ⋮                 ⋮
```

(3, 4, 5),
(5, 12, 13),
(8, 15, 17) 정도는
외워 두자!

THINK Math

피타고라스 수

많은 수학자들이 피타고라스 수를 구하는 방법에 대해 연구를 하여 다음과 같이 $a^2+b^2=c^2$을 만족하는 피타고라스 수 a, b, c를 구하는 공식을 알아냈다.

❶ 피타고라스의 공식: $a=2n+1$, $b=2n^2+2n$, $c=2n^2+2n+1$ (단, n은 자연수)
❷ 플라톤의 공식: $a=2n$, $b=n^2-1$, $c=n^2+1$ (단, n은 2 이상의 자연수)
❸ 디오판토스의 공식: $a=2mn$, $b=m^2-n^2$, $c=m^2+n^2$ (단, m, n은 자연수, $m>n$)
❹ 피보나치의 공식: $a=4n$, $b=4n^2-1$, $c=4n^2+1$ (단, n은 자연수)

특히 피타고라스는 위의 공식을 통해 피타고라스 수가 무수히 많이 존재한다는 것을 증명하였다고 한다.

예제 27 세 변의 길이가 8, 15, a인 삼각형이 직각삼각형이 되도록 하는 a의 값을 구하여라.

(단, $a>15$)

풀이 1 $(8, 15, 17)$이 피타고라스 수이므로 $a=17$

풀이 2 피타고라스 정리에 의해 $a^2=15^2+8^2=17^2$ ∴ $a=17(\because a>0)$

2. 삼각형의 각의 크기에 대한 변의 길이

삼각형의 세 변의 길이가 a, b, c일 때, $a^2+b^2=c^2$이면 이 삼각형은 빗변의 길이가 c인 직각삼각형이 된다는 것을 배웠다. 그렇다면 직각삼각형이 되지 않는 경우, 즉 예각삼각형과 둔각삼각형에서의 각의 크기와 변의 길이 사이에는 어떤 관계가 있을까? 이에 대해 살펴보자.

Q 056   △ABC에서 $\overline{AB}=c$, $\overline{BC}=a$, $\overline{AC}=b$일 때, ∠C > 90°이면 $a^2+b^2 \;\Box\; c^2$?

A (바른)

∠C > 90°이면 $a^2+b^2 < c^2$

A (친절한)

오른쪽 그림과 같이 길이가 a인 $\overline{BC}$를 고정하고 점 C를 중심으로 하여 반지름의 길이가 b인 원을 그려서 원주 위에 점 A를 잡아 △ABC를 만들어 보자.
△ABC가 직각삼각형, 즉 ∠C = 90°일 때를 기준으로 하여 점 A를 움직여 보면

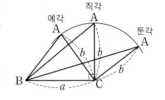

    ∠C의 크기가 90°보다 작아지면 $\overline{AB}$의 길이가 짧아지고,
    ∠C의 크기가 90°보다 커지면 $\overline{AB}$의 길이가 길어진다.

이로부터 ∠C의 크기에 따라 △ABC의 변의 길이 사이의 관계를 정리하면 다음과 같다.

(1) ∠C < 90°이면	(2) ∠C = 90°이면	(3) ∠C > 90°이면
$c^2 < a^2+b^2$	$c^2 = a^2+b^2$	$c^2 > a^2+b^2$

피타고라스 정리

| **참고** | 삼각형의 세 변의 길이 사이의 관계
(나머지 두 변의 길이의 차) < (한 변의 길이) < (나머지 두 변의 길이의 합)

예제 28   오른쪽 그림과 같이 세 변의 길이가 3, 4, x인 삼각형 ABC에서 ∠B가 예각일 때, 자연수 x의 값을 모두 구하여라.

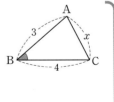

풀이   삼각형의 세 변의 길이 사이의 관계에 의하여
     $4-3 < x < 3+4$ ∴ $1 < x < 7$ ······ ㉠
     ∠B가 예각이므로 $x^2 < 3^2+4^2$ ∴ $x^2 < 25$ ······ ㉡
     ㉠, ㉡을 모두 만족시키는 자연수 x의 값은 **2, 3, 4**이다.

Q 057 세 변의 길이 사이의 관계로 삼각형의 종류를 알 수 있다?

A 알 수 있다!

A Q₀₅₆에서 배운 내용을 거꾸로 생각하면 세 변의 길이 사이의 관계로 삼각형의 종류를 판단할 수 있다. 즉, △ABC에서

$\overline{\text{AB}}=c,\ \overline{\text{BC}}=a,\ \overline{\text{CA}}=b$이고 c가 가장 긴 변의 길이 일 때, 삼각형의 세 변의 길이 사이의 관계에 따라 각의 크기 는 다음과 같이 나타난다.

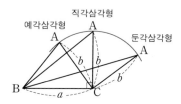

(1) $c^2 < a^2 + b^2$이면	(2) $c^2 = a^2 + b^2$이면	(3) $c^2 > a^2 + b^2$이면
$\angle C < 90°$	$\angle C = 90°$	$\angle C > 90°$
예각삼각형	직각삼각형	둔각삼각형

예제 29 세 변의 길이가 각각 다음과 같은 삼각형은 어떤 삼각형인지 구하여라.

(1) 2, 3, 4　　　　　(2) 5, 12, 13　　　　　(3) 4, 5, 6

풀이 (1) $4^2 > 2^2 + 3^2$　　(2) $13^2 = 5^2 + 12^2$　　(3) $6^2 < 4^2 + 5^2$

➡ 둔각삼각형　　　➡ 직각삼각형　　　➡ 예각삼각형

THINK Math

$a^2 + b^2 > c^2$이면 예각삼각형이다. (X)

삼각형 ABC에서 c가 가장 긴 변의 길이일 때, $a^2 + b^2 > c^2$이면 예각삼각형이 된다.
c가 가장 긴 변의 길이라는 조건이 없으면 $a^2 + b^2 > c^2$에서 단순히 $\angle C < 90°$라는 사실만 알 수 있을 뿐 △ABC가 어떤 삼각형인지는 알 수 없다.

예각삼각형　　　　　직각삼각형　　　　　둔각삼각형

3. 피타고라스 정리의 응용

Q 058 삼각형과 사각형에서 피타고라스 정리로부터 생겨난 공식이 있다?

A 3가지가 있다!

A 피타고라스 정리로부터 생겨난 여러 가지 공식이 있다. 다음 공식과 함께 그 공식이 유도된 과정을 이해해 보자.

---

❶ **피타고라스 정리와 직각삼각형**

$\angle A = 90°$인 직각삼각형 ABC에서 점 D, E가 각각 $\overline{AB}$, $\overline{AC}$ 위에 있을 때, 다음이 성립한다.

$$\overline{DE}^2 + \overline{BC}^2 = \overline{BE}^2 + \overline{CD}^2$$

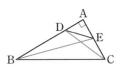

[증명] 직각삼각형 ADE에서 $\overline{DE}^2 = \overline{AD}^2 + \overline{AE}^2$

직각삼각형 ABC에서 $\overline{BC}^2 = \overline{AB}^2 + \overline{AC}^2$

직각삼각형 ABE에서 $\overline{BE}^2 = \overline{AB}^2 + \overline{AE}^2$

직각삼각형 ADC에서 $\overline{CD}^2 = \overline{AD}^2 + \overline{AC}^2$이므로

$$\overline{DE}^2 + \overline{BC}^2 = (\overline{AD}^2 + \overline{AE}^2) + (\overline{AB}^2 + \overline{AC}^2)$$
$$= (\overline{AB}^2 + \overline{AE}^2) + (\overline{AD}^2 + \overline{AC}^2)$$
$$= \overline{BE}^2 + \overline{CD}^2$$

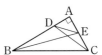

---

❷ **피타고라스 정리와 두 대각선이 직교하는 사각형**

□ABCD에서 두 대각선 AC, BD가 직교할 때, 다음이 성립한다.

$$\overline{AB}^2 + \overline{CD}^2 = \overline{BC}^2 + \overline{AD}^2$$

> 두 대각선이 직교하는 사각형에서만 성립한다.

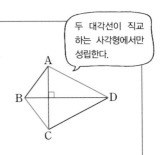

[증명] □ABCD에서 피타고라스 정리에 의해

$$\overline{AB}^2 = \overline{AO}^2 + \overline{BO}^2 \quad \cdots\cdots ㉠$$
$$\overline{BC}^2 = \overline{BO}^2 + \overline{CO}^2 \quad \cdots\cdots ㉡$$
$$\overline{CD}^2 = \overline{CO}^2 + \overline{DO}^2 \quad \cdots\cdots ㉢$$
$$\overline{AD}^2 = \overline{AO}^2 + \overline{DO}^2 \quad \cdots\cdots ㉣$$

㉠+㉢에서 $\overline{AB}^2 + \overline{CD}^2 = \overline{AO}^2 + \overline{BO}^2 + \overline{CO}^2 + \overline{DO}^2$

㉡+㉣에서 $\overline{BC}^2 + \overline{AD}^2 = \overline{BO}^2 + \overline{CO}^2 + \overline{AO}^2 + \overline{DO}^2$

$$\therefore \overline{AB}^2 + \overline{CD}^2 = \overline{BC}^2 + \overline{DA}^2$$

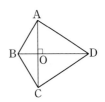

❸ 피타고라스 정리와 직사각형

직사각형 ABCD의 내부에 있는 임의의 점 P에 대하여 다음이 성립한다.

$$\overline{AP}^2+\overline{CP}^2=\overline{BP}^2+\overline{DP}^2$$

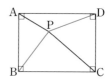

[증명] $\overline{HF} /\!/ \overline{AB}$, $\overline{EG} /\!/ \overline{AD}$가 되도록 $\overline{HF}$, $\overline{EG}$를 그으면

$$
\begin{aligned}
\overline{AP}^2+\overline{CP}^2&=(\overline{AH}^2+\overline{HP}^2)+(\overline{PG}^2+\overline{GC}^2)\\
&=(\overline{AH}^2+\overline{GC}^2)+(\overline{HP}^2+\overline{PG}^2)\\
&=(\overline{BF}^2+\overline{PF}^2)+(\overline{DG}^2+\overline{PG}^2)\\
&=\overline{BP}^2+\overline{DP}^2
\end{aligned}
$$

$$\therefore \ \overline{AP}^2+\overline{CP}^2=\overline{BP}^2+\overline{DP}^2$$

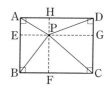

예제 30 다음 그림에서 x^2의 값을 구하여라.

(1)

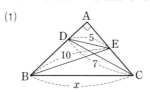

(2)

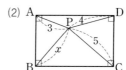

풀이 (1) $\overline{DE}^2+\overline{BC}^2=\overline{BE}^2+\overline{CD}^2$이므로

$$5^2+x^2=10^2+7^2 \qquad \therefore \ x^2=\mathbf{124}$$

(2) $\overline{AP}^2+\overline{CP}^2=\overline{BP}^2+\overline{DP}^2$이므로

$$3^2+5^2=x^2+4^2 \qquad \therefore \ x^2=\mathbf{18}$$

위의 공식들과 더불어 오른쪽 그림도 기억해 두자.

$\angle A=90°$인 직각삼각형 ABC에서 $\overline{AD}\perp\overline{BC}$일 때 피타고라스 정리는 물론 다음과 같은 식이 성립한다.

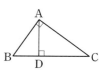

닮음			넓이
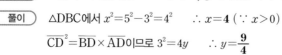			
$①^2=②\times③$			$①\times②=③\times④$

기억이 안난다면 **Q** 034로 Go~!

예제 31 오른쪽 직각삼각형 ABC에서 x, y의 값을 각각 구하여라.

풀이 △DBC에서 $x^2=5^2-3^2=4^2 \qquad \therefore \ x=\mathbf{4} \ (\because x>0)$

$\overline{CD}^2=\overline{BD}\times\overline{AD}$이므로 $3^2=4y \qquad \therefore \ y=\dfrac{\mathbf{9}}{\mathbf{4}}$

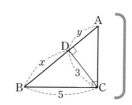

Q 059 직각삼각형의 각 변을 지름으로 하는 세 반원 사이에는 어떤 관계가 있을까?

A (빗변을 지름으로 하는 반원의 넓이)=(직각을 낀 두 변을 지름으로 하는 반원의 넓이의 합)

A 오른쪽 그림과 같은 직각삼각형 ABC에서 직각을 낀 두 변을 지름으로 하는 반원의 넓이를 각각 P, Q, 빗변을 지름으로 하는 반원의 넓이를 R라고 할 때

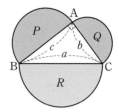

$$R=P+Q$$

가 성립한다.

이 식이 성립함은 각 반원의 넓이를 구해 보면 쉽게 확인할 수 있다.

$$R=\frac{1}{2}\times\pi\times\left(\frac{a}{2}\right)^2=\frac{1}{8}\pi a^2$$

$$P+Q=\frac{1}{2}\times\pi\times\left(\frac{c}{2}\right)^2+\frac{1}{2}\times\pi\times\left(\frac{b}{2}\right)^2=\frac{1}{8}\pi(b^2+c^2)$$

피타고라스 정리에 의해 $a^2=b^2+c^2$이므로 $R=P+Q$

한편 오른쪽 그림과 같이 직각삼각형 ABC의 각 변을 지름으로 하는 반원을 그리면 색칠한 부분의 넓이는 다음과 같이 직각삼각형 ABC의 넓이와 같다.

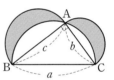

히포크라테스의 원 또는 초승달이라고 부른다.

$$\text{(색칠한 부분의 넓이)}=\triangle ABC=\frac{1}{2}bc$$

이는 바로 위에 살펴본 $P+Q=R$를 적용하여 쉽게 확인할 수 있다.

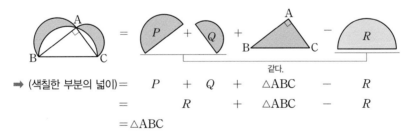

같다.

➡ (색칠한 부분의 넓이)= $\quad P \quad + \quad Q \quad + \quad \triangle ABC \quad - \quad R$

$\qquad\qquad\qquad\qquad = \quad\qquad R \quad\qquad + \quad \triangle ABC \quad - \quad R$

$\qquad\qquad\qquad\qquad =\triangle ABC$

예제 32 다음 그림에서 색칠한 부분의 넓이를 구하여라.

(1)

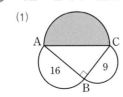

(2)

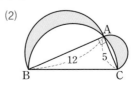

풀이

(1) (색칠한 부분의 넓이)

$\qquad=16+9=\mathbf{25}$

(2) (색칠한 부분의 넓이)$=\triangle ABC$

$\qquad=\frac{1}{2}\times 12\times 5=\mathbf{30}$

01 세 변의 길이가 5 cm, 13 cm, x cm인 삼각형이 직각삼각형이 되도록 하는 x의 값
을 구하여라. (단, 13 cm가 가장 긴 변의 길이이다.)

02 세 변의 길이가 각각 다음과 같은 삼각형은 어떤 삼각형인지 말하여라.

(1) 4 cm, 5 cm, 7 cm 　　　　　　(2) 9 cm, 12 cm, 15 cm

(3) 5 cm, 8 cm, 10 cm 　　　　　　(4) 8 cm, 11 cm, 12 cm

03 세 변의 길이가 각각 6, 10, x인 삼각형이 둔각삼각형일 때, 자연수 x의 최솟값을
구하여라. (단, $x>10$)

04 다음 그림에서 x^2+y^2의 값을 구하여라.

(1)
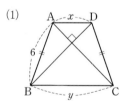

(2)
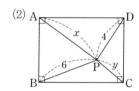

05 오른쪽 그림과 같이 $\angle A=90°$인 직각삼각형 ABC의 세 변
을 각각 지름으로 하는 반원을 그렸다. $\overline{AB}=4$, $\overline{CA}=3$일
때, 색칠한 부분의 넓이를 구하여라.

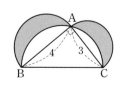

문제 이해도를 ☺, ☺, ☹으로 표시해 보세요.

해설 BOOK 031쪽 | 테스트 BOOK 045쪽

유형 1 다각형에서의 변의 길이

오른쪽 그림과 같은 △ABC에서 $\overline{AD} \perp \overline{BC}$일 때, $\overline{CD}$의 길이를 구하여라.

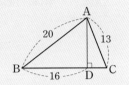

Summa Point
직각삼각형 ABD에서 $\overline{AD}$의 길이를 구한 후 직각삼각형 ADC에서 $\overline{CD}$의 길이를 구한다.

157쪽 Q 053 ○

유형 2 피타고라스 정리의 증명

오른쪽 그림은 ∠A=90°인 직각삼각형 ABC의 각 변을 한 변으로 하는 세 정사각형을 그린 것이다. 다음 중 그 넓이가 나머지 넷과 다른 하나는?

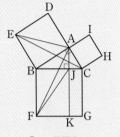

① △EBC   ② △ABF
③ △EBA   ④ △ABJ
⑤ △BFJ

Summa Point
두 삼각형의 밑변의 길이와 높이가 각각 같으면 넓이도 같다.

153쪽 Q 052 ○

1-1 ☺☺☹

오른쪽 그림과 같이 ∠C=90°인 직각삼각형 ABC에서 $\overline{AB}$의 길이를 구하여라.

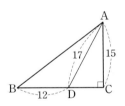

2-1 ☺☺☹

오른쪽 그림은 ∠A=90°인 직각삼각형 ABC의 각 변을 한 변으로 하는 세 정사각형을 그린 것이다. $\overline{AC}=6$, $\overline{BC}=10$일 때, △LFM의 넓이를 구하여라.

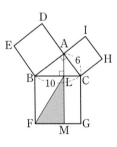

1-2 ☺☺☹

오른쪽 그림과 같은 사다리꼴 ABCD의 넓이를 구하여라.

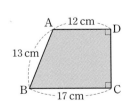

2-2 ☺☺☹

오른쪽 그림에서 □ABCD는 한 변의 길이가 3인 정사각형이고 $\overline{AP}=\overline{BQ}=\overline{CR}=\overline{DS}=1$일 때, □PQRS의 넓이를 구하여라.

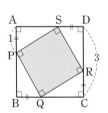

세 변의 길이가 각각 5, 12, x인 삼각형이 직각삼각형이 되도록 하는 x의 값을 구하여라. (단, x가 가장 긴 변의 길이이다.)

Summa Point
(가장 긴 변의 길이의 제곱)=(나머지 두 변의 길이의 제곱의 합) 임을 이용한다.

161쪽 **Q 054**

세 변의 길이가 4, 5, x인 삼각형이 둔각삼각형일 때, 자연수 x의 값의 개수를 구하여라. (단, x가 가장 긴 변의 길이이다.)

Summa Point
$\triangle$ABC에서 $\overline{AB}=c$, $\overline{BC}=a$, $\overline{CA}=b$일 때, $\angle C>90\degree$이면 $c^2>a^2+b^2$이다.

163쪽 **Q 056**

3-1 ☺☺☹

세 변의 길이가 각각 다음과 같은 삼각형 중에서 직각삼각형인 것은?

① 8, 10, 15　　② 3, 4, 6　　③ 7, 24, 25

④ 5, 15, 17　　⑤ 6, 7, 10

4-1 ☺☺☹

삼각형의 세 변의 길이가 다음과 같을 때, 예각삼각형인 것은?

① 3 cm, 4 cm, 5 cm　　② 4 cm, 6 cm, 8 cm

③ 5 cm, 8 cm, 10 cm　　④ 5 cm, 10 cm, 11 cm

⑤ 5 cm, 12 cm, 13 cm

3-2 ☺☺☹

직각삼각형을 그리려고 한다. 각 직각삼각형의 세 변의 길이를 작은 수부터 나열할 때, □ 안에 알맞은 수의 합을 구하여라.

$$(9,\ \square,\ 15),\ (12,\ 16,\ \square),\ (\square,\ 15,\ 17)$$

4-2 ☺☺☹

세 변의 길이가 4, 7, x인 삼각형이 예각삼각형이 되도록 하는 자연수 x의 값을 구하여라. (단, $x>7$)

4-3 ☺☺☹

오른쪽 그림과 같은 $\triangle$ABC에서 $\angle C>90\degree$가 되도록 하는 모든 자연수 x의 값의 합을 구하여라.

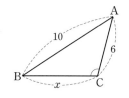

3-3 ☺☺☹

두 변의 길이가 각각 6, 10인 직각삼각형의 나머지 한 변의 길이가 A 또는 B라고 할 때, B^2-A^2의 값을 구하여라.

(단, $A<B$)

유형 5 직각삼각형의 닮음을 이용한 성질

오른쪽 그림과 같이
$\angle A = 90°$인 직각삼각형
ABC에서 $\overline{AD} = 12$,
$\overline{BD} = 9$, $\overline{AD} \perp \overline{BC}$일 때,
$x + y + z$의 값을 구하여라.

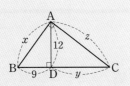

Summa Point
$\triangle ABC$에서 $\angle A = 90°$이고 $\overline{AD} \perp \overline{BC}$일 때,
① $a^2 = b^2 + c^2$
② $b^2 = ay$
③ $c^2 = ax$
④ $h^2 = xy$

165쪽 **Q 058**

유형 6 피타고라스 정리의 응용

오른쪽 그림과 같은
□ABCD에서 $\overline{AC} \perp \overline{BD}$일
때, $\overline{BC}^2$의 값을 구하여라.

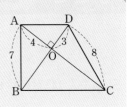

Summa Point
사각형의 두 대각선이 직교할 때, 사각형의 두 대변의 길이의
제곱의 합은 서로 같다.

165쪽 **Q 058**

6-1 ☺☺☹

오른쪽 그림과 같이
$\angle A = 90°$인 $\triangle ABC$에서
$\overline{BE}$의 길이를 구하여라.

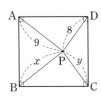

5-1 ☺☺☹

오른쪽 그림과 같이 $\angle A = 90°$
인 직각삼각형 ABC에서
$\overline{AH} \perp \overline{BC}$, $\overline{AC} = 4$, $\overline{CH} = 2$
일 때, $\overline{AB}^2$의 값을 구하여라.

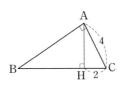

6-2 ☺☺☹

오른쪽 그림과 같이 직사각형
ABCD의 내부의 한 점 P에 대하여
$\overline{AP} = 9$, $\overline{DP} = 8$일 때, $x^2 - y^2$의 값
을 구하여라.

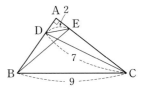

5-2 ☺☹☹

오른쪽 그림과 같이 $\angle A = 90°$인
직각삼각형 ABC에서 $\overline{AH} \perp \overline{BC}$
일 때, $\overline{AH}$의 길이를 구하여라.

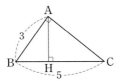

6-3 ☺☺☹

오른쪽 그림과 같이 $\angle A = 90°$인
직각삼각형 ABC에서 $\overline{AB}$, $\overline{AC}$
를 지름으로 하는 반원의 넓이가
각각 20π cm^2, 30π cm^{2}일 때,
$\overline{BC}$의 길이를 구하여라.

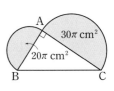

해설 BOOK **033쪽** | 테스트 BOOK **049쪽**

Step 1 | 내·신·기·본

01 오른쪽 그림과 같은 직각삼각형 ABC에서 $\overline{AB}=8$ cm, △ABC=24 cm²일 때, $\overline{BC}$의 길이를 구하여라.

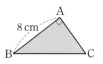

02 오른쪽 그림과 같이 ∠C=90°인 직각삼각형 ABC에서 점 M이 $\overline{BC}$의 중점이고, $\overline{AB}=13$, $\overline{CA}=5$일 때, $\overline{AM}^2$의 값을 구하여라.

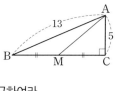

03 오른쪽 그림과 같이 $\overline{AD}$ // $\overline{BC}$인 등변사다리꼴 ABCD에서 $\overline{AD}=2$ cm, $\overline{BC}=8$ cm, $\overline{AB}=5$ cm 일 때, □ABCD의 넓이를 구하여라.

04 오른쪽 그림에서 □OAQP 는 한 변의 길이가 2인 정사 각형이다. 세 점 B, C, D는 각각 점 O를 중심으로 하고, $\overline{OQ}$, $\overline{OR}$, $\overline{OS}$를 반지름으로 하는 원과 $\overline{OA}$의 연장선의 교점일 때, $\overline{OS}$의 길이를 구하여라.

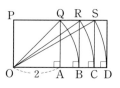

05 오른쪽 그림은 ∠A=90°인 직각삼각형 ABC의 각 변을 한 변으로 하는 세 정사각형을 그린 것이다. △EBC의 넓이가 18 cm²일 때, □BFGC의 넓이를 구하여라.

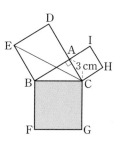

06 좌표평면 위의 두 점 A(1, 2), B(9, 17) 사이의 거리를 구하여라.

07 오른쪽 그림에서 □ABCD는 정사각형이고 $\overline{AF}=\overline{BG}=\overline{CH}=\overline{DE}=12$ cm이다. □EFGH의 넓이가 169 cm² 일 때, □ABCD의 넓이를 구하여라.

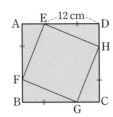

08 피타고라스 정리를 만족시키는 세 자연수를 '피타고라스 수'라고 한다. 다음 중 피타고라스 수가 <u>아닌</u> 것은?

① 3, 4, 5   ② 5, 12, 13
③ 6, 8, 10   ④ 8, 15, 17
⑤ 7, 24, 26

09 오른쪽 그림과 같은 △ABC에서 ∠A<90°이고 a가 가장 긴 변의 길이일 때, 다음 중 옳은 것을 모두 고르면? (정답 2개)

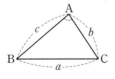

① $a<b+c$ ② $a^2>b^2+c^2$
③ $a^2<b^2+c^2$ ④ $a^2=b^2+c^2$
⑤ $c^2>a^2+b^2$

10 삼각형의 세 변의 길이가 각각 다음과 같을 때, 삼각형의 종류가 바르게 연결되지 <u>않은</u> 것은?

① 2, 3, 4 – 둔각삼각형
② 4, 5, 6 – 둔각삼각형
③ 6, 7, 9 – 예각삼각형
④ 6, 8, 10 – 직각삼각형
⑤ 5, 12, 13 – 직각삼각형

11 오른쪽 그림과 같이 ∠A=90°인 직각삼각형 ABC에서 $\overline{AD}\perp\overline{BC}$일 때, $x+y$의 값을 구하여라.

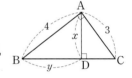

12 오른쪽 그림의 직각삼각형 ABC에서 $\overline{AB}$, $\overline{BC}$의 중점을 각각 D, E라고 하자. $\overline{AC}=6$일 때, $\overline{AE}^2+\overline{CD}^2$의 값을 구하여라.

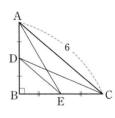

13 다음 그림과 같은 직사각형 ABCD의 두 꼭짓점 B, D에서 대각선 AC에 내린 수선의 발을 각각 Q, P라고 할 때, $\overline{PQ}$의 길이를 구하여라.

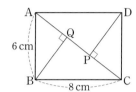

14 오른쪽 그림과 같이 모선의 길이가 10 cm인 원뿔의 밑면의 넓이가 36π cm^{2}일 때, 이 원뿔의 부피를 구하여라.

15 오른쪽 그림은 $\angle A = 90°$인 직각삼각형 ABC의 각 변을 한 변으로 하는 세 정사각형을 그린 것이다. 다음 중 옳지 <u>않은</u> 것은?

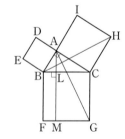

① $\overline{EC} = \overline{AF}$

② $\triangle BCH \equiv \triangle GCA$

③ $\triangle AEB = \triangle LBF$

④ $\square ADEB = \square AEBC$

⑤ $\square ACHI = 2\triangle LMG$

16 오른쪽 그림과 같이 $\angle A = 90°$인 직각삼각형의 각 변을 지름으로 하는 세 반원을 그렸다. $\overline{AB} = 8$ cm, 색칠한 부분의 넓이가 24 cm^{2}일 때, $\overline{AH}$의 길이를 구하여라.

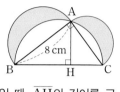

17 오른쪽 그림과 같이 가로, 세로의 길이가 각각 20, 16인 직사각형 ABCD에서 꼭짓점 D가 변 BC 위에 오도록 $\overline{AF}$를 접는 선으로 하여 접었다. 이때 $\overline{CF}$의 길이를 구하여라.

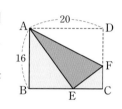

18 오른쪽 그림과 같이 밑면의 반지름의 길이가 6이고, 높이가 8인 원뿔이 있다. 이 원뿔의 전개도에서 옆면인 부채꼴의 중심각의 크기를 구하여라.

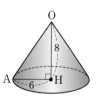

※ 묻고 답하면서 대단원 정리하자!

1. 도형의 닮음

01. 도형의 닮음

027 닮음이란?

확대 또는 축소하여 합동이 되면 두 도형은 닮음이야.

028 '△ABC와 △DEF가 닮았다.'를 기호로 나타내면?

대응점 / 대응각 / 대응변

△ABC ∽ △DEF

029 닮은 두 도형에서 대응변의 길이의 비는 □□하다?

닮은 도형이면 대응변의 길이의 비가 일정해. 이 일정한 길이의 비를 닮음비라고 불러.

030 닮은 두 입체도형의 닮음비는 어떻게 구할까?

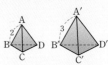

모서리의 길이의 비가 닮음비! ➡ 2 : 3

031 항상 닮은 두 도형이 있을까?

정다각형, 정다면체, 원, 구, 직각이등변삼각형 등은 모양이 모두 일정하여 항상 닮은 도형이 돼!

02. 삼각형의 닮음 조건

032 두 삼각형이 서로 닮음이 될 조건은?

①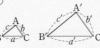

세 쌍의 대응변의 길이의 비가 같다. (SSS 닮음)

②

두 쌍의 대응변의 길이의 비가 같고 그 끼인각의 크기가 같다. (SAS 닮음)

③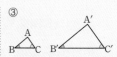

두 쌍의 대응각의 크기가 각각 같다. (AA 닮음)

2. 닮음의 활용

033 겹쳐져 있는 두 삼각형에서 닮음 조건을 찾는 방법은?

먼저 공통인 각이 있는지 살펴보기!

공통

△ABC ∽ △CBD (AA 닮음)

034 직각삼각형에서 각 변의 길이 사이의 관계는?

①² = ④ × ⑥
②² = ④ × ⑤
③² = ⑤ × ⑥
① × ③ = ② × ⑥

01. 삼각형과 평행선

035 삼각형에서 평행선과 선분의 길이의 비 사이에는 어떤 관계가 있을까?

① $\overline{BC} /\!/ \overline{DE}$이면
$\overline{AB} : \overline{AD} = \overline{AC} : \overline{AE} = \overline{BC} : \overline{DE}$
② $\overline{AB} : \overline{AD} = \overline{AC} : \overline{AE}$이면 $\overline{BC} /\!/ \overline{DE}$

037 평행선과 선분의 길이의 비 사이에는 어떤 관계가 있을까?

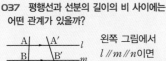

왼쪽 그림에서
$l /\!/ m /\!/ n$이면
$\overline{AB} : \overline{BC} = \overline{A'B'} : \overline{B'C'}$
$\overline{AB} : \overline{A'B'} = \overline{BC} : \overline{B'C'}$

038 삼각형의 한 내각의 이등분선을 그었을 때, 선분의 길이의 비는?

$\overline{AB} : \overline{AC} = \overline{BD} : \overline{CD}$

039 삼각형의 한 외각의 이등분선을 그었을 때, 선분의 길이의 비는?

$\overline{AB} : \overline{AC} = \overline{BD} : \overline{CD}$

02. 삼각형의 중점연결정리

040 삼각형의 중점연결정리란?

① $\overline{AM}=\overline{MB}$, $\overline{AN}=\overline{NC}$이면
$\overline{MN} /\!/ \overline{BC}$, $\overline{MN}=\dfrac{1}{2}\overline{BC}$

② $\overline{AM}=\overline{MB}$, $\overline{MN} /\!/ \overline{BC}$이면
$\overline{AN}=\overline{NC}$

042 어떤 사각형이든 네 변의 중점을 이으면 □□□□□이 된다?

네 변의 중점을 연결하면 기본적으로 평행사변형이 된다.

043 사다리꼴에서 양쪽 두 변의 중점을 연결한 선분의 길이는 어떻게 구할까?

① $\overline{AD} /\!/ \overline{MN} /\!/ \overline{BC}$
② $\overline{MN}=\dfrac{1}{2}(\overline{AD}+\overline{BC})$

03. 삼각형의 무게중심

044 삼각형의 무게중심은 어디일까?

세 중선의 교점이 무게중심!

045 삼각형의 무게중심은 각 중선의 길이를 □ : □로 나눈다?

$\overline{AG}:\overline{GD}=2:1$
$\overline{AG}:\overline{AD}=2:3$

046 세 중선으로 나누어진 삼각형의 넓이는 모두 같을까?

세 중선은 삼각형의 넓이를 6등분해.

04. 닮은 도형의 넓이와 부피

048 닮음비가 $m:n$인 두 평면도형의 넓이의 비는?

① 둘레의 길이의 비
　➡ $m:n$
② 넓이의 비
　➡ $m^2:n^2$

049 닮음비가 $m:n$인 두 입체도형의 부피의 비는?

① 겉넓이의 비
　➡ $m^2:n^2$
② 부피의 비
　➡ $m^3:n^3$

050 축척을 이용하여 실제 거리나 넓이를 어떻게 구할까?

축척은 곧 닮음비!
축척이 $\dfrac{1}{a}$이면

① 거리의 비 ➡ $1:a$
② 넓이의 비 ➡ $1:a^2$

3. 피타고라스 정리

1. 피타고라스 정리(1)

051 피타고라스 정리란 무엇일까?

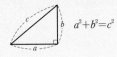 $a^2+b^2=c^2$

052 피타고라스 정리가 성립함을 어떻게 증명할까?

① 유클리드의 방법   ② 피타고라스의 방법

③ 바스카라의 방법   ④ 가필드의 방법   ⑤ 월리스의 방법

053 직각삼각형에서 두 변의 길이만 알면 나머지 한 변의 길이를 알 수 있다?

$$c^2=a^2+b^2$$
$$b^2=c^2-a^2$$
$$a^2=c^2-b^2$$

2. 피타고라스 정리(2)

054 세 변의 길이 사이에 어떤 관계가 있으면 직각삼각형이 될까?

세 변의 길이가 a, b, c인 $\triangle ABC$에서 $a^2+b^2=c^2$이면 이 삼각형은 빗변의 길이가 c인 직각삼각형이다.

055 피타고라스 수는 몇 개나 될까?

$(3, 4, 5)$, $(5, 12, 13)$, $(6, 8, 10)$, $(8, 15, 17)$, … 등과 같이 피타고라스 수는 무수히 많다.

056 $\triangle ABC$에서 $\overline{AB}=c$, $\overline{BC}=a$, $\overline{AC}=b$일 때, $\angle C>90°$이면 $a^2+b^2\ \Box\ c^2$?

① $\angle C<90°$이면 $a^2+b^2>c^2$
② $\angle C=90°$이면 $a^2+b^2=c^2$
③ $\angle C>90°$이면 $a^2+b^2<c^2$

057 세 변의 길이 사이의 관계로 삼각형의 종류를 알 수 있다?

$\triangle ABC$에서 $\overline{AB}=c$, $\overline{BC}=a$, $\overline{AC}=b$이고, c가 가장 긴 변일 때,

① $a^2+b^2>c^2$이면 $\angle C<90°$
➡ $\triangle ABC$는 예각삼각형
② $a^2+b^2=c^2$이면 $\angle C=90°$
➡ $\triangle ABC$는 직각삼각형
③ $a^2+b^2<c^2$이면 $\angle C>90°$
➡ $\triangle ABC$는 둔각삼각형

058 삼각형과 사각형에서 피타고라스 정리로부터 생겨난 공식이 있다?

$\overline{DE}^2+\overline{BC}^2=\overline{BE}^2+\overline{CD}^2$ $\overline{AB}^2+\overline{CD}^2=\overline{BC}^2+\overline{AD}^2$ $\overline{AP}^2+\overline{CP}^2=\overline{BP}^2+\overline{DP}^2$

059 직각삼각형의 각 변을 지름으로 하는 세 반원 사이에는 어떤 관계가 있을까?

   $P+Q=R$ $S_1+S_2=\triangle ABC$ $=\dfrac{1}{2}bc$

01 다음 설명 중 옳지 <u>않은</u> 것은?

① 두 직각이등변삼각형은 닮음이다.

② 두 정삼각형은 닮음이다.

③ 두 사각기둥이 닮음이면 대응하는 면도 모두 닮음이다.

④ 두 원에서 둘레의 길이의 비가 닮음비이다.

⑤ 두 마름모는 대응하는 변의 길이의 비가 같으면 닮은 도형이다.

02 아래 그림에서 □ABCD∽□PQRS일 때, 다음 중 옳지 <u>않은</u> 것은?

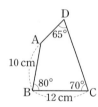

① ∠P=145°　　② ∠Q=80°

③ $\overline{AD}:\overline{PQ}=3:2$　　④ $\overline{PQ}=\dfrac{20}{3}$ cm

⑤ □ABCD와 □PQRS의 닮음비는 3 : 2이다.

03 오른쪽 그림에서 $\overline{AC}\perp\overline{DE}$, $\overline{AB}\perp\overline{CD}$일 때, 다음 중 나머지 삼각형과 닮음이 <u>아닌</u> 것은?

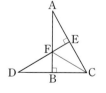

① △AEF　　② △DBF

③ △ABC　　④ △CEF

⑤ △DEC

04 오른쪽 그림과 같은 △ABC에서 $\overline{AD}\perp\overline{BC}$, $\overline{BE}\perp\overline{AC}$이고, $\overline{BD}=\overline{CD}=6$ cm, $\overline{FD}=4$ cm 일 때, $\overline{AF}$의 길이를 구하여라.

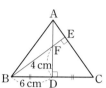

05 오른쪽 그림의 △ABC에서 ∠B=∠AEF이고 $\overline{DE}\,/\!/\,\overline{BC}$이다. $\overline{AB}=6$ cm, $\overline{AC}=5$ cm, $\overline{AE}=3$ cm 일 때, $\overline{AF}+\overline{AD}$의 길이는?

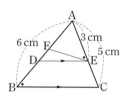

① 5.8 cm　　② 6.1 cm　　③ 6.7 cm

④ 7.3 cm　　⑤ 7.5 cm

06 오른쪽 그림과 같이 ∠A=90°인 △ABC에서 $\overline{AH}\perp\overline{BC}$일 때, x, y의 값을 각각 구하여라.

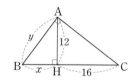

07 오른쪽 그림과 같은 △ABC에서 두 점 F, G는 각각 $\overline{AB}$, $\overline{AC}$의 연장선 위의 점이고 $\overline{BC}$ // $\overline{DE}$ // $\overline{GF}$일 때, $x+y$의 값을 구하여라.

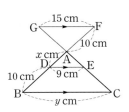

08 오른쪽 그림과 같은 △ABC에서 $\overline{AD}$는 ∠A의 이등분선이다. $\overline{AB}$ // $\overline{ED}$일 때, $\overline{DE}$의 길이를 구하여라.

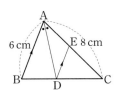

09 오른쪽 그림과 같은 △ABC에서 ∠A의 외각의 이등분선이 $\overline{BC}$의 연장선과 만나는 점을 D라고 할 때, $\overline{AC}$의 길이를 구하여라.

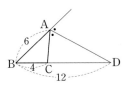

10 오른쪽 그림에서 l // m // n이고 $\overline{AB}:\overline{BC}=3:4$일 때, x, y의 값을 각각 구하여라.

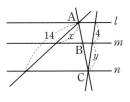

11 오른쪽 그림의 △ABC에서 $\overline{BC}$ // $\overline{DE}$, $\overline{BE}$ // $\overline{DF}$이고, $\overline{AF}=4$, $\overline{FE}=3$일 때, $\overline{EC}$의 길이를 구하여라.

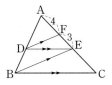

12 오른쪽 그림의 △ABC와 △DBE에서 $\overline{AD}=\overline{DB}$, $\overline{EF}=\overline{FD}$이다. $\overline{BE}=18$ cm일 때, $\overline{CE}$의 길이를 구하여라.

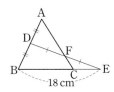

13 오른쪽 그림에서 점 E, F, G, H는 □ABCD의 각 변의 중점이다. $\overline{AC}=12$ cm, $\overline{BD}=9$ cm일 때, □EFGH의 둘레의 길이는?

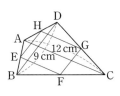

① 15 cm ② 18 cm ③ 21 cm

④ 24 cm ⑤ 32 cm

14 오른쪽 그림에서 $\overline{AB}$ // $\overline{PQ}$ // $\overline{DC}$이고, $\overline{AB}=5$ cm, $\overline{DC}=10$ cm일 때, $\overline{PQ}$의 길이는?

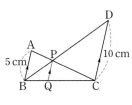

① 7 cm ② $\frac{15}{2}$ cm ③ $\frac{10}{3}$ cm

④ 5 cm ⑤ $\frac{20}{3}$ cm

15 오른쪽 그림과 같이 $\overline{AD} /\!/ \overline{BC}$인 사다리꼴 ABCD에서 점 M, N 은 각각 $\overline{AB}$, $\overline{DC}$의 중점이고 $\overline{AD}=8$ cm, $\overline{BC}=12$ cm일 때, $\overline{PQ}$의 길이는?

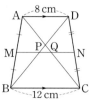

① 2 cm ② 2.5 cm ③ 3 cm

④ 3.5 cm ⑤ 4 cm

18 오른쪽 그림에서 점 G는 △ABC 의 무게중심이다. $\overline{EF} /\!/ \overline{BC}$, $\overline{AF}=6$, $\overline{BD}=4$일 때, xy의 값을 구하여라.

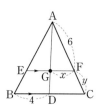

16 오른쪽 그림에서 점 G가 △ABC의 무게중심일 때, 다음 중 옳지 <u>않은</u> 것은?

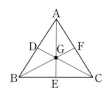

① $\overline{BG} : \overline{GF} = 2 : 1$

② $6\triangle ADG = \triangle ABC$

③ $\triangle GBC = 2\triangle GBE$

④ $\square ADGF = \square CFGE$

⑤ $\overline{AD} = \overline{DB} = \overline{BE} = \overline{EC} = \overline{CF} = \overline{FA}$

19 오른쪽 그림과 같은 평행사변형 ABCD에서 $\overline{BC}$, $\overline{CD}$의 중점을 각각 E, F라 하고, 대각선 BD와 $\overline{AE}$, $\overline{AF}$의 교점을 각각 G, H라고 하자. △AGH, □GEFH, △ECF의 넓이를 각각 S_1, S_2, S_3라고 할 때, $S_1 : S_2 : S_3$를 구하여라.

17 오른쪽 그림과 같은 △ABC에서 ∠ADE=∠ABC이고 △ABC의 넓이가 108 cm²일 때, △ADE의 넓이는?

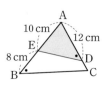

① 36 cm² ② 48 cm² ③ 60 cm²

④ 72 cm² ⑤ 84 cm²

20 오른쪽 그림의 □ABCD 에서 $\overline{AB}=12$, $\overline{AD}=9$, $\overline{DC}=8$일 때, x, y의 값을 각각 구하여라.

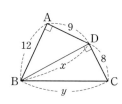

21 세 변의 길이가 다음과 같은 삼각형 중에서 직각삼각형이 <u>아닌</u> 것을 모두 고르면? (정답 2개)

① 2, 3, 4　　　　② 3, 4, 5

③ 6, 8, 9　　　　④ 5, 12, 13

⑤ 8, 15, 17

22 다음 그림과 같이 직사각형 모양의 종이 ABCD를 $\overline{BE}$를 접는 선으로 하여 꼭짓점 C가 $\overline{AD}$ 위의 점 F에 오도록 접었을 때, $\overline{BF}$의 길이를 구하여라.

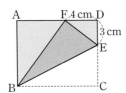

23 오른쪽 그림과 같이 원 안에 꼭 맞게 들어 있는 직사각형 ABCD의 각 변을 지름으로 하는 네 반원을 그렸다. 이때 색칠한 부분의 넓이를 구하여라.

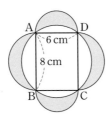

24 오른쪽 그림과 같은 직각삼각형 ABC에서 ∠A의 이등분선인 $\overline{AD}$에 대하여 $\overline{AD}^2$의 값을 구하여라.

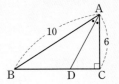

답 _____

25 오른쪽 그림에서 점 G가 직각삼각형 ABC의 무게중심일 때, $\overline{AB}$의 길이를 구하여라.

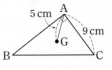

답 _____

TOPIC 1 지레의 원리와 선분의 길이의 비

예전부터 사람들은 무거운 물건을 들어 올리기 위해 지레를 사용하였다. 지레를 이용하면 힘을 적게 들이고도 무거운 물건을 들 수 있기 때문이다. 고대 그리스의 수학자 아르키메데스는 지레에 다음과 같은 수학적 원리가 숨어 있음을 발견하였다.

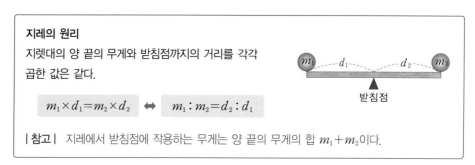

지레의 원리
지렛대의 양 끝의 무게와 받침점까지의 거리를 각각 곱한 값은 같다.

$$m_1 \times d_1 = m_2 \times d_2 \iff m_1 : m_2 = d_2 : d_1$$

| 참고 | 지레에서 받침점에 작용하는 무게는 양 끝의 무게의 합 $m_1 + m_2$이다.

위 지레의 원리로 다음과 같이 평형을 유지할 수 있는 조건을 쉽게 구할 수 있다.

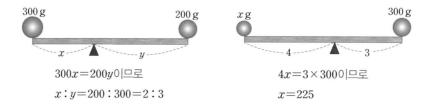

$300x = 200y$이므로
$x : y = 200 : 300 = 2 : 3$

$4x = 3 \times 300$이므로
$x = 225$

지레의 원리를 응용하면 흥미롭게도 다음과 같은 방정식 문제도 해결할 수 있다.

예제 01 4 %의 소금물 100 g과 7 %의 소금물 200 g을 섞으면 몇 %의 소금물이 되는지 구하여라.

풀이 농도를 수직선에서의 좌표로 생각한 후 지레의 원리를 적용하면 된다.

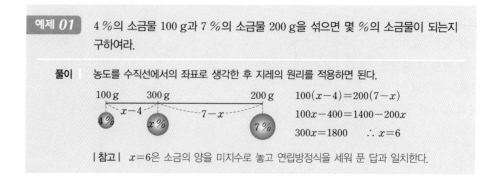

$100(x-4) = 200(7-x)$
$100x - 400 = 1400 - 200x$
$300x = 1800$ ∴ $x = 6$

| 참고 | $x = 6$은 소금의 양을 미지수로 놓고 연립방정식을 세워 푼 답과 일치한다.

유제 01 5 %의 소금물 200 g과 8 %의 소금물 300 g을 섞으면 몇 %의 소금물이 되는지 지레의 원리를 이용하여 구하여라.

'아는 만큼 보이고, 보는 만큼 느낀다.'는 말은 수학에서도 일맥상통합니다.
교과서 밖으로 나와 더 넓은 수학을 접하여 나만의 사고력을 한 단계 높여 보세요!

해설 BOOK **036쪽**

지레의 원리는 선분의 무게중심뿐만 아니라 다각형의 무게중심도 찾을 수 있게 해준다.
다음은 삼각형의 무게중심을 지레의 원리를 이용하여 찾은 것이다.

> △ABC의 세 꼭짓점에서의 무게를 모두 1이라고 놓으면
> 변 BC의 중점 D의 무게는 1+1=2가 된다.
> 변 AD에서 점 A와 D의 무게가 각각 1, 2이므로
> $\overline{AG}:\overline{GD}=2:1$인 점 G가 무게중심이 된다.

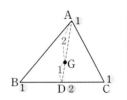

사각형의 경우 두 개의 삼각형으로 나누어 각각 무게중심을 구한 후, 넓이에 대한 지레의
원리를 통해 무게중심을 찾을 수 있다.

> 오른쪽 사각형에서 △ABC와 △ACD의 넓이의 비는 3:2이다.
> 따라서 그림과 같이 △ABC의 무게중심을 M, △ACD의 무게중
> 심을 N이라 하면 □ABCD의 무게중심은 선분 MN을 2:3으로
> 나누는 점 Q가 된다.

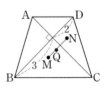

예제 02 오른쪽 △ABC에서 $\overline{AM}:\overline{MC}=1:2$이고, 변 CB의
연장선 CN에서 $\overline{CB}=\overline{BN}$이다. $\overline{MN}$과 $\overline{AB}$의 교점을
P라고 할 때, $\overline{NP}:\overline{PM}$을 구하여라.

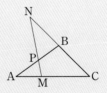

풀이 오른쪽 $\overline{AM}:\overline{MC}=1:2$, $\overline{CB}=\overline{BN}$임을 이용하여 각 점에
서의 무게를 가정하면 오른쪽 그림과 같다. 그림에서 점 N과
M의 무게가 각각 1, 3이므로 $\overline{NP}:\overline{PM}=3:1$이다.

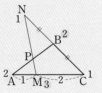

유제 02 오른쪽 평행사변형 ABCD에서 $\overline{BM}:\overline{MC}=3:5$일 때,
$\overline{AP}:\overline{PM}$을 지레의 원리를 이용하여 구하여라.

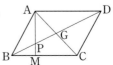

Advanced Lecture **183**   VI

01 프랙털 속의 아름다움

프랙털이란 부분이 전체와 같은 형태를 가지고 있는 구조를 말하는데 우리말로 '자기 닮음'이라고 한다. 프랙털 구조는 우리 주변에서 쉽게 볼 수 있다. 위성 사진 속에서 보이는 해안선들의 모양이나 고사리와 같은 식물이 한 예이다.

프랙털 구조를 연구하던 폴란드의 수학자 만델브로트(1924~2010)는 1975년 자신의 책 제목을 생각하던 중 '부서진 상태'라는 뜻을 지닌 라틴어 'fractus'에서 힌트를 얻어 '프랙털(fractal)'이라는 단어를 사용하게 되었다. 이후 프랙털이라는 말은 일부 조각이 전체와 비슷한 기하학적 형태를 부르는 단어로 자리매김하였다.

다음은 프랙털 구조를 나타내는 대표적인 두 프랙털 도형인 코흐의 눈송이와 시어핀스키 삼각형을 만드는 과정이다.

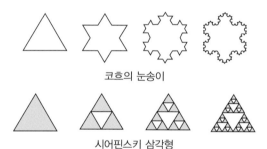

코흐의 눈송이

시어핀스키 삼각형

과정을 무한히 반복하면 시어핀스키 삼각형은 색칠한 삼각형들의 둘레의 길이의 합은 무한히 커지지만 넓이의 합은 한없이 작아지는 신기한 도형이 된다.

입체도형으로 만들어진 프랙털도 있는데 대표적인 것이 **시어핀스키 피라미드**이다. 시어핀스키 피라미드는 시어핀스키 삼각형의 원리를 정사면체에 적용한 것으로 프랙털 구조를 가진다. 만드는 방법은 다음 그림과 같이 정사면체의 각 모서리의 중점을 연결하였을 때 생기는 한가운데 있는 정팔면체를 제거하는 것을 반복하는 것이다.

[0단계]　　　[1단계]　　　[2단계]　　　[3단계]

$$q = \frac{1}{3} \cdot \left[h_I (r_{I_2}^3 - r_{I_1}^3) + h_{II} (r_{II_2}^3 - r_{II_1}^3) + h_{III} (r_{III_2}^3 - r_{III_1}^3) \right.$$

단계별로 정사면체의 개수를 살펴보면 다음과 같이 4의 거듭제곱으로 나타나는 규칙을 볼 수 있다.

단계	0	1	2	3	…	n
정사면체(개)	1	4	4^2	4^3	…	4^n

단계가 거듭될수록 엄청난 수의 정사면체를 만들어야 하므로 4단계 이상의 시어핀스키 피라미드를 직접 만드는 것은 엄청난 끈기와 노력을 필요로 할 것이다.

입체도형으로 만들어진 프랙털 중 시어핀스키 피라미드와 쌍벽을 이루는 것으로 멩거 스폰지가 있다.
멩거 스폰지는 정육면체에 시어핀스키 사각형을 적용하여 만든 도형이다.
만드는 방법은 다음 그림과 같이 정육면체의 각 모서리를 3등분 하여 만든 27개의 작은 정육면체 중 각 면의 중심에 있는 조각 6개와 처음 정육면체의 중심에 있는 조각 1개를 제거하는 것을 계속 반복하는 것이다.

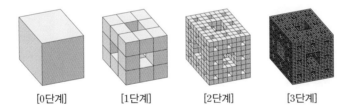

[0단계]　　　[1단계]　　　[2단계]　　　[3단계]

단계별 정육면체의 개수를 살펴보면 다음과 같이 20의 거듭제곱으로 나타나는 규칙을 볼 수 있다.

단계	0	1	2	3	…	n
정육면체(개)	1	20	20^2	20^3	…	20^n

2단계인 멩거 스폰지를 만들려고 해도 400개의 정육면체를 만들어야 하니 결코 간단하지가 않다.
시어핀스키 피라미드나 멩거 스폰지 둘 다 과정을 무한히 반복하면 부피는 0에 가까워지고 겉넓이는 무한히 커지는 신기한 입체도형이 된다. 즉, 가장 작은 부피 안에 가장 큰 겉넓이를 확보한 도형이 되는 것이다.

에스토니아의 탈린
에스토니아의 수도 탈린은 중세 시대의 모습을 그대로 간직하고
있는 작고 예쁜 도시로 수많은 관광객들이 찾는 곳이다.
중세 시대의 모습이 그대로 보존되어 있는 툼페아 성은
지금은 국회의사당으로 쓰이고 있다.

VII
확률

숨마쿰라우데® 개념기본서

INTRO to Chapter Ⅶ

확률

SUMMA CUM LAUDE - MIDDLE SCHOOL MATHEMATICS

주사위는 5000년 전에도 있었다...

로마의 위대한 지도자 율리우스 카이사르는 루비콘 강 앞에서 귀족들과 단판 승부를 내야 되겠다는 굳은 각오를 하면서 다음과 같이 폭풍간지 명대사를 외쳤다.

주사위는 던져졌다!

이 말은 현재에도 매우 중대한 결정을 내리고 난 뒤, 결과가 어떻든 '이제는 어쩔 수 없음'을 표현할 때 쓰곤 한다.

카이사르의 말에서 우리는 기원전에 이미 주사위가 사용되었다는 것도 알게 된다. 역사적으로 주사위가 언제부터 사용되었는지에 관한 정확한 기록은 남아 있지 않지만 오래 전부터 게임의 도구로 쓰였음을 확인할 수 있다. 한 예로 이집트의 파라오가 주사위를 사용한 게임을 즐겼다는 기록이 남아 있고, 투탕카멘의 무덤에서 주사위를 비롯한 여러 게임 도구가 발견되었다고 한다. 이정도의 기록만으로도 주사위가 5000년 이상 우리와 함께하였음을 짐작할 수 있다.

우리나라에서도 오래전부터 주사위를 사용하였다. 이는 경주의 안압지에서 발견된 '목제주령구'를 통해서도 알 수 있다. 목제주령구(木製酒令具)는 나무로 만들어진 주사위로 지금과는 달리 6개의 사각형과 8개의 육각형으로 이루어져 있다. 14개의 면에는 금성작무(禁聲作舞-노래 없이 춤추기), 중인타비(衆人打鼻-여러 사람 코 때리기) 등의 벌칙이 쓰여져 있는데 이는 당시 귀족들이 술자리에서 흥을 돋우기 위해 사용한 것으로 여겨진다. 목제주령구는 면의 모양이 다름에도 각 면의 넓이가 거의 같게 만들어져서 어느 면이나 나올 확률이 비슷하다고 한다.

확률의 역사...

확률의 역사는 도박과 함께 이어져왔다고 해도 과언이 아니다. 도박에서 이기고 지는 문제는 매우 중요하였지만 이를 수학적으로 계산해 보려는 생각은 하지 못했다. 16세기 초에 일부 수학자들이 주사위를 사용한 어떤 도박에서 승산을 계산해 보려는 시도가 있었다. 확률을 수학적인 이론으로 자리 잡게 한 역사적인 계기는 프랑스의 도박사 드 메레가 수학자 파스칼(1623~1662)에게 제시한 다음 문제에서 비롯하였다.

> 실력이 같은 두 사람 A, B가 똑같이 32피스톨씩 걸고 비기는 경우가 없는 게임을 하였다네. 먼저 3승을 한 사람이 64피스톨을 모두 가지기로 하였는데, A가 먼저 2승을 하고 B가 1승을 한 상황에서 더 이상 게임을 할 수 없게 되었다면, 돈을 어떻게 나누어 가지는 것이 공평하겠는가?

이 문제를 파스칼과 동료 수학자인 페르마(1601~1665)가 편지를 주고받으며 각기 다른 방법으로 해결하였고 이를 계기로 확률에 대한 수학적인 이론이 본격적으로 전개되기 시작하였다고 한다.

파스칼   페르마

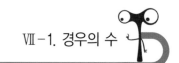
SUMMA **NOTE**

1. 사건과 경우의 수

(1) 사건 : 동일한 조건에서 반복할 수 있는 실험이나 관찰에 의하여 나타나는 결과

(2) 경우의 수 : 어떤 사건이 일어나는 가짓수

2. 사건 A 또는 사건 B가 일어나는 경우의 수

두 사건 A와 B가 동시에 일어나지 않을 때,

사건 A가 일어나는 경우의 수가 m이고, 사건 B가 일어나는 경우의 수가 n이면

(사건 A 또는 사건 B가 일어나는 경우의 수)$=m+n$

3. 두 사건 A와 B가 동시에 일어나는 경우의 수

사건 A가 일어나는 경우의 수가 m이고, 사건 B가 일어나는 경우의 수가 n이면

(두 사건 A와 B가 동시에 일어나는 경우의 수)$=m \times n$

1. 사건과 경우의 수

Q 060 경우의 수란 무엇일까?

A (바른)
어떤 사건이 일어나는 가짓수

A (친절한)
'주사위를 던지는 것'과 같이 반복할 수 있는 실험이나 관찰을 하는 행위를 **시행**이라 하고,

'2 이하의 눈이 나온다.' 또는 '홀수의 눈이 나온다.'

와 같이 시행을 통해 나타나는 결과를 **사건**이라고 한다. 이때 각 사건이 일어나는 가짓수를 **경우의 수**라고 한다. 예를 들어 한 개의 주사위를 던질 때,

2 이하의 눈이 나오는 경우의 수는 ⚀, ⚁의 2,

홀수의 눈이 나오는 경우의 수는 ⚀, ⚂, ⚄의 3

이 된다.

경우의 수는 당연히 시행을 통해 나올 수 있는 결과 안에서만 생각할 수 있다.
예를 들어 한 개의 주사위를 던질 때 나올 수 있는 눈의 수는

의 6가지뿐이다. 따라서 한 개의 주사위를 던질 때 어떤 사건이 일어날 수 있는 경우의 수는 6
이하이다.

동전이나 주사위를 던질 때, 나올 수 있는 몇 가지 사건에 대한 경우의 수는 다음과 같다.

시행	사건	경우	경우의 수
한 개의 동전을 던진다.	앞면이 나온다.	백원	1
	뒷면이 나온다.	100	1
한 개의 주사위를 던진다.	3의 눈이 나온다.		1
	짝수의 눈이 나온다.		3
	4의 약수의 눈이 나온다.		3

또한 1부터 15까지의 수가 각각 하나씩 적힌 15장의 카드 중에서 한 장을 뽑을 때, 몇 가지 사건
에 대한 경우의 수는 다음과 같다.

사건	경우	경우의 수
홀수가 나온다.	1 3 5 7 9 11 13 15	8
5의 배수가 나온다.	5 10 15	3
소수가 나온다.	2 3 5 7 11 13	6
10보다 큰 수가 나온다.	11 12 13 14 15	5

경우의 수를
구할 때는 하나하나,
빠짐없이~

중복되지 않게
세어야 해!

2. 사건 A 또는 사건 B가 일어나는 경우의 수

Q 061 사건 A 또는 사건 B가 일어나는 경우의 수는 □한다?

바른 A 사건 A 또는 사건 B가 일어나는 경우의 수는 더한다!

친절한 A 한 개의 주사위를 던질 때, 나오는 눈의 수가 3 이하 또는 5 이상인 경우는 다음과 같이 5가지이다.

그런데 구한 경우의 수 5는 사실상 3 이하의 눈이 나오는 경우의 수 3과 5 이상의 눈이 나오는 경우의 수 2를 더한 것과 같으므로 두 사건의 경우의 수의 합으로 볼 수 있다.

이와 같이 두 사건 A와 B가 동시에 일어나지 않을 때, 사건 A 또는 사건 B가 일어나는 경우의 수는 각 사건이 일어나는 경우의 수의 합으로 구할 수 있다. 즉,

사건 A가 일어나는 경우의 수가 m이고, 사건 B가 일어나는 경우의 수가 n이면
(사건 A 또는 사건 B가 일어나는 경우의 수)$=m+n$

예제 1 다음을 구하여라.

(1) 목적지까지 가는 교통편으로 버스가 3대, 택시가 2대 있을 때,
버스 또는 택시를 타고 목적지까지 가는 경우의 수

(2) 한 개의 주사위를 던질 때, 3보다 작거나 5보다 큰 눈이 나오는 경우의 수

(3) 1에서 10까지의 자연수가 각각 적힌 10장의 카드 중에서 한 장을 뽑을 때,
3의 배수 또는 4의 배수가 나오는 경우의 수

풀이 (1) 버스 택시 ➡ $3+2=$**5**

(2) 3보다 작음 5보다 큼 ➡ $2+1=$**3**

(3) 3 6 9 / 4 8 ➡ $3+2=$**5**
3의 배수 4의 배수

|참고| 여기서 두 사건이 동시에 일어나지 않는다는 말은 두 사건에서 **중복되는 경우가 없다는** 뜻이다. 중복되는 경우가 없을 때는 단순히 경우의 수의 합으로 구할 수 있다. 이를 고등학교에 올라가면 **합의 법칙**이라고 부르게 된다.

동시에 일어나지 않는 경우, 합의 법칙은 다음과 같이 세 사건 이상에서도 적용할 수 있다.

11부터 20까지의 수가 각각 적힌 10개의 공이 들어 있는 상자에서 한 개의 공을 꺼낼 때 <u>5의 배수</u> 또는 <u>소수</u> 또는 <u>9의 배수</u>가 적힌 공이 나오는 경우의 수는 $2+4+1=7$이다.

   15, 20   11, 13, 17, 19   18

    11   12   13   14   15   16   17   18   19   20

두 사건 A와 B가 동시에 일어나는지, 즉 중복되는 경우가 있는지는 문제 속에서 파악해야 한다. 이에 대해서는 **Q062**에서 살펴보도록 하자.

Q 062 한 개의 주사위를 던질 때, 2의 배수 또는 3의 배수의 눈이 나오는 경우의 수는?

바른 A

2와 3의 공배수가 나오는 경우의 수를 빼야 해.

친절한 A

한 개의 주사위를 던질 때, 2의 배수 또는 3의 배수의 눈이 나오는 경우의 수를 구해 보자.
                                                ㉠

2의 배수의 눈이 나오는 경우 :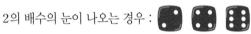

3의 배수의 눈이 나오는 경우 :

여기서 <u>구하는 경우의 수</u>를 2의 배수의 눈이 나오는 경우의 수와 3의 배수의 눈이 나오는 경우의
       ㉠
수를 더하여

     $3+2=5$

라고 답하면 틀린다. 왜냐하면 결과 중에서 6이 중복되기 때문이다.

2의 배수 또는 3의 배수의 눈이 나오는 경우의 수를 구할 때에는

2의 배수도 되고 3의 배수도 되는 수, 즉 6의 배수가 있는지

따져 봐야 한다. 이 수가 있다면 합의 법칙을 이용하더라도 중복되는 6의 배수인 경우의 수를 빼 주어야 한다.

따라서 한 개의 주사위를 던질 때, 2의 배수 또는 3의 배수의 눈이 나오는 경우의 수는 다음과 같이 구하면 된다.

    (2의 배수의 눈이 나오는 경우의 수) + (3의 배수의 눈이 나오는 경우의 수)

    − (2와 3의 공배수의 눈이 나오는 경우의 수)

    $=3+2-1=4$

예제 2 1부터 100까지의 수가 각각 적힌 100장의 카드 중에서 한 장을 뽑을 때, □ 안에 알맞은 수를 써넣어라.

(1) 3의 배수가 적힌 공이 나오는 경우의 수 ➡ □

(2) 5의 배수가 적힌 공이 나오는 경우의 수 ➡ □

(3) 15의 배수가 적힌 공이 나오는 경우의 수 ➡ □

(4) 3의 배수 또는 5의 배수가 적힌 공이 나오는 경우의 수

➡ □ + □ - □ = □

> 3의 배수도 되고, 5의 배수도 되는 수는 15의 배수야!

풀이 (1) 33 (2) 20 (3) 6 (4) 33, 20, 6, 47

Q 063 두 개의 주사위를 동시에 던질 때, 나오는 두 눈의 수의 합이 3 또는 10인 경우의 수는?

A 합이 3인 경우의 수와 합이 10인 경우의 수를 더해.

A 두 개의 주사위 A, B를 동시에 던질 때 나올 수 있는 경우는 다음과 같이 36가지이다.

A＼B	1	2	3	4	5	6
1	(1, 1)	(1, 2)	(1, 3)	(1, 4)	(1, 5)	(1, 6)
2	(2, 1)	(2, 2)	(2, 3)	(2, 4)	(2, 5)	(2, 6)
3	(3, 1)	(3, 2)	(3, 3)	(3, 4)	(3, 5)	(3, 6)
4	(4, 1)	(4, 2)	(4, 3)	(4, 4)	(4, 5)	(4, 6)
5	(5, 1)	(5, 2)	(5, 3)	(5, 4)	(5, 5)	(5, 6)
6	(6, 1)	(6, 2)	(6, 3)	(6, 4)	(6, 5)	(6, 6)

위의 표에서 알 수 있듯이 주사위의 두 눈의 수의 합은 2부터 12까지 나올 수 있다. 이때 두 눈의 수의 합이 3인 사건과 10인 사건은 동시에 일어나지 않으므로 두 눈의 수의 합이 3 또는 10인 경우의 수는 다음과 같이 각 사건의 경우의 수의 합으로 구할 수 있다.

두 눈의 수의 합이 3인 사건
(1, 2), (2, 1)
2

두 눈의 수의 합이 10인 사건
(4, 6), (5, 5), (6, 4)
3

+ = 5

예제 3 서로 다른 두 개의 주사위를 동시에 던질 때, 나오는 두 눈의 수의 차가 0 또는 4인 경우의 수를 구하여라.

풀이

두 눈의 수의 차가 0인 사건
(1, 1), (2, 2), (3, 3)
(4, 4), (5, 5), (6, 6)
6

두 눈의 수의 차가 4인 사건
(1, 5), (2, 6)
(5, 1), (6, 2)
4

+ = 10

3. 두 사건 A와 B가 동시에 일어나는 경우의 수

Q 064 두 사건 A와 B가 동시에 일어나는 경우의 수는 □ 한다?

A 두 사건 A와 B가 동시에 일어나는 경우의 수는 곱한다!

A 현승이가 옷을 입으려고 하는데, 티셔츠 2종류와 바지 3종류가 있다. 티셔츠와 바지를 한 벌로 입는 경우의 수는 얼마일까? 우선 그림으로 생각해 보자.

여기서 반드시 티셔츠 하나에 바지 하나를 입어야 하므로 다음 그림처럼 티셔츠 한 종류마다 바지 3종류를 하나씩 짝지어 생각해야 한다.

따라서 옷을 한 벌로 입는 경우의 수는 6이다.

그런데 구한 경우의 수 6은 사실상 티셔츠를 고르는 경우의 수 2와 바지를 고르는 경우의 수 3을 곱한 것과 같으므로 두 사건의 경우의 수의 곱으로 볼 수 있다.

이와 같이 사건 A가 일어나는 각각의 경우에 대하여 사건 B가 일어나는 경우를 생각할 때, 두 사건 A와 B가 동시에 일어나는 경우의 수는 각 사건이 일어나는 경우의 수의 곱으로 구할 수 있다. 즉,

> 사건 A가 일어나는 경우의 수가 m이고, 사건 B가 일어나는 경우의 수가 n이면
> **(두 사건 A와 B가 동시에 일어나는 경우의 수)=$m \times n$**

예제 4 다음 그림을 보고, □ 안에 알맞은 수를 써넣어라.

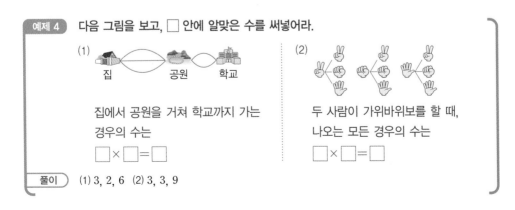

(1) 집에서 공원을 거쳐 학교까지 가는 경우의 수는

□ × □ = □

(2) 두 사람이 가위바위보를 할 때, 나오는 모든 경우의 수는

□ × □ = □

풀이 (1) 3, 2, 6 (2) 3, 3, 9

| 참고 | 두 경우의 수의 곱으로 구하는 것을 고등학교에서는 **곱의 법칙**이라고 배운다.

한편 합의 법칙에서 사용된 '동시에'라는 말과 곱의 법칙에서 쓰는 '동시에'라는 말은 다르다.

합의 법칙에서는 중복의 의미였지만 곱의 법칙에서는 두 사건이 모두 일어난다는 의미이다.

곱의 법칙 역시 세 사건 이상에서도 적용된다. 이는 **Q**065에서 바로 확인할 수 있다.

Q 065 동전 4개를 동시에 던질 때, 나오는 모든 경우의 수는?

A (바른)

$2 \times 2 \times 2 \times 2 = 16$

A (친절한)

동전 한 개를 던질 때 나오는 모든 경우의 수는 2이고, 서로 다른 동전 2개를 동시에 던질 때 나오는 모든 경우의 수는 $2 \times 2 = 4$이다.

그렇다면 서로 다른 동전 3개를 동시에 던질 때 나오는 경우의 수는 얼마일까? 서로 다른 동전 3개를 던질 때 나오는 경우를 수형도로 나타내면 오른쪽 그림과 같다. 동전 2개를 던질 때 나오는 각 경우마다 2가지 경우가 이어져 나올 수 있으므로 동전 3개를 던질 때 나오는 모든 경우의 수는 $2 \times 2 \times 2 = 8$임을 알 수 있다.

마찬가지로 서로 다른 동전 4개를 동시에 던질 때 나오는 모든 경우의 수는 $2 \times 2 \times 2 \times 2 = 16$이 된다.

이를 확장하여 생각하면 서로 다른 동전 n개를 던질 때 나오는 모든 경우의 수는

$$\underbrace{2 \times 2 \times \cdots \times 2}_{n\text{번}} = \boxed{2^n}$$

이다. 동전 대신 주사위를 던지는 경우도 마찬가지이다. 주사위 한 개를 던질 때 나오는 모든 경우의 수는 6이므로 서로 다른 주사위 n개를 던질 때 나오는 모든 경우의 수는

$$\underbrace{6 \times 6 \times \cdots \times 6}_{n\text{번}} = \boxed{6^n}$$

이다.

이처럼 '동전 한 개를 n번 던진다.', '주사위 한 개를 n번 던진다.'와 같이 같은 시행을 계속 반복할 때 나오는 모든 경우의 수는 한 번의 시행에서 나오는 모든 경우의 수의 거듭제곱이 된다.

예제 5   서로 다른 세 개의 주사위를 동시에 던질 때, 나오는 모든 경우의 수를 구하여라.

풀이 $6 \times 6 \times 6 = \mathbf{216}$

개념 CHECK

해설 BOOK 037쪽

개념 확인

(1) ☐ : 같은 조건에서 여러 번 반복할 수 있는 실험이나 관찰에 의하여 나타나는 결과

(2) ☐ : 어떤 사건이 일어나는 가짓수

01 주사위 한 개를 던질 때, 다음을 구하여라.

(1) 3보다 작은 수의 눈이 나오는 경우의 수

(2) 소수의 눈이 나오는 경우의 수

02 1에서 12까지의 자연수가 각각 적힌 12장의 카드에서 한 장을 뽑을 때, 3의 배수 또는 5의 배수가 적힌 카드가 나오는 경우의 수를 구하여라.

03 두 개의 주사위 A, B를 동시에 던질 때, 나온 눈의 수의 합이 3 또는 9인 경우의 수를 구하여라.

04 어느 아이스크림 가게 메뉴에 아이스크림 4종류와 토핑 5종류가 있다. 이 중에서 아이스크림과 토핑을 각각 하나씩 고르는 경우의 수를 구하여라.

메뉴판	
아이스크림	토핑
바닐라	아몬드
딸기	과일
초코	후레이크
녹차	초코칩
	시럽

자기 진단

Q 060 ○ 190쪽
경우의 수란 무엇일까?

Q 061 ○ 192쪽
사건 A 또는 사건 B가 일어나는 경우의 수는 ☐한다?

Q 064 ○ 195쪽
두 사건 A와 B가 동시에 일어나는 경우의 수는 ☐한다?

05 세 사람이 가위바위보를 할 때, 일어날 수 있는 모든 경우의 수를 구하여라.

문제 이해도를 ☺, ☺, ☺으로 표시해 보세요.

해설 BOOK **037**쪽 | 테스트 BOOK **056**쪽

유형 ① 경우의 수

서로 다른 두 개의 주사위를 동시에 던질 때, 나오는 눈의 수의 차가 3인 경우의 수를 구하여라.

Summa Point
두 눈의 수의 차가 3인 경우를 순서쌍으로 빠짐없이 구한다.

190쪽 **Q 060** ↻

유형 ② 돈을 지불하는 경우의 수

주머니에 100원, 50원, 10원짜리 동전이 각각 5개씩 들어 있다. 이 주머니에서 동전을 꺼낼 때, 금액이 250원이 되는 경우의 수를 구하여라.

Summa Point
돈을 지불하는 경우의 수를 구할 때에는 금액이 큰 쪽의 개수부터 정한다. 이때 순서쌍이나 표를 이용하여 구한다.

190쪽 **Q 060** ↻

1-1 ☺☺☺

1부터 12까지의 자연수가 각각 적힌 12개의 공이 들어 있는 주머니에서 한 개의 공을 꺼낼 때, 10의 약수가 나오는 경우의 수를 구하여라.

1-2 ☺☺☺

서로 다른 4개의 동전을 동시에 던질 때, 앞면 2개와 뒷면 2개가 나오는 경우의 수를 구하여라.

1-3 ☺☺☺

서로 다른 세 개의 주사위를 동시에 던질 때, 나오는 눈의 수의 합이 5인 경우의 수를 구하여라.

2-1 ☺☺☺

500원짜리 동전 5개와 100원짜리 동전 15개가 있을 때, 이 동전을 사용하여 2100원을 지불하는 경우의 수를 구하여라.

2-2 ☺☺☺

하윤이가 편의점에서 1000원짜리 음료수 1개를 사려고 한다. 50원짜리 동전 6개, 100원짜리 동전 8개, 500원짜리 동전 2개를 가지고 있을 때, 음료수 값을 지불하는 경우의 수를 구하여라.

2-3 ☺☺☺

100원짜리 동전 3개와 500원짜리 동전 2개가 있다. 두 가지 동전을 각각 1개 이상 사용하여 지불할 수 있는 금액의 가짓수를 구하여라.

유형 **3** 사건 A 또는 B가 일어나는 경우의 수

서로 다른 두 개의 주사위를 동시에 던질 때, 나오는 눈의 수의 합이 4 또는 8이 되는 경우의 수를 구하여라.

Summa Point
'또는', '~이거나'와 같은 표현이 있으면 각 사건의 경우의 수를 더한다.

192쪽 **Q 061**

유형 **4** 두 사건 A와 B가 동시에 일어나는 경우의 수

한 개의 주사위와 한 개의 동전을 동시에 던질 때, 일어나는 모든 경우의 수를 구하여라.

Summa Point
'동시에', '~이고'와 같은 표현이 있으면 각 사건의 경우의 수를 곱한다.

195쪽 **Q 064**

3-1 ☺☺☹
A도시에서 B도시까지 가는 버스 노선은 2가지, 기차 노선은 5가지가 있다. 버스나 기차로 A도시에서 B도시까지 가는 경우의 수를 구하여라.

3-2 ☺☺☹
1에서 20까지의 자연수가 각각 적힌 20개의 구슬을 상자에 넣고 잘 섞은 다음 한 개를 꺼낼 때, 3의 배수 또는 7의 배수가 나오는 경우의 수를 구하여라.

3-3 ☺☹☹
1에서 50까지의 자연수가 각각 적힌 50장의 카드에서 한 장의 카드를 뽑을 때, 4의 배수 또는 6의 배수가 나오는 경우의 수를 구하여라.

4-1 ☺☺☹
어떤 야구팀에 투수는 9명, 포수는 4명이 있다. 감독이 투수와 포수를 각각 한 명씩 선발하는 경우의 수를 구하여라.

4-2 ☺☺☹
4개의 모음 ㅏ, ㅓ, ㅗ, ㅣ와 3개의 자음 ㅈ, ㅋ, ㅌ이 있다. 모음 1개와 자음 1개를 짝 지어 만들 수 있는 글자의 개수를 구하여라.

4-3 ☺☺☹
서로 다른 두 개의 주사위를 동시에 던질 때, 나오는 눈의 수의 곱이 홀수가 되는 경우의 수를 구하여라.

4-4 ☺☺☹
세 지점 A, B, C 사이에 오른쪽 그림과 같은 길이 있다. 이때 A지점에서 출발하여 C지점까지 가는 경우의 수를 구하여라.
(단, 한 번 지난 지점은 다시 지나가지 않는다.)

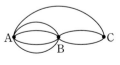

1. 경우의 수   **199**   VII

여러 가지 경우의 수

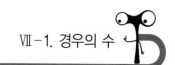

1. 한 줄로 세우기

(1) n명을 한 줄로 세우는 경우의 수 : $n \times (n-1) \times (n-2) \times \cdots \times 2 \times 1$

(2) n명 중 2명을 뽑아 한 줄로 세우는 경우의 수 : $n \times (n-1)$

(3) n명 중 3명을 뽑아 한 줄로 세우는 경우의 수 : $n \times (n-1) \times (n-2)$

(4) n명 중 특정한 2명을 이웃하도록 한 줄로 세우는 경우의 수 :

$\{(n-1) \times (n-2) \times \cdots \times 2 \times 1\} \times 2$

2. 자연수 만들기

(1) 0을 포함하지 않은 서로 다른 한 자리의 숫자가 각각 적힌 n장의 카드에서

① 2장을 뽑아 만들 수 있는 두 자리의 자연수의 개수 : $n \times (n-1)$

② 3장을 뽑아 만들 수 있는 세 자리의 자연수의 개수 : $n \times (n-1) \times (n-2)$

(2) 0을 포함한 서로 다른 한 자리의 숫자가 각각 적힌 n장의 카드에서

① 2장을 뽑아 만들 수 있는 두 자리의 자연수의 개수 : $(n-1) \times (n-1)$

② 3장을 뽑아 만들 수 있는 세 자리의 자연수의 개수 : $(n-1) \times (n-1) \times (n-2)$

3. 대표 뽑기

(1) n명 중 자격이 다른 2명의 대표를 뽑는 경우의 수 : $n \times (n-1)$

(2) n명 중 자격이 같은 2명의 대표를 뽑는 경우의 수 : $\dfrac{n \times (n-1)}{2}$

이제부터는 앞에서 배운 <u>곱의 법칙</u>을 바탕으로 여러 가지 경우의 수를 구해 보자.

1. 한 줄로 세우기

우리 반 학생들이 한 줄로 설 때, 번호 순서대로 서거나 키 순서대로 서는 것과 같이 조건이 주어지는 경우는 그 가짓수가 1가지이지만 아무런 조건 없이 임의로 줄을 설 때, 그 경우는 모두 몇 가지일까?

첫 번째 자리부터 각 자리에 오는 경우의 수를 생각하자!

Q 066   4명을 한 줄로 세우는 경우의 수는?

A $4 \times 3 \times 2 \times 1 = 24$

A   4명을 한 줄로 세우는 경우의 수는 첫 번째, 두 번째, 세 번째, 네 번째에 서는 사람을 차례로 뽑는 경우의 수와 같다.

차례로 뽑을 때 포인트는 '한 번 뽑힌 사람은 다음 순서에서 제외시킨다'는 것이다.

첫 번째	두 번째	세 번째	네 번째
4명 중 1명을 뽑는 경우의 수	남은 3명 중 1명을 뽑는 경우의 수	남은 2명 중 1명을 뽑는 경우의 수	남은 1명 중 1명을 뽑는 경우의 수
4 ×	3 ×	2 ×	1 =24

└──────── 동시에 일어나므로 곱의 법칙 적용 ────────┘

따라서 4명을 한 줄로 세우는 경우의 수는 $4 \times 3 \times 2 \times 1 = 24$이다.

만약 5명 중 3명만 뽑아 한 줄로 세운다면?

이 경우는 5명에서 차례로 한 명씩 3번 뽑는 것과 같으므로

다음과 같이 경우의 수는 $5 \times 4 \times 3 = 60$이 된다.

첫 번째	두 번째	세 번째
5명 중 1명을 뽑는 경우의 수	남은 4명 중 1명을 뽑는 경우의 수	남은 3명 중 1명을 뽑는 경우의 수
5 ×	4 ×	3 =60

└──────── 동시에 일어나므로 곱의 법칙 적용 ────────┘

n명을 한 줄로 세우거나 n명 중 몇 명을 뽑아 한 줄로 세우는 경우는 세울 사람의 수만큼만 시행을 반복하여 곱의 법칙을 적용하면 된다.

한 줄로 세우는 경우의 수

(1) n명을 한 줄로 세우는 경우의 수   ➡ $n \times (n-1) \times (n-2) \times \cdots \times 2 \times 1$

(2) n명 중 2명을 뽑아 한 줄로 세우는 경우의 수 ➡ $n \times (n-1)$

(3) n명 중 3명을 뽑아 한 줄로 세우는 경우의 수 ➡ $n \times (n-1) \times (n-2)$

예제 6 A, B, C, D, E 5명이 있을 때, 다음을 구하여라.

(1) 5명을 한 줄로 세우는 경우의 수

(2) 5명 중 2명을 뽑아 한 줄로 세우는 경우의 수

풀이 (1) $5 \times 4 \times 3 \times 2 \times 1 = $ **120** (2) $5 \times 4 = $ **20**

Q 067 A, B, C, D 4명을 한 줄로 세울 때, A와 B가 이웃하는 경우의 수는?

A (바른) A, B를 1명으로 생각하고 먼저 나열해.

A (친절한) 'A와 B가 이웃한다.' 는 말은 다음과 같이 순서에 상관없이 A와 B가 붙어 있다는 것이다.

$$\underline{A, B}, C, D \qquad C, \underline{A, B}, D \qquad D, \underline{B, A}, C$$

이런 경우에는 A, B를 1명으로 생각하여 다음과 같이 경우의 수를 구하면 된다.

(ⅰ) 3명을 한 줄로 세우는 경우의 수를 먼저 구한다.

　, C, D   C, 　, D   C, D, 　

　, D, C   D, 　, C   D, C, 　

> 3명을 한 줄로 세우는
> 경우의 수는 $3 \times 2 \times 1 = 6$

(ⅱ) A와 B가 자리를 바꾸는 경우의 수를 구한다.

　, C, D ➡ A, B, C, D   B, A, C, D

> A와 B가 자리를 바꾸는
> 경우의 수는 2

(ⅰ)의 6가지 경우에 대하여 A와 B가 자리를 바꾸는 경우는 각각 2가지씩이므로
위의 **Q** 에서 구하는 경우의 수는

$$3 \times 2 \times 1 \ \times \ 2 = 12$$

일반적으로 한 줄로 세울 때 이웃하여 세우는 경우의 수는 다음과 같이 구하면 된다.

> 이웃하는 것을 하나로 묶어
> 한 줄로 세우는 경우의 수   ×   묶음 안에서 자리를 바꾸는
> 경우의 수

예제 7 남학생 2명과 여학생 3명을 한 줄로 세울 때, 남학생 2명이 이웃하여 서는 경우의
수를 구하여라.

풀이 남학생 2명을 1명으로 생각하면 4명을 한 줄로 세우는 경우의 수는 $4 \times 3 \times 2 \times 1 = 24$

이때 남학생 2명이 서로 자리를 바꾸는 경우의 수는 2이므로 구하는 경우의 수는

$24 \times 2 = $ **48**

2. 자연수 만들기

Q 068 0, 1, 2, 3, 4의 숫자가 각각 적힌 5장의 카드에서 3장을 뽑아 만들 수 있는 세 자리의 자연수의 개수는?

A 맨 앞자리에는 0이 올 수 없으니까 $4 \times 4 \times 3 = 48$

A 숫자 카드로 두 자리 이상의 자연수를 만들 때에는 주어진 카드에 0이 포함되어 있느냐, 포함되어 있지 않느냐에 따라 만들 수 있는 자연수의 개수가 달라진다.

만약 1, 2, 3, 4, 5가 각각 적힌 5장의 카드에서 3장을 뽑아 세 자리의 자연수를 만든다면 다음과 같이 60개를 만들 수 있다. ← 5명 중 3명을 뽑아 한 줄로 나열하는 방법과 같다.

백의 자리		십의 자리		일의 자리	
5장 중 1장을 뽑는 경우의 수		남은 4장 중 1장을 뽑는 경우의 수		남은 3장 중 1장을 뽑는 경우의 수	
5	$\times$	4	$\times$	3	$=60$

하지만 위의 **Q** 처럼 0이 적힌 카드가 포함되어 있다면

맨 앞자리에는 0이 올 수 없다는 점

에 유의하여 경우의 수를 구해야 한다. 즉, 백의 자리에 올 수 있는 숫자가 4개가 되어 다음과 같이 48개를 만들 수 있다.

백의 자리		십의 자리		일의 자리	
0을 뺀 4장 중 1장을 뽑는 경우의 수		0을 포함하여 남은 4장 중 1장을 뽑는 경우의 수		남은 3장 중 1장을 뽑는 경우의 수	
4	$\times$	4	$\times$	3	$=48$

이처럼 자연수를 만드는 경우에는 숫자 0이 포함되어 있는지 없는지를 먼저 확인하도록 하자.

n장의 카드에서 2장을 뽑아 만들 수 있는 두 자리의 자연수의 개수
(1) 0을 포함하지 않는 경우 ➡ $n \times (n-1)$
(2) 0을 포함한 경우 ➡ $(n-1) \times (n-1)$

예제 8 다음 4장의 카드에서 2장을 뽑아 만들 수 있는 두 자리의 자연수의 개수를 구하여라.

(1) | 1 | 2 | 3 | 4 |

(2) | 0 | 1 | 2 | 3 |

풀이 (1) $4 \times 3 = \mathbf{12}$

(2) $3 \times 3 = \mathbf{9}$

Q069 0, 1, 2, 3, 4의 숫자가 각각 적힌 5장의 카드에서 3장을 뽑아 만들 수 있는 세 자리의 자연수 중 짝수의 개수는?

A (바른) 일의 자리에 0, 2, 4만 올 수 있어.

A (친절한) **Q068**에 조건이 하나 더 붙었다. 바로 짝수라는 것.

잘 알고 있듯이 짝수는 일의 자리에 0 또는 짝수가 와야 하므로

일의 자리에 0, 2, 4만 올 수 있다는 점

을 고려하여 경우의 수를 생각해야 한다. 이때 숫자 0이 백의 자리에 오지 않아야 하므로 일의 자리에 0이 오느냐, 오지 않느냐로 구분해 주면 편하다.

	백의 자리	십의 자리	일의 자리	
(i) 일의 자리에 0이 오는 경우	남은 4장 중 1장을 뽑는 경우의 수	남은 3장 중 1장을 뽑는 경우의 수	0	
	4 ×	3		=12
(ii) 일의 자리에 0이 오지 않는 경우	0을 뺀 3장 중 1장을 뽑는 경우의 수	0을 포함한 3장 중 1장을 뽑는 경우의 수	2 또는 4	
	3 ×	3 ×	2	=18

따라서 만들 수 있는 세 자리의 자연수 중 짝수의 개수는 12+18=30이다.

예제 9 0, 1, 2, 5, 7의 숫자가 각각 적힌 5장의 카드에서 3장을 뽑아 만들 수 있는 세 자리의 자연수 중 5의 배수의 개수를 구하여라.

풀이 5의 배수는 일의 자리에 0 또는 5가 와야 한다.

	백의 자리	십의 자리	일의 자리
(i) 일의 자리에 0이 오는 경우	남은 4장 중 1장을 뽑는 경우의 수	남은 3장 중 1장을 뽑는 경우의 수	0
	4 ×	3 =	12
(ii) 일의 자리에 5가 오는 경우	0을 뺀 3장 중 1장을 뽑는 경우의 수	0을 포함한 3장 중 1장을 뽑는 경우의 수	5
	3 ×	3 =	9

따라서 만들 수 있는 세 자리의 자연수 중 5의 배수의 개수는 12+9=**21**이다.

| **참고** | 위와 같이 자연수의 성질에 따라 각각의 경우를 구분하여 구해야 할 때가 많다. 다음 자연수의 성질을 잘 기억하여 이용하도록 하자.

(1) 짝수 : 일의 자리의 숫자가 0, 2, 4, 6, 8 중 하나이어야 한다.

(2) 홀수 : 일의 자리의 숫자가 1, 3, 5, 7, 9 중 하나이어야 한다.

(3) 3의 배수 : 각 자리의 숫자의 합이 3의 배수이어야 한다.

(4) 4의 배수 : 끝의 두 자리의 수가 00 또는 4의 배수이어야 한다.

(5) 5의 배수 : 일의 자리의 숫자가 0 또는 5이어야 한다.

3. 대표 뽑기

Q 070 4명의 학생 중 대표 2명을 뽑는 경우의 수는?

A (A, B)로 뽑는 경우와 (B, A)로 뽑는 경우가 같아.

A 4명의 학생 중 회장 1명, 부회장 1명을 뽑는 경우의 수는 4명 중에서 2명을 뽑아 한 줄로 세우는 경우의 수와 같을 것이다.

회장	부회장
4명 중 1명을 뽑는 경우의 수	남은 3명 중 1명을 뽑는 경우의 수
4 $\times$	3 $=12$

그런데 4명의 학생 중 대표 2명을 뽑는다면 뽑는 과정은 같더라도 경우의 수는 완전히 달라진다. 바로 자격 때문이다. 회장에 뽑히는 것과 부회장에 뽑히는 것은 전혀 다르다.

  $\neq$

회장　부회장　　　　회장　부회장

하지만 대표 2명은 자격이 같으므로 먼저 뽑히나 나중에 뽑히나 대표인 것은 같다.

  $=$

대표　대표　　　　대표　대표

이렇게 같은 경우가 생기므로 경우의 수가 반으로 줄어든다.

따라서 4명 중에서 대표 2명을 뽑는 경우의 수는 $\dfrac{4 \times 3}{2} = 6$이다.

n명 중 2명을 뽑을 때에는 2명의 자격이 같은지 다른지를 먼저 확인하도록 하자.

> **n명 중 2명을 뽑는 경우의 수**
>
> (1) n명 중에서 자격이 다른 2명을 뽑는 경우의 수 $\Rightarrow n \times (n-1)$
>
> (2) n명 중에서 자격이 같은 2명을 뽑는 경우의 수 $\Rightarrow \dfrac{n \times (n-1)}{2}$

만약 4명의 학생 중 대표 3명을 뽑는다면 어떻게 될까?

4명 중 자격이 다른 3명을 뽑는 경우의 수는

$$4 \times 3 \times 2 = 24$$

이다. 하지만 대표 3명은 자격이 같으므로 다음과 같이 같은 경우가 6가지씩 생긴다.

즉 경우의 수가 $\dfrac{1}{6}$로 줄어든다.

따라서 4명 중에서 대표 3명을 뽑는 경우의 수는 $\dfrac{4 \times 3 \times 2}{6} = 4$이다.

예제 10 7명의 후보가 있을 때, 다음을 구하여라.

(1) 반장과 부반장을 한 명씩 뽑는 경우의 수

(2) 반 대표 2명을 뽑는 경우의 수

(3) 반장과 부반장, 총무를 한 명씩 뽑는 경우의 수

(4) 반 대표 3명을 뽑는 경우의 수

풀이 (1) $7 \times 6 = \mathbf{42}$　(2) $\dfrac{7 \times 6}{2} = \mathbf{21}$　(3) $7 \times 6 \times 5 = \mathbf{210}$　(4) $\dfrac{7 \times 6 \times 5}{6} = \mathbf{35}$

THINK Math

자격이 같은 m명 뽑기

자격이 같은 2명을 뽑을 때에는 $(A, B) = (B, A)$로 2가지씩 중복되므로 2로 나눈다.

또한 자격이 같은 3명을 뽑을 때에는

$$(A, B, C) = (A, C, B) = (B, A, C) = (B, C, A) = (C, A, B) = (C, B, A)$$

로 6가지씩 중복되므로 6으로 나눈다. 이때

　중복되는 경우의 수 2는 A, B를 일렬로 나열하는 경우의 수이고,

　중복되는 경우의 수 6은 A, B, C를 일렬로 나열하는 경우의 수이다.

따라서 자격이 같은 m명을 뽑는다면 중복되는 경우의 수는 m명을 일렬로 나열하는 경우의 수와 같으므로 자격이 다른 m명을 뽑는 경우의 수를 구한 다음

$$m \times (m-1) \times (m-2) \times \cdots \times 2 \times 1$$

로 나누어 주면 된다.

개념 CHECK

해설 BOOK 038쪽

개념 확인

(1) A, B, C 3명을 한 줄로 세우는 경우의 수는

$\square \times \square \times \square = \square$

(2) A, B, C, D 네 명 중 대표 2명을 뽑는 경우의 수는

$\dfrac{\square \times \square}{2} = \square$

자기 진단

Q 066 201쪽

4명을 한 줄로 세우는 경우의 수는?

Q 067 202쪽

A, B, C, D 4명을 한 줄로 세울 때, A와 B가 이웃하는 경우의 수는?

Q 070 205쪽

4명의 학생 중 대표 2명을 뽑는 경우의 수는?

01 A, B, C, D, E 5명을 한 줄로 세울 때, A가 맨 앞에 서는 경우의 수를 구하여라.

02 지현, 현아, 수호, 찬열, 가윤이를 한 줄로 세울 때, 지현이와 현아가 이웃하여 서는 경우의 수를 구하여라.

03 다음 그림과 같은 카드에서 2장을 뽑아 만들 수 있는 두 자리의 자연수의 개수를 구하여라.

(1) [2] [3] [4]

(2) [0] [1] [2] [3] [4]

04 갑, 을, 병, 정 4명의 후보 중에서 회장과 부회장을 뽑는 경우의 수를 구하여라.

05 미술 동아리에 속한 학생 5명 중에서 미술 대회에 나갈 대표 2명을 뽑는 경우의 수를 구하여라.

문제 이해도를 ☺, ☺, ☹으로 표시해 보세요.

해설 BOOK **038쪽** | 테스트 BOOK **058쪽**

유형 **1** 한 줄로 세우기

부모님을 포함한 5명의 가족이 한 줄로 서서 가족 사진을 찍으려고 한다. 이때 부모님이 이웃하여 서는 경우의 수를 구하여라.

Summa Point

이웃하는 두 사람을 한 사람으로 생각하여 한 줄로 서는 경우의 수를 구하고, 두 사람이 서로 자리를 바꾸어 서는 경우도 생각한다.

202쪽 **Q 067**

1-1 ☺☺☹

5절까지 있는 어떤 노래를 5명의 학생이 각각 한 절씩 부르려고 한다. 학생들이 노래를 부르는 순서를 정하는 경우의 수를 구하여라.

1-2 ☺☺☹

5명의 학생 A, B, C, D, E가 한 줄로 앉을 때, 다음을 구하여라.

(1) C, D, E가 이웃하는 경우의 수

(2) B와 C가 양 끝에 앉는 경우의 수

1-3 ☺☺☹

오른쪽 그림의 A, B, C, D 네 부분에 빨강, 노랑, 파랑, 초록의 4가지 색을 한 번씩만 사용하여 색칠하는 경우의 수를 구하여라.

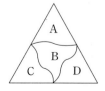

유형 **2** 자연수 만들기

0, 1, 2, 3, 4가 각각 적힌 5장의 카드에서 2장을 뽑아 만들 수 있는 두 자리의 자연수 중 20 이상인 수의 개수를 구하여라.

Summa Point

20 이상의 자연수가 되려면 십의 자리에 어떤 숫자가 와야 하는지 생각한다.

203쪽 **Q 068**

2-1 ☺☺☹

2, 3, 4, 5가 각각 적힌 4장의 카드에서 3장을 뽑아 만들 수 있는 세 자리의 자연수 중 432보다 큰 수의 개수를 구하여라.

2-2 ☺☺☹

1, 2, 3, 4, 5가 각각 적힌 5장의 카드에서 2장을 뽑아 만들 수 있는 두 자리의 자연수 중 짝수의 개수를 구하여라.

2-3 ☺☺☹

0, 1, 2, 3을 이용하여 세 자리의 자연수를 만들려고 한다. 같은 숫자를 여러 번 사용해도 된다고 할 때, 만들 수 있는 세 자리의 자연수 중 홀수의 개수를 구하여라.

유형 **3** 대표 뽑기

6명의 후보 중에서 회장, 부회장, 총무를 1명씩 뽑는 경우의 수를 구하여라.

Summa Point
n명 중 자격이 다른 3명을 뽑는 경우의 수는
$n \times (n-1) \times (n-2)$

205쪽 **Q 070**

유형 **4** 선분 또는 삼각형의 개수

오른쪽 그림과 같이 한 직선 위에 있지 않은 네 점 A, B, C, D 중 세 점을 연결하여 만들 수 있는 삼각형의 개수를 구하여라.

Summa Point
n개의 점 중 3개의 점을 뽑는 경우의 수는
$$\frac{n \times (n-1) \times (n-2)}{3 \times 2 \times 1}$$

205쪽 **Q 070**

3-1 ☺☺☹

남학생 4명과 여학생 5명 중에서 회장 1명과 남자 대의원 1명, 여자 대의원 1명을 뽑는 경우의 수를 구하여라.

3-2 ☺☺☹

서로 다른 종류의 책 7권 중에서 2권을 고르는 경우의 수를 구하여라.

3-3 ☺☺☹

A, B, C, D, E 5명의 후보 중에서 3명의 대표를 뽑을 때, A가 뽑히는 경우의 수를 구하여라.

3-4 ☺☹☹

여학생 6명과 남학생 4명 중에서 대표 2명을 뽑을 때, 2명의 성별이 같은 경우의 수를 구하여라.

4-1 ☺☺☹

오각형 ABCDE의 5개의 꼭짓점 중 세 점을 연결하여 만들 수 있는 삼각형의 개수를 구하여라.

4-2 ☺☺☹

원 위에 서로 다른 8개의 점이 있다. 이 중 두 개의 점을 연결하여 만들 수 있는 선분의 개수를 구하여라.

4-3 ☺☺☹

오른쪽 그림과 같이 반원 위에 8개의 점이 있다. 이 중 2개의 점을 연결하여 만들 수 있는 직선의 개수를 구하여라.

Step 1 | 내·신·기·본

01 1부터 20까지의 자연수가 각각 적힌 20개의 공이 들어 있는 주머니에서 한 개의 공을 꺼낼 때, 다음 중 일어나는 경우의 수가 가장 작은 사건은?

① 짝수가 나온다.
② 소수가 나온다.
③ 6의 배수가 나온다.
④ 25의 약수가 나온다.
⑤ 15 이상의 수가 나온다.

02 모양과 크기가 같은 12개의 과자를 서로 다른 2개의 접시에 나누어 담는 경우의 수를 구하여라.
(단, 접시에는 과자를 반드시 담는다.)

[창의융합]
03 한 개의 주사위를 두 번 던져서 첫 번째로 나오는 눈의 수를 x, 두 번째로 나오는 눈의 수를 y라고 할 때, $x+3y=15$를 만족시키는 경우의 수를 구하여라.

04 목이 마른 승빈이는 자판기에서 800원짜리 음료수를 뽑아 마시려고 한다. 승빈이가 500원짜리 동전 1개, 100원짜리 동전 7개, 50원짜리 동전 4개를 가지고 있을 때, 동전을 자판기에 넣어 거스름돈이 생기지 않게 음료수를 뽑는 모든 경우의 수를 구하여라.
(단, 동전을 넣는 순서는 생각하지 않는다.)

05 서로 다른 연필 3자루와 서로 다른 볼펜 4자루가 있다. 이 중에서 한 자루를 선택하는 경우의 수를 구하여라.

06 1에서 60까지의 자연수가 각각 적힌 60장의 카드에서 한 장을 뽑을 때, 5의 배수 또는 11의 배수가 나오는 경우의 수를 구하여라.

07 서점에 4종류의 수학 문제집과 3종류의 영어 문제집이 있다. 수학, 영어 문제집을 각각 한 권씩 짝 지어 사는 경우의 수를 구하여라.

08 다음 그림과 같은 길이 있다. 집에서 출발하여 우체통을 거쳐 학교까지 갈 때, 가장 짧은 거리로 이동하는 경우의 수를 구하여라.

09 400 m 계주에 출전한 A, B, C, D 네 명의 선수가 뛰는 순서를 정하려고 한다. A선수가 첫 주자로 뛰게 되는 경우의 수를 구하여라.

10 0, 1, 2, 3, 4, 5가 각각 적힌 6장의 카드에서 3장을 뽑아 만들 수 있는 세 자리의 자연수 중 짝수의 개수를 구하여라.

11 다음 중 사건이 일어날 경우의 수가 가장 큰 것은?

① 동전 한 개와 주사위 한 개를 동시에 던질 때, 나오는 모든 경우의 수

② 두 사람이 가위바위보를 할 때, 나오는 모든 경우의 수

③ 한 개의 동전을 4번 던질 때, 나오는 모든 경우의 수

④ 4명 중에서 대표 2명을 뽑는 경우의 수

⑤ 5명 중 3명을 뽑아 일렬로 세우는 경우의 수

12 오른쪽 그림의 A, B, C 세 부분을 빨강, 파랑, 노랑의 3가지 색으로 칠하려고 한다. 같은 색을 여러 번 칠해도 되지만 이웃하는 부분은 서로 다른 색으로 칠하는 경우의 수를 구하여라.

13 남학생 4명, 여학생 3명을 한 줄로 세울 때, 여학생 3명이 이웃하여 서는 경우의 수를 구하여라.

14 동창회에 참석한 사람이 한 사람도 빠짐없이 서로 한 번씩 악수를 하였더니 총 28회의 악수를 하였다고 한다. 동창회에 참석한 사람은 모두 몇 명인지 구하여라.

15 오른쪽 그림과 같이 평행한 두 선분 위에 9개의 점이 있다. 이 중 3개의 점을 연결하여 만들 수 있는 삼각형의 개수를 구하여라.

16 0이 아닌 두 정수 a, b의 절댓값의 합이 4가 되는 순서쌍 (a, b)는 모두 몇 가지인가?

① 3가지 ② 4가지 ③ 8가지

④ 12가지 ⑤ 16가지

17 A, B 두 개의 주사위를 동시에 던져 나오는 눈의 수를 각각 a, b 라고 할 때, $y = \dfrac{b}{a}x$의 그래프가 오른쪽 그림의 함수의 그래프보다 y축에 가까운 경우의 수는?

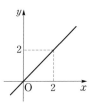

① 6 ② 8 ③ 12

④ 15 ⑤ 18

창의융합

18 길이가 각각 5 cm인 빨대에 길이가 5 cm, 7 cm, 9 cm, 11 cm, 12 cm, 13 cm인 빨대 6개 중 2개를 추가하여 삼각형을 만들 때, 이등변삼각형 또는 직각삼각형이 되는 경우의 수를 구하여라.

— 5 cm —

19 민영이는 친구들과 야영을 하였다. 모두 6명이고 준비해 간 텐트는 4인용과 2인용 각각 한 대씩 있다. 이때 6명이 두 텐트에 나누어 들어가는 방법의 수를 구하여라.

20 5개의 계단을 올라가는데 한 걸음에 한 계단 또는 두 계단을 오르려고 한다. 5개의 계단을 오르는 모든 경우의 수를 구하여라.

21 5개의 문자 a, b, c, d, e를
$$abcde,\ abced,\ abdce,\ \cdots,\ edcba$$
와 같이 사전식으로 나열할 때, 50번째에 나오는 문자는?

① $aedcb$ ② $bedca$ ③ $cabde$

④ $cabed$ ⑤ $dabce$

22 6명의 학생의 이름이 각각 적힌 의자가 있다. 이름이 적힌 6명의 학생이 무심코 의자에 앉을 때, 3명만 자신의 이름이 적힌 의자에 앉고, 나머지는 다른 학생의 이름이 적힌 의자에 앉는 경우의 수를 구하여라.

SUMMA **NOTE**

1. 확률의 뜻

(1) 확률 : 같은 조건에서 실험이나 관찰을 여러 번 반복할 때, 어떤 사건 A가 일어나는 상대도수가 일정한 값에 가까워지면 이 일정한 값을 사건 A가 일어날 확률이라고 한다.

(2) 어떤 실험이나 관찰에서 각 경우가 일어날 가능성이 모두 같을 때, 일어날 수 있는 모든 경우의 수가 n이고, 사건 A가 일어나는 경우의 수가 a이면 사건 A가 일어날 확률 p는

$$p = \frac{(\text{사건 } A\text{가 일어나는 경우의 수})}{(\text{모든 경우의 수})} = \frac{a}{n}$$

(3) 도형에서의 확률 : 모든 경우의 수는 도형 전체의 넓이로, 어떤 사건이 일어나는 경우의 수는 도형에서 해당하는 부분의 넓이로 생각한다.

$$(\text{도형에서의 확률}) = \frac{(\text{해당하는 부분의 넓이})}{(\text{도형 전체의 넓이})}$$

1. 확률의 뜻

서양에서는 '둘 중 하나'를 선택하는 상황에서 무엇을 선택하기 어려울 때 동전을 던졌다고 한다. 동전을 높이 던져 올려 나온 면에 따라 끝나지 않는 승부의 승패를 가리기도 하고, 인생의 갈림길에 서 있을 때 동전을 던져서 갈 길을 찾기도 한다.

보통 선택이 어려운 두 개 중에서 하나를 택할 때 동전을 던져 결정하는데 이는 동전에서 앞면과 뒷면이 나올 확률이 같다고 여기기 때문이다.

Q 07기 확률이란 무엇일까?

A (바른)
어떤 사건이 일어날 가능성을 수로 나타낸 것.

A (친절한)
오른쪽 그림은 동전 1개를 여러 번 반복하여 던질 때, 앞면이 나온 횟수를 조사하여 그 상대도수 즉,

$$\frac{(\text{앞면이 나온 횟수})}{(\text{던진 횟수})}$$

를 그래프로 나타낸 것이다.

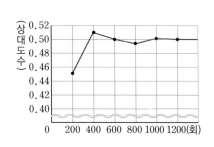

이 그래프에서 동전을 던진 횟수가 많아질수록 앞면이 나오는 상대도수는 일정한 값 0.5에 가까워짐을 알 수 있다.

이와 같이 같은 조건에서 실험이나 관찰을 여러 번 반복할 때,

그 횟수가 많아질수록 사건 A가 일어나는 상대도수가 일정한 값에 가까워지면

이 일정한 값을 사건 A가 일어날 **확률**이라고 한다. 즉,

확률은 어떤 사건이 일어날 가능성을 수로 나타낸 것이다.

위의 동전 1개를 던지는 시행에서 동전을 던지는 횟수가 많아질수록 앞면이 나오는 상대도수가 0.5에 가까워지므로 동전 한 개를 던질 때

'앞면이 나올 확률은 0.5이다.'

라고 말한다.

앞면이 나올 확률은 0.5야!

| 참고 | 오른쪽 그림은 주사위 1개를 여러 번 반복하여 던질 때, 1의 눈이 나오는 상대도수를 그래프로 나타낸 것이다. 주사위를 던진 횟수가 많아질수록 1의 눈이 나오는 상대도수가 $0.1666\cdots=\dfrac{1}{6}$ 에 가까워지므로 주사위 한 개를 던질 때 1의 눈이 나올 확률은 $\dfrac{1}{6}$이라고 말한다.

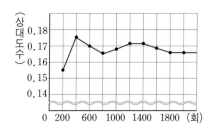

Q 072 경우의 수를 이용하여 확률을 어떻게 구할까?

A
$$(\text{사건 } A\text{가 일어날 확률})=\frac{(\text{사건 } A\text{가 일어나는 경우의 수})}{(\text{모든 경우의 수})}$$

A
Q 071에서 확률을 구하는 방법을 배웠다. 그런데 확률을 구할 때마다 **Q 071**에서와 같이 몇 백회를 반복하여 실험해야 할까? No!

많은 횟수의 실험이나 관찰을 하지 않고도 어떤 사건이 일어날 확률을 생각할 수 있는 경우가 있는데, 바로 경우의 수의 비율로 구하는 것이다.

여기서 기억해 두어야 할 것은 경우의 수의 비율로 확률을 구할 수 있으려면

각각의 경우가 일어날 가능성이 모두 같아야 한다

는 것이다.

즉, 동전이나 주사위와 같이 각 면이 똑같게 보여 어느 면이나 나올 가능성이 같다고 예상할 수 있을 때에만 경우의 수의 비율로 확률을 구할 수 있다.

정다면체이니까 각 면이 나올 가능성이 같아.

예를 들어 주사위에서 1부터 6까지의 각 눈이 나올 가능성은 모두 같으
므로 주사위를 한 개 던질 때 1의 눈이 나올 확률을

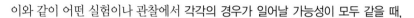

$$\dfrac{1}{6} \quad \begin{array}{l}\leftarrow \text{1의 눈이 나오는 경우의 수} \\ \leftarrow \text{모든 경우의 수}\end{array}$$

이라고 할 수 있다.

이와 같이 어떤 실험이나 관찰에서 각각의 경우가 일어날 가능성이 모두 같을 때,

일어날 수 있는 모든 경우의 수를 n, 사건 A가 일어나는 경우의 수를 a

라고 하면 사건 A가 일어날 확률 p는 다음과 같이 구한다.

└ 확률을 뜻하는 probability의 첫 글자 p를 나타낸다.

$$p = \dfrac{(\text{사건 } A \text{가 일어나는 경우의 수})}{(\text{모든 경우의 수})} = \dfrac{a}{n}$$

|참고| 각각의 경우가 일어날 가능성이 모두 같다면 많은 횟수의 실험을 통해 상대도수를 이용하여
구한 확률과 경우의 수의 비율을 이용하여 구한 확률이 같아진다고 한다.

한편 압정 한 개를 던질 때 일어날 수 있는 경우는 오른쪽 그림과 같이
2가지이다. 압정의 경우에는 누가 봐도 각각의 경우가 일어날 가능성
이 다르기 때문에 경우의 수의 비율을 이용하여 확률을 구할 수 없다.
이런 경우에는 많은 횟수의 실험이나 관찰을 통하여 얻은 상대도수로만 확률을 구할 수 있다.

예제 11 **다음을 구하여라.**

(1) 한 개의 주사위를 던질 때, 2의 배수의 눈이 나올 확률

(2) 서로 다른 동전 2개를 동시에 던질 때, 모두 앞면이 나올 확률

(3) 서로 다른 주사위 2개를 동시에 던질 때, 나온 눈의 수가 같을 확률

풀이

(1) $\dfrac{(\text{2의 배수의 눈이 나오는 경우의 수})}{(\text{모든 경우의 수})} = \dfrac{3}{6} = \dfrac{1}{2}$ ← 2, 4, 6

(2) $\dfrac{(\text{모두 앞면이 나오는 경우의 수})}{(\text{모든 경우의 수})} = \dfrac{1}{4}$ ← (앞, 앞)

(3) $\dfrac{(\text{눈의 수가 서로 같은 경우의 수})}{(\text{모든 경우의 수})} = \dfrac{6}{36} = \dfrac{1}{6}$ ← (1, 1), (2, 2), (3, 3), (4, 4), (5, 5), (6, 6)

|주의| 동전을 한 개 던질 때 '앞면이 나올 확률은 $\dfrac{1}{2}$이다.' 라는 것은 단순히 동전을 두 번 던지면 앞
면이 꼭 한 번 나온다는 말이 아니다. **Q** 071의 실험에서와 같이 동전을 던지는 횟수가 많아지
면 앞면이 나온 횟수에 대한 상대도수가 $\dfrac{1}{2}$에 가까워진다는 의미이다.

수학적 확률과 통계적 확률

어떤 실험에서 각 경우가 일어날 가능성이 모두 같을 때, $\dfrac{(어떤\ 사건이\ 일어나는\ 경우의\ 수)}{(모든\ 경우의\ 수)}$ 가 어

떤 사건이 일어날 확률이다. 이것이 수학자 라플라스(1749~1827)가 정의한 수학적 확률(고전적 확률)이다. 그런데 수학적 확률은 각 경우가 일어날 가능성이 모두 같다는 전제하에 사용되므로 비가 올 확률, 질병이 치료될 확률, 비행기 사고가 일어날 확률 등에는 적용할 수 없어서 일반적인 확률의 정의로 보기에는 한계가 있었다. 이러한 수학적 확률의 한계를 해결한 것이 통계적 확률이다. 통계적 확률은 어떤 사건의 확률을 반복된 시행에서 전체 시행 횟수에 대한 그 사건이 일어나는 횟수의 상대도수로 보는 것에서 출발한다. 이러한 통계적 확률은 각 경우가 일어날 가능성이 동일하지 않은 사건에서도 확률을 연구할 수 있게 하였다.

Q 073 도형에서의 확률은 어떻게 구할까?

A 넓이의 비율을 이용해.

A 오른쪽 그림과 같이 8등분된 원판의 바늘을 돌린 후 바늘이 멈추었을 때 가리키는 상품을 경품으로 받는 행사가 있다. 전체 상품 수가 4개이므로 상품 A를 경품으로 받을 확률은 $\dfrac{1}{4}$ 일까? NO!

왜냐하면 눈으로 확인되듯이 원판에서 각 상품이 차지하는 영역이 서로 달라서 선택될 가능성도 서로 다르기 때문이다.
이러한 경우는 다음과 같이 넓이의 비율로 확률을 구한다.

$$(도형에서의\ 확률)=\dfrac{(해당하는\ 부분의\ 넓이)}{(도형\ 전체의\ 넓이)}$$

상품 A에 해당하는 부분의 넓이는 원판 전체의 $\dfrac{1}{2}$ 이므로 경품으로 상품 A를 받을 확률도 $\dfrac{1}{2}$ 이다. 같은 방법으로 구하면 상품 B, C, D를 받을 확률은 각각 $\dfrac{1}{4}$, $\dfrac{1}{8}$, $\dfrac{1}{8}$ 이 된다.

> **예제 12** 오른쪽 그림과 같이 정사각형을 9등분한 표적에 화살을 쏠 때, 색칠한 부분에 꽂힐 확률을 구하여라.
>
>
>
> **풀이** $(확률)=\dfrac{(색칠한\ 부분의\ 넓이)}{(전체\ 정사각형의\ 넓이)}=\dfrac{2}{9}$ ← 전체 9칸 중 2칸에 색칠

| 참고 | 확률은 보통 $\dfrac{(어떤\ 사건이\ 일어나는\ 경우의\ 수)}{(모든\ 경우의\ 수)}$ 로 구하기 때문에 분수로 많이 표현할 뿐 소수, 백분율 등으로 바꾸어 써도 된다. 다만 쓰임새에 따라 비가 올 확률, 복권에 당첨될 확률 등은 주로 백분율로 나타내고, 야구 선수의 타율 등은 주로 할푼리로 나타낸다.

스스로
익히는

개념 CHECK

개념 **확인**

(1) 각각의 경우가 일어날 가능성이
같을 때,
(사건 A가 일어날 확률)

$= \dfrac{(사건\ A가\ 일어나는\ 경우의\ 수)}{(\boxed{})}$

01 1부터 20까지의 자연수가 각각 적힌 20장의 카드에서 한 장을 꺼낼 때, 4의 배수가
적힌 카드를 꺼낼 확률을 구하여라.

02 다음 표는 민아네 학교의 학생 100명의 혈액형을 조사하여 나타낸 것이다. 이 학생
중 임의로 한 명을 뽑을 때, A형을 뽑을 확률을 구하여라.

혈액형	A형	B형	O형	AB형	합계
학생 수(명)	35	30	25	10	100

03 100원짜리 동전 1개와 500원짜리 동전 1개를 동시에 던질 때, 다음을 구하여라.

(1) 모두 앞면이 나올 확률

(2) 한 개만 앞면이 나올 확률

04 두 주사위 A, B를 동시에 던질 때, 나오는 두 눈의 수의 합이 5가 될 확률을 구하여
라.

자기 **진단**

Q.071 ○ 213쪽
확률이란 무엇일까?

Q.072 ○ 214쪽
경우의 수를 이용하여 확률을 어떻
게 구할까?

05 1에서 4까지의 숫자가 각각 적힌 4장의 카드에서 2장을 차례로 뽑아 두 자리의 자
연수를 만들 때, 그 자연수가 15 이하일 확률을 구하여라.

SUMMA **NOTE**

1. 확률의 성질

(1) 어떤 사건이 일어날 확률을 p라고 하면 $0 \le p \le 1$이다.
(2) 절대로 일어날 수 없는 사건의 확률은 0이다.
(3) 반드시 일어나는 사건의 확률은 1이다.
(4) 사건 A가 일어날 확률이 p일 때, (사건 A가 일어나지 않을 확률)$=1-p$이다.

1. 확률의 성질

'200 % 당첨 이벤트!'라고 쓰여져 있는 경품권을 본 적이 있을 것이다. 홍보를 위한 말이겠지만 수학적으로는 잘못된 표현이다. 200 % 당첨이라는 말은 만약 100장의 경품권을 발행했다면 그 중 당첨 경품권이 200장이라는 뜻이기 때문에 확률이 $\dfrac{200}{100}=2$라는 것이다.

"싱크로율 200 %" 역시 정확도가 높다는 것을 강조하기 위해 쓰는 말이지만 확률의 성질을 안다면 틀린 표현이라는 것을 알 수 있을 것이다.

Q 074 어떤 사건이 일어날 확률을 p라고 할 때, p의 값의 범위는?

A $0 \le p \le 1$

A 다음은 주머니 A, B, C에서 공을 한 개씩 꺼낼 때, 빨간 공이 나올 확률을 구한 것이다.

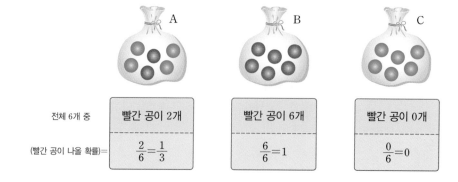

전체 6개 중	빨간 공이 2개	빨간 공이 6개	빨간 공이 0개
(빨간 공이 나올 확률)=	$\dfrac{2}{6}=\dfrac{1}{3}$	$\dfrac{6}{6}=1$	$\dfrac{0}{6}=0$

위에서 구한 확률을 통해 이해할 수 있듯이

주머니 B에서 빨간 공이 나오는 사건과 같이

반드시 일어나는 사건의 확률은 1이고,

주머니 C에서 빨간 공이 나오는 사건과 같이

절대로 일어나지 않는 사건의 확률은 0이다.

또한 주머니 A에서 빨간 공이 나오는 사건과 같이 반드시 일어나거나 절대로 일어나지 않는 사건을 제외한 경우의 확률은

0과 1 사이의 값이 된다.

따라서 모든 경우의 수가 n이고 어떤 사건 A가 일어나는 경우의 수가 a일 때, 사건 A가 일어날 확률 p의 값의 범위는 다음과 같다.

$$0 \leq a \leq n \ \Rightarrow \ \frac{0}{n} \leq \frac{a}{n} \leq \frac{n}{n} \ \Rightarrow \ \mathbf{0 \leq p \leq 1}$$

이상을 정리하면 다음과 같다.

확률의 성질

(1) 어떤 사건이 일어날 확률을 p라고 하면 $0 \leq p \leq 1$이다.

(2) 절대로 일어날 수 없는 사건의 확률은 0이다.

(3) 반드시 일어나는 사건의 확률은 1이다.

예제 13 오른쪽 그림과 같은 4장의 카드에서 2장을 뽑아 두 자리의 자연수를 만들 때, 다음을 구하여라.

`1` `2` `3` `4`

(1) 만든 수가 짝수일 확률

(2) 만든 수가 5의 배수일 확률

(3) 만든 수가 50 이하일 확률

풀이 (1) $\dfrac{(짝수인 \ 경우의 \ 수)}{(모든 \ 경우의 \ 수)} = \dfrac{3 \times 2}{4 \times 3} = \dfrac{6}{12} = \dfrac{1}{2}$ ← 0과 1 사이의 값

(2) 0 또는 5인 숫자가 없으므로 확률은 **0**

(3) 만들 수 있는 두 자리의 자연수가 모두 50 이하이므로 확률은 **1**

확률 0을 확률 1로 바꾸는 지혜

어느 작은 성에 아름다운 공주가 살고 있었다. 성 안에서만 생활하던 공주는 어느 날 지나가던 거지와 사랑에 빠졌다. 그러나 이 사실을 알게 된 왕은 둘의 사랑을 허락할 수 없었다. 상심한 공주가 아무것도 먹지 않자 왕은 공주에게 다음과 같은 제안을 하였다.

"내일 두 개의 제비 중에서 ○표를 뽑으면 둘의 결혼을 허락해주겠다.

하지만 ×표를 뽑으면 둘은 헤어져라."

공주는 이 제안을 받아들이지만 왕은 제비에 모두 ×표를 해두었다. 둘이 결혼할 수 있을 확률은 0이 된 것이다. 그러나 왕이 제비에 모두 ×표한 사실은 이 이야기를 몰래 들은 공주의 유모에 의해 공주에게 전해졌고, 공주는 거지에게 이 사실을 알려주며 이제 희망이 없다고 말했다. 다음날 왕 앞에서 제비를 뽑게 된 거지는 제비 중 하나를 골라 삼켜버렸다.

"제가 선택한 제비는 확인할 수 없습니다. 하지만 남은 제비를 확인하면

제가 어떤 것을 선택했는지 아실 것입니다."

남은 제비는 당연히 ×표이기 때문에 삼켜버린 제비는 ○표가 된다. 현명한 거지는 확률 0의 상황을 확률 1의 상황으로 바꾼 것이다. 이로써 두 사람은 결혼해서 행복하게 살았다는 이야기!

Q 075 사건 A가 일어날 확률이 p일 때, 사건 A가 일어나지 않을 확률은?

A $1-p$

A 1부터 10까지의 자연수가 각각 적힌 10장의 카드에서 한 장을 뽑으려고 한다.
카드에 적힌 수 중 소수인 경우는 2, 3, 5, 7의 4가지이므로
카드를 한 장 뽑을 때 소수가 나올 확률은

$$\frac{4}{10}=\frac{2}{5}$$

이다. 또한 소수가 아닌 경우는 1, 4, 6, 8, 9, 10, 즉 소수를
제외한 6가지이므로 소수가 나오지 않을 확률은

$$\frac{6}{10}=\frac{3}{5}$$

이다. 이때 소수가 나올 확률과 소수가 나오지 않을 확률의 합이 1이므로 다음이 성립한다.

$$(\text{소수가 나오지 않을 확률})=\frac{3}{5}=1-\frac{2}{5}=1-(\text{소수가 나올 확률})$$

일반적으로 사건 A가 일어날 확률이 p일 때, 사건 A가 일어나지 않을 확률은 다음과 같다.

$$(\text{사건 } A \text{가 일어나지 않을 확률})$$
$$=1-(\text{사건 } A \text{가 일어날 확률})=1-p$$

예제 14 서로 다른 주사위 2개를 동시에 던질 때, 서로 다른 눈이 나올 확률을 구하여라.

풀이 $1-($서로 같은 눈이 나올 확률$)=1-\dfrac{6}{36}=\dfrac{30}{36}=\dfrac{5}{6}$

Q 076 가위바위보를 할 때, A가 이길 확률이 $\dfrac{1}{3}$이면 A가 질 확률은 $\dfrac{2}{3}$일까?

A No! A가 이길 확률과 질 확률은 $\dfrac{1}{3}$로 같아!

A A, B 두 사람이 가위바위보를 할 때 나오는 모든 경우는 다음과 같이 9가지이다.

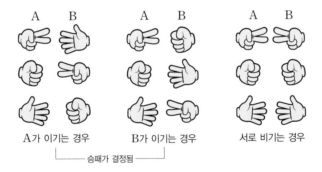

그림에서와 같이 승패가 결정되는 경우는 A가 이기는 경우와 B가 이기는 경우가 있고, 나머지 3가지는 비기는 경우이다. 비기는 경우를 생각하지 못하고 단순히 이기고 지는 것으로만 생각한다면 다음 대화에서 형돈이와 같이 실수를 할 수도 있다.

'이긴다.'와 '진다.'처럼 결과가 서로 반대의 의미를 갖는 사건이라고 해서 질 확률을 무조건 $1-($이길 확률$)$로 구하면 안 된다. 문제에서

이기고 지는 사건이 아닌 또 다른 사건이 나올 수 있는지 반드시 확인하도록 하자.

Q 077   '적어도 ~'일 확률은 어떻게 구할까?

A   1에서 '~가 아닐 확률'을 빼.

A   다음 대화에서 '적어도'라는 말은 어떤 의미일까?

종서가 말한 '적어도 하나는 맞겠지!'라는 말은 '다 틀리기야 하겠어?'라는 말이다. 즉,

<u>다 틀리는 경우를 제외한 것이다.</u>

확률을 구할 때에도 '적어도'라는 표현이 나올 때에는 위와 같이 생각하면 된다.

서로 다른 동전 3개를 동시에 던졌을 때 <u>적어도 하나는 앞면이 나올 확률</u>을 구해 보자.
동전 3개를 던질 때 나오는 모든 경우는 다음과 같이 8가지이고, 이 중에서 앞면이 포함된 경우는 7가지이다.

> ↓ 앞면이 포함된 경우

> (앞면, 앞면, 앞면)   (앞면, 앞면, 뒷면)   (앞면, 뒷면, 앞면)   (뒷면, 앞면, 앞면)
> (앞면, 뒷면, 뒷면)   (뒷면, 앞면, 뒷면)   (뒷면, 뒷면, 앞면)   **(뒷면, 뒷면, 뒷면)**

따라서 적어도 하나는 앞면이 나올 확률은 $\frac{7}{8}$이다. 하지만

<u>'앞면이 전혀 나오지 않는 경우'</u>, 즉 '모두 뒷면이 나오는 경우'

를 먼저 생각하면 훨씬 간편해진다. 즉, 모두 뒷면이 나올 확률이 $\frac{1}{8}$이므로

(적어도 하나는 앞면이 나올 확률)

$=1-$(모두 뒷면이 나올 확률)

$=1-\frac{1}{8}=\frac{7}{8}$

우리만 빼면 돼!

예제 15   서로 다른 주사위 2개를 동시에 던질 때, 다음을 구하여라.

   (1) 모두 홀수의 눈이 나올 확률   (2) 적어도 하나는 짝수의 눈이 나올 확률

풀이   (1) $\frac{9}{36}=\dfrac{1}{4}$

     (2) $1-$(모두 홀수의 눈이 나올 확률)$=1-\dfrac{1}{4}=\dfrac{3}{4}$

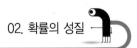
01 모양과 크기가 같은 흰 공 4개, 검은 공 6개가 들어 있는 주머니에서 한 개의 공을 꺼낼 때, 다음을 구하여라.

(1) 흰 공이 나올 확률

(2) 흰 공 또는 검은 공이 나올 확률

(3) 노란 공이 나올 확률

02 다음을 구하여라.

(1) 비가 올 확률이 60 %일 때, 비가 오지 않을 확률

(2) 시험에 합격할 확률이 $\dfrac{3}{4}$일 때, 그 시험에 불합격할 확률

(3) 주사위 1개를 던질 때, 3의 배수의 눈이 나오지 않을 확률

03 1부터 30까지의 자연수가 각각 적힌 30장의 카드에서 한 장을 뽑을 때, 5의 배수가 적힌 카드가 아닐 확률을 구하여라.

04 학생 2명이 가위바위보를 할 때, 승부가 날 확률을 구하여라.

05 세 개의 동전을 동시에 던질 때, 적어도 한 개는 뒷면이 나올 확률을 구하여라.

자기 **진단**

Q 074 ◑ 218쪽
어떤 사건이 일어날 확률을 p라고 할 때, p의 값의 범위는?

Q 075 ◑ 220쪽
사건 A가 일어날 확률이 p일 때, 사건 A가 일어나지 않을 확률은?

유형 EXERCISES

01. 확률의 뜻
02. 확률의 성질

문제 이해도를 ☺, ☺, ☹으로 표시해 보세요.

해설 BOOK **042쪽** | 테스트 BOOK **063쪽**

유형 1 확률의 뜻

서로 다른 두 개의 주사위를 동시에 던질 때, 나오는 눈의 수의 합이 5가 될 확률을 구하여라.

Summa Point

$$(\text{합이 5가 될 확률}) = \frac{(\text{합이 5가 되는 경우의 수})}{(\text{모든 경우의 수})}$$

213쪽 **Q 071**

유형 2 확률의 성질

서로 다른 두 개의 주사위를 동시에 던질 때, 나오는 눈의 수의 합이 1일 확률을 구하여라.

Summa Point

절대로 일어날 수 없는 사건의 확률은 0이다.

218쪽 **Q 074**

1-1 ☺☺☹

오른쪽 표는 200명의 학생을 대상으로 급식 만족도를 조사한 표이다. 200명 중 한 명을 선택할 때, 그 학생이 '보통'이라고 답변한 학생일 확률을 구하여라.

만족도	학생 수(명)
매우 만족	30
만족	90
보통	40
불만	30
매우 불만	10
합계	200

1-2 ☺☺☹

주머니 속에 n개의 공이 들어 있다. 그중에서 흰 공은 1개, 빨간 공은 2개이고 나머지는 노란 공이다. 한 개의 공을 꺼낼 때 빨간 공이 나올 확률이 $\frac{1}{3}$이라고 할 때, 노란 공의 개수를 구하여라.

1-3 ☺☺☹

오른쪽 그림과 같이 12등분된 원판에 화살을 한 번 쏠 때, 색칠한 부분을 맞힐 확률을 구하여라. (단, 화살은 원판을 벗어나지 않고 경계선을 맞히지 않는다.)

2-1 ☺☺☹

1부터 5까지의 자연수가 각각 적힌 5장의 카드에서 한 장을 뽑을 때, 다음을 구하여라.

(1) 소수가 나올 확률
(2) 6의 배수가 나올 확률
(3) 60의 약수가 나올 확률

2-2 ☺☺☹

1, 2, 3, 4가 각각 적힌 4장의 카드에서 2장을 뽑아 두 자리의 자연수를 만들 때, 만든 자연수가 11의 배수일 확률을 구하여라.

2-3 ☺☺☹

한 개의 주사위를 두 번 던져서 첫 번째에 나온 눈의 수를 x, 두 번째에 나온 눈의 수를 y라고 할 때, $x+y \leq 12$일 확률을 구하여라.

224   Ⅶ. 확률

유형 3 어떤 사건이 일어나지 않을 확률

서로 다른 두 개의 주사위를 동시에 던질 때, 나오는 두 눈의 수가 서로 다를 확률을 구하여라.

Summa Point

사건 A가 일어날 확률을 p라고 하면

(사건 A가 일어나지 않을 확률)$=1-p$

220쪽 Q 075

3-1

A, B 두 사람이 가위바위보를 한 번 할 때, 승부가 결정될 확률을 구하여라.

3-2

1, 2, 3, 4가 각각 적힌 4장의 카드에서 2장을 뽑아 두 자리의 자연수를 만들 때, 만든 자연수가 40 미만일 확률을 구하여라.

3-3

서로 다른 두 개의 주사위를 동시에 던질 때, 나오는 두 눈의 수의 합이 3 이상일 확률을 구하여라.

유형 4 적어도 ~일 확률

서로 다른 두 개의 주사위를 동시에 던질 때, 적어도 한 개의 주사위에서 6의 눈이 나올 확률을 구하여라.

Summa Point

(적어도 ~일 확률)$=1-$(모두 ~가 아닐 확률)

222쪽 Q 077

4-1

오른쪽 그림은 A도시에서 B도시까지 가는 길을 나타낸 것이다. 두 도시 A, B 사이를 왕복하는데 적어도 한 번은 직선 도로를 이용할 확률을 구하여라.

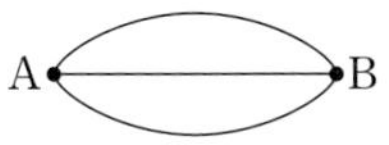

4-2

부모님과 자녀 2명이 한 줄로 서서 사진을 찍는데, 자녀 중에서 적어도 한 명은 부모님 사이에 서서 찍게 될 확률을 구하여라.

4-3

오른쪽 그림의 A, B, C, D 네 부분에 빨간색, 노란색, 파란색의 3가지 색을 칠하려고 한다. 같은 색을 여러 번 칠해도 되지만 이웃하는 부분은 서로 다른 색을 칠한다고 할 때, 적어도 한 번은 빨간색을 칠할 확률을 구하여라.

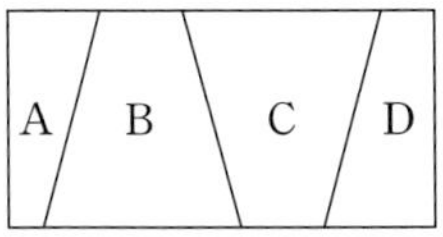

SUMMA **NOTE**

1. 사건 A 또는 사건 B가 일어날 확률

두 사건 A와 B가 동시에 일어나지 않을 때,

사건 A가 일어날 확률을 p, 사건 B가 일어날 확률을 q라고 하면

(사건 A 또는 사건 B가 일어날 확률)$=p+q$

2. 두 사건 A와 B가 동시에 일어날 확률

두 사건 A와 B가 서로 영향을 주지 않을 때,

사건 A가 일어날 확률을 p, 사건 B가 일어날 확률을 q라고 하면

(두 사건 A와 B가 동시에 일어날 확률)$=p\times q$

1. 사건 A 또는 사건 B가 일어날 확률

Q 078 사건 A 또는 사건 B가 일어날 확률은 어떻게 구할까?

A 두 확률을 더해.

A 확률은 경우의 수의 비율이므로 사건 A 또는 사건 B가 일어날 확률 역시 경우의 수를 바탕으로 생각하면 이해가 빠르다. 주사위 2개를 동시에 던질 때, 두 눈의 수의 합이 3 또는 10인 경우의 수는 다음과 같이 5이다.

두 눈의 수의 합이 3인 사건		두 눈의 수의 합이 10인 사건	
$(1,\ 2),\ (2,\ 1)$		$(4,\ 6),\ (5,\ 5),\ (6,\ 4)$	
2	$+$	3	$=5$

따라서 주사위 2개를 동시에 던질 때, 두 눈의 수의 합이 3 또는 10일 확률은 $\dfrac{5}{36}$이다.

그런데 $\dfrac{5}{36}=\dfrac{2+3}{36}=\dfrac{2}{36}+\dfrac{3}{36}$이므로 확률 $\dfrac{5}{36}$는 사실상 두 눈의 수의 합이 3일 확률 $\dfrac{2}{36}$와 두 눈의 수의 합이 10일 확률 $\dfrac{3}{36}$을 더한 것과 같다.

이와 같이 두 사건 A, B가 동시에 일어나지 않을 때, 사건 A가 일어날 확률을 p, 사건 B가 일어날 확률을 q라고 하면 사건 A 또는 사건 B가 일어날 확률은 다음과 같다.

$$\begin{array}{c} \text{사건 } A \text{ 또는 사건 } B\text{가} \\ \text{일어날 확률} \end{array} = \begin{array}{c} \text{사건 } A\text{가} \\ \text{일어날 확률} \end{array} + \begin{array}{c} \text{사건 } B\text{가} \\ \text{일어날 확률} \end{array} = p+q$$

경우의 수에서와 마찬가지로 동시에 일어나지 않는 경우 확률의 합은 세 사건 이상에서도 그대로 적용된다.

예제 16 다음을 구하여라.

(1) 한 개의 주사위를 던질 때, 2 이하 또는 5 이상의 눈이 나올 확률

(2) 서로 다른 동전 3개를 동시에 던질 때, 앞면이 1개 또는 2개 또는 3개가 나올 확률

풀이 (1) (2 이하일 확률) + (5 이상일 확률) $= \dfrac{2}{6} + \dfrac{2}{6} = \dfrac{4}{6} = \dfrac{2}{3}$

(2) (앞면이 1개 나올 확률) + (앞면이 2개 나올 확률) + (앞면이 3개 나올 확률)

$= \dfrac{3}{8} + \dfrac{3}{8} + \dfrac{1}{8} = \dfrac{7}{8}$ $= 1 -$ (앞면이 0개 나올 확률)

Q 079 중복되는 경우가 있을 때, 사건 A 또는 사건 B가 일어날 확률은?

A 두 확률의 합에서 중복되는 경우의 확률을 빼.

A 사건 A 또는 사건 B가 일어날 확률을 구할 때, 두 사건 A, B에 중복되는 경우가 있을 때에는 각 사건이 일어날 확률을 더한 후 반드시 중복된 경우에 대한 확률을 빼주어야 한다.

	중복되는 경우가 없을 때	중복되는 경우가 있을 때
주사위 한 개를 던질 때	3의 배수 또는 4의 배수가 나오는 경우 3의 배수　　4의 배수	3의 배수 또는 홀수가 나오는 경우 3의 배수　　　　홀수
경우의 수	$2+1=3$	$2+3-1=4$ 　중복되는 경우의 수를 뺀다.
확률	$\dfrac{2}{6}+\dfrac{1}{6}=\dfrac{3}{6}$	$\dfrac{2}{6}+\dfrac{3}{6}-\dfrac{1}{6}=\dfrac{4}{6}$ 　중복되는 확률을 뺀다.

예제 17 1부터 20까지의 수가 각각 적힌 20장의 카드 중에서 한 장을 뽑을 때, 카드에 적힌 수가 3의 배수 또는 5의 배수일 확률을 구하여라.

풀이 (3의 배수일 확률) + (5의 배수일 확률) − (15의 배수일 확률)

$= \dfrac{6}{20} + \dfrac{4}{20} - \dfrac{1}{20} = \dfrac{9}{20}$

2. 두 사건 A와 B가 동시에 일어날 확률

Q 080 두 사건 A와 B가 동시에 일어날 확률은 어떻게 구할까?

A 두 확률을 곱해.

A 동전 한 개와 주사위 한 개를 동시에 던질 때,

동전은 앞면이 나오고, 주사위는 소수의 눈이 나올 확률

을 생각해 보자.

동전 한 개와 주사위 한 개를 동시에 던질 때 일어날 수 있는 모든 경우의 수는 $2 \times 6 = 12$이고 다음과 같이 동전은 앞면이 나오고, 주사위는 소수의 눈이 나오는 경우의 수는 $1 \times 3 = 3$이다.

따라서 동전은 앞면이 나오고, 주사위는 소수의 눈이 나올 확률은 $\dfrac{3}{12}$이 된다.

그런데 $\dfrac{3}{12} = \dfrac{1 \times 3}{2 \times 6} = \dfrac{1}{2} \times \dfrac{3}{6}$이므로 확률 $\dfrac{3}{12}$은 사실상 동전에서 앞면이 나올 확률 $\dfrac{1}{2}$과 주사위 에서 소수의 눈이 나올 확률 $\dfrac{3}{6}$을 곱한 것과 같다.

이와 같이 두 사건 A와 B가 서로에게 영향을 주지 않을 때, 사건 A가 일어날 확률을 p, 사건 B가 일어날 확률을 q라고 하면 두 사건 A와 B가 동시에 일어날 확률은 다음과 같다.

$$\begin{matrix} \text{두 사건 } A\text{와 } B\text{가} \\ \text{동시에 일어날 확률} \end{matrix} = \begin{matrix} \text{사건 } A\text{가} \\ \text{일어날 확률} \end{matrix} \times \begin{matrix} \text{사건 } B\text{가} \\ \text{일어날 확률} \end{matrix} = p \times q$$

예제 18 두 개의 주사위 A, B를 동시에 던질 때, 다음을 구하여라.

(1) A는 2의 배수의 눈이 나오고, B는 3의 배수의 눈이 나올 확률

(2) A는 소수의 눈이 나오고, B는 4의 배수의 눈이 나올 확률

풀이 (1) $\dfrac{3}{6} \times \dfrac{2}{6} = \dfrac{1}{6}$ (2) $\dfrac{3}{6} \times \dfrac{1}{6} = \dfrac{1}{12}$

예제 18과 같이 경우의 수를 간단히 구할 수 있는 문제는 확률의 곱셈을 반드시 이용하지 않아도 된다. A는 2의 배수의 눈이 나오고, B는 3의 배수의 눈이 나오는 경우의 수가 $3 \times 2 = 6$이므로 다음과 같이 확률의 정의대로 구해도 된다.

$$\text{(1) } \dfrac{6}{36} = \dfrac{1}{6} \qquad \text{(2) } \dfrac{3}{36} = \dfrac{1}{12}$$

하지만 예제 19와 같이 경우의 수를 적용하지 못하는 경우이거나 경우의 수를 구하기 번거로운 경우에는 확률의 곱셈을 이용해야 확률을 구할 수 있다.

예제 19 세 사격 선수가 목표물을 명중할 확률이 각각 $\frac{3}{4}$, $\frac{3}{5}$, $\frac{5}{9}$일 때, 다음을 구하여라.

(1) 세 선수가 모두 목표물을 명중할 확률

(2) 세 선수가 모두 목표물을 명중하지 못할 확률

(3) 세 선수 중 적어도 한 명은 목표물을 명중할 확률

풀이 (1) $\frac{3}{4} \times \frac{3}{5} \times \frac{5}{9} = \frac{1}{4}$ (2) $\frac{1}{4} \times \frac{2}{5} \times \frac{4}{9} = \frac{2}{45}$ (3) $1 - \frac{2}{45} = \frac{43}{45}$

THINK Math

우리 반에서 생일이 같은 사람이 있을 확률은 얼마나 될까?

1년은 365일이라서 300명 이상은 있어야 생일이 같은 사람이 한 쌍 정도 있지 않을까 싶지만 실제로 계산해 보면 확률이 꽤 높다.

먼저 25명 중에서 생일이 같은 사람이 있을 가능성은 얼마나 될까? 무턱대고 확률을 계산하면 복잡해진다. 2명의 생일이 같아도 되고 그 이상 여러 명의 생일이 같아도 되므로 경우의 수가 너무 많아진다. 이럴 때는 반대로 25명의 생일이 모두 다를 확률을 먼저 생각하면 쉽게 구할 수 있다.

첫 번째 사람의 생일이 9월 1일이라면 두 번째 사람의 생일은 365일 중에서 이 날을 제외한 364일 중 하루이어야 한다. 따라서 25명의 생일이 모두 다를 확률은

$$\frac{365}{365} \times \frac{364}{365} \times \frac{363}{365} \times \cdots \times \frac{342}{365} \times \frac{341}{365} ≒ 0.43$$

이므로 생일이 같은 사람이 있을 확률은 $1 - 0.43 = 0.57$이다.

Q 081 먼저 꺼낸 공을 다시 넣지 않는다면 확률은 어떻게 달라질까?

 두 번째 꺼낼 때는 전체 개수가 1개 줄어들어.

 빨간 공 1개와 파란 공 2개가 들어 있는 주머니에서 갑, 을이 차례로 공을 한 개씩 꺼낼 때, 다음과 같이 두 가지 경우로 나누어 생각해 보자.

 갑이 꺼낸 공을 다시 넣는다.   갑이 꺼낸 공을 다시 넣지 않는다.

 갑이 한 개의 공을 꺼내 확인하고 **꺼낸 공을 다시 넣는다면??**

을은 갑이 뽑은 주머니와 똑같은 주머니에서 공을 꺼내는 것이다.

(갑이 공을 꺼낼 때의 전체 개수)＝(을이 공을 꺼낼 때의 전체 개수)

즉, 처음에 일어난 사건이 나중에 일어난 사건에 영향을 주지 않는다.

주머니의 상태가 변함이 없으므로 다음과 같이 각 확률에서 전체 경우의 수를 나타내는 분모가 같게 된다.

(1) 갑이 파란 공을 꺼내고, 을이 파란 공을 꺼낼 확률	(2) 갑이 빨간 공을 꺼내고, 을이 파란 공을 꺼낼 확률
갑(파랑) → 을(파랑)	갑(빨강) → 을(파랑)
$\frac{2}{3} \times \frac{2}{3} = \frac{4}{9}$	$\frac{1}{3} \times \frac{2}{3} = \frac{2}{9}$

위의 내용이 특정한 하나의 상황처럼 새로워 보이겠지만 새로운 것이 아니다.

위와 같이 서로 영향을 받지 않는 경우를 우리는 이미 배웠었다. 언제 배웠냐고?

바로 앞 **Q.080**에서 확률의 곱셈을 적용하여 구한 경우들이 모두 서로 영향을 받지 않는 경우들이었다는 말씀!

 갑이 한 개의 공을 꺼내 확인하고 꺼낸 공을 다시 넣지 않는다면??

을은 갑이 꺼낸 공을 제외한 상태에서 공을 꺼내야 하므로 전체 공의 개수가 하나 줄어들고, 갑이 꺼낸 결과에 따라 파란 공의 개수도 달라진다.

즉, 처음에 일어난 사건이 나중에 일어난 사건에 영향을 준다.

(1) 갑이 파란 공을 꺼내고, 을이 파란 공을 꺼낼 확률	(2) 갑이 빨간 공을 꺼내고, 을이 파란 공을 꺼낼 확률
갑(파랑) → 을(파랑)	갑(빨강) → 을(파랑)
$\frac{2}{3} \times \frac{1}{2} = \frac{1}{3}$	$\frac{1}{3} \times \frac{2}{2} = \frac{1}{3}$

위에서 살펴본 대로 처음에 일어난 사건이 나중에 일어나는 사건에 영향을 주느냐 주지 않느냐에 따라 확률이 달라지므로 주어진 정보를 잘 파악하여 실수하지 않도록 하자.

예제 20 상자 안에 10개의 제비 중 3개의 당첨 제비가 들어 있다. 이 상자에서 두 개의 제비를 연속하여 뽑을 때, 두 개 중 한 개만 당첨 제비일 확률을 구하여라.

(1) 뽑은 제비를 상자에 다시 넣을 때

(2) 뽑은 제비를 상자에 다시 넣지 않을 때

(당첨, 꽝), (꽝, 당첨) 둘 다 생각해야 해!

풀이 (1) $\underset{\text{(당첨)} \times \text{(꽝)}}{\frac{3}{10} \times \frac{7}{10}} + \underset{\text{(꽝)} \times \text{(당첨)}}{\frac{7}{10} \times \frac{3}{10}} = \frac{21}{50}$ (2) $\underset{\text{(당첨)} \times \text{(꽝)}}{\frac{3}{10} \times \frac{7}{9}} + \underset{\text{(꽝)} \times \text{(당첨)}}{\frac{7}{10} \times \frac{3}{9}} = \frac{7}{15}$

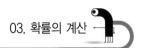
개념 **확인**

사건 A, B가 일어날 확률이 각각
p, q일 때,

(1) 사건 A 또는 사건 B가 일어날
확률은 [ ]이다.

(2) 사건 A와 B가 동시에 일어날
확률은 [ ]이다.

01 A, B 두 개의 주사위를 동시에 던질 때, 나오는 눈의 수의 차가 3 또는 4가 될 확률을 구하여라.

02 한 개의 주사위를 두 번 던질 때, 처음에는 짝수의 눈이 나오고 나중에는 소수의 눈이 나올 확률을 구하여라.

03 A 주머니에는 파란 공 4개, 노란 공 2개가 들어 있고, B 주머니에는 파란 공 4개, 노란 공 3개가 들어 있다. A 주머니와 B 주머니에서 공을 한 개씩 꺼낼 때, A 주머니에서는 노란 공이 나오고 B 주머니에서는 파란 공이 나올 확률을 구하여라.

04 안타를 칠 확률이 각각 0.2, 0.3인 두 야구 선수 A, B가 각각 한 번씩 타석에 설 때, 적어도 한 선수는 안타를 칠 확률을 구하여라.

자기 **진단**

Q.078 ○ 226쪽
사건 A 또는 사건 B가 일어날 확률은 어떻게 구할까?

Q.080 ○ 228쪽
두 사건 A와 B가 동시에 일어날 확률은 어떻게 구할까?

05 주머니 속에 1부터 6까지의 자연수가 각각 적힌 6장의 카드가 들어 있다. 재석이와 현아가 차례로 한 장씩 꺼낼 때, 다음 각 경우에 대하여 두 사람 모두 소수가 적힌 카드를 꺼낼 확률을 구하여라.

(1) 재석이가 꺼낸 카드를 다시 넣을 때

(2) 재석이가 꺼낸 카드를 다시 넣지 않을 때

문제 이해도를 ☺, ☺, ☹으로 표시해 보세요.

해설 BOOK **044**쪽 | 테스트 BOOK **066**쪽

유형 ① 확률의 덧셈

0, 1, 2, 3, 4가 각각 적힌 5장의 카드에서 2장을 뽑아 두 자리의 자연수를 만들 때, 20 이하이거나 30 이상인 수를 만들 확률을 구하여라.

Summa Point
'또는', '~이거나' ➡ 확률의 덧셈

226쪽 **Q 078** ↻

1-1 ☺☺☹

알파벳 M, A, T, H, E가 각각 하나씩 적힌 5장의 카드를 일렬로 나열할 때, M이 맨 앞 또는 맨 뒤에 올 확률을 구하여라.

1-2 ☺☺☹

한 개의 주사위를 두 번 던져서 첫 번째에 나온 눈의 수를 a, 두 번째에 나온 눈의 수를 b라고 할 때, 일차방정식 $ax-b=0$의 해가 2 또는 3이 될 확률을 구하여라.

1-3 ☺☺☹

수직선 위의 원점에 점 P가 있다. 1개의 동전을 던져서 앞면이 나오면 점 P를 양의 방향으로 1만큼, 뒷면이 나오면 점 P를 음의 방향으로 1만큼 이동시킨다. 1개의 동전을 3번 던져서 점 P를 이동시킬 때, 점 P의 좌표가 1 또는 −1일 확률을 구하여라.

```
      뒷면   P   앞면
   ←──────    ──────→
   -3 -2 -1  0  1  2  3
```

유형 ② 확률의 곱셈

한 개의 주사위를 두 번 던질 때, 첫 번째에는 6의 약수의 눈이 나오고, 두 번째에는 3의 배수의 눈이 나올 확률을 구하여라.

Summa Point
'~이고', '동시에' ➡ 확률의 곱셈

228쪽 **Q 080** ↻

2-1 ☺☺☹

A주머니에는 흰 공 3개, 검은 공 2개가 들어 있고, B주머니에는 흰 공 2개, 검은 공 1개가 들어 있다. A주머니와 B주머니에서 공을 각각 한 개씩 꺼낼 때, 모두 흰 공이 나올 확률을 구하여라.

2-2 ☺☺☹

오른쪽 그림과 같이 로봇이 지나갈 수 있는 통로가 있다. 로봇이 A에서 출발하여 통로가 갈라지는 각 지점에서 왼쪽으로 갈 확률이 $\dfrac{3}{5}$이다. 이때 로봇이 D로 나올 확률을 구하여라.

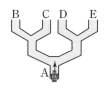

2-3 ☺☺☹

다음 그림과 같이 6등분된 원판 A와 4등분된 원판 B의 바늘을 돌렸을 때, 바늘이 멈춘 칸의 두 수 중 적어도 하나는 5 이상일 확률을 구하여라.
(단, 바늘이 경계선 위에 멈추는 경우는 생각하지 않는다.)

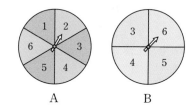

A   B

A주머니에는 흰 공 3개, 검은 공 2개가 들어 있고, B주머니에는 흰 공 1개, 검은 공 2개가 들어 있다. 두 개의 주머니에서 각각 공을 한 개씩 꺼낼 때, 서로 같은 색의 공이 나올 확률을 구하여라.

Summa Point
확률의 곱셈을 이용하여 꺼낸 두 공이 모두 흰색일 확률과 검은색일 확률을 각각 구한 후, 확률의 덧셈을 이용한다.

226쪽 **Q 078** ◯

3-1 ☺☺☹

A주머니에는 1, 2, 3이 각각 적힌 3장의 카드가 들어 있고, B주머니에는 4, 5, 6, 7이 각각 적힌 4장의 카드가 들어 있다. A, B 주머니에서 하나씩 뽑은 카드의 수를 각각 a, b라고 할 때, $a+b$가 짝수일 확률을 구하여라.

3-2 ☺☺☹

◯, ×로 답하는 4문제가 있다. 임의로 ◯, × 중 하나를 골라 쓸 때, 2문제 이상 맞힐 확률을 구하여라.

3-3 ☺☺☹

한 번의 경기에서 이길 확률이 같은 두 사람 A, B가 5번 경기를 하여 먼저 3번 이기면 승리하는 시합을 하기로 했는데, A가 2승 1패를 한 상황에서 경기를 중단하게 되었다. 이 경기를 계속 진행할 때, A가 승리할 확률을 구하여라. (단, 비기는 경우는 없다.)

5개의 제비 중에 2개의 당첨 제비가 들어 있는 상자에서 A, B 두 사람이 차례로 제비를 뽑을 때, 한 사람만 당첨 제비를 뽑을 확률을 구하여라.
(단, 뽑은 제비는 다시 넣지 않는다.)

Summa Point
(한 사람만 당첨될 확률)
=(A만 당첨될 확률)+(B만 당첨될 확률)

229쪽 **Q 081** ◯

4-1 ☺☺☹

1, 2, 3, 4, 5가 각각 적힌 5개의 구슬이 상자에 들어 있다. A가 한 개를 뽑아 숫자를 확인하고 상자에 다시 넣은 후 B가 한 개를 뽑았을 때, 두 사람이 모두 홀수가 적힌 구슬을 뽑을 확률을 구하여라.

4-2 ☺☺☹

주머니 속에 1부터 10까지의 자연수가 각각 적힌 10개의 공이 들어 있다. 이 중에서 2개의 공을 차례로 꺼낼 때, 모두 3의 배수가 나올 확률을 구하여라.
(단, 꺼낸 공은 다시 넣지 않는다.)

4-3 ☺☺☹

주머니 속에 흰 공 2개와 검은 공 3개가 들어 있다. A와 B가 번갈아가면서 공을 한 개씩 꺼내서 흰 공을 먼저 꺼내는 사람이 이기기로 하였다. A가 먼저 공을 꺼낼 때, A가 이길 확률을 구하여라. (단, 꺼낸 공은 다시 넣지 않는다.)

중단원 EXERCISES

해설 BOOK 046쪽 | 테스트 BOOK 069쪽

Step 1 | 내·신·기·본

01 0, 1, 2, 3이 각각 적힌 4장의 카드에서 2장을 뽑아 두 자리의 자연수를 만들 때, 만들 수 있는 자연수의 개수를 a, 짝수의 개수를 b, 짝수가 만들어질 확률을 c라고 할 때, abc의 값을 구하여라.

02 0, 3, 4, 5, 7이 각각 적힌 5장의 카드에서 2장을 뽑아 두 자리의 자연수를 만들 때, 그 자연수가 3의 배수일 확률을 구하여라.

03 1부터 n까지의 자연수가 각각 적힌 n장의 카드에서 한 장을 뽑을 때, 12의 약수를 뽑을 확률이 $\frac{1}{3}$이 되도록 하는 n의 값을 구하여라.

04 한 개의 주사위를 던져서 짝수가 나오면 그 수만큼 계단을 올라가고, 홀수가 나오면 그 수만큼 계단을 내려간다고 한다. 한 개의 주사위를 두 번 던져서 이동했을 때, 처음보다 한 계단 위에 있을 확률을 구하여라.

05 각 면에 1, 2, 3, 4의 숫자가 각각 적힌 정사면체 모양의 주사위가 있다. 이 주사위를 두 번 던질 때, 바닥에 닿는 면에 적힌 두 수의 합이 6 이상일 확률을 구하여라.

06 A, B 두 개의 주사위를 동시에 던져서 나온 눈의 수를 각각 a, b라고 하자. 점 (a, b)가 일차함수 $y=2x+1$의 그래프 위의 점이 될 확률을 구하여라.

07 한 개의 주사위를 두 번 던져서 나오는 눈의 수를 차례로 x, y라고 할 때, $2x+y\leq 8$을 만족시킬 확률을 구하여라.

08 오른쪽 그림에서 선을 따라 직사각형을 만들 때, 그 직사각형이 정사각형일 확률을 구하여라.

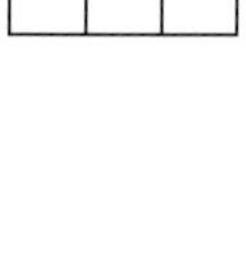

09 어떤 사건 A가 일어날 확률을 p, 일어나지 않을 확률을 q라고 할 때, 다음 중 항상 옳은 것을 모두 고르면? (정답 2개)

① $0<p<1$
② $p=1-q$
③ $p=1$이면 $q=-1$이다.
④ $q=1$이면 사건 A는 반드시 일어난다.
⑤ 사건 A가 반드시 일어나는 사건이면 $p=1$이다.

10 오른쪽 그림과 같이 정사각형을 9등분한 과녁이 있다. 이 과녁에 화살을 한 개 쏠 때, 파란색 또는 분홍색 영역을 맞힐 확률을 구하여라. (단, 화살이 과녁을 벗어나거나 경계선을 맞히는 경우는 생각하지 않는다.)

11 A, B 두 개의 주사위를 동시에 던져서 나온 눈의 수를 각각 a, b라고 하자. 점 (a, b)가 일차함수 $y=ax$의 그래프보다 위쪽에 있을 확률을 구하여라.

12 어느 야구팀의 3번 타자와 4번 타자가 안타를 칠 확률은 각각 0.3, 0.5이다. 두 타자가 연속으로 안타를 칠 확률을 구하여라.

13 컴퓨터에 내장되어 있는 부속품 A가 불량품일 확률은 10 %, 부속품 B가 불량품일 확률은 20 %이다. 부속품 A, B가 모두 불량품일 확률을 구하여라.

14 세 사람이 가위바위보를 한 번 할 때, 적어도 한 명은 이기는 사람이 나올 확률을 구하여라.

15 명중률이 $\frac{1}{2}$, $\frac{1}{3}$, $\frac{1}{4}$인 세 사람이 한 가지 목표물을 향하여 화살을 쏘았을 때, 적어도 한 명은 목표물을 맞힐 확률을 구하여라.

16 두 주머니 A, B에 서로 다른 자연수가 각각 적힌 공이 들어 있다. 두 주머니 A, B에서 공을 하나씩 뽑아서 적힌 수를 각각 a, b라고 하자. a, b가 짝수일 확률이 차례로 $\frac{1}{3}$, $\frac{2}{5}$일 때, $a+b$가 짝수일 확률을 구하여라.

17 반지름의 길이가 4인 원판이 있다. 원판의 중심을 O라 하고, 원판 안에 임의의 점 P를 잡을 때, $2 \leq \overline{OP} \leq 3$이 될 확률을 구하여라.

18 한 개의 주사위를 두 번 던져서 나온 눈의 수를 차례로 a, b라고 할 때, 순서쌍 (a, b)를 좌표로 하는 점 P와 원점 O를 지나는 직선의 기울기가 3보다 클 확률을 구하여라.

19 1부터 100까지의 자연수 중에서 하나의 수를 뽑을 때, 그 수의 각 자리의 숫자에 0 또는 짝수가 적어도 하나는 들어 있을 확률을 구하여라.

20 다음 그림과 같이 6등분된 원판 A와 8등분된 원판 B의 바늘을 돌렸을 때, 바늘이 멈춘 칸의 두 수의 합이 12의 약수일 확률을 구하여라. (단, 바늘이 경계선 위에 멈추는 경우는 생각하지 않는다.)

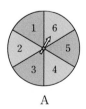
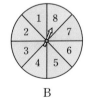

A   B

21 5개의 제비 중 2개의 당첨 제비가 들어 있는 주머니에서 A, B가 이 순서대로 제비를 한 개씩 뽑을 때, B가 당첨 제비를 뽑을 확률을 구하여라.
(단, 꺼낸 제비는 다시 넣지 않는다.)

창의융합
22 A, B, C 세 팀이 축구 경기를 하기로 하였다. A팀이 B팀을 이길 확률은 $\frac{1}{3}$, B팀이 C팀을 이길 확률은 $\frac{1}{4}$, C팀이 A팀을 이길 확률은 $\frac{2}{5}$라고 한다. A, B팀이 경기를 하여 이긴 팀이 결승에 올라가고, C팀이 부전승으로 결승에 올라갈 때, 결승에서 C팀이 이길 확률을 구하여라. (단, 비기는 경우는 없다.)

23 9개의 제품 중 2개의 불량품이 들어 있는 상자에서 제품을 한 개씩 꺼내어 검사하여 불량품을 모두 찾아내려고 한다. 이때 검사가 4번 이내에 끝날 확률을 구하여라. (단, 꺼낸 제품은 다시 넣지 않는다.)

24 어느 날 비가 왔다면 그 다음 날 비가 올 확률은 $\frac{2}{5}$이고, 비가 오지 않았다면 그 다음 날 비가 올 확률은 $\frac{1}{3}$이라고 한다. 월요일에 비가 왔을 때, 이틀 후인 수요일에도 비가 올 확률을 구하여라.

1. 경우의 수

01. 사건과 경우의 수

060 경우의 수란 무엇일까?

어떤 사건이 일어나는 가짓수

061 사건 A 또는 사건 B가 일어나는 경우의 수는 □한다?

사건 A \quad 사건 B

$m \quad + \quad n$

062 한 개의 주사위를 던질 때, 2의 배수 또는 3의 배수의 눈이 나오는 경우의 수는?

| 2의 배수 | + | 3의 배수 | − | 2와 3의 공배수 |

$= \quad 3 \quad + \quad 2 \quad - \quad 1 \quad = 4$

064 두 사건 A와 B가 동시에 일어나는 경우의 수는 □한다?

사건 A \quad 사건 B

$m \quad \times \quad n$

02. 여러 가지 경우의 수

066 4명을 한 줄로 세우는 경우의 수는?

$4 \times 3 \times 2 \times 1 = 24$

이때 특정한 2명이 이웃하여 서는 경우의 수는

$(3 \times 2 \times 1) \times 2 = 12$

068 0, 1, 2, 3, 4의 숫자가 각각 적힌 5장의 카드에서 3장을 뽑아 만들 수 있는 세 자리의 자연수의 개수는?

맨 앞자리에는 0이 올 수 없으니까

$4 \times 4 \times 3 = 48$

069 0, 1, 2, 3, 4의 숫자가 각각 적힌 5장의 카드에서 3장을 뽑아 만들 수 있는 세 자리의 자연수 중 짝수의 개수는?

| 일의 자리에 0 | + | 일의 자리에 2 또는 4 |

$= \quad 4 \times 3 \quad + \quad 3 \times 3 \times 2$

$= \quad 30$

070 4명의 학생 중 대표 2명을 뽑는 경우의 수는?

자격이 다르면
$\Rightarrow 4 \times 3 = 12$
자격이 같으면
$\Rightarrow \dfrac{4 \times 3}{2} = 6$

2. 확률

01. 확률의 뜻

071 확률이란 무엇일까?

어떤 사건이 일어나는 상대도수가 일정한 값에 가까워지면 이 일정한 값을 확률이라고 해.

072 경우의 수를 이용하여 확률을 어떻게 구할까?

$\dfrac{(\text{어떤 사건이 일어나는 경우의 수})}{(\text{모든 경우의 수})}$

073 도형에서의 확률은 어떻게 구할까?

$\dfrac{(\text{해당하는 부분의 넓이})}{(\text{도형 전체의 넓이})}$

02. 확률의 성질

074 어떤 사건이 일어날 확률을 p라고 할 때, p의 값의 범위는?

$$0 \le p \le 1$$

절대로 일어날 수 없는 사건의 확률은 0

반드시 일어나는 사건의 확률은 1

075 사건 A가 일어날 확률이 p일 때, 사건 A가 일어나지 않을 확률은?

$$1 - p$$

077 '적어도 ~'일 확률은 어떻게 구할까?

적어도 하나는 앞면이 나올 확률

$= 1 -$ 모두 뒷면이 나올 확률

03. 확률의 계산

078 사건 A 또는 사건 B가 일어날 확률은 어떻게 구할까?

사건 A \quad 사건 B

$p \quad + \quad q$

079 중복되는 경우가 있을 때, 사건 A 또는 사건 B가 일어날 확률은?

두 확률의 합에서 중복된 경우의 확률을 빼.

080 두 사건 A와 B가 동시에 일어날 확률은 어떻게 구할까?

사건 A \quad 사건 B

$p \quad \times \quad q$

081 먼저 꺼낸 공을 다시 넣지 않는다면 확률은 어떻게 달라질까?

꺼낸 공을 다시 넣지 않으면 나중에 뽑을 때는 전체 공의 수가 줄어들어서 처음과 나중의 확률이 달라!

01 A, B 2개의 주사위를 동시에 던질 때, A주사위에서 나온 눈의 수를 x, B주사위에서 나온 눈의 수를 y라고 하자. 이때 $x+2y=9$인 경우의 수를 구하여라.

02 한 개의 주사위를 던질 때, 다음을 만족시키는 수 a, b, c, d에 대하여 $a+b+c+d$의 값을 구하여라.

> (소수의 눈이 나오는 경우의 수)$=a$
> (7 이상의 눈이 나오는 경우의 수)$=b$
> (5 이하의 눈이 나오는 경우의 수)$=c$
> (1의 눈 또는 4 이상의 눈이 나오는 경우의 수)$=d$

03 서로 다른 두 개의 주사위를 동시에 던질 때, 두 눈의 수의 합이 5 또는 11이 되는 경우의 수를 구하여라.

04 상자에 1에서 35까지의 자연수가 각각 적힌 35개의 공이 들어 있다. 이 상자에서 한 개의 공을 꺼낼 때, 3의 배수 또는 4의 배수가 적힌 공이 나오는 경우의 수를 구하여라.

05 정상까지의 등산로가 5가지인 어떤 산을 올라갈 때와 다른 길을 선택하여 내려온다고 할 때, 모두 몇 가지의 코스가 있는지 구하여라.

06 오른쪽 그림과 같은 깃발의 A, B, C, D 네 부분에 빨강, 노랑, 파랑, 초록의 4가지 색을 칠하려고 한다. 같은 색을 여러 번 칠해도 되지만 이웃한 부분은 서로 다른 색으로 칠하는 경우의 수를 구하여라.

07 2, 3, 5, 7이 각각 적힌 4장의 카드에서 2장을 뽑아서 만들 수 있는 서로 다른 분수의 개수를 구하여라.

08 4명의 남학생 A, B, C, D와 4명의 여학생 E, F, G, H 중에서 남학생 한 명과 여학생 두 명을 대표로 뽑을 때 D가 반드시 뽑히는 경우의 수를 구하여라.

09 오른쪽 그림과 같이 한 원 위에 있는 7개의 점 중에서 세 점을 연결하여 만들 수 있는 삼각형의 개수는?

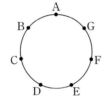

① 15   ② 18
③ 21   ④ 28
⑤ 35

10 10명의 친구들이 한 명도 빠짐없이 서로 한 번씩 악수를 하려고 한다. 이때 10명이 하게 되는 악수의 횟수를 구하여라.

11 주머니 속에 흰 공과 검은 공이 들어 있다. 흰 공을 한 개 뺀 후 남은 공에서 한 개를 뽑을 때 흰 공일 확률이 $\frac{1}{6}$, 검은 공 3개를 뺀 후 남은 공에서 한 개를 뽑을 때 흰 공일 확률이 $\frac{1}{5}$이라고 한다. 이때 처음 주머니에 들어 있던 공의 개수를 구하여라.

12 서로 다른 두 개의 주사위를 동시에 던져서 나오는 눈의 수를 각각 a, b라고 하자. 두 직선 $y=2x-a$와 $y=-3x+b$의 교점의 x좌표가 1이 될 확률을 구하여라.

13 한 개의 동전을 던져서 앞면이 나오면 한 개의 주사위를 1번 던지고, 뒷면이 나오면 한 개의 주사위를 2번 던지려고 한다. 이때 주사위에서 3의 눈이 한 번만 나올 확률을 구하여라.

14 다음 보기 중 옳은 것을 있는 대로 골라라.

┤ 보 기 ├
ㄱ. 절대로 일어날 수 없는 사건의 확률은 0이다.
ㄴ. 반드시 일어나는 사건의 확률은 1이다.
ㄷ. 어떤 사건이 일어날 확률은 0보다 크고 1보다 작다.
ㄹ. 어떤 사건이 일어날 확률이 $\frac{1}{3}$이면 일어나지 않을 확률도 $\frac{1}{3}$이다.

15 1부터 10까지의 자연수가 각각 적힌 10장의 카드에서 2장을 동시에 뽑을 때, 뽑은 두 수가 연속하는 자연수가 아닐 확률을 구하여라.

16 다음 그림과 같이 앞, 뒤로 그림이 그려져 있는 A, B, C 3장의 카드가 있다. 3장의 카드를 무심코 펼쳐 놓았을 때, 2장의 그림이 같은 모양일 확률을 구하여라.

	A	B	C
앞	♥	♣	♦
뒤	♣	♦	♥

17 1에서 15까지의 자연수가 각각 적힌 15장의 카드에서 2장을 차례로 뽑을 때, 2장 모두 짝수가 적힌 카드가 나올 확률을 구하여라. (단, 한 번 뽑은 카드는 다시 넣지 않는다.)

18 A, B 두 사람이 어느 시험에 합격할 확률이 각각 $\frac{1}{3}$, $\frac{1}{4}$이다. 두 사람 중 한 명만 시험에 합격할 확률을 구하여라.

19 오른쪽 그림과 같은 전기회로에서 스위치 A, B가 닫힐 확률은 각각 $\frac{1}{2}$, $\frac{2}{3}$라고 한다. 전구에 불이 들어오지 않을 확률을 구하여라.

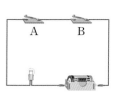

20 치료율이 60 %인 의약품이 있다. 이 약으로 3명의 환자를 치료할 때, 적어도 한 명은 치료될 확률을 구하여라.

21 형과 동생이 오른쪽 그림과 같이 8 등분된 원판에 화살을 한 번씩 쏘아서 경품을 받는 게임에 도전하였다. 적어도 한 사람은 경품을 받을 확률을 구하여라. (단, 화살은 원판을 벗어나지 않고 경계선을 맞히지 않는다.)

22 10개의 제비 중에서 4개의 당첨 제비가 들어 있는 상자에서 3개의 제비를 차례로 뽑을 때, 적어도 1개는 당첨 제비일 확률을 구하여라.

(단, 뽑은 제비는 다시 넣지 않는다.)

23 오른쪽 그림과 같이 두 방 A, B에 연결되어 있는 통로가 있다. 출발점에서 이 통로를 따라갈 때, 방 A, B에 들어갈 확률을 각각 구하여라. (단, 갈라지는 부분에서 각 통로로 들어갈 확률은 같다.)

24 크기와 모양이 같은 A, B, C 3개의 상자가 있다. A상자에는 노란 공 3개, B상자에는 노란 공 2개와 빨간 공 1개, C상자에는 빨간 공 3개가 들어 있다. 세 상자 중에서 하나를 골라 한 개의 공을 꺼낼 때, 노란 공이 나올 확률을 구하여라.

25 A, B, C, D, E 5명의 학생을 한 줄로 세우는 경우의 수는 x이고, A와 B를 이웃하여 세우는 경우의 수는 y이다. 이때 $x-y$의 값을 구하여라.

답 _____

26 한 개의 주사위를 3번 던져서 나오는 눈의 수를 차례로 a, b, c라고 할 때, $\dfrac{c}{a+b}$가 정수가 될 확률을 구하여라.

답 _____

27 오른쪽 그림과 같이 한 변의 길이가 1인 정오각형 ABCDE의 꼭짓점 A에 바둑돌이 놓여 있다. 한 개의 주사위를 던져서 나온 눈의 수만큼 화살표의 방향을 따라 바둑돌을 다른 꼭짓점으로 옮겨 놓을 때, 주사위를 2번 던진 후에 바둑돌이 꼭짓점 C에 있게 될 확률을 구하여라.

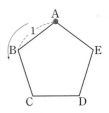

답 _____

TOPIC

1 같은 것이 있을 때의 경우의 수

서로 다른 인형 4개를 한 줄로 나열하는 경우의 수를 생각해 보자.

우선 거북을 첫 번째로 놓는 경우의 수는 얼마일까?

오른쪽 표에서와 같이 두 번째에는 거북을 제외한 3가지를 놓을 수 있고, 이 각각에 대하여 세 번째에는 거북과 두 번째 인형을 제외한 두 가지를 놓을 수 있으며, 또 이 각각에 대하여 네 번째에는 세 번째에 놓고 남은 한 가지를 놓을 수 있다. 즉, 거북을 첫 번째로 놓는 경우의 수는 $3 \times 2 \times 1 = 6$이다.

첫 번째	두 번째	세 번째	네 번째

첫 번째에 놓을 수 있는 인형이 4가지이고, 각각에 대해 한 줄로 나열하는 경우의 수는 $3 \times 2 \times 1 = 6$이므로 결국 서로 다른 인형 4개를 한 줄로 나열하는 경우의 수는 $4 \times 3 \times 2 \times 1 = 24$임을 알 수 있다.

이러한 사고를 확장하면

5개의 인형을 한 줄로 나열하는 경우의 수는 $5 \times 4 \times 3 \times 2 \times 1$,
6개의 인형을 한 줄로 나열하는 경우의 수는 $6 \times 5 \times 4 \times 3 \times 2 \times 1$,
7개의 인형을 한 줄로 나열하는 경우의 수는 $7 \times 6 \times 5 \times 4 \times 3 \times 2 \times 1$

임을 알 수 있다.

한 줄로 나열하는 경우를 바탕으로 다양하게 변형된 경우를 볼 수 있다. 본문에서 충분히 익혔으므로 문제를 통해 확인해 보자. 기억할 것은 자리가 정해진 것은 고정을 시키고 움직이는 것만 생각하기!

유제 01 위의 4개의 인형을 한 줄로 나열할 때, 다음을 구하여라.
(1) 펭귄이 세 번째에 오는 경우의 수
(2) 고양이는 첫 번째, 달팽이는 네 번째에 오는 경우의 수
(3) 거북과 펭귄을 이웃하여 놓는 경우의 수

'아는 만큼 보이고, 보는 만큼 느낀다.' 는 말은 수학에서도 일맥상통합니다.
교과서 밖으로 나와 더 넓은 수학을 접하여 나만의 사고력을 한 단계 높여 보세요!

해설 BOOK 050쪽

다음과 같이 4개의 인형 중 <u>똑같은 고양이 인형이 2개</u> 있을 때, 인형 4개를 한 줄로 나열하는 경우의 수는 어떻게 될까?

고양이 인형이 서로 다르다고 생각하면 4개를 나열하는 경우의 수는 $4 \times 3 \times 2 \times 1 = 24$이지만 고양이 인형이 서로 같으므로 다음 두 경우는 1가지가 된다.

따라서 위 4개의 인형을 한 줄로 나열하는 경우의 수는 24가 아니라 $24 \div 2 = 12$가 된다.

이와 같이 <u>같은 것이 있는 경우는 중복되는 경우를 한 가지로 생각하면 된다.</u>

아래 그림을 보고 한 줄로 나열하는 방법을 이해해 보자.

> 같은 것이 2개 있으면 2가지씩 중복되고,
> 같은 것이 3개 있으면 6가지씩 중복된다는 점 주의하자!

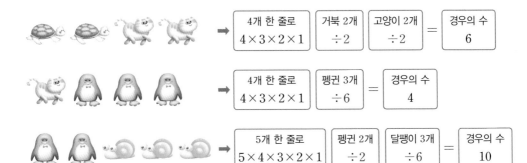

| | 4개 한 줄로 $4 \times 3 \times 2 \times 1$ | 거북 2개 $\div 2$ | 고양이 2개 $\div 2$ | = | 경우의 수 6 |

| | 4개 한 줄로 $4 \times 3 \times 2 \times 1$ | 펭귄 3개 $\div 6$ | | = | 경우의 수 4 |

| | 5개 한 줄로 $5 \times 4 \times 3 \times 2 \times 1$ | 펭귄 2개 $\div 2$ | 달팽이 3개 $\div 6$ | = | 경우의 수 10 |

위의 방법을 이용하면 오른쪽 그림에서 A 지점에서 B 지점까지 최단 거리로 가는 경우의 수도 다음과 같이 간단히 구할 수 있다.

① A 지점에서 B 지점까지 가려면 가로로 **2번**, 세로로 **2번** 가야 한다.
② (가로), (가로), (세로), (세로)를 한 줄로 나열하는 경우의 수와 같다.
③ 구하는 경우의 수는 $4 \times 3 \times 2 \times 1 \div 2 \div 2 = 6$이다.

유제 02 A 지점에서 B 지점까지 최단 경로로 가는 경우의 수를 구하여라.

(1)

(2)

01 파스칼과 점수 문제

INTRO에서 언급하였던 프랑스의 도박사 드 메레가 수학자 파스칼(1623~1662)에게 질문한 문제를 **점수 문제**(The problem of points)라고 부른다.

> 실력이 같은 두 사람 A, B가 똑같이 32피스톨씩 걸고 비기는 경우가 없는 게임을 하였다네. 먼저 3승을 한 사람이 64피스톨을 모두 가지기로 하였는데, A가 먼저 2승을 하고, B가 1승을 한 상황에서 더 이상 게임을 할 수 없게 되었다면 돈을 어떻게 나누어 가지는 것이 공평하겠는가?

'점수 문제'는 1494년 이탈리아의 수학자 파촐리(1445~1517)가 쓴 책에 기록된 것으로 그는 당시 책에서 게임이 중단됐을 때 상금을 공정하게 분배하는 방법에 대해 적고 있었다. 파촐리는 위 문제에 대해 '획득한 점수의 비 2 : 1로 나누는 방법이 공평하다'고 책에 썼지만 수학적으로 볼 때 공평한 것은 아니었다.

'점수 문제'에 대해 수학적으로 접근하여 신뢰할 수 있는 답이 제시된 때는 파촐리 이후 100년이 지나서였다. 드 메레의 부탁을 받은 파스칼은 해법을 찾는 데 흥미를 가졌고, 동료 수학자인 페르마(1601~1665)와 편지를 주고받으며 보다 수학적인 방법으로 접근해 나갔다. 파스칼과 페르마는 도중에 그만둔 게임의 경우, 돈은

각각 이길 수 있는 가능성의 정도에 따라 분배되어야 한다

는 것에 의견의 일치를 보았다. 두 사람은 각기 다른 방법으로 접근하였는데 파스칼은 다음과 같이 게임을 한 번씩 할 때마다 이길 확률을 따져서 게임의 돈을 나누어 가지는 방법을 제시하였다.

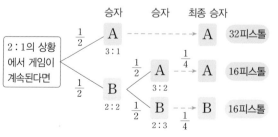

$$\cdots = \frac{1}{3} \cdot \left[h_I(r_{I_2}^3 - r_{I_1}^3) + h_{II}(r_{II_2}^3 - r_{II_1}^3) + h_{III}(r_{III_2}^3 - r_{III_1}^3) \right.$$

반면 페르마는 승패가 반드시 결정되는 최대 게임의 수를 먼저 생각하여 나올 수 있는 모든 경우에 대해 각자 이길 확률을 구하도록 했다.

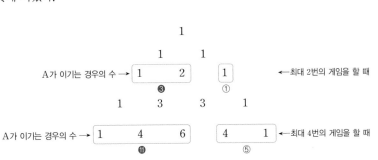

2 : 1인 상황에서 승패가 결정나려면 최대 2번만 하면 되잖아?
연속하여 2번 게임할 때 나오는 모든 경우는 다음과 같이 4가지이고, 이때 A는 1승만 해도 이기고, B는 2승을 해야 이기므로 4가지 중 3가지는 A가 이긴 경우가 된다네.

A A, A B, B A, B B

└─────── A가 이김 ───────┘   └─B가 이김─┘

따라서 두 사람은 3 : 1로 나누어 가져야 공평해!

페르마의 방법을 사용하면 '점수 문제'에서

'4승을 먼저 한 사람이 64피스톨을 모두 갖는다.'

로 조건을 바꾸어도 돈을 얼마씩 나누는지 쉽게 구할 수 있다. 전체 경우의 수만 구하면 되기 때문!

승패를 결정짓기 위해서는 최대 4번의 게임을 하면 되고, 4번의 게임에서 나올 수 있는 모든 경우 중 A가 이기는 경우는 11가지, B가 이기는 경우는 5가지이므로 위의 문제에서는 11 : 5로 나누어 가져야 공평하게 된다.

파스칼은 최대 게임 수를 따져서 나올 수 있는 모든 경우를 고려해 준 페르마의 방법에 흥미를 갖고 정리해 나갔다. 파스칼은 위의 방법에 대해 확률을 좀 더 빠르게 구하는 방법은 없는지 계속 연구하였고, 우리가 잘 알고 있는 '파스칼의 삼각형'을 통해 그 해결책을 찾게 되었다.

2 : 1에서 A는 2승을 하면 이기고, B는 3승을 하면 이긴다.

A A A A ─┐
A A A B
A A B A
A B A A
B A A A   A가 이김
A A B B   (11가지)
A B B A
B B A A
A B A B
B A B A
B A A B ─┘
A B B B ─┐
B A B B   B가 이김
B B A B   (5가지)
B B B A
B B B B ─┘

이와 같이 파스칼은 '파스칼의 삼각형'을 통해 확률을 보다 수학적으로 계산하는 방법을 찾는 등 꾸준히 연구하여 확률을 학문적인 이론으로 정착시키는 데 큰 역할을 하였다.

SUMMA CUM LAUDE
MIDDLE SCHOOL MATHEMATICS

숨마쿰라우데
중학수학 개념기본서 2-하

홈페이지를 방문하시면 온라인으로 편리하게 교재 평가에 참여할 수 있습니다!
(매월 우수 평가자를 선정하여 소정의 교재를 보내드립니다.)
www.erumenb.com

풀 칠 하 세 요

이 름		남☐ 여☐		학교(학원)	학년
Mobile		E-mail			

숨마쿰라우데 중학수학 개념기본서 2-하

■ 교재를 구입하게 된 동기는 무엇입니까?

① 서점에서 보고　　　② 선생님의 추천　　　③ 학교 보충수업용　　　④ 학원 수업용
⑤ 과외 수업용　　　⑥ 공부방 수업용　　　⑦ 부모, 형제, 친구의 추천　　　⑧ 서점에서 추천

■ 교재의 전체적인 디자인 및 내용 구성에 대한 의견을 들려주세요.

❍ 표지디자인:　① 매우 좋다　　② 좋다　　③ 보통이다　　④ 좋지 않다
　그 이유는? _____

❍ 본문디자인:　① 매우 좋다　　② 좋다　　③ 보통이다　　④ 좋지 않다
　그 이유는? _____

❍ 내용 구성:　① 매우 좋다　　② 좋다　　③ 보통이다　　④ 좋지 않다
　그 이유는? _____

■ 교재의 세부적인 내용에 대한 의견을 들려주세요.

QA를 통한 본문 설명	내 용	① 매우 좋다	② 좋다	③ 보통이다	④ 좋지 않다
	분 량	① 많다	② 적당하다	③ 조금 부족하다	④ 부족하다
EXERCISES(유형·중단원·대단원)	분 량	① 많다	② 적당하다	③ 조금 부족하다	④ 부족하다
	난이도	① 쉽다	② 적당하다	③ 약간 어렵다	④ 어렵다
대단원 심화 학습·수학으로 보는 세상	내 용	① 매우 좋다	② 좋다	③ 보통이다	④ 좋지 않다
	분 량	① 많다	② 적당하다	③ 조금 부족하다	④ 부족하다
테스트 BOOK	내 용	① 매우 좋다	② 좋다	③ 보통이다	④ 좋지 않다
	분 량	① 많다	② 적당하다	③ 조금 부족하다	④ 부족하다
	난이도	① 쉽다	② 적당하다	③ 약간 어렵다	④ 어렵다

■ 이 책에 대해 느낀 점이나 바라는 점을 자유롭게 적어주세요.

....
....
....
....

성의껏 작성해서 보내주신 엽서는 뽑아서 선물을 보내드립니다.

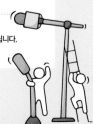

튼튼한 개념! 흔들리지 않는 실력!

숨마쿰라우데 중학수학

개념기본서

테스트 BOOK

Q&A를 통한 스토리텔링
수학 학습의 결정판!

EBS 중학프리미엄 인터넷강의 교재

자기주도 학습서 베스트 1위

새교육
과정
★ ★
숨 마 쿰 라 우 데

2-하

튼튼한 **개념!** 흔들리지 않는 **실력!**

숨마쿰라우데 중학수학

개념기본서

2-하

테스트 BOOK

유형 **1** **이등변삼각형의 성질 – 밑각의 크기**

01 다음은 '이등변삼각형의 두 밑각의 크기는 같다.'를 설명하는 과정이다. (가)~(라)에 알맞은 것을 써넣어라.

> ∠A의 이등분선과 변 BC의
> 교점을 D라고 하면
> △ABD와 △ACD에서
> $\overline{AB}=$ (가) ,
> (나) $=\angle CAD$,
> (다) 는 공통
> 따라서 △ABD≡△ACD((라) 합동)이므로
> ∠B=∠C

02 오른쪽 그림과 같이 $\overline{AB}=\overline{AC}$인 이등변삼각형 ABC에서 ∠ACD=100°일 때, ∠B의 크기는?

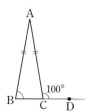

① 80° ② 82°
③ 83° ④ 85°
⑤ 88°

03 오른쪽 그림과 같이 $\overline{AB}=\overline{AC}$인 이등변삼각형 ABC에서 $\overline{BC}=\overline{BD}$이고, ∠BDC=68°일 때, ∠A의 크기는?

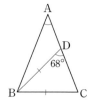

① 36° ② 38°
③ 40° ④ 42°
⑤ 44°

04 오른쪽 그림과 같이 $\overline{AB}=\overline{AC}$인 이등변삼각형 ABC에서 $\overline{BC}=\overline{CD}$이고 ∠A=50°일 때, ∠ACD의 크기는?

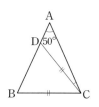

① 5° ② 10°
③ 15° ④ 20°
⑤ 25°

유형 **2** **이등변삼각형의 성질 – 꼭지각의 이등분선**

05 오른쪽 그림과 같이 $\overline{AB}=\overline{AC}$인 △ABC에서 ∠A의 이등분선과 $\overline{BC}$의 교점을 D라고 하자. 점 P가 $\overline{AD}$ 위의 점일 때, 다음 중 옳지 않은 것은?

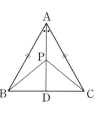

① △ABP≡△ACP ② $\overline{AD}\perp\overline{BC}$
③ ∠BPC=2∠BPD ④ $\overline{AP}=\overline{BP}$
⑤ $\overline{BD}=\overline{CD}$

06 오른쪽 그림과 같이 $\overline{AB}=\overline{AC}$, $\overline{BC}=10$ cm인 이등변삼각형 ABC에서 ∠A의 이등분선과 $\overline{BC}$의 교점을 D라고 하자. △ABD의 넓이가 20 cm²일 때, $\overline{AD}$의 길이를 구하여라.

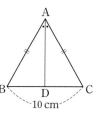

07 오른쪽 그림과 같은
△ABC에서
$\overline{AD}=\overline{BD}=\overline{CD}$이고
∠B=48°일 때, ∠x의 크
기는?

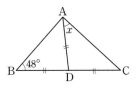

① 36°　　② 38°　　③ 40°

④ 42°　　⑤ 44°

08 오른쪽 그림에서
$\overline{AB}=\overline{AC}=\overline{CD}$이고,
∠CDE=114°일 때,
∠x의 크기는?

① 32°　　② 33°

③ 34°　　④ 35°

⑤ 36°

09 오른쪽 그림에서
$\overline{AB}=\overline{AC}=\overline{CD}$이고
∠DCE=102°일 때,
∠ACB의 크기는?

① 30°　　② 32°　　③ 34°

④ 36°　　⑤ 38°

10 다음 그림과 같이 $\overline{AB}=\overline{AC}$인 이등변삼각형 ABC에서
∠B=54°이다. $\overline{BC}$의 연장선 위에 ∠ADC=36°가 되도
록 점 D를 잡을 때, ∠CAD의 크기를 구하여라.

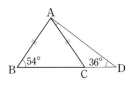

11 오른쪽 그림에서 △ABC와
△CDB는 이등변삼각형이고,
∠ACD=∠DCE이다.
∠A=44°일 때, ∠x의 크기
를 구하여라.

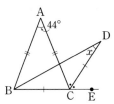

12 오른쪽 그림과 같이
$\overline{AB}=\overline{AC}$인 이등변삼
각형 ABC에서 ∠A
의 이등분선과 $\overline{BC}$의
교점을 D, 점 D에서

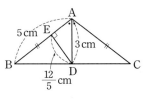

$\overline{AB}$에 내린 수선의 발을 E라고 할 때, $\overline{BC}$의 길이를
구하여라.

13 오른쪽 그림의 △ABC에서
∠A=∠C, $\overline{AC}$=10 cm이다.
△ABC의 둘레의 길이가
24 cm일 때, $\overline{BC}$의 길이를 구
하여라.

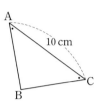

14 오른쪽 그림의 △ABC에서
∠ACB=∠ADC=72°,
∠B=36°, $\overline{BD}$=5 cm일
때, $\overline{AC}$의 길이를 구하여라.

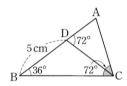

15 오른쪽 그림과 같이
∠B=90°인 직각삼각형
ABC에서 $\overline{AD}=\overline{BD}$이고
$\overline{AB}$=5 cm, ∠BCA=30°
일 때, $\overline{AC}$의 길이를 구하여라.

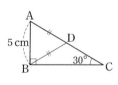

16 오른쪽 그림과 같은 정사각형
ABCD에서 △AED가 정삼각
형일 때, ∠BEC의 크기는?

① 120°　　② 130°

③ 140°　　④ 150°

⑤ 160°

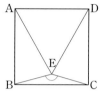

17 다음 그림과 같이 직사각형 모양의 종이를 $\overline{AC}$를 접는
선으로 하여 접었다. $\overline{BC}$=6 cm일 때, $\overline{AB}$의 길이를
구하여라.

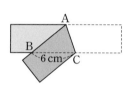

18 직사각형의 모양의 종이를 다음 그림과 같이 접었다.
∠DAB=75°일 때, ∠x의 크기를 구하여라.

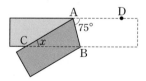

19 다음 중 오른쪽 그림과 같은 두 직각삼각형 ABC와 DEF가 서로 합동이 되는 조건이 <u>아닌</u> 것은?

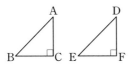

① $\overline{AB}=\overline{DE}$, $\angle B=\angle E$
② $\overline{AB}=\overline{DE}$, $\overline{BC}=\overline{EF}$
③ $\angle A=\angle D$, $\angle B=\angle E$
④ $\angle A=\angle D$, $\overline{BC}=\overline{EF}$
⑤ $\overline{AC}=\overline{DF}$, $\overline{BC}=\overline{EF}$

20 오른쪽 그림과 같이 $\angle C=90°$인 직각삼각형 ABC에서 $\overline{AC}=\overline{AD}$이고, $\overline{AB}\perp\overline{ED}$이다. 다음 중 옳지 <u>않은</u> 것은?

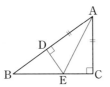

① $\triangle ADE\equiv\triangle ACE$ ② $\angle AED=\angle AEC$
③ $\overline{DE}=\overline{CE}$ ④ $\angle DAE=\angle CAE$
⑤ $\overline{BD}=\overline{ED}$

21 다음은 $\overline{AB}=\overline{AC}$인 이등변삼각형 ABC의 두 꼭짓점 B, C에서 $\overline{AC}$, $\overline{AB}$에 내린 수선의 발을 각각 D, E라고 할 때, $\overline{BD}=\overline{CE}$임을 설명하는 과정이다. (가), (나), (다)에 알맞은 것을 써넣어라.

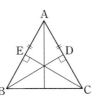

△BCD와 △CBE에서
$\angle BDC=$ (가) $=90°$, (나) 는 공통,
$\angle BCD=\angle CBE$
이므로 $\triangle BCD\equiv\triangle CBE$ ((다) 합동)
∴ $\overline{BD}=\overline{CE}$

22 오른쪽 그림의 직각삼각형 ABC에서 $\overline{AD}$가 $\angle A$의 이등분선이고 $\overline{DE}\perp\overline{AC}$일 때, $\overline{EC}$의 길이를 구하여라.

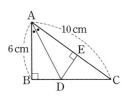

23 다음 그림과 같이 $\overline{AB}=\overline{BC}$인 직각이등변삼각형 ABC의 두 꼭짓점 A, C에서 꼭짓점 B를 지나는 직선 l에 내린 수선의 발을 각각 D, E라고 하자. $\overline{AD}=6$ cm, $\overline{CE}=8$ cm일 때 삼각형 ABC의 넓이를 구하여라.

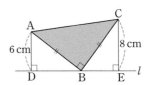

24 오른쪽 그림과 같이 $\overline{AB}=\overline{AC}$인 직각이등변삼각형 ABC의 두 꼭짓점 B, C에서 꼭짓점 A를 지나는 직선 l에 내린 수선의 발을 각각 D, E라고 하자. $\overline{BD}=12$ cm, $\overline{CE}=5$ cm일 때, $\overline{DE}$의 길이를 구하여라.

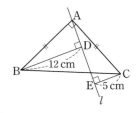

25 오른쪽 그림과 같이 삼각형 ABC에서 변 AC의 중점을 M이라 하고, 점 M에서 두 변 AB, BC에 내린 수선의 발을 각각 D, E라고 하자. $\overline{MD}=\overline{ME}$이고, $\angle C=28°$일 때, $\angle B$의 크기를 구하여라.

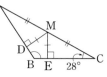

26 오른쪽 그림과 같이 $\angle B=90°$인 직각삼각형 ABC에서 $\overline{BD}=\overline{DE}$, $\angle BDE=136°$일 때, $\angle x$의 크기는?

① $16°$　　② $18°$
③ $20°$　　④ $22°$
⑤ $24°$

27 오른쪽 그림과 같이 $\angle C=90°$인 $\triangle ABC$에서 $\overline{AC}=\overline{BC}$, $\overline{AD}=\overline{AC}$, $\overline{DE}\perp\overline{AB}$이고, $\overline{CE}=3$ cm일 때, $\overline{BD}$의 길이를 구하여라.

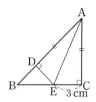

28 오른쪽 그림과 같이 $\angle XOY$의 이등분선 l 위의 한 점 P에서 두 변 OX, OY에 내린 수선의 발을 각각 A, B라고 할 때, 다음 중 옳지 <u>않은</u> 것은?

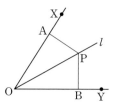

① $\angle PAO=\angle PBO=90°$
② $\angle AOP=\angle BOP$
③ $\overline{PA}=\overline{PB}$
④ $\triangle AOP\equiv\triangle BOP$
⑤ $\overline{OA}=\overline{OP}=\overline{OB}$

29 오른쪽 그림과 같이 $\angle C=90°$인 직각삼각형 ABC에서 $\angle A$의 이등분선이 $\overline{BC}$와 만나는 점을 D라고 하자. $\overline{AB}=20$ cm이고 $\triangle ABD$의 넓이가 50 cm^{2}일 때, $\overline{CD}$의 길이를 구하여라.

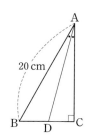

30^{up} 오른쪽 그림과 같은 $\triangle ABC$에서 $\angle A$와 $\angle C$의 외각의 이등분선의 교점을 P라 하고, 점 P에서 $\overline{AB}$의 연장선, $\overline{AC}$, $\overline{BC}$의 연장선에 내린 수선의 발을 각각 D, E, F라 하자. $\overline{PD}=4$ cm, $\overline{AD}=3$ cm일 때, $\overline{PF}$의 길이를 구하여라.

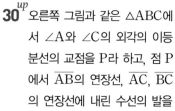
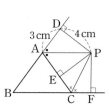

유형 ① 삼각형의 외심

01 오른쪽 그림에서 점 O가 △ABC
의 외심일 때, 다음 보기 중 옳지
않은 것을 골라라.

┤ 보 기 ├
ㄱ. $\overline{AD}=\overline{BD}$　　　ㄴ. $\overline{OA}=\overline{OB}=\overline{OC}$
ㄷ. $\angle BOE=\angle COE$　　ㄹ. $\overline{OD}=\overline{OE}=\overline{OF}$
ㅁ. $\angle OAD=\angle OBD$

02 오른쪽 그림에서 점 O는
△ABC의 외심이다.
$\overline{AC}=8$ cm이고, △AOC의
둘레의 길이가 18 cm일 때,
△ABC의 외접원의 반지름의
길이를 구하여라.

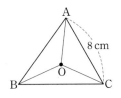

03 오른쪽 그림에서 점 O는
△ABC의 외심이다.
$\angle AOB=70°$,
$\angle BOC=40°$일 때,
$\angle ABC$의 크기는?

① 120°　　② 125°　　③ 130°
④ 135°　　⑤ 140°

유형 ② 직각삼각형의 외심

04 오른쪽 그림과 같이
$\angle C=90°$인 직각삼각형
ABC에서 $\overline{AB}=20$ cm,
$\overline{BC}=16$ cm, $\overline{CA}=12$ cm
일 때, △ABC의 외접원의 반지름의 길이를 구하여라.

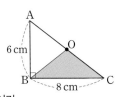

05 오른쪽 그림에서 점 O는
$\angle B=90°$인 직각삼각형
ABC의 외심이다.
$\overline{AB}=6$ cm, $\overline{BC}=8$ cm
일 때, △OBC의 넓이를 구하여라.

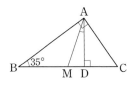

06 오른쪽 그림과 같이
$\angle A=90°$인 직각삼각형
ABC에서 빗변 BC의 중
점을 M이라고 하자.
꼭짓점 A에서 $\overline{BC}$에 내린 수선의 발이 D이고,
$\angle ABC=35°$일 때, $\angle MAD$의 크기를 구하여라.

07 오른쪽 그림에서 점 O는
△ABC의 외심이다.
∠OBC=25°,
∠AOC=110°일 때,
∠x의 크기는?

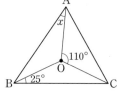

① 28°　　② 30°　　③ 32°

④ 35°　　⑤ 36°

08 오른쪽 그림에서 점 O는
△ABC의 외심이다.
∠ABO=45°,
∠CAO=23°일 때,
∠x의 크기를 구하여라.

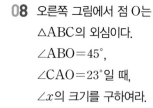

09 오른쪽 그림에서 점 O는
△ABC의 외심이다.
∠A : ∠B : ∠C=4 : 3 : 2
일 때, ∠AOC의 크기를 구하
여라.

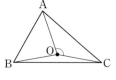

10 오른쪽 그림에서 점 I는
△ABC의 내심이다. 다음 중
옳은 것을 모두 고르면?

(정답 2개)

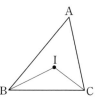

① $\overline{CI}$를 연장한 직선은 $\overline{AB}$에
수직이다.

② 점 I에서 세 변까지의 거리는 모두 같다.

③ 점 I에서 세 꼭짓점까지의 거리는 모두 같다.

④ $\overline{IA}$는 ∠A의 이등분선이다.

⑤ ∠IBC와 ∠ICB의 크기는 같다.

11 오른쪽 그림에서 점 I는
△ABC의 내심이다.
∠IBC=32°, ∠BCA=60°
일 때, ∠x+∠y의 크기는?

① 138°　　② 142°

③ 146°　　④ 150°　　⑤ 154°

12 오른쪽 그림에서 점 I는
∠B, ∠C의 이등분선의 교점이
다. ∠BIC=122°일 때, ∠x의
크기를 구하여라.

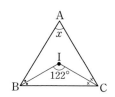

13 오른쪽 그림에서 점 I는 △ABC의 내심이고, 세 점 D, E, F는 내접원과 삼각형의 세 변의 접점이다. $\overline{BD}=6$ cm, $\overline{DC}=9$ cm, $\overline{CA}=14$ cm일 때, $\overline{AB}$의 길이를 구하여라.

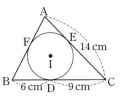

14 오른쪽 그림에서 점 I는 △ABC의 내심이고, 세 점 D, E, F는 내접원과 삼각형의 세 변의 접점이다. $\overline{AB}=11$ cm, $\overline{AF}=5$ cm, $\overline{FC}=9$ cm일 때, $\overline{BC}$의 길이를 구하여라.

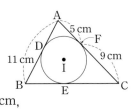

15 오른쪽 그림에서 점 I는 △ABC의 내심이고, 세 점 P, Q, R는 내접원과 삼각형의 세 변의 접점이다. $\overline{AB}=13$ cm, $\overline{BC}=10$ cm, $\overline{CA}=7$ cm일 때, $\overline{AQ}$의 길이를 구하여라.

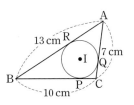

16 오른쪽 그림에서 점 I는 △ABC의 내심이고 내접원의 반지름의 길이는 3 cm일 때, △ABC의 넓이는?

① 45 cm²   ② 48 cm²   ③ 50 cm²

④ 54 cm²   ⑤ 60 cm²

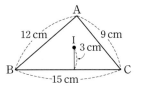

17 오른쪽 그림에서 점 I는 △ABC의 내심이고, 내접원의 반지름의 길이는 4 cm이다. △ABC의 넓이가 90 cm²일 때, △ABC의 둘레의 길이를 구하여라.

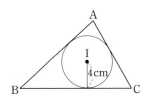

18^{up} 오른쪽 그림과 같은 직각삼각형 ABC에서 $\overline{AB}=10$ cm, $\overline{BC}=8$ cm, $\overline{CA}=6$ cm이고, 점 I가 △ABC의 내심일 때, 색칠한 부분의 넓이를 구하여라.

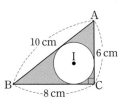

19 오른쪽 그림에서 점 I는 △ABC
의 내심이고, 점 I를 지나고 $\overline{BC}$
에 평행한 직선이 $\overline{AB}$, $\overline{AC}$와
만나는 점을 각각 D, E라고 할
때, 다음 중 옳지 <u>않은</u> 것은?

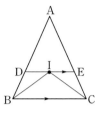

① ∠ABI=∠IBC
② ∠ACI=∠ICB
③ ∠A=2∠BIC−180°
④ $\overline{BI}$=$\overline{CI}$
⑤ $\overline{DE}$=$\overline{DB}$+$\overline{EC}$

20 오른쪽 그림에서 점 I는
△ABC의 내심이고,
$\overline{DE}$ ∥ $\overline{BC}$일 때, $\overline{DE}$의
길이를 구하여라.

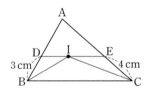

21 오른쪽 그림에서 점 I는 △ABC
의 내심이고, $\overline{DE}$ ∥ $\overline{BC}$이다.
$\overline{AD}$=7 cm, $\overline{DE}$=6 cm,
$\overline{AE}$=5 cm, $\overline{BC}$=9 cm
일 때, △ABC의 둘레의 길이를
구하여라.

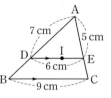

22 다음 설명 중 옳지 <u>않은</u> 것은?

① 직각삼각형의 외심은 빗변의 중점이다.
② 모든 삼각형의 내심은 삼각형의 내부에 있다.
③ 삼각형의 세 변의 수직이등분선의 교점이 내심이다.
④ 삼각형의 외심에서 세 꼭짓점에 이르는 거리는 같
다.
⑤ 정삼각형의 내심과 외심은 일치한다.

23 오른쪽 그림에서 두 점 O, I는
각각 △ABC의 외심과 내심이
다. ∠OBC=46°일 때, ∠BIC
의 크기는?

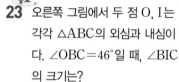

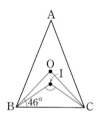

① 104°   ② 108°
③ 112°   ④ 116°
⑤ 120°

24 오른쪽 그림에서 두 점 O, I는 각각
△ABC의 외심과 내심일 때, 다음 중
옳은 것을 모두 고르면? (정답 2개)

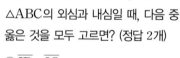

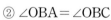

① $\overline{IB}$=$\overline{IC}$
② ∠OBA=∠OBC
③ ∠ICB=∠ICA
④ 내심 I에서 세 변까지의 거리는 모두 같다.
⑤ $\overline{AB}$의 수직이등분선은 내심 I를 지난다.

01 오른쪽 그림에서 $\overline{AB}=\overline{BC}=\overline{CD}=\overline{DE}$이고
$\angle CDE=\dfrac{1}{2}\angle CBD+33°$일 때, $\angle x$의 크기를 구하여라.

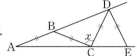

∠BAC=∠a라 하고 모든 각의 크기를 ∠a를 사용하여 나타낸다.

02 오른쪽 그림에서 △ABC는 $\overline{AB}=\overline{AC}$인 이등변삼각형이고 $\overline{BC}$ 위의 점 D와 $\overline{AC}$ 위의 점 E에 대하여 $\overline{CD}=\overline{CE}$이다. $\overline{DE}$의 연장선과 $\overline{AB}$의 연장선의 교점 F에 대하여 $\angle AFE=45°$일 때, $\angle CDE$의 크기를 구하여라.

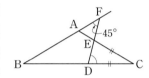

∠B=∠C=∠a라 하고 △BDF에서 두 각의 크기를 ∠a를 사용하여 나타낸다.

03 오른쪽 그림과 같이 $\overline{AB}=\overline{AC}$인 이등변삼각형 ABC가 있다. $\overline{CA}$의 연장선 위의 점 D에서 $\overline{BC}$에 내린 수선의 발을 F라고 할 때, $\overline{AD}$의 길이를 구하여라.

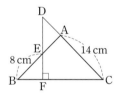

△DEA가 어떤 삼각형인지 확인한다.

서술형

04 오른쪽 그림에서 △ABC와 △BCD는 각각 $\overline{AB}=\overline{AC}$, $\overline{CB}=\overline{CD}$인 이등변삼각형이다. $\angle ACD=\angle DCE$, $\angle A=2\angle D$일 때, $\angle x+\angle y$의 크기를 구하여라.

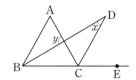

답 _____

서술 **TIP**

이등변삼각형의 성질을 이용하여 ∠A의 크기를 ∠x의 크기에 대한 식으로 나타내어 본다.

05 오른쪽 그림과 같이 $\overline{AB}=\overline{AC}$인 이등변삼각형 모양의 종이를 $\overline{DE}$를 접는 선으로 하여 두 꼭짓점 A와 B가 겹치도록 접었다. $\angle DBE-\angle EBC=15°$일 때, $\angle A$의 크기를 구하여라.

∠A=∠a라 하고 ∠DBE와 ∠EBC의 크기를 ∠a를 사용하여 나타낸다.

06 오른쪽 그림과 같이 정사각형 ABCD의 꼭짓점 B를 지나는 직선과 $\overline{CD}$의 교점을 E라 하고, 두 점 A, C에서 $\overline{BE}$에 내린 수선의 발을 각각 F, G라고 하자. $\overline{AF}=9\ cm$, $\overline{CG}=6\ cm$일 때, $\triangle AFG$의 넓이를 구하여라.

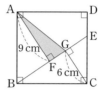

△ABF와 △BCG가 합동임을 이용한다.

07 오른쪽 그림과 같이 $\angle A=90°$인 직각삼각형 ABC에서 점 O는 외심이다. 꼭짓점 A에서 $\overline{BC}$에 내린 수선의 발을 D, 점 D에서 $\overline{AO}$에 내린 수선의 발을 E라고 하자. $\overline{AB}=20$, $\overline{BD}=16$, $\overline{DC}=9$, $\overline{AD}=12$일 때, $\overline{DE}$의 길이를 구하여라.

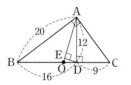

직각삼각형의 외심은 빗변의 중점과 일치한다.

08 오른쪽 그림에서 $\overline{AB}=\overline{AD}$, $\overline{BD}=\overline{BC}$, $\overline{AD}/\!/\overline{BC}$, $\angle DBC=36°$이고, 두 점 I, I′이 각각 △ABD, △DBC의 내심이다. $\overline{AI}$의 연장선과 $\overline{DI'}$의 연장선이 만나는 점을 O라고 할 때, $\angle AOD$의 크기를 구하여라.

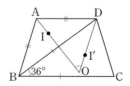

삼각형의 내심은 세 내각의 이등분선의 교점임을 이용한다.

09 오른쪽 그림과 같은 직사각형 ABCD에서 대각선 AC와 △ABC, △ACD의 내접원과의 교점을 각각 E, F라고 할 때, $\overline{EF}$의 길이를 구하여라.

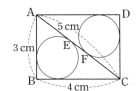

$\overline{AE}=x$ cm라 하고 $\overline{CE}$, $\overline{CF}$의 길이를 x를 사용하여 나타낸다.

---

10 [서술형] 오른쪽 그림과 같이 ∠B=35°, ∠C=65°인 △ABC의 외심을 O, 내심을 I라고 할 때, ∠OAI의 크기를 구하여라.

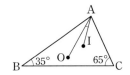

답 _____

서술 **TIP**

∠BAI=∠CAI이고 △AOC가 $\overline{OA}=\overline{OC}$인 이등변삼각형임을 이용한다.

---

11 오른쪽 그림에서 점 I는 △ABC의 내심이면서 동시에 △ACD의 외심이다. ∠B=70°일 때, ∠D의 크기를 구하여라.

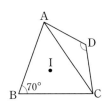

점 I가 △ACD의 외심이므로 $\overline{IA}=\overline{ID}=\overline{IC}$이다.

---

12 오른쪽 그림에서 점 I는 △ABC의 내심이고, 점 D, E는 점 I를 중심으로 하고, 점 A, B를 지나는 원과 두 변의 교점이다. $\overline{AB}=9$ cm, $\overline{BC}=12$ cm일 때, $\overline{EC}$의 길이를 구하여라.

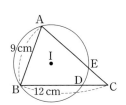

$\overline{IA}$, $\overline{IB}$, $\overline{IE}$를 그어 같은 크기의 각을 찾아본다.

유형 **1** 평행사변형

01 오른쪽 그림과 같은
평행사변형 ABCD에서
점 O는 두 대각선의 교점
이고 ∠ADB=30°,
∠ACB=45°일 때, ∠BOC의 크기를 구하여라.

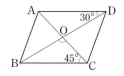

02 오른쪽 그림과 같은 평행사
변형 ABCD에서 ∠D=50°
이고, ∠BAE=∠DAE
일 때, ∠BEA의 크기를 구하여라.

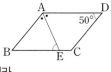

03 오른쪽 그림과 같은
평행사변형 ABCD에서
∠DBC=30°,
∠DAC=70°일 때,
∠x+∠y의 크기를 구하여라.

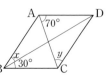

유형 **2** 평행사변형의 성질(1)—대변

04 오른쪽 그림과 같이 평행사변
형 ABCD의 두 꼭짓점 A, C
에서 대각선 BD에 내린 수선
의 발을 각각 E, F라고 하자.
$\overline{BD}$=13 cm, $\overline{BE}$=5 cm일 때, $\overline{EF}$의 길이를 구하여라.

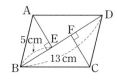

05 오른쪽 그림과 같은 평행사
변형 ABCD에서 $\overline{BC}$의 중
점을 E라 하고, $\overline{AE}$의 연장
선이 $\overline{DC}$의 연장선과 만나
는 점을 F라고 하자.
$\overline{AB}$=6 cm, $\overline{AD}$=8 cm
일 때, $\overline{DF}$의 길이를 구하여라.

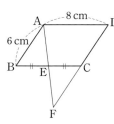

06 오른쪽 그림과 같은 평행사변
형 ABCD에서 ∠B의 이등
분선과 변 AD의 교점을 E,
변 CD의 연장선의 교점을 F
라고 하자. $\overline{AB}$=8 cm,
$\overline{BC}$=12 cm일 때, $\overline{DF}$의 길이를 구하여라.

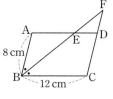

07 오른쪽 그림과 같이 평행사변형 ABCD의 내부에 있는 한 점 P를 지나고, $\overline{AB}$, $\overline{AD}$에 각각 평행하도록 $\overline{EF}$, $\overline{GH}$를 그었다.
$\overline{AB}=10$ cm, $\overline{AD}=12$ cm, $\overline{DH}=4$ cm일 때, $x+y$ 의 값을 구하여라.

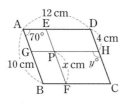

08 오른쪽 그림과 같은 평행사변형 ABCD에서 $\overline{BE}$는 ∠B의 이등분선이고, ∠C=100°일 때, ∠x의 크기를 구하여라.

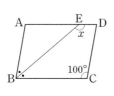

09 오른쪽 그림과 같은 평행사변형 ABCD에서 $\overline{AE}$, $\overline{BF}$는 각각 두 내각 ∠A, ∠B의 이등분선이다.
∠A : ∠D = 5 : 4일 때, ∠x의 크기를 구하여라.

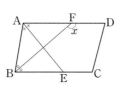

10 오른쪽 그림과 같은 평행사변형 ABCD에서 ∠DAC의 이등분선과 $\overline{BC}$의 연장선과의 교점을 E라고 하자.
∠B=74°, ∠ACD=38°일 때, ∠x의 크기를 구하여라.

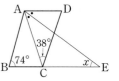

11 오른쪽 그림과 같은 평행사변형 ABCD에서 두 대각선의 교점을 O라고 하자.
$\overline{AB}=6$ cm, $\overline{AC}=10$ cm, $\overline{BD}=12$ cm일 때, △DOC의 둘레의 길이를 구하여라.

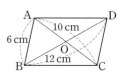

12 오른쪽 그림과 같은 평행사변형 ABCD에서 두 대각선의 교점 O를 지나는 직선이 $\overline{AD}$, $\overline{BC}$와 만나는 점을 각각 E, F 라고 할 때, 다음 중 옳지 <u>않은</u> 것은?

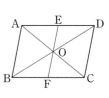

① $\overline{EO}=\overline{FO}$　　② △AOE≡△COF
③ $\overline{AE}=\overline{CF}$　　④ $\overline{AO}=\overline{DO}$
⑤ △ABO≡△CDO

13 오른쪽 그림의 □ABCD가 평행사변형이 되도록 하는 x, y의 값을 각각 구하여라.

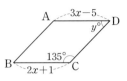

14 오른쪽 그림의 □ABCD가 평행사변형이 되도록 하는 x, y의 값에 대하여 $x+y$의 값은?
(단, 점 O는 두 대각선의 교점이다.)

① 6 　　② 7 　　③ 8
④ 9 　　⑤ 10

15 오른쪽 그림의 □ABCD에서 두 대각선의 교점을 O라고 할 때, 다음 중 □ABCD가 평행사변형이 되기 위한 조건으로 옳지 <u>않은</u> 것은?

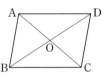

① $\overline{AB} \parallel \overline{DC}$, $\overline{AB}=\overline{DC}$
② $\overline{AD} \parallel \overline{BC}$, $\angle B+\angle C=180°$
③ $\overline{AB} \parallel \overline{DC}$, $\triangle AOB \equiv \triangle COD$
④ $\overline{AO}=\overline{CO}$, $\overline{BO}=\overline{DO}$
⑤ $\overline{AD} \parallel \overline{BC}$, $\angle B=\angle C$

16 다음은 평행사변형 ABCD의 네 변의 중점을 각각 E, F, G, H라고 할 때, □EFGH가 평행사변형임을 설명하는 과정이다. (가)~(마)에 알맞은 것을 써넣어라.

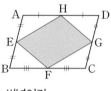

$\triangle AEH$와 $\triangle CGF$에서
$\overline{AE}=\dfrac{1}{2}\overline{AB}=\dfrac{1}{2}\overline{DC}=$ (가) ,
$\overline{AH}=\dfrac{1}{2}\overline{AD}=\dfrac{1}{2}\overline{BC}=$ (나) ,
$\angle A=$ (다)
이므로
$\triangle AEH \equiv \triangle CGF$ (SAS 합동)
∴ $\overline{EH}=$ (라) 　　…… ㉠
같은 방법으로 하면 $\triangle BFE \equiv$ (마)
∴ $\overline{EF}=\overline{GH}$ 　　…… ㉡
㉠, ㉡에서 □EFGH는 평행사변형이다.

17 오른쪽 그림과 같은 평행사변형 ABCD의 대각선 AC 위에 $\overline{AE}=\overline{CF}$가 되도록 두 점 E, F를 잡을 때, □EBFD는 어떤 사각형인지 구하여라.

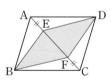

18 오른쪽 그림은 평행사변형
ABCD의 변 AD, BC 위에
$\overline{AE}=\overline{FC}$가 되도록 두 점 E,
F를 잡은 것이다.
∠AFC=112°일 때, ∠x의 크기를 구하여라.

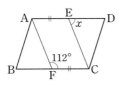

19 오른쪽 그림과 같은
평행사변형 ABCD에서
∠B와 ∠D의 이등분선이
$\overline{AD}$, $\overline{BC}$와 만나는 점을
각각 E, F라고 하자. $\overline{BC}=12$ cm, $\overline{CD}=8$ cm일 때,
$\overline{DE}$의 길이를 구하여라.

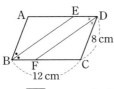

20^{up} 오른쪽 그림에서 □ABCD와
□EOCD는 모두 평행사변형
이고, 점 O는 대각선 AC의
중점이다. $\overline{AB}=12$ cm,
$\overline{BC}=16$ cm일 때,
$\overline{EF}+\overline{FD}$의 값을 구하여라.

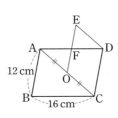

21 오른쪽 그림과 같은
평행사변형 ABCD에서
$\overline{AD}$, $\overline{BC}$의 중점을
각각 M, N이라 하고
□ABNM, □MNCD의 두 대각선의 교점을 각각 P,
Q라고 하자. □ABCD의 넓이가 24 cm²일 때,
□MPNQ의 넓이를 구하여라.

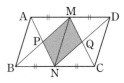

22 오른쪽 그림과 같은 평행사
변형 ABCD에서 두 대각선
AC, BD의 교점을 O라고
하자. □ABCD의 넓이가
52 cm²일 때, 색칠한 부분의 넓이의 합을 구하여라.

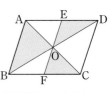

23 오른쪽 그림과 같은
평행사변형 ABCD의 내부에
△APD와 △BPC의 넓이의
비가 3 : 1이 되도록 한 점 P
를 잡았다. □ABCD의 넓이가 40 cm²일 때, △APD
의 넓이를 구하여라.

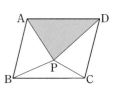

유형 **1** 직사각형의 성질

01 오른쪽 그림과 같은 직사각형 ABCD에서 두 대각선의 교점을 O라고 할 때, $x+y$의 값을 구하여라.

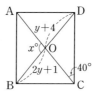

02 다음 중 평행사변형이 직사각형이 되는 조건은?

① 이웃하는 두 변의 길이가 같다.
② 이웃하는 두 내각의 크기가 같다.
③ 한 쌍의 대변의 길이가 같다.
④ 두 대각선이 직교한다.
⑤ 두 대각선이 서로 다른 것을 이등분한다.

03 오른쪽 그림과 같은 평행사변형 ABCD에서 두 대각선의 교점을 O라고 하자. ∠OAB=∠OBA를 만족할 때, □ABCD는 어떤 사각형인지 구하여라.

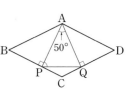

유형 **2** 마름모의 성질

04 오른쪽 그림과 같은 마름모 ABCD에서 ∠CAD=65°일 때, ∠y−∠x의 크기를 구하여라. (단, 점 O는 두 대각선의 교점이다.)

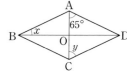

05 오른쪽 그림과 같은 마름모 ABCD의 한 꼭짓점 A에서 $\overline{BC}$, $\overline{CD}$에 내린 수선의 발을 각각 P, Q라고 하자. ∠PAQ=50°일 때, ∠APQ의 크기를 구하여라.

06 오른쪽 그림과 같은 평행사변형 ABCD에서 $\overline{AC} \perp \overline{BD}$일 때, x의 값을 구하여라.

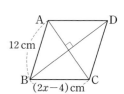

유형 ③ 정사각형의 성질

07 오른쪽 그림과 같은 정사각형 ABCD에서 $\overline{AC}$는 대각선이고, ∠CDE=35°일 때, ∠x의 크기를 구하여라.

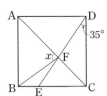

08 오른쪽 그림은 정사각형 ABCD에서 ∠EOF=90°가 되도록 $\overline{AB}$, $\overline{AD}$ 위에 각각 점 E, F를 잡은 것이다. $\overline{AE}$=3 cm, $\overline{AF}$=5 cm일 때, □ABCD의 넓이를 구하여라. (단, 점 O는 두 대각선의 교점이다.)

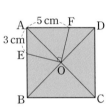

09^{up} 오른쪽 그림에서 □ABCD는 정사각형이고 △EBC는 정삼각형일 때, ∠EDB의 크기를 구하여라.

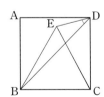

10 오른쪽 그림과 같은 마름모 ABCD가 정사각형이 되기 위한 조건을 모두 고르면? (단, 점 O는 두 대각선의 교점이다.) (정답 2개)

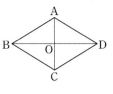

① $\overline{AC}=\overline{BD}$ ② $\overline{AB}=\overline{BC}$

③ ∠ABC=90°   ④ $\overline{AC}\perp\overline{BD}$

⑤ ∠ABO=∠CBO

11 다음 중 오른쪽 그림과 같은 직사각형 ABCD가 정사각형이 되도록 하는 조건을 모두 고르면? (단, 점 O는 두 대각선의 교점이다.) (정답 2개)

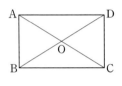

① $\overline{AC}=\overline{BD}$ ② $\overline{AB}=\overline{AD}$

③ ∠DAB=90°   ④ ∠ABO=∠CDO

⑤ $\overline{AC}\perp\overline{BD}$

12 다음 세 조건을 모두 만족하는 □ABCD는 어떤 사각형인지 구하여라.

- $\overline{AB}\,/\!/\,\overline{CD}$, $\overline{AB}=\overline{CD}$
- $\overline{AB}=\overline{BC}$
- ∠D=90°

13 다음 그림과 같이 $\overline{AD} /\!/ \overline{BC}$인 등변사다리꼴 ABCD에서 ∠B=70°, ∠BAC=80°일 때, ∠x, ∠y의 크기를 각각 구하여라.

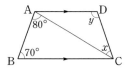

14 오른쪽 그림과 같이 $\overline{AD} /\!/ \overline{BC}$인 등변사다리꼴 ABCD에서 $\overline{AB}$=6 cm, ∠B=60°, $\overline{BC}$=10 cm 일 때, $\overline{AD}$의 길이를 구하여라.

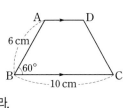

15 오른쪽 그림과 같이 $\overline{AD} /\!/ \overline{BC}$인 등변사다리꼴 ABCD에서 $\overline{AB}=\overline{AD}=\overline{CD}$이고 $\overline{BC}=2\overline{AD}$일 때, ∠A의 크기를 구하여라.

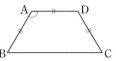

16 오른쪽 그림과 같은 평행사변형 ABCD에서 다음 중 옳지 <u>않은</u> 것은? (단, 점 O는 두 대각선의 교점이다.)

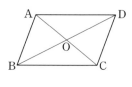

① $\overline{AC}=\overline{BD}$이면 □ABCD는 직사각형이다.
② $\overline{AB}=\overline{BC}$이면 □ABCD는 마름모이다.
③ ∠A=90°이면 □ABCD는 직사각형이다.
④ $\overline{AC}\perp\overline{BD}$이면 □ABCD는 마름모이다.
⑤ ∠A=∠B이면 □ABCD는 정사각형이다.

17 다음은 사각형의 각 변의 중점을 차례로 연결하여 생긴 사각형이다. 다음 중 옳게 짝 지어진 것을 모두 고르면?

(정답 2개)

① 평행사변형 → 정사각형
② 직사각형 → 마름모
③ 마름모 → 마름모
④ 정사각형 → 정사각형
⑤ 등변사다리꼴 → 평행사변형

18 다음 보기 중에서 옳은 것을 모두 골라라.

┤ 보 기 ├
ㄱ. 직사각형은 정사각형이다.
ㄴ. 정사각형은 마름모이다.
ㄷ. 직사각형은 등변사다리꼴이다.
ㄹ. 평행사변형의 한 내각의 크기가 90°이면 정사각형이다.

중요

19 오른쪽 그림과 같은 평행사변형 ABCD의 네 내각의 이등분선의 교점을 E, F, G, H라고 할 때, □EFGH에 대한 설명으로 옳지 <u>않은</u> 것은?

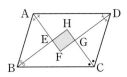

① 두 대각선의 길이가 같다.

② 두 대각의 크기의 합이 180°이다.

③ 두 쌍의 대변의 길이가 서로 같다.

④ 두 대각선이 서로 수직으로 만난다.

⑤ 두 대각선이 서로 다른 것을 이등분한다.

20 오른쪽 그림의 직사각형 ABCD에서 ∠ABD, ∠CDB의 이등분선을 각각 $\overline{BE}$, $\overline{DF}$라고 하자. □EBFD가 마름모일 때, ∠x의 크기를 구하여라.

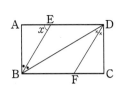

21 오른쪽 그림과 같은 직사각형 ABCD에서 네 변의 중점을 각각 E, F, G, H라고 할 때, □EFGH에 대한 설명으로 옳지 <u>않은</u> 것은?

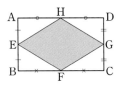

① $\overline{EH}=\overline{EF}=\overline{GF}=\overline{GH}$

② ∠HEF=∠FGH=90°

③ $\overline{EF}\,/\!/\,\overline{GH}$, $\overline{HE}\,/\!/\,\overline{FG}$

④ ∠HEF=∠FGH, ∠GHE=∠EFG

⑤ $\overline{EG}\perp\overline{HF}$

유형 ❻ 여러 가지 사각형의 대각선의 성질

22 다음 사각형 중에서 두 대각선의 길이가 같지 <u>않은</u> 것을 모두 고르면? (정답 2개)

① 정사각형　② 마름모　③ 직사각형
④ 평행사변형　⑤ 등변사다리꼴

23 다음 사각형 중에서 두 대각선이 서로 다른 것을 이등분하는 것이 <u>아닌</u> 것은?

① 평행사변형　② 직사각형　③ 마름모
④ 정사각형　⑤ 등변사다리꼴

24 다음 보기의 사각형 중에서 두 대각선이 서로 다른 것을 수직이등분하는 것을 모두 고르면?

┤ 보 기 ├
ㄱ. 사다리꼴　　　ㄴ. 등변사다리꼴
ㄷ. 평행사변형　　ㄹ. 직사각형
ㅁ. 마름모　　　　ㅂ. 정사각형

① ㄴ, ㄷ　② ㄷ, ㄹ　③ ㄹ, ㅁ
④ ㄷ, ㅂ　⑤ ㅁ, ㅂ

25 다음 그림과 같이 $\overline{AD} /\!/ \overline{BC}$인 사다리꼴 ABCD에서 두 대각선의 교점을 O라고 하자. △AOB=18 cm²일 때, △DOC의 넓이를 구하여라.

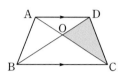

26 오른쪽 그림에서 점 M은 $\overline{BC}$의 중점이고 $\overline{AP} : \overline{PM} = 2 : 1$이다. △ABC의 넓이가 15 cm² 일 때, △ABP의 넓이를 구하여라.

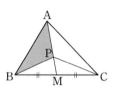

27 오른쪽 그림과 같은 평행사변형 ABCD에서 △ADE의 넓이가 12 cm², △ABE의 넓이가 28 cm² 이다. $\overline{DE} = 3$ cm일 때, $\overline{CE}$의 길이를 구하여라.

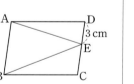

28 오른쪽 그림과 같이 □ABCD의 꼭짓점 D에 서 대각선 AC에 평행한 직선을 그어 $\overline{BC}$의 연장선 과 만나는 점을 E라고 하자. □ABCD=24 cm², $\overline{AB} = 4$ cm일 때, $\overline{BE}$의 길이를 구하여라.

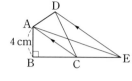

29 오른쪽 그림은 직각삼각형 ABC 의 변 BC 위에 $\overline{BD} : \overline{CD} = 1 : 2$ 가 되도록 점 D를 잡고 $\overline{AD} /\!/ \overline{CE}$ 가 되도록 점 E를 잡은 것이다. △ABC의 넓이가 12 cm²일 때, △ADE의 넓이를 구하여라.

30^{up} 오른쪽 그림의 평행사변형 ABCD에서 $\overline{AC} /\!/ \overline{PQ}$이 고 $\overline{AP} : \overline{PD} = 2 : 3$이다. □ABCD의 넓이가 50 cm²일 때, △BCQ의 넓이를 구하여라.

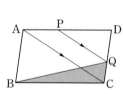

01 오른쪽 그림과 같은 평행사변형 ABCD에서 $\overline{AB}=8$ cm, $\overline{AD}=10$ cm이고 ∠A, ∠B의 이등분선이 $\overline{CD}$의 연장선과 만나는 점을 각각 E, F라고 할 때, $\overline{EF}$의 길이를 구하여라.

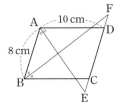

평행사변형의 두 쌍의 대변의 길이는 각각 같다.

[서술형]
02 오른쪽 그림의 평행사변형 ABCD에서 변 CD의 중점을 E, $\overline{AD}$와 $\overline{BE}$의 연장선의 교점을 P, 점 A에서 $\overline{BE}$에 내린 수선의 발을 F라고 하자. ∠DAF$=65°$일 때, ∠x의 크기를 구하여라.

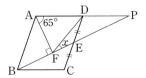

답 _____

서술 **TIP**
△EPD≡△EBC임을 이용한다.

03 오른쪽 그림과 같은 평행사변형 ABCD에서 점 O는 두 대각선의 교점이다. $\overline{EG}$와 $\overline{FH}$가 모두 점 O를 지날 때, □EFGH는 어떤 사각형인지 말하여라.

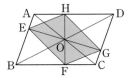

삼각형의 합동을 이용하여 □EFGH에서 알아낼 수 있는 것을 찾아본다.

04 오른쪽 그림과 같은 평행사변형 ABCD에서 ∠B의 이등분선과 변 CD의 교점을 E라 하고, 꼭짓점 A에서 $\overline{BE}$에 내린 수선의 발을 F라고 하자. ∠DAF$=64°$일 때, ∠BCD의 크기를 구하여라.

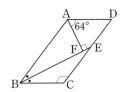

∠ABF=∠x로 놓고 ∠BAD, ∠BCD를 ∠x를 사용하여 나타낸다.

05 오른쪽 그림과 같은 평행사변형 ABCD에서 $\overline{AD}$, $\overline{BC}$의 중점을 각각 E, F라 하고 $\overline{AC}$, $\overline{BE}$의 교점을 G, $\overline{AC}$, $\overline{DF}$의 교점을 H라고 하자. □ABCD의 넓이가 36 cm²일 때, □EGHD의 넓이를 구하여라.

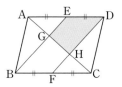

답 _____

06 오른쪽 그림의 평행사변형 ABCD에서 $\overline{AD}=2\overline{AB}$이고, $\overline{AD}$와 $\overline{BC}$의 중점을 각각 M, N이라고 할 때, □MPNQ는 어떤 사각형인지 구하여라.

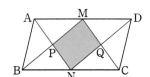

07 오른쪽 그림과 같은 직사각형 ABCD에서 $\overline{AB} : \overline{BC}=2 : 3$, $\overline{AM}=\overline{BM}$, $\overline{BQ} : \overline{QC}=2 : 1$일 때, $\angle x + \angle y$의 크기를 구하여라.

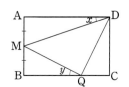

08 오른쪽 그림과 같이 한 변의 길이가 12 cm인 두 정사각형 ABCD와 EFGH가 있다. □ABCD의 두 대각선의 교점에 □EFGH의 꼭짓점 E가 놓이도록 겹쳤을 때, 두 정사각형이 겹쳐진 부분의 넓이를 구하여라.

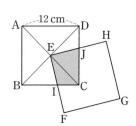

09 오른쪽 그림과 같이 정사각형 ABCD의 두 변 BC, CD 위에 $\overline{BE}=\overline{CF}$가 되도록 각각 점 E, F를 잡고 $\overline{AE}$와 $\overline{BF}$의 교점을 G라고 할 때, ∠AGF의 크기를 구하여라.

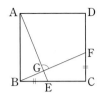

△ABE≡△BCF임을 이용한다.

10 오른쪽 그림의 마름모 ABCD에서 $\overline{AC}=14$ cm, $\overline{BD}=28$ cm이고 $\overline{BP}:\overline{PC}=4:3$일 때, △ABP의 넓이를 구하여라.

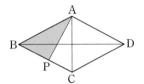

$\triangle ABP=\dfrac{4}{7}\triangle ABC$ 임을 이용한다.

[서술형]
11 오른쪽 그림과 같이 $\overline{AD} \parallel \overline{BC}$인 사다리꼴 ABCD에서 $\overline{AO}:\overline{OC}=3:4$이다. △AOD$=9$ cm²일 때, △OBC의 넓이를 구하여라.

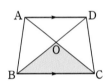

....

....

답 _____

서술 **TIP**
먼저 $\overline{AO}:\overline{OC}=3:4$를 이용하여 △DOC의 넓이를 구한다.

12 오른쪽 그림과 같은 평행사변형 ABCD에서 $\overline{BC}$ 위에 점 E를 잡고, $\overline{DE}$의 연장선과 $\overline{AB}$의 연장선의 교점을 F라고 하자. △ABE의 넓이가 12 cm²일 때, △CEF의 넓이를 구하여라.

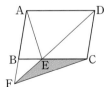

$\overline{AF} \parallel \overline{DC}$이므로 △DBF=△CBF이다.

01 오른쪽 그림과 같이 $\overline{AB}=\overline{AC}$인 이등변삼각형 ABC에서 ∠BAC=72°이다. $\overline{AD}/\!/\overline{BC}$ 일 때, ∠EAD의 크기는?

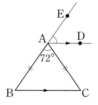

① 52° ② 54°
③ 56° ④ 58°
⑤ 60°

02 다음 그림에서 $\overline{AC}=\overline{AD}=\overline{DE}$, $\overline{BC}/\!/\overline{AD}$이고 ∠BEC=28°일 때, ∠BCA의 크기를 구하여라.

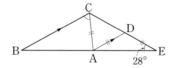

03 오른쪽 그림의 △ABC에서 ∠B : ∠C=6 : 4이고, $\overline{AM}=\overline{BM}=\overline{CM}$일 때, ∠MAC의 크기는?

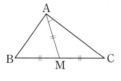

① 24° ② 28° ③ 32°
④ 36° ⑤ 40°

04 다음 그림은 직사각형 모양의 종이를 $\overline{AC}$를 접는 선으로 하여 접은 것이다. ∠ABC=54°일 때, ∠x의 크기를 구하여라.

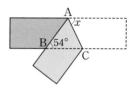

05 오른쪽 그림에서 □ABCD는 정사각형이고 △APQ는 정삼각형이다. 이때 ∠BPA의 크기는?

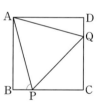

① 65° ② 70°
③ 75° ④ 80°
⑤ 85°

06 서술형 오른쪽 그림과 같이 ∠B=90°인 직각삼각형 ABC에서 ∠A의 이등분선이 $\overline{BC}$와 만나는 점을 D라 하고, 점 D에서 $\overline{AC}$에 내린 수선의 발을 E라고 하자. $\overline{AB}=6$, $\overline{BC}=8$, $\overline{CA}=10$일 때, △DEC의 넓이를 구하여라.

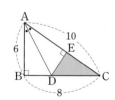

07 오른쪽 그림과 같이 ∠C=90°인 직각삼각형 ABC에서 ∠B=30°, $\overline{AC}$=8 cm일 때, $\overline{AB}$의 길이는?

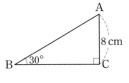

① 10 cm ② 12 cm ③ 14 cm
④ 16 cm ⑤ 18 cm

08 오른쪽 그림에서 점 I는 △ABC의 내심이다. ∠A=64°일 때, ∠x+∠y의 크기는?

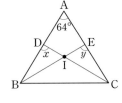

① 174° ② 180°
③ 186° ④ 192° ⑤ 196°

09 오른쪽 그림에서 두 점 I, O는 각각 ∠B=90°인 직각삼각형 ABC의 내심과 외심이다. ∠A=50°일 때, ∠BPC의 크기는?

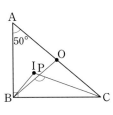

① 100° ② 105° ③ 110°
④ 115° ⑤ 120°

10 오른쪽 그림에서 점 I는 △ABC의 내심이고 $\overline{DE}$∥$\overline{BC}$이다. $\overline{AB}$=12 cm, $\overline{CA}$=8 cm일 때, △ADE의 둘레의 길이는?

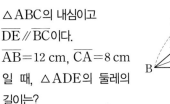

① 14 cm ② 16 cm ③ 18 cm
④ 20 cm ⑤ 22 cm

11 오른쪽 그림과 같은 □ABCD가 다음 조건을 만족시킬 때, 평행사변형이 되지 <u>않는</u> 것을 모두 고르면? (단, 점 O는 두 대각선의 교점이다.) (정답 2개)

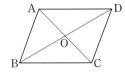

① $\overline{AB}$=$\overline{BC}$, $\overline{CD}$=$\overline{DA}$
② ∠A=∠C=120°, ∠B=60°
③ $\overline{AB}$∥$\overline{DC}$, $\overline{AD}$=$\overline{BC}$
④ ∠A+∠B=180°, ∠B+∠C=180°
⑤ $\overline{AO}$=$\overline{CO}$, $\overline{BO}$=$\overline{DO}$

12 오른쪽 그림과 같은 평행사변형 ABCD에서 대각선 AC가 ∠A를 이등분하고 $\overline{AB}$=8 cm, $\overline{BC}$=$(3x+2)$ cm일 때, x의 값을 구하여라.

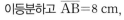

13 다음 조건을 만족시키는 □ABCD는 어떤 사각형인가? (단, 점 O는 두 대각선의 교점이다.)

$$\overline{OA}=\overline{OC},\ \overline{OB}=\overline{OD},\ \overline{AC}\perp\overline{BD}$$

① 평행사변형 ② 직사각형
③ 마름모   ④ 정사각형
⑤ 등변사다리꼴

서술형
14 오른쪽 그림과 같은 평행사변형 ABCD에서 $\overline{BC}=10$ cm, ∠OAD$=46°$, ∠OBC$=44°$ 일 때, $x+y$의 값을 구하여라. (단, 점 O는 두 대각선의 교점이다.)

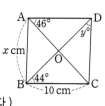

---

15 오른쪽 그림의 □ABCD는 정사각형이고, $\overline{AE}\,/\!/\,\overline{BD}$, $\overline{BE}=\overline{BD}$, ∠EBD$=30°$일 때, ∠AED의 크기는?

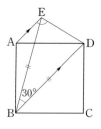

① 95°   ② 100°
③ 105°   ④ 110°
⑤ 115°

---

16 오른쪽 그림과 같은 평행사변형 ABCD에서 $\overline{EF}\,/\!/\,\overline{AC}$일 때, 다음 중 △AEC와 넓이가 다른 것을 모두 고르면? (정답 2개)

① △AEB   ② △AFC   ③ △EBF
④ △BFC   ⑤ △AFE

---

17 오른쪽 그림과 같이 $\overline{CD}=6$ cm, $\overline{DE}=4$ cm 이고 ∠D$=90°$인 오각형 ABCDE가 있다. $\overline{AD}\,/\!/\,\overline{BC}$, $\overline{BE}\,/\!/\,\overline{CD}$일 때, △ABC의 넓이를 구하여라.

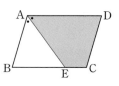

서술형
18 오른쪽 그림과 같은 평행사변형 ABCD에서 ∠A의 이등분선이 변 BC와 만나는 점을 E라고 하자. $\overline{AB}:\overline{AD}=4:5$이고 □ABCD의 넓이가 15 cm²일 때 □AECD의 넓이를 구하여라.

01 오른쪽 그림에서 두 점 I, I′은 각각 △ABC와 △ACD
의 내심이고, 점 O는 $\overline{BI}$의 연장선과 $\overline{DI′}$의 연장선의 교
점이다. ∠BAC=68°, ∠ABC=40°이고 $\overline{AC}=\overline{AD}$일
때, ∠IOI′의 크기를 구하여라.

① ∠ADC의 크기를 구하면?
② 점 I, I′이 내심임을 이용하여
  ∠ADI′, ∠ABI의 크기를
  구하면?
③ ∠IOI′의 크기를 구하면?

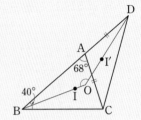

02 오른쪽 그림과 같이 평행사변형 ABCD의 바깥쪽에 두
변 BC, CD를 각각 한 변으로 하는 정삼각형 BEC,
CFD를 그릴 때, ∠EAF의 크기를 구하여라.

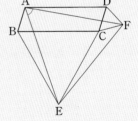

① △ABE, △FDA, △FCE
  가 합동임을 보이면?
② △AEF는 어떤 삼각형일까?
③ ∠EAF의 크기를 구하면?

유형 ❶ 평면도형에서의 닮음의 성질

01 아래 그림에서 □ABCD ∽ □A′B′C′D′일 때, 다음 중 옳은 것을 모두 고르면? (정답 2개)

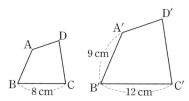

① ∠A : ∠A′ = 3 : 7
② ∠C = ∠C′
③ $\overline{AD} : \overline{A'D'} = 1 : 2$
④ $\overline{AB} = 7$ cm
⑤ $\dfrac{\overline{AD}}{\overline{A'D'}} = \dfrac{\overline{CD}}{\overline{C'D'}}$

02 다음 그림에서 □ABCD와 □EFGH는 평행사변형이고 □ABCD ∽ □EFGH이다. 닮음비가 3 : 4일 때, □EFGH의 둘레의 길이를 구하여라.

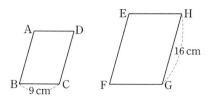

03^{up} 원 O와 원 O′의 닮음비가 4 : 5이고, 원 O의 반지름의 길이가 8 cm일 때, 원 O′의 둘레의 길이를 구하여라.

유형 ❷ 입체도형에서의 닮음의 성질

04 다음 그림에서 두 삼각기둥은 닮은 도형이고, $\overline{AB}$에 대응하는 모서리가 $\overline{GH}$일 때, $x+y+z$의 값을 구하여라.

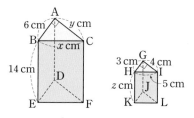

05 다음 그림의 두 직육면체는 닮은 도형이고, □ABCD ∽ □A′B′C′D′이다. $\overline{AB} : \overline{A'B'} = 3 : 5$이고, $\overline{A'G'}$의 길이가 15 cm일 때, $\overline{AG}$의 길이를 구하여라.

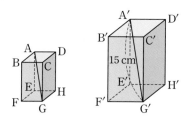

06 다음 그림의 두 원기둥 A, B는 닮은 도형이다. 원기둥 B의 밑면의 둘레의 길이를 구하여라.

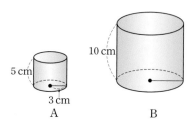

07 다음 그림의 삼각형과 서로 닮은 삼각형을 보기 중에서 찾고, 닮음 조건을 각각 말하여라.

(1)

(2)

(3)

┤ 보 기 ├

ㄱ.

ㄴ.

ㄷ.

ㄹ.

08 다음 그림에서 서로 닮은 삼각형을 찾아 기호 ∽를 사용하여 나타내고, 이때 사용한 닮음 조건을 각각 말하여라.

(1)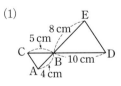

(2)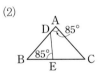

(3)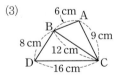

(4)

09 다음 중 △ABC∽△DEF가 되기 위한 조건이 아닌 것은?

① ∠A=∠D, ∠B=∠E

② ∠B=∠E, ∠C=∠F

③ $\dfrac{\overline{AB}}{\overline{DE}}=\dfrac{\overline{BC}}{\overline{EF}}$, ∠B=∠E

④ $\dfrac{\overline{AB}}{\overline{DE}}=\dfrac{\overline{BC}}{\overline{EF}}=\dfrac{\overline{CA}}{\overline{FD}}$

⑤ $\dfrac{\overline{BC}}{\overline{EF}}=\dfrac{\overline{CA}}{\overline{FD}}$, ∠B=∠E

10 아래 그림에서 △ABC와 △DFE가 닮은 도형이 되려면 다음 중 어느 조건을 추가해야 하는가?

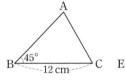

① ∠A=75°, ∠F=45°

② ∠C=85°, ∠D=50°

③ $\overline{AB}$=16 cm, $\overline{DF}$=12 cm

④ $\overline{AC}$=8 cm, $\overline{DE}$=6 cm

⑤ $\overline{AB}$=16 cm, $\overline{DE}$=12 cm

11 오른쪽 그림과 같은 △ABC에서 $\overline{BE}=8$ cm, $\overline{DE}=\overline{BD}=\overline{DC}=6$ cm, $\overline{AE}=1$ cm일 때, $\overline{AC}$의 길이를 구하여라.

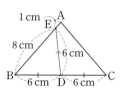

12 오른쪽 그림의 △ABC에서 $\overline{AB}=6$ cm, $\overline{AC}=12$ cm, $\overline{DC}=9$ cm, $\overline{BD}=4$ cm 일 때, $\overline{BC}$의 길이는?

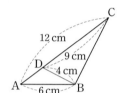

① 6 cm   ② 8 cm
③ 10 cm   ④ 12 cm
⑤ 14 cm

13 오른쪽 그림과 같은 △ABC에서 ∠A=∠DEC이고, $\overline{AD}=2$ cm, $\overline{CD}=4$ cm, $\overline{CE}=3$ cm일 때, $\overline{BE}$의 길이를 구하여라.

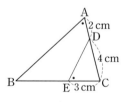

14 오른쪽 그림에서 △ABC와 닮음인 삼각형이 <u>아닌</u> 것은?

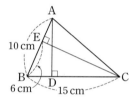

① △DBE   ② △EAC
③ △DEF   ④ △DEA
⑤ △EBA

15 오른쪽 그림과 같은 △ABC에서 $\overline{AB}=10$ cm, $\overline{BC}=15$ cm, $\overline{BE}=6$ cm 일 때, $\overline{DC}$의 길이를 구하여라.

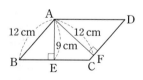

16 오른쪽 그림과 같이 평행사변형 ABCD의 꼭짓점 A에서 변 BC, CD에 내린 수선의 발을 각각 E, F라고 한다. $\overline{AB}=12$ cm, $\overline{AE}=9$ cm, $\overline{AF}=12$ cm일 때, $\overline{AD}$의 길이를 구하여라.

17 오른쪽 그림과 같은 정사각형 ABCD에서 꼭짓점 A를 지나는 직선이 $\overline{DC}$와 만나는 점을 E, $\overline{BC}$의 연장선과 만나는 점을 F라고 한다. $\overline{AB}=12$ cm, $\overline{BF}=16$ cm, $\overline{EF}=5$ cm일 때, $\overline{AF}$의 길이는?

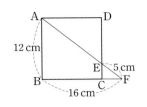

① 15 cm   ② 16 cm   ③ 18 cm

④ 20 cm   ⑤ 21 cm

18 ^{up} 오른쪽 그림은 직사각형 모양의 종이 ABCD를 대각선 BD를 접는 선으로 하여 접은 것이다. $\overline{AD}$와 $\overline{BE}$의 교점 P에서 $\overline{BD}$에 내린 수선의 발을 Q라고 하자. $\overline{AB}=6$ cm, $\overline{BC}=8$ cm, $\overline{BD}=10$ cm일 때, $\overline{PQ}$의 길이는?

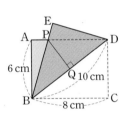

① 3 cm   ② $\dfrac{7}{2}$ cm   ③ $\dfrac{15}{4}$ cm

④ 4 cm   ⑤ 5 cm

19 ^{up} 오른쪽 그림은 한 변의 길이가 16 cm인 정사각형 모양의 종이 ABCD의 꼭짓점 A가 $\overline{BC}$의 중점 F에 오도록 접은 것이다. $\overline{BE}=6$ cm일 때, $x+y$의 값을 구하여라.

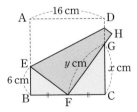

20 다음 그림과 같이 $\angle A=90°$인 직각삼각형 ABC에서 $\overline{AH}\perp\overline{BC}$이고, $\overline{AH}=4$ cm, $\overline{CH}=8$ cm일 때, $\overline{BH}$의 길이를 구하여라.

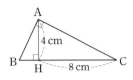

21 오른쪽 그림과 같이 $\angle C=90°$인 직각삼각형 ABC에서 $\overline{AB}\perp\overline{CD}$이고, $\overline{BC}=6$ cm, $\overline{BD}=4$ cm일 때, $\overline{AB}$의 길이를 구하여라.

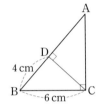

22 다음 그림과 같이 $\angle A=90°$인 직각삼각형 ABC에서 점 M은 $\overline{BC}$의 중점이다. $\overline{BD}=2$ cm, $\overline{DC}=8$ cm일 때, $\overline{DH}$의 길이를 구하여라.

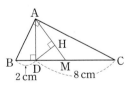

01 오른쪽 그림과 같이 한 점에서 만나는 세 원 A, B, C에 대하여 원 A는 원 B의 중심을 지나고, 원 B는 원 C의 중심을 지난다. 세 원 A, B, C의 닮음비를 구하여라.

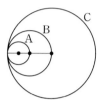

원 A의 반지름의 길이를 a라 하고, 두 원 B, C의 반지름의 길이를 각각 구한다.

02 오른쪽 그림과 같이 A4 용지를 반씩 접을 때마다 얻어지는 용지를 각각 A5, A6, A7, …이라고 한다. 이 용지는 모두 서로 닮은 도형이 될 때, A5 용지와 A9 용지의 닮음비를 구하여라.

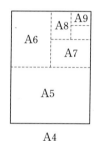

반씩 접을 때마다 얻어지는 용지는 모두 닮음이다.

03 오른쪽 그림의 평행사변형 ABCD에서 $\overline{AE}$의 연장선과 $\overline{DC}$의 연장선의 교점을 F라고 하자. $\overline{DC}=6$ cm, $\overline{AD}=8$ cm이고 $\overline{BE}:\overline{CE}=3:2$일 때, $\overline{FC}$의 길이를 구하여라.

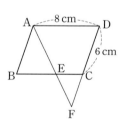

$\overline{AB}/\!/\overline{DF}$이면 엇각의 크기가 같음을 이용하여 닮음인 두 삼각형을 찾는다.

04 오른쪽 그림과 같이 ∠C=90°인 직각삼각형 ABC에서 $\overline{AB}=2\overline{AC}$, $\overline{BD}=3\overline{DA}$이다. $\overline{BC}=14$일 때, $\overline{CD}$의 길이를 구하여라.

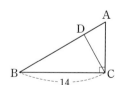

$\overline{DA}=x$라 하고, 주어진 조건을 이용하여 $\overline{AB}$, $\overline{AC}$의 길이를 x에 대한 식으로 나타낸다.

서술형

05 오른쪽 그림과 같이 $\overline{AB}=4$ cm, $\overline{BC}=8$ cm인 직사각형 ABCD의 변 AB, CD 위에 $\overline{AE}=\overline{CG}$가 되도록 점 E, G를 잡았다. $\overline{AE}=a$ cm라고 할 때, △AEH의 넓이를 a를 사용하여 나타내어라.

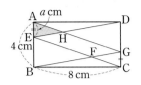

답 _____

서술 **TIP**
△AEH∽△ABG임을 이용한다.

06 오른쪽 그림과 같이 $\overline{AD}\,/\!/\,\overline{BC}$인 등변사다리꼴 ABCD에서 $\overline{BC}=\overline{AC}=\overline{BD}=2\overline{AB}$이고 $\overline{AE}\,/\!/\,\overline{CD}$일 때, $\overline{BE}$의 길이는 $\overline{BC}$의 길이의 몇 배인지 구하여라.

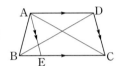

먼저 △CAB와 △AEB가 닮음임을 보인다.

07 오른쪽 그림과 같이 ∠A=90°인 직각삼각형 ABC에서 $\overline{BC}$, $\overline{AB}$ 위에 $\overline{AD}\perp\overline{BC}$, $\overline{DE}\perp\overline{AB}$, $\overline{EF}\perp\overline{BC}$, $\overline{FG}\perp\overline{AB}$가 되도록 네 점 D, E, F, G를 잡았다. $\overline{AC}:\overline{ED}=4:3$일 때, $\overline{AC}:\overline{FG}$를 가장 간단한 자연수의 비로 나타내어라.

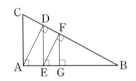

△ADC∽△EFD, △DAE∽△FEG임을 이용하여 닮음비를 구한다.

서술형

08 오른쪽 그림에서 직사각형 ABCD의 둘레의 길이를 구하여라.

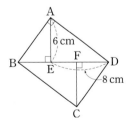

답 _____

서술 **TIP**
직각삼각형 ABD에서
$\overline{AE}^2=\overline{BE}\times\overline{ED}$
$\overline{AB}^2=\overline{BE}\times\overline{BD}$
$\overline{AD}^2=\overline{DE}\times\overline{DB}$

유형 **1** 삼각형에서 평행선과 선분의 길이의 비

01 다음 △ABC에서 두 점 D, E가 각각 $\overline{AB}$, $\overline{AC}$ 또는 그 연장선 위의 점일 때, $\overline{BC} /\!/ \overline{DE}$인 것을 모두 고르면? (정답 2개)

①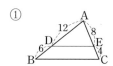

②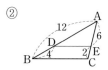

③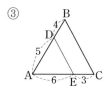

④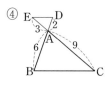

⑤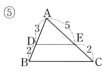

02 오른쪽 그림과 같은 △ABC에서 두 점 D, E는 각각 $\overline{AB}$, $\overline{AC}$의 연장선 위의 점이고, $\overline{BC} /\!/ \overline{DE}$일 때, x의 값을 구하여라.

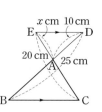

⭐중요 **03** 오른쪽 그림과 같은 △ABC에서 $\overline{BC} /\!/ \overline{DF}$일 때, x, y의 값을 각각 구하여라.

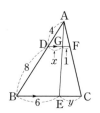

유형 **2** 삼각형에서 평행선과 선분의 길이의 비의 활용

04 오른쪽 그림과 같은 사다리꼴 ABCD에서 $\overline{AD} /\!/ \overline{EF} /\!/ \overline{BC}$이고, 두 점 P, Q는 각각 $\overline{EF}$와 $\overline{BD}$, $\overline{AC}$의 교점이다. $\overline{AE} : \overline{EB} = 3 : 2$일 때, $\overline{PQ}$의 길이를 구하여라.

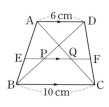

05 오른쪽 그림과 같은 사다리꼴 ABCD에서 $\overline{AD} /\!/ \overline{EF} /\!/ \overline{BC}$일 때, $\overline{EF}$의 길이를 구하여라.

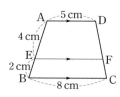

06 오른쪽 그림에서 점 E는 $\overline{AC}$와 $\overline{BD}$의 교점이고 $\overline{BC}$ 위의 점 F에 대하여 $\overline{AB} /\!/ \overline{EF} /\!/ \overline{DC}$일 때, 다음을 구하여라.

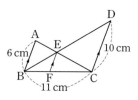

(1) $\overline{EF}$의 길이   (2) $\overline{FC}$의 길이

07 다음 그림에서 $l /\!/ m /\!/ n$일 때, x의 값을 구하여라.

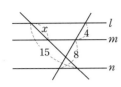

08 다음 그림에서 $l /\!/ m /\!/ n$일 때, x, y의 값을 각각 구하여라.

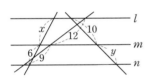

09 다음 그림에서 $l /\!/ m /\!/ n /\!/ p$일 때, $x+y$의 값을 구하여라.

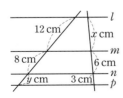

10 오른쪽 그림의 △ABC에서 $\overline{AD}$는 ∠A의 이등분선일 때, $\overline{DC}$의 길이를 구하여라.

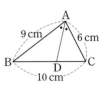

11 오른쪽 그림과 같은 △ABC에서 ∠A의 이등분선과 $\overline{BC}$의 교점을 D라고 할 때, $\overline{AB}$의 길이를 구하여라.

12 오른쪽 그림의 △ABC에서 ∠A의 외각의 이등분선이 $\overline{BC}$의 연장선과 만나는 점을 D라고 할 때, $\overline{CD}$의 길이를 구하여라.

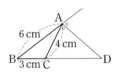

13^{up} 다음 그림과 같은 △ABC에서 $\overline{AP}$는 ∠A의 이등분선이고, $\overline{AQ}$는 ∠A의 외각의 이등분선일 때, △ABP와 △APQ의 넓이의 비는?

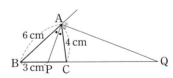

① 1 : 2　　　② 1 : 3　　　③ 1 : 4
④ 1 : 5　　　⑤ 1 : 6

14 오른쪽 그림과 같은 △ABC에서 점 M은 $\overline{AB}$의 중점이고, $\overline{MN}\,/\!/\,\overline{BC}$이다. △ABC의 둘레의 길이가 24 cm일 때, △AMN의 둘레의 길이를 구하여라.

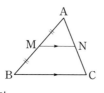

15 오른쪽 그림의 △ABC와 △DBC에서 점 M, N, P, Q는 각각 $\overline{AB}$, $\overline{AC}$, $\overline{DB}$, $\overline{DC}$의 중점이다. $\overline{PQ}=4$ cm일 때, $\overline{MN}$의 길이를 구하여라.

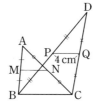

16 오른쪽 그림과 같은 △ABC에서 $\overline{AD}=\overline{DE}=\overline{EB}$, $\overline{AF}=\overline{FC}$이고 $\overline{DF}=4$ cm일 때, $\overline{CP}$의 길이를 구하여라.

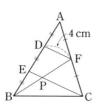

17 오른쪽 그림과 같이 $\overline{AD}\,/\!/\,\overline{BC}$인 등변사다리꼴 ABCD에서 $\overline{BD}=11$ cm일 때, □ABCD의 각 변의 중점을 연결한 □EFGH의 둘레의 길이를 구하여라.

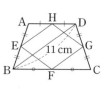

18 오른쪽 그림과 같은 □ABCD의 네 변의 중점을 각각 E, F, G, H라고 하자. $\overline{AC}=16$ cm, $\overline{BD}=20$ cm일 때, □EFGH의 둘레의 길이를 구하여라.

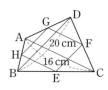

19 오른쪽 그림과 같이 $\overline{AD}\,/\!/\,\overline{BC}$인 사다리꼴 ABCD에서 $\overline{AB}$, $\overline{DC}$의 중점을 각각 M, N이라고 할 때, xy의 값을 구하여라.

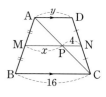

20 오른쪽 그림과 같이 $\overline{AD}\,/\!/\,\overline{BC}$인 사다리꼴 ABCD에서 $\overline{AB}$, $\overline{DC}$의 중점을 각각 M, N이라고 한다. $\overline{AD}=5$ cm, $\overline{BC}=15$ cm일 때, $\overline{EF}$의 길이를 구하여라.

유형 8 삼각형의 무게중심

21 오른쪽 그림과 같은 △ABC의 세 중선의 교점을 G라고 할 때, 다음 중 옳지 <u>않은</u> 것은?

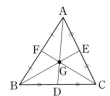

① $\overline{AG} : \overline{GD} = 2 : 1$

② $\triangle ABD = \triangle ACD$

③ $\overline{AG} = \overline{BG} = \overline{CG}$

④ $\triangle ABC = 6\triangle BDG$

⑤ $\triangle ABG = \dfrac{1}{3}\triangle ABC$

22 오른쪽 그림에서 점 G가 △ABC의 무게중심일 때, $x+y$의 값을 구하여라.

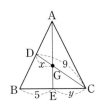

23 오른쪽 그림에서 점 G와 점 G′은 각각 △ABC와 △GBC의 무게중심이다. $\overline{AG} = 12$ cm일 때, $\overline{GG'}$의 길이를 구하여라.

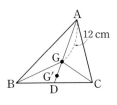

24 오른쪽 그림에서 점 G가 △ABC의 무게중심이고 $\overline{AD} /\!/ \overline{EF}$일 때, $x+y$의 값을 구하여라.

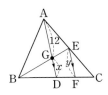

25 오른쪽 그림에서 점 M은 $\overline{BC}$의 중점이고, 점 G는 △ABC의 무게중심이다. 점 N은 $\overline{BG}$의 중점이고, △GNM의 넓이가 3 cm²일 때, △ABC의 넓이를 구하여라.

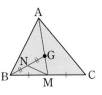

26 오른쪽 그림에서 △ABC의 두 중선 AD, BE의 교점을 G라고 하자. △ABC의 넓이가 108 cm²일 때, △GDE의 넓이를 구하여라.

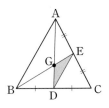

27^{up} 오른쪽 그림에서 △ABC의 무게중심을 G, $\overline{GB}$, $\overline{GC}$의 중점을 각각 D, E라고 하자. □ADGE의 넓이가 5 cm²일 때, △ABC의 넓이를 구하여라.

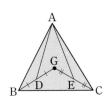

28 오른쪽 그림과 같은 평행사변형 ABCD에서 $\overline{BC}$, $\overline{CD}$의 중점을 각각 P, Q라 하고, $\overline{BD}$와 $\overline{AP}$, $\overline{AQ}$의 교점을 각각 M, N이라고 하자. $\overline{MN}=4$ cm일 때, $\overline{PQ}$의 길이를 구하여라.

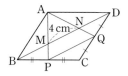

29 오른쪽 그림과 같은 평행사변형 ABCD에서 $\overline{BM}=\overline{MC}$이고, 두 점 O, P는 각각 $\overline{AC}$와 $\overline{BD}$, $\overline{AM}$과 $\overline{BD}$의 교점이다. □ABCD의 넓이가 48 cm²일 때, △APO의 넓이를 구하여라.

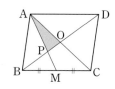

30 오른쪽 그림과 같은 평행사변형 ABCD에서 점 M, N은 각각 $\overline{BC}$, $\overline{CD}$의 중점이고, 점 P, Q는 각각 $\overline{AM}$, $\overline{AN}$과 대각선 BD의 교점이다. □ABCD의 넓이가 30 cm²일 때, 색칠한 부분의 넓이를 구하여라.

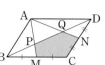

31 둘레의 길이의 비가 2 : 3인 두 원이 있다. 두 원의 넓이의 합이 195π cm²일 때, 작은 원의 넓이를 구하여라.

32^{up} 오른쪽 그림에서 점 M, N은 각각 $\overline{AB}$, $\overline{AM}$의 중점이다. 점 B를 중심으로 하고 $\overline{AB}$를 반지름으로 하는 원, 점 M을 중심으로 하고 $\overline{AM}$을 반지름으로 하는 원, 점 N을 중심으로 하고 $\overline{AN}$을 반지름으로 하는 원을 각각 그렸을 때, 가장 작은 원의 넓이가 5 cm²이다. 색칠한 부분의 넓이의 합을 구하여라.

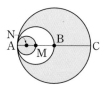

33 오른쪽 그림과 같은 △ADE에서 $\overline{BC} /\!/ \overline{DE}$이고, $\overline{AC}=5$ cm, $\overline{CE}=3$ cm이다. □BDEC의 넓이가 13 cm²일 때, △ABC의 넓이를 구하여라.

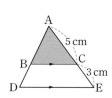

⑪ 닮은 도형의 부피의 비

중요
34 오른쪽 그림과 같은 원기둥 ㈎, ㈏가 있다. 두 원기둥의 닮음비가 3 : 4이고, ㈎의 부피가 135 cm³일 때, ㈏의 부피를 구하여라.

35 오른쪽 그림과 같이 원뿔의 모선을 삼등분하여 원뿔을 밑면에 평행하게 잘랐을 때, 원뿔대 B의 부피가 21 cm³라고 한다. 원뿔대 C의 부피를 구하여라.

36 높이가 20 cm인 원뿔 모양의 그릇에 일정한 속도로 물을 부었더니 27분 후에 수면의 높이가 15 cm이었다. 그릇에 물을 가득 채울 때까지 몇 분이 더 걸리는지 구하여라.

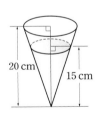

37 다음 그림과 같은 두 구 O, O'을 중심을 지나는 평면으로 자른 단면의 넓이의 비가 4 : 9이고, 구 O'의 부피가 81π cm³일 때, 구 O의 부피를 구하여라.

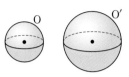

⑫ 축척과 축도

38 실제 거리가 40 m인 두 지점 사이의 거리는 축척이 $\frac{1}{1000}$인 지도에서 몇 cm인지 구하여라.

39 축척이 $\frac{1}{100000}$인 지도에서 A마을의 넓이가 5 cm²일 때, A마을의 실제 넓이는?

① 0.5 km²   ② 5 km²   ③ 50 km²

④ 500 km²   ⑤ 5000 km²

01 오른쪽 그림과 같은 △ABC에서 $\overline{\text{MN}} /\!/ \overline{\text{BC}}$이고, $\overline{\text{MP}}=4$ cm, $\overline{\text{MN}}=6$ cm, $\overline{\text{MB}}=\overline{\text{PC}}=10$ cm일 때, $\overline{\text{AM}}$의 길이를 구하여라.

삼각형에서 평행선과 선분의 길이의 비를 이용한다.

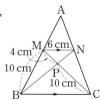

서술형
02 오른쪽 그림과 같은 △ABC에서 $\overline{\text{AD}}$, $\overline{\text{BE}}$가 각각 ∠A, ∠B의 이등분선일 때, $\overline{\text{CE}}$의 길이를 구하여라.

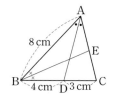

답 _____

서술 **TIP**
$\overline{\text{AD}}$가 ∠A의 이등분선이면
$\overline{\text{AB}} : \overline{\text{AC}} = \overline{\text{BD}} : \overline{\text{CD}}$

03 오른쪽 그림에서 $l /\!/ m /\!/ n$일 때, x의 값을 구하여라.

보조선을 그어 생각한다.

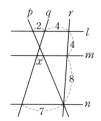

04 오른쪽 그림과 같은 사다리꼴 ABCD에서 $\overline{\text{AD}} /\!/ \overline{\text{EF}} /\!/ \overline{\text{GH}} /\!/ \overline{\text{BC}}$일 때, x, y의 값을 각각 구하여라.

사다리꼴 EBCF에서 $\overline{\text{EF}} /\!/ \overline{\text{GH}} /\!/ \overline{\text{BC}}$이고 $\overline{\text{FH}} = \overline{\text{HC}}$이므로 $\overline{\text{EF}}$의 길이를 구할 수 있다.

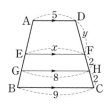

점 D를 지나면서 $\overline{AF}$에 평행한 직선을 긋고 삼각형의 중점연결정리를 이용한다.

05 오른쪽 그림과 같은 △ABC에서 $\overline{AB}$의 중점을 D, $\overline{CD}$의 중점을 E라 하고, $\overline{AE}$의 연장선과 $\overline{BC}$의 교점을 F라고 하자. $\overline{AE}=18$ cm일 때, $\overline{EF}$의 길이를 구하여라.

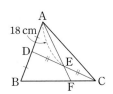

$\overline{PH}=a$ cm라 하고 $\overline{PQ}$와 $\overline{BH}$의 길이의 비를 구한다.

06 오른쪽 그림과 같은 평행사변형 ABCD의 네 변의 중점을 각각 E, F, G, H라고 하자. □ABCD의 넓이가 20 cm²일 때, □PQRS의 넓이를 구하여라.

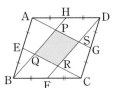

서술형

07 오른쪽 그림과 같이 ∠A=90°인 직각삼각형 ABC에서 점 D는 $\overline{BC}$의 중점이고, 점 G, G′은 각각 △ABD, △ACD의 무게중심이다. $\overline{BC}=12$ cm일 때, $\overline{GG'}$의 길이를 구하여라.

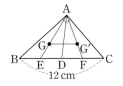

....

....

답 _____

서술 TIP
△AGG′∽△AEF임을 이용한다.

08 오른쪽 그림에서 △ABC의 두 중선 $\overline{AD}$, $\overline{BF}$의 교점이 G이고 $\overline{GD}\,/\!/\,\overline{FE}$이다. $\overline{AG}=12$ cm이고, △AGF의 넓이가 20 cm²일 때, △FEC의 넓이를 구하여라.

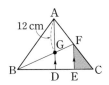

보조선 DF를 긋고 $\overline{AG}:\overline{GD}=2:1$임을 이용한다.

09 오른쪽 그림에서 점 G, G′은 각각 △ABC와 △GBC의 무게중심이다. △ABC의 넓이가 45 cm²일 때, △GBG′의 넓이를 구하여라.

세 중선에 의해 나누어진 6개의 삼각형의 넓이는 모두 같다.

10 오른쪽 그림에서 점 G는 △ABC의 무게중심이다. $\overline{BC}/\!/\overline{LN}$이고 △GNL의 넓이가 2 cm²일 때, △ABC의 넓이를 구하여라.

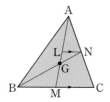

두 평면도형의 닮음비가 $m:n$이면 넓이의 비는 $m^2:n^2$이다.

서술형
11 오른쪽 그림에서 세 점 C, O, D는 $\overline{AB}$의 사등분점이다. $\overline{OD}$를 지름으로 하는 반원의 넓이가 3 cm²일 때, 색칠한 부분의 넓이를 구하여라.

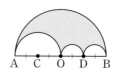

답 _____

서술 **TIP**
사등분점을 이용하여 크기가 서로 다른 세 반원의 닮음비를 구한다.

12 오른쪽 그림과 같은 정사각뿔을 밑면에 평행한 두 평면으로 잘라 높이를 삼등분하여 잘랐다. 입체도형 (나)의 부피가 84 cm³일 때, 처음에 주어진 정사각뿔의 부피를 구하여라.

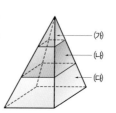

세 입체도형 (가), (나), (다)의 부피의 비를 구한다.

유형 ① 다각형에서의 변의 길이

01 오른쪽 그림과 같은 △ABC에서 $\overline{AD} \perp \overline{BC}$일 때, $x+y$의 값을 구하여라.

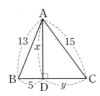

02 다음 그림과 같은 △ABC에서 $\overline{AD} \perp \overline{BC}$일 때, $\overline{AC}$의 길이를 구하여라.

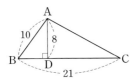

03 오른쪽 그림과 같이 ∠A=∠B=90°인 사다리꼴 ABCD에서 $\overline{AD}$의 길이를 구하여라.

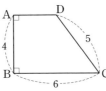

04 오른쪽 그림과 같은 직각삼각형 ABC에서 ∠A의 이등분선이 $\overline{BC}$와 만나는 점을 D라고 할 때, $\overline{BD}$의 길이를 구하여라.

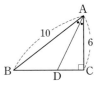

05 다음 그림에서 $\overline{AD}$의 길이를 구하여라.

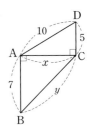

06 오른쪽 그림에서 y^2의 값을 구하여라.

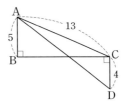

07^{up} 오른쪽 그림에서 $\overline{AB}=\overline{BC}=\overline{CD}=\overline{DE}$ $=\overline{EF}=\overline{FG}=1$ 일 때, $\overline{AG}^2$의 값을 구하여라.

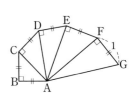

피타고라스 정리의 증명

08 오른쪽 그림과 같이 ∠A=90°인 직각삼각형 ABC의 각 변을 한 변으로 하는 세 정사각형을 그렸다. 꼭짓점 A에서 $\overline{BC}$에 수선을 그어 $\overline{BC}$, $\overline{IH}$와 만나는 점을 각각 J, K라고 할 때, 다음 중 옳지 <u>않은</u> 것은?

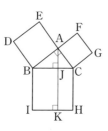

① $\overline{DC}=\overline{AI}$

② △DBC=△ABI

③ △ACG=△JKC

④ □AEDB=2△ABC

⑤ □BIKJ=2△AEB

09 오른쪽 그림은 ∠A=90°인 직각삼각형 ABC의 각 변을 한 변으로 하는 세 정사각형을 그린 것이다. △AGC의 넓이를 구하여라.

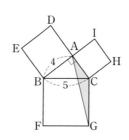

10 오른쪽 그림은 ∠A=90°인 직각삼각형 ABC에서 $\overline{BC}$를 한 변으로 하는 정사각형 BDEC를 그린 것이다. $\overline{AB}=16$, $\overline{AC}=12$일 때, 색칠한 부분의 넓이를 구하여라.

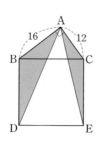

11 오른쪽 그림에서 △ABP≡△PCD이고 세 점 B, P, C는 한 직선 위에 있다. $\overline{BP}=6$, $\overline{PC}=12$일 때, △APD의 넓이를 구하여라.

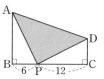

직각삼각형이 되기 위한 조건

12 다음 중 직각삼각형의 세 변의 길이가 될 수 <u>없는</u> 것을 모두 고르면? (정답 2개)

① 3 cm, 4 cm, 5 cm

② 3 cm, 5 cm, 6 cm

③ 10 cm, 6 cm, 8 cm

④ 3 cm, 3 cm, 5 cm

⑤ 7 cm, 24 cm, 25 cm

13 세 변의 길이가 8, 15, 17인 삼각형의 넓이를 구하여라.

14 오른쪽 그림의 삼각형 ABC에서 x가 10 미만의 짝수일 때 ∠C=90°가 되도록 하는 x의 값을 구하여라.

15 삼각형의 세 변의 길이가 각각 다음과 같을 때, 삼각형의 종류가 바르게 연결되지 <u>않은</u> 것은?

① 4 cm, 4 cm, 5 cm ➡ 예각삼각형

② 5 cm, 10 cm, 13 cm ➡ 둔각삼각형

③ 6 cm, 8 cm, 10 cm ➡ 직각삼각형

④ 9 cm, 12 cm, 14 cm ➡ 둔각삼각형

⑤ 12 cm, 15 cm, 17 cm ➡ 예각삼각형

16 오른쪽 그림과 같은 △ABC에서 ∠A가 둔각일 때, x의 값이 될 수 있는 모든 자연수의 합을 구하여라.

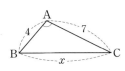

17 세 변의 길이가 각각 6, 8, a인 삼각형이 예각삼각형이 되도록 하는 자연수 a의 값을 구하여라.
(단, a는 가장 긴 변의 길이이다.)

18 △ABC에서 $\overline{BC}=a$, $\overline{CA}=b$, $\overline{AB}=c$라고 할 때, 다음 중 옳지 <u>않은</u> 것은?

① $a^2>b^2+c^2$이면 ∠A$>90°$

② $a-b<c<a+b$ (단, $a>b$)

③ $c^2>a^2+b^2$이면 둔각삼각형이다.

④ $b^2<a^2+c^2$이면 예각삼각형이다.

⑤ $a^2=b^2+c^2$이면 직각삼각형이다.

19 오른쪽 그림과 같이 ∠A$=90°$인 직각삼각형 ABC에서 $\overline{AH}\perp\overline{BC}$일 때, $x-y$의 값을 구하여라.

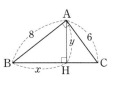

20 오른쪽 그림과 같이 ∠A$=90°$인 직각삼각형 ABC에서 $\overline{AH}\perp\overline{BC}$일 때, $\overline{AH}$의 길이를 구하여라.

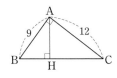

21 오른쪽 그림과 같이 ∠A$=90°$인 직각삼각형 ABC에서 $\overline{AH}\perp\overline{BC}$일 때, 삼각형 ABC의 넓이를 구하여라.

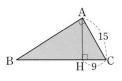

유형 6 피타고라스 정리의 활용

22 오른쪽 그림과 같은 □ABCD 에서 $\overline{AC} \perp \overline{BD}$일 때, $x^2 - y^2$의 값을 구하여라.

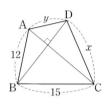

23 오른쪽 그림과 같이 직사각형 ABCD의 내부의 한 점 P에 대하여 $\overline{BP}=4$, $\overline{AP}=5$, $\overline{CP}=3$일 때, $\overline{DP}^2$의 값을 구하여라.

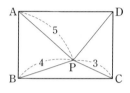

24 오른쪽 그림과 같이 $\angle A = 90°$인 직각삼각형 ABC에서 $\overline{DE}=4$, $\overline{BC}=10$일 때, $\overline{BE}^2 + \overline{DC}^2$의 값을 구하여라.

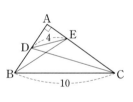

25 오른쪽 그림과 같이 직각삼각 형 ABC의 세 변을 각각 지름 으로 하는 세 반원의 넓이를 P, Q, R라고 할 때, $P+Q+R$의 값을 구하여라.

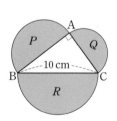

26 오른쪽 그림과 같이 $\angle A = 90°$인 직각삼각형 ABC의 $\overline{AB}$, $\overline{AC}$를 지름으로 하는 두 반원과 $\overline{BC}$를 지름으 로 하는 원을 그렸다. 색칠한 부분의 넓이를 구하여라.

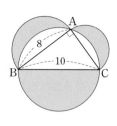

27 오른쪽 그림과 같이 직사각 형 ABCD를 $\overline{AP}$를 접는 선 으로 하여 꼭짓점 D가 $\overline{BC}$ 위의 점 Q에 오도록 접었을 때, △PQC의 넓이를 구하여라.

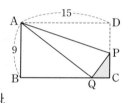

28[up] 오른쪽 그림과 같이 직사각형 ABCD를 $\overline{BD}$를 접는 선으로 하여 접었다. $\overline{AD}$와 $\overline{BC'}$의 교 점 E에서 $\overline{BD}$에 내린 수선의 발을 F라고 할 때, $\overline{EF}$의 길이 를 구하여라.

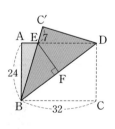

01 오른쪽 그림에서 점 O는 직사각형 ABCD의 두 대각선의
교점이다. $\overline{\text{CD}}=9$이고, □ABCD의 넓이가 108일 때
△OAD의 둘레의 길이를 구하여라.

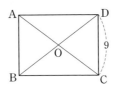

먼저 $\overline{\text{BC}}$의 길이를 구한 후 피타
고라스 정리를 이용하여 $\overline{\text{BD}}$의 길
이를 구한다.

02 오른쪽 그림에서 $\overline{\text{AB}}=\overline{\text{AC}}$, $\overline{\text{BD}}=2$, $\overline{\text{CE}}=1$일 때, $\overline{\text{BE}}^2$
의 값을 구하여라.

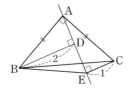

△ABD≡△CAE임을 이용하여
$\overline{\text{DE}}$의 길이를 구한다.

03 오른쪽 그림은 직각삼각형 ABC에서 피타고라스의
나무를 그린 것이다. $\overline{\text{AB}}=2$, $\overline{\text{AC}}=1$일 때,
□BFQP+□HNMJ+□IJLK의 값을 구하여라.

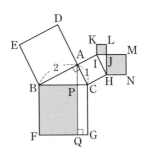

□HNMJ+□IJLK
=□ACHI

04 오른쪽 그림에서 $\overline{\text{AB}}=\overline{\text{BC}}=\overline{\text{CD}}=\overline{\text{DE}}=2$일 때,
$\overline{\text{AE}}$의 길이를 구하여라.

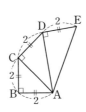

$\overline{\text{AC}}^2$, $\overline{\text{AD}}^2$, $\overline{\text{AE}}^2$의 값을 차례로
구한다.

05 오른쪽 그림과 같이 원점 O에서 직선 $y=\dfrac{3}{4}x+3$에 내린

수선의 발을 H라고 할 때, $\overline{\text{OH}}$의 길이를 구하여라.

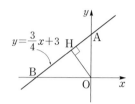

답 _____

06 오른쪽 그림과 같이 원에 내접하는 직사각형 ABCD의 각
변을 지름으로 하는 반원을 그렸을 때, 색칠한 부분의 넓이
를 구하여라.

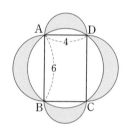

$\overline{\text{AC}}$를 그어서 히포크라테스의 원의 넓이를 이용한다.

07 오른쪽 그림과 같은 △ABC에서 두 변 AB, BC의 중
점을 각각 D, E라고 하자. $\overline{\text{AE}} \perp \overline{\text{DC}}$, $\overline{\text{AB}}=12$,
$\overline{\text{BC}}=16$일 때, $\overline{\text{DE}}^2$의 값을 구하여라.

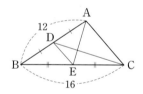

삼각형의 중점연결정리에 의해
$\overline{\text{AC}}=2\overline{\text{DE}}$이고
□DECA에서 피타고라스 정리
의 응용 공식을 이용한다.

08 오른쪽 그림에서 점 G는 △ABC의 무게중심일 때, $\overline{\text{BG}}$의
길이를 구하여라.

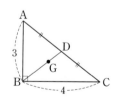

답 _____

09 오른쪽 그림과 같은 직사각형 ABCD에서 $\overline{AE}=\overline{ED}$, $\angle ABE=\angle EBF$일 때, $\overline{FC}$의 길이를 구하여라.

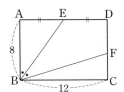

점 E에서 $\overline{BF}$에 내린 수선의 발을 G라 하고 $\overline{BG}$, $\overline{GF}$의 길이를 구한다.

10 오른쪽 그림과 같은 직각삼각형 ABC에서 $\overline{AH}\perp\overline{BC}$이고, 점 M은 △ABC의 외심이라고 할 때, $\overline{MH}$의 길이를 구하여라.

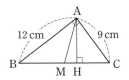

11 오른쪽 그림과 같이 $\overline{AB}=12$, $\overline{AD}=16$인 직사각형 ABCD가 있다. $\overline{BC}$ 위의 점 P를 지나고 대각선 AC에 수직인 직선이 $\overline{AD}$와 만나는 점을 Q라고 할 때, $\overline{PQ}$의 길이를 구하여라.

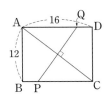

점 D를 지나면서 $\overline{QP}$와 평행한 선분을 $\overline{DP'}$, $\overline{DP'}$이 $\overline{AC}$와 만나는 점을 R라 하고, $\overline{DR}$, $\overline{DP'}$의 길이를 구한다.

12 오른쪽 그림과 같이 △ABC에서 $\angle C=90°$, $\overline{AC}=3$, $\overline{BC}=4$이고, △ABD에서 $\angle BAD=90°$, $\overline{AD}=12$이다. 점 E는 점 D를 지나는 $\overline{AC}$의 평행선과 $\overline{CB}$의 연장선의 교점일 때, $\overline{DE}$의 길이를 구하여라.

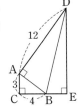

점 A에서 $\overline{DE}$에 내린 수선의 발을 G라 하고, $\overline{GD}$, $\overline{GE}$의 길이를 구한다.

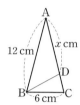

해설 BOOK 077쪽
개념 BOOK 178쪽

●○○
01 다음 중 항상 닮은 도형이 <u>아닌</u> 것을 모두 고르면?

(정답 2개)

① 두 원   ② 두 직각이등변삼각형
③ 두 등변사다리꼴   ④ 두 정사면체
⑤ 두 부채꼴

●●○
02 다음 그림에서 △ABC∽△EDB일 때, $\overline{\text{CE}}$의 길이는?

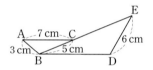

① 5 cm   ② 6 cm   ③ 7 cm
④ 8 cm   ⑤ 9 cm

●●●
03 오른쪽 그림과 같은 △ABC에서 $\overline{\text{AB}}\perp\overline{\text{CE}}$, $\overline{\text{AC}}\perp\overline{\text{BD}}$이고, 점 F는 $\overline{\text{BD}}$와 $\overline{\text{CE}}$의 교점이다. $\overline{\text{AB}}=10$ cm, $\overline{\text{AC}}=8$ cm, $\overline{\text{CD}}=3$ cm일 때, $\overline{\text{BE}}$의 길이는?

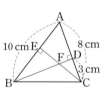

① 3 cm   ② 4 cm   ③ 5 cm
④ 6 cm   ⑤ 7 cm

●●○ 서술형
04 오른쪽 그림과 같은 △ABC에서 $\overline{\text{AB}}=\overline{\text{AC}}=12$ cm, $\overline{\text{BC}}=\overline{\text{BD}}=6$ cm일 때, x의 값을 구하여라.

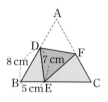

●●●●
05 오른쪽 그림과 같은 정삼각형 모양의 종이 ABC를 $\overline{\text{DF}}$를 접는 선으로 하여 꼭짓점 A가 $\overline{\text{BC}}$ 위의 점 E에 오도록 접었다. $\overline{\text{BE}}=5$ cm, $\overline{\text{ED}}=7$ cm, $\overline{\text{DB}}=8$ cm일 때, $\overline{\text{AF}}$의 길이를 구하여라.

●●○
06 오른쪽 그림과 같은 △ABC에서 다음 중 옳은 것은?

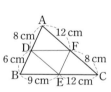

① $\overline{\text{AB}}\ /\!/\ \overline{\text{FE}}$
② $\overline{\text{BC}}\ /\!/\ \overline{\text{DF}}$
③ $\overline{\text{AC}}\ /\!/\ \overline{\text{DE}}$
④ ∠B = ∠ADF
⑤ △ABC∽△FEC

07 오른쪽 그림과 같은 △ABC에 서 점 E, F는 $\overline{AB}$의 삼등분점 이고, $\overline{EC}$∥$\overline{FD}$, $\overline{AP}=\overline{PD}$이 다. $\overline{PC}=21$ cm일 때, $\overline{FD}$의 길이를 구하여라.

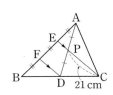

08 오른쪽 그림과 같은 △ABC에서 $\overline{AD}$, $\overline{BE}$는 각각 ∠A, ∠B의 이 등분선일 때, $\overline{CE}$의 길이를 구하여 라.

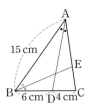

09 다음 그림에서 k∥l∥m∥n일 때, $a-b$의 값을 구하 여라.

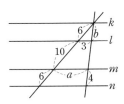

10 오른쪽 그림과 같이 $\overline{AD}$∥$\overline{BC}$인 사다리꼴 ABCD에서 $\overline{AB}$, $\overline{CD}$의 중점이 각각 M, N이다. $\overline{MP}$: $\overline{PQ}=4$: 1이고, $\overline{BC}=10$ cm일 때, $\overline{AD}$의 길이와 $\overline{MN}$의 길이를 각각 구하여라.

11 오른쪽 그림과 같은 △ABC에서 $\overline{AM}$은 중선이고, 점 G, G′은 각각 △ABC와 △GBC의 무게중심이 다. $\overline{GG'}=4$ cm, △GBG′의 넓이 가 18 cm²일 때, 다음 중 옳지 않은 것은?

① $\overline{G'M}=2$ cm   ② $\overline{AM}=18$ cm
③ △ABC$=180$ cm²   ④ △ABG$=54$ cm²
⑤ △G′BM$=9$ cm²

서술형

12 오른쪽 그림과 같은 △ABC의 내심을 I, 무게중심을 G라고 한다. $\overline{AB}=\overline{AC}=10$ cm, $\overline{BC}=12$ cm, $\overline{AD}=8$ cm일 때, $\overline{IG}$의 길이를 구하여라.

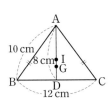

13 오른쪽 그림과 같은 평행사변형 ABCD에서 점 M, N은 각각 $\overline{BC}$, $\overline{DC}$의 중점이고, 점 P, Q는 각각 $\overline{AM}$, $\overline{AN}$과 대각선 BD의 교점이다. △APQ의 넓이가 10 cm²일 때, △CMN의 넓 이를 구하여라.

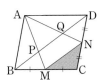

14 오른쪽 그림의 △ABC에서 $\overline{DE} \parallel \overline{BC}$이다. $\overline{AD} : \overline{DB} = 3 : 1$이고, △ADE의 넓이가 36 cm²일 때, □DBCE의 넓이를 구하여라.

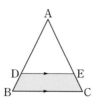

15 서술형 오른쪽 그림은 원뿔을 밑면과 평행하게 잘라 만든 원뿔대이다. 원뿔대의 두 밑면의 반지름의 길이가 각각 4 cm, 6 cm이고, 높이가 5 cm일 때, 이 원뿔대의 부피를 구하여라.

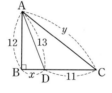

16 오른쪽 그림에서 $y - x$의 값은?

① 10   ② 12
③ 15   ④ 18
⑤ 20

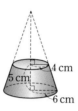

17 오른쪽 그림은 직각삼각형 ABC의 각 변을 한 변으로 하여 정사각형을 그린 것이다. □CBFG = 32 cm², □ADEB = 48 cm²일 때, $\overline{AC}$의 길이를 구하여라.

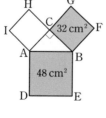

18 서술형 다음 그림과 같이 지면과 수직인 두 나무 A, B의 높이는 각각 11 m, 5 m이고, 서로 8 m만큼 떨어져 있다. B나무 꼭대기에 있던 새가 직선으로 A나무 꼭대기를 향해 분속 2 m로 날아갔을 때, 새가 A나무 꼭대기에 도달하는 데 걸리는 시간이 몇 분인지 구하여라.

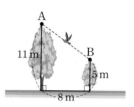

19 세 변의 길이가 5, 12, x인 삼각형이 둔각삼각형이 되도록 하는 x의 값을 보기에서 모두 고른 것은?

┤ 보 기 ├
ㄱ. 10   ㄴ. 11   ㄷ. 12
ㄹ. 13   ㅁ. 14

① ㄱ   ② ㄱ, ㅁ   ③ ㄷ, ㄹ, ㅁ
④ ㅁ   ⑤ ㄹ, ㅁ

20 오른쪽 그림과 같이 직각삼각형 ABC의 세 변을 각각 지름으로 하는 반원을 그렸다. $\overline{AB} = 15$ cm이고 색칠한 부분의 넓이가 45 cm²일 때, $\overline{AC}$의 길이를 구하여라.

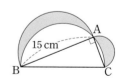

01 오른쪽 그림의 정사각형 ABCD의 네 변을 각각 4등분한 점의 하나를 각각 점 E, F, G, H라 하고, 이 점과 하나의 꼭짓점을 각각 연결하여 만들어진 사각형을 □PQRS라고 하자. 이때 □ABCD와 □PQRS의 넓이의 비를 구하여라.

① □PQRS는 어떤 사각형일까?
② △AEP=S라 할 때, 사각형 PQRS의 넓이를 S에 대한 식으로 표현하면?

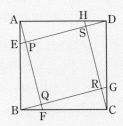

02 오른쪽 그림과 같이 부피가 27 cm³인 사면체 A−BCD에서 △BCD, △ABC, △ACD, △ABD의 무게중심을 각각 O, P, Q, R라고 할 때, 사면체 O−PQR의 부피를 구하여라.

① $\overline{AP}$의 연장선과 $\overline{BC}$의 교점을 M, $\overline{AQ}$의 연장선과 $\overline{CD}$의 교점을 N이라 할 때, $\overline{MN}$과 $\overline{BD}$의 관계는?
② 닮음비를 이용하여 부피의 비를 구할 수 있는가?

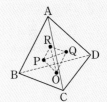

03 높이가 18인 원기둥 모양의 그릇이 있다. 여기에 반지름의 길이가 5인 구 2개를 오른쪽 그림과 같이 넣었더니 구끼리 서로 외접하면서 원기둥에 내접하였다. 이때 이 원기둥 모양의 그릇의 부피를 구하여라.

① 구의 반지름의 길이를 이용하여 원기둥의 밑면인 원의 지름의 길이를 구하면?
② 원기둥의 부피는?

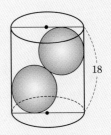

유형 **1** 경우의 수

01 한 개의 주사위를 던질 때, 다음 중 각 사건이 일어나는 경우의 수가 나머지 넷과 <u>다른</u> 하나는?

① 소수의 눈이 나온다.
② 짝수의 눈이 나온다.
③ 홀수의 눈이 나온다.
④ 4의 약수의 눈이 나온다.
⑤ 6의 약수의 눈이 나온다.

02 1부터 30까지의 자연수가 각각 적힌 30장의 카드에서 한 장을 뽑을 때, 4의 배수가 적힌 카드를 뽑는 경우의 수를 구하여라.

03 한 개의 주사위를 두 번 던져서 처음에 나온 눈의 수를 x, 나중에 나온 눈의 수를 y라고 할 때, $2x+y=9$가 되는 경우의 수를 구하여라.

04 아빠가 혜현이에게 1000원짜리 지폐 2장과 5000원짜리 지폐 2장을 이용하여 용돈을 주려고 한다. 지폐를 한 장 이상 사용하여 혜현이에게 줄 수 있는 용돈의 금액은 몇 가지인지 구하여라.

유형 **2** 사건 A 또는 B가 일어나는 경우의 수

05 A도시에서 B도시까지 가는 교통편이 비행기는 4회, 기차는 8회, 버스는 10회 있다고 한다. 비행기 또는 기차 또는 버스로 A도시에서 B도시까지 가는 경우의 수를 구하여라.

06 연희네 반 학생들이 영화관에 갔더니 액션 영화 3편, SF 영화 2편, 코미디 영화 3편을 상영하고 있었다. 영화 한 편을 선택할 때 액션 또는 SF 영화를 선택하는 경우의 수를 구하여라.

07 한 개의 주사위를 두 번 던질 때, 나오는 눈의 수의 합이 5 또는 7이 되는 경우의 수를 구하여라.

08 서로 다른 두 개의 주사위를 동시에 던질 때, 두 눈의 수의 차가 2 또는 4가 되는 경우의 수를 구하여라.

09 다음 그림과 같이 6등분, 8등분한 A, B 두 원판에 숫자가 각각 적혀 있다. 두 원판이 각각 돌다가 멈출 때, 두 원판의 각 바늘이 가리킨 숫자의 합이 4 또는 10인 경우의 수를 구하여라. (단, 바늘이 경계선을 가리키는 경우는 없다고 한다.)

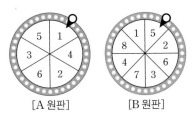

[A 원판]   [B 원판]

10 1, 2, 3, 4, 5의 숫자가 각각 적혀 있는 5장의 카드 중에서 차례로 2장을 뽑아 두 자리의 자연수를 만들 때, 만들어진 수가 20보다 작거나 50보다 큰 경우의 수를 구하여라.

유형 **3** 두 사건 *A*와 *B*가 동시에 일어나는 경우의 수

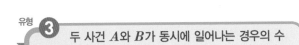

11 5종류의 바지와 4종류의 신발이 있다. 바지와 신발을 각각 한 종류씩 고르는 경우의 수를 구하여라.

12 주사위 한 개와 동전 한 개를 동시에 던졌을 때, 주사위는 짝수의 눈이 나오고, 동전은 앞면이 나오는 경우의 수를 구하여라.

13 어느 햄버거 가게의 메뉴가 다음과 같다. 햄버거, 음료, 디저트를 각각 한 종류씩 선택하여 주문하는 경우의 수를 구하여라.

┌─ 햄버거 ─┐	┌─ 음료 ─┐	┌─ 디저트 ─┐
불고기버거	콜라	아이스크림
새우버거	사이다	쉐이크
치즈버거	환타	
치킨버거		

14 갑, 을, 병 세 사람이 가위바위보를 할 때, 일어날 수 있는 모든 경우의 수를 구하여라.

15 오른쪽 그림과 같은 길을 따라 A지점에서 D지점까지 가는 경우의 수를 구하여라. (단, 같은 지점은 두 번 지나지 않는다.)

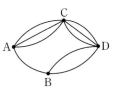

16^{up} 오른쪽 그림은 A지점에서 B지점까지 가는 길을 나타낸 것이다. 두 지점 A, B를 왕복하는데 P지점을 반드시 한 번만 지난다고 할 때, 두 지점 A, B 사이를 왕복하는 경우의 수를 구하여라.

유형 ① 한 줄로 세우는 경우의 수

01 A, B, C 3명을 한 줄로 세우는 경우의 수를 구하여라.

02 학교 체육 대회의 우리 반 계주 선수로 A, B, C, D, E 5명이 출전하기로 했다. D가 첫 주자로 달린다고 할 때, 달리는 순서를 정하는 경우의 수를 구하여라.

03 a, b, c, d, e 5개의 문자를 한 줄로 나열할 때, b, c가 이웃하도록 나열하는 경우의 수를 구하여라.

04 A, B, C, D, E 5명을 한 줄로 세울 때, A, E를 양 끝에 세우는 경우의 수를 구하여라.

유형 ② 색칠하기

05 오른쪽 그림의 A, B, C, D 네 부분을 빨강, 노랑, 파랑의 3가지 색으로 칠하려고 한다. 같은 색을 여러 번 칠해도 되지만 이웃하는 부분은 서로 다른 색으로 칠하는 경우의 수를 구하여라.

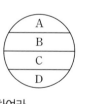

06 오른쪽 그림의 A, B, C, D 네 부분을 빨강, 노랑, 파랑, 초록의 4가지 색으로 칠하려고 한다. 다음을 구하여라.

(1) A, B, C, D 네 부분에 모두 다른 색을 칠하는 경우의 수

(2) A, B, C, D 네 부분에 같은 색을 여러 번 사용해도 되지만 이웃하는 부분은 서로 다른 색으로 칠하는 경우의 수

유형 ③ 자연수 만들기

07 1, 2, 3, 4가 각각 적힌 4장의 카드에서 3장을 뽑아 만들 수 있는 세 자리의 자연수의 개수를 구하여라.

08 0, 1, 2, 3, 4가 각각 적힌 5장의 카드에서 2장을 뽑아 만들 수 있는 두 자리의 자연수의 개수를 구하여라.

09 0부터 9까지의 숫자가 각각 적힌 10장의 카드에서 2장을 뽑아 만들 수 있는 두 자리의 자연수 중 짝수의 개수를 구하여라.

10^{up} 0에서 5까지의 숫자가 각각 적힌 6장의 카드에서 3장을 뽑아 만든 세 자리의 자연수 중 4의 배수의 개수를 구하여라.

11 0, 1, 2, 3, 4, 5가 각각 적힌 6장의 카드에서 2장을 뽑아 두 자리의 자연수를 만들 때, 짝수의 개수와 홀수의 개수의 차를 구하여라.

유형 **④** 대표 뽑기

^{중요}
12 이룸이네 학교의 학생회장 선거에 6명의 후보가 출마하였다. 이때 회장 1명, 부회장 1명을 뽑는 경우의 수를 구하여라.

13 A, B, C, D, E 5명의 후보 중에서 2명의 대표를 뽑을 때, D가 대표로 뽑히는 경우의 수를 구하여라.

14 6명의 사람이 한 사람도 빠짐없이 서로 한 번씩 악수를 한다고 할 때, 6명이 한 악수의 횟수를 구하여라.

15 남학생 3명과 여학생 5명의 후보 중에서 대표 3명을 뽑는 경우의 수를 구하여라.

유형 **⑤** 선분 또는 삼각형의 개수

16 오른쪽 그림과 같이 한 원 위에 있는 6개의 점 중에서 두 점을 연결하여 만들 수 있는 선분의 개수를 구하여라.

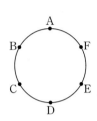

17 오른쪽 그림과 같이 한 원 위에 있는 10개의 점 중에서 세 개의 점을 연결하여 만들 수 있는 삼각형의 개수를 구하여라.

18 오른쪽 그림과 같이 직사각형 위에 있는 6개의 점 중에서 세 점을 연결하여 만들 수 있는 삼각형의 개수를 구하여라.

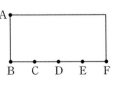

01 한 개의 주사위를 두 번 던져서 첫 번째에 나온 눈의 수를 a, 두 번째에 나온 눈의 수를 b라고 할 때, 직선 $ax+by=b$ 중 서로 다른 직선의 개수를 구하여라.

> 주사위를 두 번 던져서 나올 수 있는 모든 경우의 수에서 직선 $ax+by=b$가 중복되는 경우를 뺀다.

02 A주머니에는 -4, -3, 0, 3, 4가 각각 적힌 5개의 공이 들어 있고, B주머니에는 1, 2, 3이 각각 적힌 3개의 공이 들어 있다. A, B 주머니에서 공을 한 개씩 뽑아 공에 적힌 수를 각각 a, b라고 할 때, 점 (a, b)가 제2사분면 위의 점이 되는 경우의 수를 구하여라.

> 점 (a, b)가 제2사분면에 존재하려면 $a<0$, $b>0$을 만족해야 한다.

03 수직선 위의 원점에 점 P가 있다. 1개의 동전을 던져서 앞면이 나오면 양의 방향으로 1만큼, 뒷면이 나오면 음의 방향으로 2만큼 점 P를 이동시킬 때, 1개의 동전을 4번 던져서 이동시킨 점 P의 좌표가 -5인 경우의 수를 구하여라.

뒷면 앞면
← P →
-3 -2 -1 0 1 2 3

> 앞면이 나온 횟수를 x, 뒷면이 나온 횟수를 y라고 할 때, $1\times x+(-2)\times y=-5$인 경우를 찾는다.

04 서로 다른 세 개의 주사위를 동시에 던져서 나오는 눈의 수를 각각 a, b, c라고 하자. 이때 a, b, c가 이등변삼각형의 세 변의 길이가 되는 경우의 수를 구하여라.

> 정삼각형인 이등변삼각형과 두 변의 길이만 같은 이등변삼각형으로 나누어 생각한다.

05 오른쪽 그림과 같은 길이 있다. 선희가 집에서 출발하여 학교에 들렀다가 도서관에 갈 때, 가장 짧은 거리로 이동하는 경우의 수를 구하여라.

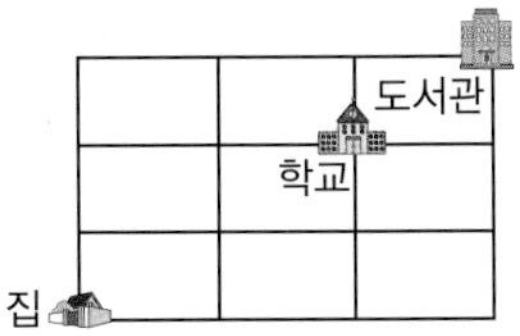

선희네 집에서 학교까지 가장 짧은 거리로 가는 경우의 수와 학교에서 도서관까지 가장 짧은 거리로 가는 경우의 수를 각각 구하여 곱한다.

서술형

06 이룸이네 반에서는 체육 대회의 이어달리기 학급 대표로 남학생은 석찬, 홍섭이를, 여학생은 유민, 지현, 우경이를 뽑았다. 이 경기에서 여학생 세 명이 먼저 달리고 그 다음으로 남학생 두 명이 달린다고 할 때, 5명의 이어달리기 순서를 정하는 경우의 수를 구하여라.

....

....

답 _____

서술 **TIP**
여학생이 달리는 순서를 정하는 경우의 수와 남학생이 달리는 순서를 정하는 경우의 수를 곱한다.

07 남학생 4명과 여학생 3명이 한 줄로 앉아서 사진을 찍으려고 한다. 4명의 남학생 중 어느 누구도 남학생끼리 이웃하지 않도록 앉는 경우의 수를 구하여라.

남학생끼리 이웃하지 않으려면 남학생 4명 사이사이에 여학생 3명이 앉아야 한다.

서술형

08 A, B, C, D 4명의 학생을 한 줄로 세울 때, C와 D가 이웃하여 서지 않는 경우의 수를 구하여라.

....

....

답 _____

서술 **TIP**
전체 경우의 수에서 C와 D가 이웃하여 서는 경우의 수를 뺀다.

09 오른쪽 그림의 A, B, C, D 네 부분에 빨강, 파랑, 노랑, 초록의 4가지 색을 칠하려고 한다. 같은 색을 여러 번 칠해도 되지만 이웃하는 부분은 서로 다른 색으로 칠하는 경우의 수를 구하여라.

(단, A와 C는 이웃하지 않는 것으로 생각한다.)

A와 C에 같은 색을 칠하는 경우와 다른 색을 칠하는 경우로 나누어 생각한다.

10 가수를 뽑는 오디션에 남자 5명과 지희를 포함한 여자 3명이 최종 후보로 올라왔다. 다음 물음에 답하여라.

(1) 남자 1명과 여자 1명을 뽑는 경우의 수를 구하여라.

(2) 지희를 포함하여 3명을 뽑는 경우의 수를 구하여라.

(3) 3명을 뽑을 때, 남자와 여자가 적어도 1명씩 포함되는 경우의 수를 구하여라.

(2) 7명 중에서 2명을 뽑는 경우의 수를 구한다.
(3) 전체 경우의 수에서 남자만 3명 뽑는 경우의 수와 여자만 3명 뽑는 경우의 수를 뺀다.

11 오른쪽 그림과 같이 반원 위에 있는 6개의 점 중에서 세 점을 연결하여 만들 수 있는 삼각형의 개수를 구하여라.

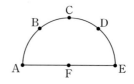

한 직선 위에 있는 세 점으로는 삼각형을 만들 수 없다.

유형 **1** 확률의 뜻

01 서로 다른 두 개의 주사위를 동시에 던질 때, 두 눈의 수의 차가 3일 확률을 구하여라.

02 A, B, C, D 네 명이 1부터 10까지의 자연수가 각각 적힌 10장의 카드에서 차례로 한 장씩 뽑아 높은 숫자를 뽑은 사람이 대표를 하기로 하였다. A, B, C가 각각 6, 4, 3이 적힌 카드를 뽑았을 때, 맨 마지막에 뽑은 D가 대표가 될 확률을 구하여라.

03 다음 표는 현이네 반 학생들의 줄넘기 평가 등급을 조사하여 나타낸 도수분포표이다. 현이네 반 학생 중 한 명을 선택하여 줄넘기 평가 등급을 확인할 때, 2등급일 확률을 구하여라.

줄넘기 평가제	학생 수(명)
1등급	3
2등급	
3등급	8
4등급	3
5등급	2
합계	20

04 1, 2, 3, 4가 각각 적힌 4장의 카드에서 2장을 뽑아 두 자리의 자연수를 만들 때, 그 자연수가 3의 배수일 확률을 구하여라.

05 모양과 크기가 같은 빨간 구슬이 n개, 파란 구슬이 3개가 들어 있는 주머니에서 임의로 한 개를 꺼낼 때, 파란 구슬일 확률은 $\frac{1}{5}$이다. 이때 n의 값을 구하여라.

06^{up} 서로 다른 두 개의 주사위를 동시에 던져서 나오는 눈의 수를 각각 a, b라고 할 때, $\frac{b}{a}$가 무한소수가 될 확률을 구하여라.

07 A, B 두 사람이 주사위를 각각 던져 큰 수가 나온 사람이 이긴다고 할 때, A가 이길 확률을 구하여라.

08 한 개의 주사위를 두 번 던져서 처음에 나온 눈의 수를 x, 나중에 나온 눈의 수를 y라고 할 때, $x+2y<7$일 확률을 구하여라.

09 한 개의 주사위를 두 번 던져서 처음에 나온 눈의 수를 a, 나중에 나온 눈의 수를 b라고 할 때, 방정식 $ax=b$의 해가 정수일 확률을 구하여라.

10 오른쪽 그림과 같은 원판에 화살을 쏠 때, 화살이 색칠한 부분에 맞을 확률을 구하여라. (단, 화살은 경계선에는 맞지 않고 원판을 벗어나지 않는다.)

11 오른쪽 그림과 같이 4등분된 원판에 원의 중심으로부터 일정한 간격으로 원이 그려져 있다. 이 원판에 화살을 쏘았을 때, 색칠한 부분을 맞힐 확률을 구하여라. (단, 화살은 경계선에는 맞지 않고 원판을 벗어나지 않는다.)

12 서로 다른 두 개의 주사위를 동시에 던질 때, 다음 사건이 일어날 확률을 각각 구하여라.

(1) 두 눈의 수의 합이 15일 확률

(2) 두 눈의 수의 합이 10일 확률

(3) 두 눈의 수의 합이 12 이하일 확률

13 상자 안에 1부터 10까지의 자연수가 각각 적힌 10개의 구슬이 있다. 상자 안에서 한 개의 구슬을 꺼낼 때, 다음 중 옳은 것을 모두 고르면? (정답 2개)

① 0이 적힌 구슬이 나올 확률은 0이다.

② 1이 적힌 구슬이 나올 확률은 0이다.

③ 10 이하의 수가 적힌 구슬이 나올 확률은 1이다.

④ 10 이상의 수가 적힌 구슬이 나올 확률은 0이다.

⑤ 5 이상의 수가 적힌 구슬이 나올 확률은 $\frac{1}{2}$이다.

14 모양과 크기가 같은 흰 공과 노란 공이 들어 있는 상자에서 공 한 개를 꺼내려고 한다. 흰 공이 나올 확률이 $\frac{3}{7}$일 때, 노란 공이 나올 확률을 구하여라.

15 제품 100개당 15개의 불량품이 나오는 어느 공장에서 제품 1개를 생산할 때, 합격품이 나올 확률을 구하여라.

16 각 면에 1부터 20까지의 자연수가 각각 적힌 정이십면체 모양의 주사위 한 개를 던질 때, 4의 배수가 아닌 수가 나올 확률을 구하여라.

17 주사위 2개를 동시에 던질 때, 나오는 두 눈의 수의 합이 11 이하일 확률을 구하여라.

18 주사위 2개를 동시에 던질 때, 나오는 두 눈의 수가 서로 다를 확률을 구하여라.

19 A, B, C, D, E 5명의 학생을 한 줄로 세울 때, A, B가 이웃하여 서지 않을 확률을 구하여라.

20 A, B, C, D 4명의 학생이 한 줄로 설 때, A가 맨 뒤에 서지 않을 확률을 구하여라.

유형 **4** 적어도 ~일 확률

21 서로 다른 3개의 동전을 동시에 던질 때, 적어도 한 개는 앞면이 나올 확률을 구하여라.

22 여학생 4명과 남학생 3명 중에서 2명의 대표를 뽑으려고 한다. 이때 적어도 1명은 남학생이 뽑힐 확률을 구하여라.

23 주머니 속에 빨간 공 3개와 파란 공 3개가 들어 있다. 주머니에서 두 개의 공을 동시에 꺼낼 때, 적어도 한 개는 파란 공일 확률을 구하여라.

유형 ① 확률의 덧셈

01 1에서 15까지의 자연수가 각각 적힌 15장의 카드에서 한 장을 뽑을 때, 소수 또는 4의 배수가 나올 확률을 구하여라.

02 흰 공 4개, 노란 공 3개, 파란 공 2개가 들어 있는 주머니에서 공 1개를 꺼낼 때, 흰 공 또는 노란 공이 나올 확률을 구하여라.

03 1에서 12까지의 자연수가 각각 적힌 12장의 카드에서 한 장을 뽑을 때, 그 수가 3의 배수이거나 5의 배수일 확률을 구하여라.

04 오른쪽 그림은 어느 학교 학생을 대상으로 혈액형을 조사하여 원그래프로 나타낸 것이다. 이 학생들 중 한 명을 선택할 때, 혈액형이 A형 또는 O형일 확률을 구하여라.

05 A, B, C 세 사람이 가위바위보를 할 때, A가 이길 확률을 구하여라.

06 서로 다른 두 개의 주사위를 동시에 던질 때, 두 눈의 수의 합 또는 곱이 6이 될 확률을 구하여라.

07 수직선 위의 원점에 점 P가 있다. 한 개의 동전을 1번 던져서 앞면이 나오면 점 P를 양의 방향으로 2만큼, 뒷면이 나오면 점 P를 음의 방향으로 −1만큼 이동시킨다. 한 개의 동전을 세 번 던져 점 P를 이동시킬 때, 점 P의 좌표가 0 또는 3이 될 확률을 구하여라.

```
         뒷면          P      앞면
      ←──────────  ●  ──────────→
      −3  −2  −1   0   1   2   3
```

08 정육각형의 6개의 꼭짓점 중에서 3개를 연결하여 삼각형을 만들 때, 이등변삼각형이 될 확률을 구하여라.

09 흰 공 2개, 검은 공 1개가 들어 있는 A주머니와 흰 공 1개, 검은 공 2개가 들어 있는 B주머니가 있다. 두 주머니에서 각각 공을 하나씩 꺼낼 때, 두 공이 모두 검은 공일 확률을 구하여라.

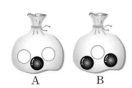

A   B

10 다음 표는 중학교 2학년 남학생 80명, 여학생 98명을 대상으로 프로 야구 팀에 대한 선호도를 조사한 것이다. 임의로 남학생과 여학생을 각각 1명씩 선택할 때, 선택된 남학생이 B팀, 여학생이 C팀을 선호할 확률을 구하여라.

팀명	남학생	여학생
A	28	28
B	14	22
C	20	30
D	18	18
합계	80	98

11 ^{up} A주머니에는 -2, -1, 0, 1, 2가 각각 적힌 5장의 카드가 들어 있고, B주머니에는 -1, 0, 1, 2가 각각 적힌 4장의 카드가 들어 있다. 두 주머니에서 카드를 한 장씩 뽑아 A주머니에서 뽑은 카드의 수를 x, B주머니에서 뽑은 카드의 수를 y라고 할 때, 순서쌍 (x, y)가 좌표평면의 제4사분면 위의 점의 좌표가 될 확률을 구하여라.

12 다음 그림과 같이 4등분된 원판 A와 3등분된 원판 B의 바늘을 돌렸을 때, 바늘이 멈춘 칸의 두 수가 모두 홀수일 확률을 구하여라. (단, 바늘이 경계선 위에 멈추는 경우는 생각하지 않는다.)

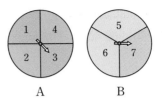

A   B

13 이룸이와 숨마가 가위바위보를 2번 할 때, 첫 번째에서 승부가 나지 않고 두 번째에서 승부가 날 확률을 구하여라.

14 이룸이와 숨마가 만나기로 약속을 하였는데, 두 사람이 약속 장소에 나갈 확률이 각각 $\dfrac{3}{4}$, $\dfrac{4}{5}$이다. 이때 두 사람이 약속 장소에서 만나지 못할 확률을 구하여라.

15 일기 예보에 의하면 어느 도시에 내일 비가 오지 않을 확률은 80 %, 모레 비가 올 확률은 30 %라고 한다. 내일, 모레 이틀 연속 비가 올 확률을 백분율로 나타내어라.

16 A주머니에는 흰 공 3개, 검은 공 2개가 들어 있고, B 주머니에는 흰 공 2개, 검은 공 1개가 들어 있다. A주 머니와 B주머니에서 공을 한 개씩 꺼낼 때, 서로 다른 색깔의 공이 나올 확률을 구하여라.

17 진서네 동아리에는 남학생 5명, 여학생 3명이 있다. 이 8명의 학생 중 동아리 대표 1명과 부대표 1명을 뽑을 때, 2명 모두 남학생이거나 모두 여학생일 확률을 구하 여라.

18 두 사격 선수 A, B가 과녁을 맞힐 확률이 각각 $\frac{2}{3}$, $\frac{4}{5}$ 이다. 두 선수가 동시에 과녁을 향하여 한 발을 사격했 을 때, 한 사람만 과녁을 맞힐 확률을 구하여라.

19^{up} A주머니에는 흰 공 2개, 검은 공 3개가 들어 있고, B 주머니에는 흰 공 3개, 검은 공 4개가 들어 있다. A주 머니에서 1개의 공을 꺼내어 B주머니에 넣고, 다시 B 주머니에서 1개의 공을 꺼내어 A주머니에 넣을 때, 두 주머니의 흰 공과 검은 공의 개수가 처음과 같을 확률 을 구하여라.

20 주머니 안에 1에서 9까지의 자연수가 각각 적힌 9개의 공이 들어 있다. 한 개를 꺼내 수를 확인하고 다시 넣은 후 다시 한 개를 꺼낼 때, 첫 번째에는 3의 배수, 두 번 째에는 6의 약수가 적힌 공이 나올 확률을 구하여라.

21 당첨 제비 3개를 포함한 6개의 제비 중에서 A, B 두 사람이 차례로 1개씩 제비를 뽑을 때, A만 당첨 제비 를 뽑을 확률을 구하여라.
(단, 꺼낸 제비는 다시 넣지 않는다.)

22 7개의 제품 중 2개의 불량품이 들어 있는 어느 상자에 서 이룸이와 숨마가 차례로 한 개씩 제품을 꺼낼 때, 숨 마의 것만 불량품일 확률을 구하여라.
(단, 꺼낸 제품은 다시 넣지 않는다.)

23 흰 공 3개와 검은 공 2개가 들어 있는 상자에서 공 한 개를 꺼내어 색깔을 확인하고 다시 넣은 후 공 한 개를 또 꺼낼 때, 적어도 한 개는 흰 공이 나올 확률을 구하 여라.

01 한 개의 주사위를 3번 던져서 나오는 눈의 수를 차례로 a, b, c라고 하자. 이때 $a<b<c$가 될 확률을 구하여라.

$a<b<c$가 되는 경우의 수는 1~6에서 서로 다른 3개의 수를 뽑는 경우의 수와 같다.

02 오른쪽 그림과 같이 평행한 두 직선 위에 7개의 점이 있다. 7개의 점 중에서 3개의 점을 선택할 때, 선택한 3개의 점을 연결하여 삼각형이 만들어질 확률을 구하여라.

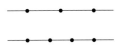

한 직선 위의 세 점을 선택하면 삼각형이 만들어지지 않는다.

03 서로 다른 두 개의 주사위를 동시에 던질 때, 나오는 두 눈의 수의 합이 5의 배수가 아닐 확률을 구하여라.

(5의 배수가 아닐 확률)
=1−(5의 배수일 확률)

04 오른쪽 그림과 같이 입구에 공을 넣으면 아래쪽으로만 이동하여 A, B, C, D 중 어느 한 곳으로 공이 나오는 관이 있다. 입구에 공을 하나 넣었을 때, 공이 B로 나올 확률을 구하여라. (단, 각 갈림길에서 공이 오른쪽이나 왼쪽으로 이동할 확률을 모두 같다.)

공이 B로 나오는 경로는 3가지이다.

05 오른쪽 그림과 같이 한 변의 길이가 1인 정오각형에서 점 P는 꼭짓점 A를 출발하여 꼭짓점 B가 있는 방향으로 주사위의 눈의 수만큼 움직인다. 주사위를 두 번 던졌을 때, 점 P가 꼭짓점 E에 오게 될 확률을 구하여라.

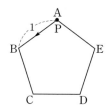

점 P가 꼭짓점 A에서 출발하여 4 또는 9만큼 움직이면 꼭짓점 E에 오게 된다.

06 우리 집 앞에서 오후 5시에 도착 예정인 학원 버스가 정시에 도착할 확률은 $\dfrac{7}{12}$이고 정시보다 일찍 도착할 확률은 $\dfrac{1}{6}$이다. 학원 버스가 오늘은 정시보다 늦게 도착하고 내일은 정시보다 일찍 도착할 확률을 구하여라.

학원 버스가 정시보다 늦게 도착할 확률을 먼저 구한다.

07 세 자연수 a, b, c가 짝수일 확률이 각각 $\dfrac{2}{3}$일 때, $a+b+c$가 짝수일 확률을 구하여라.

세 수의 합이 짝수이려면 세 수 모두 짝수이거나 하나만 짝수이어야 한다.

08 서술형 주사위 A, B를 동시에 던져서 나오는 눈의 수를 각각 a, b라고 하자. 직선 $ax+by=1$과 x축, y축으로 둘러싸인 부분의 넓이가 $\dfrac{1}{12}$이 될 확률을 구하여라.

답 _____

서술 **TIP**
직선의 x절편과 y절편을 이용하여 삼각형의 넓이를 a, b에 대한 식으로 나타낸다.

09 검은 공이 6개 들어 있는 A상자와 흰 공이 7개 들어 있는 B상자가 있다. 서로 다른 두 개의 주사위를 동시에 던져서 나온 눈의 수를 각각 x, y라고 할 때, A상자에서 x개의 공을 꺼내고, B상자에서 y개의 공을 꺼내어 서로 다른 상자에 넣었다. 이때 A상자에 두 가지 색깔의 공이 있고, 그 개수가 5가 될 확률을 구하여라.

A상자의 공이 1개 줄어야 하므로 $-x+y=-1$이어야 한다.

10 서로 다른 세 개의 주사위를 동시에 던져서 나온 눈의 수를 각각 a, b, c라고 할 때, $(a-b)(b-c)=0$일 확률을 구하여라.

$(a-b)(b-c)=0$이려면 $a=b\ne c$ 또는 $a\ne b=c$ 또는 $a=b=c$이어야 한다.

11 한 번의 경기에서 이길 확률이 같은 두 사람 A, B가 먼저 3승을 한 사람이 이기는 경기를 하였다. 그런데 첫 번째 경기에서 A가 이긴 후 날씨 때문에 두 번째 경기부터 중단되었다. 경기를 계속 하였을 때, A가 우승할 확률을 구하여라.

(단, 비기는 경우는 없다.)

A가 3승 무패하는 경우부터 3승 2패하는 경우까지 A가 우승하는 경우를 빠짐없이 나열해 본다.

12 서술형 A, B, C 세 학생이 어떤 시험에 통과할 확률이 각각 $\frac{1}{2}$, $\frac{2}{3}$, $\frac{3}{4}$일 때, 두 사람만 이 시험에 통과할 확률을 구하여라.

....

....

답 _____

서술 **TIP**
(두 사람만 통과할 확률)
=(A, B만 통과할 확률)
 +(B, C만 통과할 확률)
 +(C, A만 통과할 확률)

01 상자에 1에서 15까지의 자연수가 각각 적힌 15개의 공이 들어 있다. 이 상자에서 한 개의 공을 꺼낼 때, 소수가 적힌 공이 나오는 경우의 수를 구하여라.

02 A도시에서 B도시까지 가는 기차 노선은 8가지, 버스 노선은 12가지가 있다. 기차 또는 버스로 A도시에서 B도시까지 가는 경우의 수를 구하여라.

03 다음 사건 중 경우의 수가 가장 큰 것은?

① 동전 한 개를 던질 때 나오는 모든 경우의 수
② 서로 다른 주사위 2개를 던질 때, 나오는 모든 경우의 수
③ 윷가락 4개를 동시에 던질 때, 나오는 모든 경우의 수
④ 세 사람이 가위바위보를 할 때, 나오는 모든 경우의 수
⑤ 주사위 한 개와 동전 한 개를 동시에 던질 때, 나오는 모든 경우의 수

04 세 지점 A, B, C 사이에 오른쪽 그림과 같은 길이 있다. A지점에서 C지점까지 가는 경우의 수를 구하여라.
(단, 한 번 지난 지점은 다시 지나가지 않는다.)

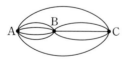

05 A학교의 방송반은 남학생 4명, 여학생 3명으로 구성되어 있고, B학교의 방송반은 남학생 3명, 여학생 3명으로 구성되어 있다. A학교, B학교의 방송반에서 각각 한 명씩 대표를 뽑을 때, 적어도 한 명은 남학생이 뽑히는 경우의 수는?

① 12 ② 21 ③ 27
④ 30 ⑤ 33

06 A, B, C, D, E, F 6명이 사진을 찍으려고 한다. 2명은 의자에 앉고 나머지 4명은 뒤에 한 줄로 서서 사진을 찍으려고 할 때, A, B가 의자에 앉는 경우의 수는?

① 6 ② 12 ③ 24
④ 48 ⑤ 120

07 서술형 0에서 6까지의 숫자가 각각 적힌 7장의 카드에서 3장을 뽑아 만들 수 있는 세 자리의 자연수 중 짝수가 되는 경우의 수를 구하여라.

08 3명의 후보 중에서 회장 1명과 부회장 1명을 뽑는 경우의 수는 a이고, 대표 2명을 뽑는 경우의 수는 b일 때, ab의 값을 구하여라.

09 다음 그림에서 선을 따라 만들 수 있는 직사각형의 개수는?

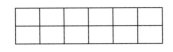

① 14   ② 15   ③ 31

④ 45   ⑤ 63

10 한글의 자음 ㄱ, ㄴ, ㄷ과 모음 ㅏ, ㅓ가 하나씩 적혀 있는 5장의 카드에서 2장을 뽑을 때, 글자가 만들어질 확률을 구하여라.

11 서로 다른 두 개의 주사위 A, B를 동시에 던져서 나온 눈의 수를 각각 a, b라고 할 때, 오른쪽 그림에서 일직선에 있는 세 수들의 합이 서로 같을 확률을 구하여라.

	a	
3	5	4
	b	

12 사건 A가 일어날 확률을 p, 사건 A가 일어나지 않을 확률을 q라고 할 때, 다음 보기 중 옳은 것을 모두 골라라.

┤ 보 기 ├

ㄱ. $0 \leq p \leq 1$ ㄴ. $0 \leq q \leq 1$

ㄷ. $p = 1 - q$ ㄹ. $0 < p + q < 1$

ㅁ. 사건 A가 절대로 일어날 수 없는 사건이면 $p = 0$ 이다.

13 다음 그림과 같은 전기 회로에서 스위치 A, B, C가 닫힐 확률이 각각 $\frac{1}{2}$일 때, 전구에 불이 들어오지 않을 확률을 구하여라.

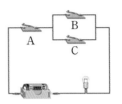

14 한 모서리의 길이가 1인 작은 정육면체 64개를 오른쪽 그림과 같이 쌓아서 큰 정육면체를 만들었다. 이 큰 정육면체의 겉면에 색칠을 하고 다시 흐트러뜨린 다음 작은 정육면체를 한 개 집었을 때, 색칠된 면이 적어도 하나는 있을 확률을 구하여라.

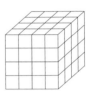

15 각 면에 1부터 12까지의 자연수가 각각 적힌 정십이면체 모양의 주사위 1개를 던져서 바닥에 닿은 면에 적힌 눈의 수만큼 한 변의 길이가 1인 정사각형 ABCD의 꼭짓점 A에 있는 점 P를 시계 반대 방향의 다른 꼭짓점으로 이동시키기로 하자. 주사위를 두 번 던질 때, 첫 번째에는 꼭짓점 A에서 출발하여 꼭짓점 B로 옮겨지고 두 번째에는 꼭짓점 B에서 출발하여 꼭짓점 D로 옮겨질 확률을 구하여라.

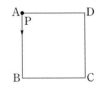

16 서로 다른 두 개의 주사위를 동시에 던져서 나온 눈을 각각 a, b라고 할 때, 방정식 $ax-b=0$의 해가 2 또는 6일 확률을 구하여라.

17 서로 다른 두 개의 주사위를 동시에 던질 때, 적어도 한 개의 주사위에서 짝수의 눈이 나올 확률을 구하여라.

18 어느 시험에 A가 합격할 확률은 $\frac{1}{2}$, B가 합격할 확률은 $\frac{2}{3}$, C가 합격할 확률은 $\frac{3}{4}$이라고 할 때, 적어도 한 사람은 합격할 확률을 구하여라.

19 A주머니에는 노란 공 2개, 파란 공 3개가 들어 있고, B 주머니에는 노란 공 3개, 파란 공 2개가 들어 있다. A주 머니에서 1개의 공을 꺼내어 B주머니에 넣은 후 B주머 니에서 1개의 공을 꺼낼 때, 꺼낸 공이 노란 공일 확률 을 구하여라.

20 다음 그림과 같은 게임판의 입구에 구슬을 넣었을 때, 구슬이 방 A에 들어갈 확률을 구하여라. (단, 갈라지는 부분에서 각 통로로 들어갈 확률은 같다.)

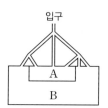

21 크기와 모양이 같은 두 개의 주머니 A, B가 있다. 주머 니 A에는 흰 공 2개와 검은 공 3개가 들어 있고, 주머 니 B에는 흰 공 3개와 검은 공 3개가 들어 있다. 임의 로 한 주머니를 택하여 한 개의 공을 꺼낼 때, 흰 공을 꺼낼 확률을 구하여라.

22 주머니 속에 1, 2, 3, 4, 5가 각각 적힌 5장의 카드가 있 다. 영우와 승우가 번갈아가면서 한 장씩 뽑아서 먼저 짝수를 뽑는 사람이 이기기로 하였다. 영우부터 뽑는다 고 할 때, 승우가 이길 확률을 구하여라.
            (단, 뽑은 카드는 다시 넣지 않는다.)

01

① 어느 방 문이 열렸다 닫히는 시행이 홀수 번 시행되려면?

1부터 50까지의 번호가 하나씩 적힌 50개의 방이 있다. 어느 학급의 1번부터 50번까지 50명의 학생이 각 방을 지나가면서 자기 번호의 배수가 되는 방의 문이 닫혀 있으면 열고 열려 있으면 닫기로 하였다. 모든 방문이 닫혀 있는 상태에서 이 사건이 시행된 후, 50개의 방 중 하나를 선택했을 때 방의 문이 열려 있을 확률을 구하여라.

02

① 상자를 바꾸지 않을 때, 사탕이 들어 있는 상자를 고를 확률은?
② 상자를 바꿀 때, 사탕이 들어 있는 상자를 고를 확률은?

다음 글을 읽고 물음에 답하여라.

> 영우 : 윤서야, 여기 A, B, C 세 개의 상자 중 하나에만 사탕이 들어 있어.
>   그 상자를 고르면 사탕을 줄게. 어떤 상자를 고를래?
> 윤서 : A를 고를게!
> 영우 : 좋아. 다른 상자를 하나 보여줄테니 한 번 더 생각해 봐.
>   그리고 다른 상자로 바꿀 기회를 줄게.

위의 대화에서 윤서가 상자 A를 고른 후, 영우가 보여준 상자에는 사탕이 들어 있지 않았다. 이때 윤서가 상자를 바꾸는 것이 유리한지 바꾸지 않는 것이 유리한지 설명하여라.

SUMMA CUM LAUDE
MIDDLE SCHOOL MATHEMATICS

튼튼한 **개념!** 흔들리지 않는 **실력!**

숨마쿰라우데 중학수학 2-하
개념기본서

숨마쿰라우데란 최고의 영예를 뜻하는 말입니다

숨마쿰라우데라는 말은 라틴어로 SUMMA CUM LAUDE라고 씁니다. 이는 최고의 영예를 뜻하는 말인데요. 보통 미국 아이비리그 명문 대학들의 최우수 졸업자에게 부여되는 칭호입니다. 우리나라로 치면 '수석 졸업'이라는 뜻이 지요. 그러나 모든 일에 있어서 그렇듯 공부에 있어서도 결과 뿐 아니라 과정이 중요합니다. 최선을 다하는 과정이 있으면 좋은 결과가 따라올 뿐 아니라, 그 과정을 통해 얻어진 깨달음이 평생을 함께하기 때문입니다. 이룸이앤비 숨마쿰라우데는 바로 최선을 다하는 사람 모두에게 최고의 영예를 선사합니다.

개념을 확실히 잡으면 어떤 문제도 두렵지 않다!

수학 공부 도대체 어떻게 해야 할까요? 수많은 공부법과 요령들이 난무하지만 어떤 주장에도 빠지지 않는 내용이 바로 개념 이해의 필요성입니다. 덧셈을 배우면 덧셈을 통해 뺄셈을 배우고, 곱셈을 배우면 곱셈을 통해 나눗셈을 배웁니다. 역사 이야기처럼 수학 개념도 꼬리에 꼬리를 무는 연속성이 있는 것이므로 중간에 하나라도 빠진다면 그 다음 개념을 완벽히 이해할 수 없게 됩니다. 단계적 연계 학습을 하는 숨마쿰라우데로 흔들리지 않는 개념을 잡으세요. 수학의 참 재미를 발견하고, 어떤 문제가 나와도 두렵지 않을 것입니다.

스토리텔링 수학 학습의 결정판!

스토리텔링 학습이란 다양한 예나 이야기를 접목하여 개념과 원리를 쉽고 재미있게 설명하는 학습 방법입니다. "숨마쿰라우데 중학 수학"은 스토리텔링 방식으로 수학을 재미있게 설명해 놓은 최고의 스토리텔링 수학 학습서입니다. QA를 통해 개념을 스스로 묻고 답하면서 공부해 보세요. 수학이 쉽고 재미있게 다가올 것입니다.

학습 교재의 새로운 신화! 이룸이앤비가 만듭니다!

Q&A를 통한 스토리텔링식 수학 기본서의 결정판!

튼튼한 **개념!** 흔들리지 않는 **실력!**

숨마쿰라우데 중학수학
개념기본서

새교육과정에 맞춘 최고의
개념기본서

1-상 1-하
2-상 2-하
3-상 3-하

Why

왜! 수학 개념이 중요하지? 문제만 많이 풀면 되잖아

모든 수학 문제는 수학 개념을 잘 이해하고 있는지를 측정합니다.
같은 개념이라도 다양한 형태의 문제로 출제되지요.
개념을 정확히 이해하고 있다면 이들 다양한 문제들을 쉽게 해결할 수 있습니다.
개념 하나를 제대로 공부하는 것이 열 문제를 푸는 것보다 더 중요한 이유입니다!

How

어떻게 개념 학습을 해야 재미있고, 기억에 오래 남을까?

수학도 이야기입니다. 흐름을 이해하며 개념을 공부하면 이야기처럼
머릿속에 차근차근 기억이 됩니다.
『숨마쿰라우데 개념기본서』는 묻고 답하는 형식으로 개념을
설명하였습니다. 대화를 나누듯 공부할 수 있어 재미있고
쉽게 이해가 됩니다.

숨마쿰라우데 중학수학 「실전문제집」으로
학교시험 100점 맞자!

기출문제로 개념 잡고 내신만점 맞자!

숨마쿰라우데 중학수학
실전문제집

새교육과정에
맞춘 단기 완성
실전문제집

1-상 1-하
2-상 2-하
3-상 3-하

Part 1 **핵심개념 특강편**

핵심개념 익히기
핵심유형으로 개념정복하기
기출문제로 실력 다지기

Part 2 **내신만점 도전편**

반복학습으로 실력완성하기
서술형문제로 만점도전하기

한 개념 한 개념씩 쉬운 문제로 매일매일 꾸준히
공부하는 기초 쌓기 최적의 수학 교재!

····· 한 개념씩 쉬운 문제로 매일매일 공부하자! ·····

숨마쿰라우데 중학수학
스타트업

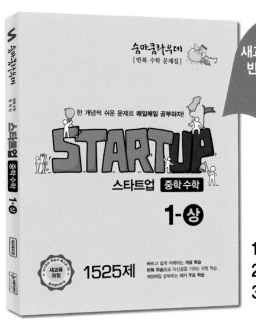

1-상	1-하
2-상	2-하
3-상	3-하

핵심개념으로
개념 잡고

쉬운문제로
반복학습

학교시험
100점!!

THINK MORE ABOUT YOUR FUTURE

튼튼한 **개념!** 흔들리지 않는 **실력!**

숨마쿰라우데 중학수학

개념기본서

해설 BOOK

Q&A를 통한 **스토리텔링**
수학 학습의 결정판!

EBS 중학프리미엄 인터넷강의 교재

SUMMA CUM LAUDE

MATHEMATICS

자기주도 학습서 베스트 1위
★ **새교육 과정** ★
숨 마 쿰 라 우 데

2-하

튼튼한 **개념!** 흔들리지 않는 **실력!**

숨마쿰라우데 중학수학

개념기본서

2-하

해설 BOOK

V 도형의 성질

1. 삼각형의 성질

개념 CHECK 01. 이등변삼각형과 직각삼각형 025쪽

개념 확인 (1) 수직이등분 (2) 예각 (3) 변

01 (가) $\overline{AC}$, (나) $\angle CAD$, (다) $\overline{AD}$, (라) SAS

02 (1) $52°$ (2) $54°$ **03** 5

04 ⑤

02 (1) $\angle x = \dfrac{1}{2}(180° - 76°) = 52°$

(2) $\angle B = \angle ACB = 180° - 117° = 63°$이므로
$\angle x = 180° - (63° + 63°) = 54°$

03 $\triangle ABC$와 $\triangle EFD$에서
$\angle C = \angle D = 90°$, $\overline{AB} = \overline{EF} = 10$ cm,
$\angle A = 180° - (60° + 90°) = 30° = \angle E$이므로
$\triangle ABC \equiv \triangle EFD$ (RHA 합동)
따라서 $\overline{DF} = \overline{CB}$이므로 $x = 5$

04 ⑤ $\angle COD + \angle DPC = 180°$이지만
$\angle COD = \angle DPC$라고 할 수는 없다.

유형 EXERCISES 026~029쪽

유형 ❶ $35°$	**1-1** $50°$	**1-2** $40°$	**1-3** $55°$
유형 ❷ ⑤	**2-1** $40°$	**2-2** 48	
유형 ❸ $123°$	**3-1** $20°$	**3-2** $36°$	**3-3** $20°$
유형 ❹ 12 cm	**4-1** ③	**4-2** ④	
유형 ❺ $63°$	**5-1** 13	**5-2** $98°$	**5-3** 30 cm^2
유형 ❻ ⑤	**6-1** $\overline{AB} = \overline{DE}$ 또는 $\overline{BC} = \overline{EF}$		
	6-2 ㄱ, ㄴ		
유형 ❼ (1) 8 cm (2) 32 cm^2	**7-1** ③	**7-2** 22 cm^2	
유형 ❽ ④	**8-1** 8 cm^2	**8-2** ②	

유형 ❶
$\triangle ABC$는 $\overline{AB} = \overline{AC}$이므로
$\angle B = \dfrac{1}{2}(180° - 40°) = 70°$
$\therefore \angle ABD = \dfrac{1}{2} \times 70° = 35°$

1-1 $\angle C = \angle B = 65°$
$\therefore \angle A = 180° - (65° + 65°) = 50°$

1-2 $\triangle ACD$는 $\overline{AC} = \overline{DC}$이므로
$\angle CAD = \angle CDA = 50°$
따라서 $\triangle ABC$에서
$\angle x = 180° - (90° + 50°) = 40°$

1-3 $\triangle ABC$는 $\overline{AB} = \overline{AC}$이므로
$\angle B = \angle C = \dfrac{1}{2}(180° - 70°) = 55°$
이때 $\angle EAD = \angle B$ (동위각)이므로
$\angle EAD = 55°$

유형 ❷
① $\overline{BD} = \overline{CD} = 3$ cm
② $\triangle ABD$에서 $\angle BAD = 180° - (90° + 70°) = 20°$
⑤ $\angle ABD = 70°$이므로 $\triangle ABC$는 정삼각형이 아니다.
$\therefore \overline{AB} \neq 6$ cm

2-1 $\triangle ABD$에서 $\angle ADB = 90°$이므로
$\angle x = 180° - (50° + 90°) = 40°$

2-2 $\triangle ABD$에서 $\angle ADB = 90°$,
$\angle B = \angle C = 54°$이므로
$\angle DAB = 180° - (90° + 54°) = 36°$
$\therefore x = 36$
또 $\overline{BD} = \overline{CD}$이므로 $\overline{BC} = 2 \times 6 = 12$(cm)
$\therefore y = 12$
$\therefore x + y = 36 + 12 = 48$

유형 ③

$\triangle ABC$에서 $\angle B = \angle ACB = \frac{1}{2}(180° - 98°) = 41°$

$\triangle CAD$에서 $\angle D = \angle CAD = 180° - 98° = 82°$

따라서 $\triangle DBC$에서 $\angle x = 82° + 41° = 123°$

3-1 $\angle DCA = \angle DCE = 55°$이므로

$\angle ACB = 180° - (55° + 55°) = 70°$

이때 $\overline{AB} = \overline{AC}$이므로

$\angle ABC = \angle ACB = 70°$

$\therefore \angle DBC = \frac{1}{2} \angle ABC$

$\qquad = \frac{1}{2} \times 70° = 35°$

따라서 $\triangle DBC$에서 $\angle D = 55° - 35° = 20°$

3-2 $\triangle ABD$에서 $\overline{AD} = \overline{BD}$이므로 $\angle ABD = \angle A = \angle x$

이때 $\angle C = \angle BDC = \angle A + \angle ABD = 2 \angle x$

$\overline{AB} = \overline{AC}$이므로 $\angle ABC = \angle C = 2 \angle x$

따라서 $\angle x + 2 \angle x + 2 \angle x = 180°$이므로 $5 \angle x = 180°$

$\therefore \angle x = 36°$

3-3 $\angle A = \angle x$라고 하면 $\overline{AB} = \overline{BC}$이므로

$\angle BCA = \angle A = \angle x$

$\triangle BAC$에서 $\angle DBC = \angle x + \angle x = 2 \angle x$

$\triangle DBC$에서 $\overline{BC} = \overline{CD}$이므로

$\angle BDC = \angle DBC = 2 \angle x$

$\triangle DAC$에서 $\angle DCE = \angle x + 2 \angle x = 3 \angle x$

$\triangle DCE$에서 $\overline{DC} = \overline{DE}$이므로

$\angle DEC = \angle DCE = 3 \angle x$

$\triangle DAE$에서 $\angle x + 3 \angle x + 100° = 180°$

즉, $4 \angle x = 80°$이므로 $\angle x = 20°$

$\therefore \angle A = 20°$

유형 ④

$\triangle ABC$는 이등변삼각형이므로

$\angle ABC = \angle C = \frac{1}{2}(180° - 36°) = 72°$

$\therefore \angle ABD = \frac{1}{2} \angle ABC = \frac{1}{2} \times 72° = 36°$

또 $\triangle DAB$에서 $\angle BDC = 36° + 36° = 72°$

따라서 $\angle BCD = \angle BDC = 72°$이므로 $\triangle BCD$는

$\overline{BC} = \overline{BD}$인 이등변삼각형이다.

$\therefore \overline{BD} = \overline{BC} = 12$ cm

4-1 $\angle A = 96° - 48° = 48°$

즉, $\angle B = \angle A$이므로 $\triangle CAB$는 $\overline{AC} = \overline{BC}$인 이등변삼각형이다.

$\therefore \overline{BC} = \overline{AC} = 6$ cm

4-2 ① $\angle A = \angle C = 45°$

② $\triangle ABC$는 이등변삼각형이므로 $\overline{BM} \perp \overline{AC}$

③, ⑤ $\angle ABM = \angle MBC = \frac{1}{2} \times 90° = 45°$

$\triangle ABM$과 $\triangle MBC$가 이등변삼각형이므로

$\overline{AM} = \overline{BM} = \overline{CM}$

유형 ⑤

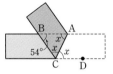

$\overline{BA} // \overline{CD}$이므로

$\angle BAC = \angle ACD = \angle x$ (엇각)

$\angle BCA = \angle ACD = \angle x$ (접은 각)

따라서 $\triangle ABC$에서 $\overline{AB} = \overline{BC}$이므로

$\angle x = \frac{1}{2}(180° - 54°) = 63°$

5-1 $\angle BAC = \angle DAC$ (접은 각),

$\angle DAC = \angle BCA$ (엇각)

이므로

$\angle BAC = \angle BCA$

따라서 $\triangle ABC$에서

$\overline{BA} = \overline{BC} = 13$ cm $\qquad \therefore x = 13$

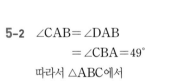

5-2 $\angle CAB = \angle DAB$

$\qquad = \angle CBA = 49°$

따라서 $\triangle ABC$에서

$\angle x = 49° + 49° = 98°$

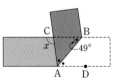

5-3 $\angle ABC = \angle CBD = \angle ACB$

따라서 $\triangle ABC$에서

$\overline{AC} = \overline{AB} = 10$ cm

$\therefore \triangle ABC = \frac{1}{2} \times 6 \times 10$

$\qquad = 30 (\text{cm}^2)$

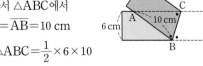

유형 ❻

① RHS 합동   ② SAS 합동

③ RHA 합동   ④ RHA 합동

⑤ 모양은 같으나 크기가 같다고 할 수 없으므로 합동이 아니다.

6-1 RHS 합동이 되려면 빗변의 길이와 다른 한 변의 길이가 같아야 한다.

6-2 ㄱ. 삼각형의 내각의 크기의 합은 $180°$이므로

나머지 한 각의 크기는 $180°-(90°+30°)=60°$

따라서 빗변의 길이와 한 예각의 크기가 같은 두 직각삼각형 ㄱ, ㄴ은 서로 합동이다. (RHA 합동)

유형 ❼

(1) $\triangle ABD \equiv \triangle CAE$ (RHA 합동)이므로

$\overline{DE}=\overline{AD}+\overline{AE}=\overline{CE}+\overline{BD}=8(cm)$

(2) $\square DBCE=\dfrac{1}{2}\times(\overline{BD}+\overline{CE})\times\overline{DE}$

$\qquad\qquad =\dfrac{1}{2}\times(5+3)\times8=32(cm^2)$

7-1 $\triangle ADE$와 $\triangle ACE$에서

$\angle ADE=\angle ACE=90°, \overline{AD}=\overline{AC}$,

$\overline{AE}$는 공통이므로

$\triangle ADE\equiv\triangle ACE$ (RHS 합동)

이때 $\angle EAD=90°-55°=35°$이므로

$\angle A=2\angle EAD=70°$

$\therefore \angle B=90°-70°=20°$

7-2 $\triangle BDM$과 $\triangle CEM$에서

$\angle D=\angle CEM=90°, \overline{BM}=\overline{CM}$,

$\angle BMD=\angle CME$ (맞꼭지각)이므로

$\triangle BDM\equiv\triangle CEM$ (RHA 합동)

따라서 $\overline{BD}=\overline{CE}=4\,cm, \overline{DM}=\overline{EM}=3\,cm$이므로

$\triangle ABD=\dfrac{1}{2}\times4\times(8+3)=22(cm^2)$

유형 ❽

$\triangle AOP$와 $\triangle BOP$에서 $\angle PAO=\angle PBO=90°$,

$\overline{OP}$는 공통, $\angle AOP=\angle BOP$이므로

$\triangle AOP\equiv\triangle BOP$ (RHA 합동)

$\therefore \overline{OA}=\overline{OB}, \overline{PA}=\overline{PB}, \angle OPA=\angle OPB$

8-1 오른쪽 그림과 같이 점 D에서 변 AC에 내린 수선의 발을 E라고 하면

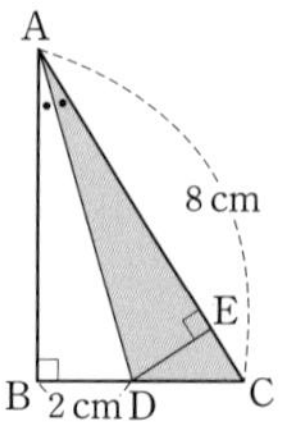

$\triangle ABD$와 $\triangle AED$에서

$\angle ABD=\angle AED=90°$,

$\angle BAD=\angle EAD$,

$\overline{AD}$는 공통이므로

$\triangle ABD\equiv\triangle AED$ (RHA 합동)

$\therefore \overline{DE}=\overline{DB}=2\,cm$

$\therefore \triangle ADC=\dfrac{1}{2}\times\overline{AC}\times\overline{DE}=\dfrac{1}{2}\times8\times2=8(cm^2)$

8-2 $\triangle ADE$와 $\triangle CDE$에서

$\overline{AD}=\overline{CD}, \angle ADE=\angle CDE, \overline{DE}$는 공통이므로

$\triangle ADE\equiv\triangle CDE$ (SAS 합동)

$\therefore \angle DAE=\angle DCE=\angle x$

$\triangle ABE$와 $\triangle ADE$에서

$\angle B=\angle ADE=90°, \overline{AE}$는 공통, $\overline{BE}=\overline{DE}$이므로

$\triangle ABE\equiv\triangle ADE$ (RHS 합동)

$\therefore \angle BAE=\angle DAE=\angle x$

따라서 $\triangle ABC$에서 $2\angle x+90°+\angle x=180°$

$3\angle x=90°$ $\therefore \angle x=30°$

개념 CHECK   02. 삼각형의 외심과 내심   042쪽

개념 확인 (1) 외심 (2) 꼭짓점 (3) 내심 (4) 변

01 ㄴ, ㄹ, ㅁ   **02** (1) $15°$ (2) $140°$

03 ㄱ, ㄴ, ㄹ   **04** (1) $20°$ (2) $125°$

---

01 ㄴ. 삼각형의 외심에서 각 꼭짓점에 이르는 거리가 같으므로 $\overline{OA}=\overline{OB}=\overline{OC}$

ㄹ. 삼각형의 외심은 세 변의 수직이등분선의 교점이므로 $\overline{AD}=\overline{BD}$

ㅁ. $\triangle OAF$와 $\triangle OCF$에서

$\overline{AF}=\overline{CF}, \angle OFA=\angle OFC=90°, \overline{OF}$는 공통

$\therefore \triangle OAF\equiv\triangle OCF$ (SAS 합동)

02 (1) $\angle x+45°+30°=90°$ $\therefore \angle x=15°$

(2) $\angle x=2\times70°=140°$

03 ㄱ. $\triangle IEC$와 $\triangle IFC$에서

$\angle IEC=\angle IFC=90°, \angle ICE=\angle ICF, \overline{IC}$는 공통

$\therefore \triangle \text{IEC} \equiv \triangle \text{IFC}$ (RHA 합동)

$\therefore \overline{\text{CE}} = \overline{\text{CF}}$

ㄴ. 삼각형의 내심에서 세 변에 이르는 거리는 같으므로

$\overline{\text{ID}} = \overline{\text{IE}} = \overline{\text{IF}}$

ㄹ. ㄱ과 같은 방법으로 하면

$\triangle \text{IAD} \equiv \triangle \text{IAF}$ (RHA 합동)

04 (1) $\angle x + 30^\circ + 40^\circ = 90^\circ$　　$\therefore \angle x = 20^\circ$

(2) $\angle x = 90^\circ + \dfrac{1}{2} \times 70^\circ = 125^\circ$

유형 EXERCISES

043~046쪽

유형 ❶	④	**1-1** 76°	**1-2** 110°	
유형 ❷	16 cm	**2-1** 20π cm		**2-2** 60°
유형 ❸	128°	**3-1** 24°	**3-2** 48°	**3-3** 23°
유형 ❹	②	**4-1** 3 cm	**4-2** 105°	**4-3** 42°
유형 ❺	20°	**5-1** 6°	**5-2** 114°	**5-3** 115°
유형 ❻	2 cm	**6-1** 30 cm²	**6-2** $\dfrac{10}{3}$ cm	
		6-3 32 cm²		
유형 ❼	$\dfrac{9}{2}$	**7-1** 10 cm	**7-2** 12 cm	**7-3** 10 cm
유형 ❽	64°	**8-1** ⑤	**8-2** 150°	**8-3** 15°

유형 ❶

① 삼각형의 외심에서 세 꼭짓점에 이르는 거리는 같다.

$\therefore \overline{\text{OA}} = \overline{\text{OB}} = \overline{\text{OC}}$

② 삼각형의 외심은 세 변의 수직이등분선의 교점이므로

$\overline{\text{BE}} = \overline{\text{CE}}$

③, ⑤ $\triangle \text{OAD}$와 $\triangle \text{OBD}$에서

$\angle \text{ODA} = \angle \text{ODB} = 90^\circ$, $\overline{\text{OA}} = \overline{\text{OB}}$, $\overline{\text{OD}}$는 공통이므로

$\triangle \text{OAD} \equiv \triangle \text{OBD}$ (RHS 합동)

$\therefore \angle \text{OAD} = \angle \text{OBD}$

1-1 $\overline{\text{OC}}$를 그으면 점 O가 $\triangle \text{ABC}$의 외심이므로 $\overline{\text{OA}} = \overline{\text{OB}} = \overline{\text{OC}}$

따라서 $\angle \text{OCA} = \angle \text{OAC} = 42^\circ$

$\angle \text{OCB} = \angle \text{OBC} = 34^\circ$

$\therefore \angle \text{C} = \angle \text{OCA} + \angle \text{OCB}$

$= 42^\circ + 34^\circ = 76^\circ$

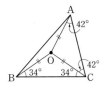

1-2 점 O가 $\triangle \text{ABC}$의 외심이므로 $\overline{\text{OA}} = \overline{\text{OB}} = \overline{\text{OC}}$

$\triangle \text{OAB}$에서 $\angle \text{OAB} = \dfrac{1}{2} \times (180^\circ - 80^\circ) = 50^\circ$

$\triangle \text{OCA}$에서 $\angle \text{OAC} = \dfrac{1}{2} \times (180^\circ - 60^\circ) = 60^\circ$

$\therefore \angle \text{BAC} = \angle \text{OAB} + \angle \text{OAC} = 50^\circ + 60^\circ = 110^\circ$

유형 ❷

점 O가 $\triangle \text{ABC}$의 외심이므로

$\overline{\text{OB}} = \overline{\text{OC}} = \overline{\text{OA}} = \dfrac{1}{2} \overline{\text{AB}} = 5(\text{cm})$

따라서 $\triangle \text{OBC}$의 둘레의 길이는

$\overline{\text{OB}} + \overline{\text{BC}} + \overline{\text{CO}} = 5 + 6 + 5 = 16(\text{cm})$

2-1 직각삼각형의 외심은 빗변의 중점이므로 $\triangle \text{ABC}$의 외접원의 반지름의 길이는

$\dfrac{1}{2} \times 20 = 10(\text{cm})$

따라서 $\triangle \text{ABC}$의 외접원의 둘레의 길이는

$2\pi \times 10 = 20\pi (\text{cm})$

2-2 직각삼각형의 외심은 빗변의 중점이므로

$\overline{\text{AM}} = \overline{\text{BM}} = \overline{\text{CM}}$

즉, $\triangle \text{MAB}$는 이등변삼각형 이므로

$\angle \text{MAB} = \angle \text{MBA} = 30^\circ$

따라서 $\triangle \text{ABM}$에서 $\angle \text{AMC} = 30^\circ + 30^\circ = 60^\circ$

유형 ❸

점 O가 $\triangle \text{ABC}$의 외심이므로 $30^\circ + \angle \text{OBC} + 34^\circ = 90^\circ$

$\therefore \angle \text{OBC} = 26^\circ$

$\therefore \angle \text{BOC} = 180^\circ - 2 \times 26^\circ = 128^\circ$

■ 다른 풀이 ■

점 O가 $\triangle \text{ABC}$의 외심이므로 $\triangle \text{OCA}$에서 $\overline{\text{OC}} = \overline{\text{OA}}$

$\therefore \angle \text{OAC} = 34^\circ$

$\angle \text{BAC} = \angle \text{BAO} + \angle \text{OAC} = 30^\circ + 34^\circ = 64^\circ$이므로

$\angle \text{BOC} = 2\angle \text{BAC} = 2 \times 64^\circ = 128^\circ$

3-1 $\angle \text{OCB} = \angle \text{OBC} = 26^\circ$, $\angle \text{OAC} = \angle \text{OCA} = 40^\circ$

$\angle \text{OAB} = \angle \text{OBA} = \angle x$이므로

$26^\circ + 40^\circ + \angle x = 90^\circ$

$66^\circ + \angle x = 90^\circ$　　$\therefore \angle x = 24^\circ$

3-2 $\angle AOB = 2\angle C = 2 \times 42° = 84°$

따라서 $\triangle AOB$에서 $\overline{OA} = \overline{OB}$이므로

$$\angle x = \frac{1}{2}(180° - 84°) = 48°$$

3-3 $\angle BAC = \frac{1}{2}\angle BOC = \frac{1}{2} \times 96° = 48°$

$\angle BAO = \angle ABO = 25°$

$\therefore \angle x = 48° - 25° = 23°$

■ 다른 풀이 ■

$\angle OCB = \frac{1}{2}(180° - 96°) = 42°$

$\therefore \angle x = 90° - (25° + 42°) = 23°$

유형 ④

① 삼각형의 내심에서 세 변에 이르는 거리는 같으므로

$\overline{ID} = \overline{IE} = \overline{IF}$

③ 삼각형의 내심은 세 내각의 이등분선의 교점이므로

$\angle IAD = \angle IAF$

④, ⑤ $\triangle IBD$와 $\triangle IBE$에서

$\angle IDB = \angle IEB = 90°$, $\angle IBD = \angle IBE$,

$\overline{IB}$는 공통이므로

$\triangle IBD \equiv \triangle IBE$ (RHA 합동)

$\therefore \overline{BD} = \overline{BE}$

4-1 $\triangle IBD \equiv \triangle IBE$이므로

$\overline{BE} = \overline{BD} = 5$ cm

$\therefore \overline{EC} = \overline{BC} - \overline{BE} = 8 - 5 = 3(\text{cm})$

$\therefore \overline{FC} = \overline{EC} = 3(\text{cm})$

4-2 점 I는 $\triangle ABC$의 내심이므로

$\angle IBC = \angle ABI = 40°$, $\angle ICB = \angle ACI = 35°$

따라서 $\triangle IBC$에서

$\angle BIC = 180° - (40° + 35°) = 105°$

4-3 점 I는 $\triangle ABC$의 내심이므로

$\angle ABC = 2\angle IBC = 2 \times 31° = 62°$

$\angle ACB = 2\angle ICB = 2 \times 38° = 76°$

$\therefore \angle x = 180° - (62° + 76°) = 42°$

유형 ⑤

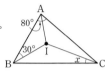

$\overline{AI}$를 그으면 $\angle IAC = \frac{1}{2} \times 80° = 40°$

$30° + \angle x + 40° = 90°$이므로 $\angle x = 20°$

■ 다른 풀이 ■

$\angle IBC = \angle IBA = 30°$이고

$\angle BIC = 90° + \frac{1}{2}\angle A = 90° + 40° = 130°$이므로

$\triangle IBC$에서 $\angle x = 180° - (30° + 130°) = 20°$

5-1 $\angle IAB = \angle IAC$이므로 $\angle x = 30°$

$30° + \angle y + 36° = 90°$이므로 $\angle y = 24°$

$\therefore \angle x - \angle y = 30° - 24° = 6°$

5-2 $\angle BIC = 90° + \frac{1}{2}\angle BAC = 90° + 24° = 114°$

5-3 $\overline{AB} = \overline{AC}$이므로 $\angle B = \frac{1}{2}(180° - 80°) = 50°$

$\therefore \angle AIC = 90° + \frac{1}{2}\angle B = 90° + 25° = 115°$

유형 ⑥

$\triangle ABC$의 내접원의 반지름의 길이를 r cm라고 하면

$\triangle ABC = \frac{1}{2} \times r \times (6 + 8 + 10) = \frac{1}{2} \times 6 \times 8$

$\therefore r = 2$

6-1 $\triangle ABC = \frac{1}{2} \times 2 \times (5 + 13 + 12) = 30(\text{cm}^2)$

6-2 내접원의 반지름의 길이를 r cm라고 하면

$\triangle ABC = \frac{1}{2} \times r \times (\overline{AB} + \overline{BC} + \overline{CA})$이므로

$60 = \frac{1}{2} \times r \times 36$ $\therefore r = \frac{10}{3}$

6-3 $\triangle ABC = \frac{1}{2} \times 16 \times 12 = 96(\text{cm}^2)$

$\triangle ABC$의 내접원의 반지름의 길이를 r cm라고 하면

$\triangle ABC = \frac{1}{2} \times r \times (20 + 16 + 12) = 96$

$96 = 24r$ $\therefore r = 4$

$\therefore \triangle IBC = \frac{1}{2} \times 16 \times 4 = 32(\text{cm}^2)$

유형 7

$\overline{\text{CD}}=\overline{\text{CE}}=x$라고 하면

$\overline{\text{AF}}=\overline{\text{AE}}=8-x$

$\overline{\text{BF}}=\overline{\text{BD}}=10-x$

$\overline{\text{AB}}=\overline{\text{AF}}+\overline{\text{BF}}$이므로

$9=(8-x)+(10-x)$

$\therefore x=\dfrac{9}{2}$

7-1 $\overline{\text{BQ}}=\overline{\text{BP}}=16-12=4(\text{cm})$

$\overline{\text{AR}}=\overline{\text{AP}}=12\ \text{cm}$이므로

$\overline{\text{CQ}}=\overline{\text{CR}}=18-12=6(\text{cm})$

$\therefore \overline{\text{BC}}=\overline{\text{BQ}}+\overline{\text{CQ}}=4+6=10(\text{cm})$

7-2 오른쪽 그림과 같이
직각삼각형 ABC의 내접원과
세 변 AB, BC, CA의 접점
을 각각 D, E, F라 하자.
□DBEI는 정사각형이므로

$\overline{\text{BD}}=\overline{\text{DI}}=3\ \text{cm}$

$\overline{\text{AF}}=\overline{\text{AD}}=\overline{\text{AB}}-\overline{\text{DB}}=9-3=6(\text{cm})$이므로

$\overline{\text{CE}}=\overline{\text{CF}}=15-6=9(\text{cm})$

$\therefore \overline{\text{BC}}=\overline{\text{BE}}+\overline{\text{CE}}=3+9=12(\text{cm})$

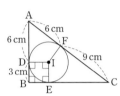

7-3 $\overline{\text{AB}}=\overline{\text{AC}}$인 이등변삼각형 ABC의
둘레의 길이가 30 cm이므로

$2\overline{\text{AB}}+10=30$

$\therefore \overline{\text{AB}}=10(\text{cm})$

점 I는 △ABC의 내심이고

$\overline{\text{DE}}\ /\!/\ \overline{\text{BC}}$이므로

$\angle \text{DBI}=\angle \text{IBC}=\angle \text{DIB}$

$\therefore \overline{\text{DB}}=\overline{\text{DI}}$

$\therefore \overline{\text{AD}}+\overline{\text{DI}}=\overline{\text{AD}}+\overline{\text{DB}}=\overline{\text{AB}}=10(\text{cm})$

유형 8

$\angle \text{BOC}=2\angle \text{A}=104°$이므로 $\angle \text{A}=52°$

$\angle \text{BIC}=90°+\dfrac{1}{2}\angle \text{A}=90°+26°=116°$

따라서 ∠BIC의 크기와 ∠A의 크기의 차는

$116°-52°=64°$

8-1 정삼각형의 외심과 내심은 일치한다.

8-2 △ABC에서 $\angle \text{B}=180°-(90°+70°)=20°$

이때 점 O는 △ABC의 외심이므로

$\overline{\text{OA}}=\overline{\text{OB}}=\overline{\text{OC}}$

$\therefore \angle \text{OCB}=\angle \text{OBC}=20°$

또 점 I는 △ABC의 내심이므로

$\angle \text{IBC}=\dfrac{1}{2}\angle \text{B}=\dfrac{1}{2}\times 20°=10°$

따라서 △PBC에서

$\angle \text{BPC}=180°-(10°+20°)=150°$

8-3 점 O는 △ABC의 외심이므로

$\angle \text{BOC}=2\angle \text{A}=2\times 40°=80°$

이때 $\overline{\text{OA}}=\overline{\text{OB}}=\overline{\text{OC}}$이므로

$\angle \text{OBC}=\angle \text{OCB}=\dfrac{1}{2}(180°-80°)=50°$

또 $\overline{\text{AB}}=\overline{\text{AC}}$이므로

$\angle \text{ABC}=\angle \text{ACB}=\dfrac{1}{2}(180°-40°)=70°$

점 I는 △ABC의 내심이므로

$\angle \text{ABI}=\angle \text{IBC}=\dfrac{1}{2}\angle \text{ABC}=\dfrac{1}{2}\times 70°=35°$

$\therefore \angle \text{OBI}=\angle \text{OBC}-\angle \text{IBC}=50°-35°=15°$

중단원 EXERCISES

047~050쪽

01 ④	**02** ②	**03** 45°	**04** ③
05 6 cm	**06** 9 m	**07** 8 cm²	**08** ③
09 ③	**10** ④	**11** ③	**12** 48 cm²
13 30°	**14** 150°	**15** 19 cm	**16** 10 cm
17 ⑤	**18** 29π cm²	**19** 44°	**20** 58°
21 8 cm	**22** 110°	**23** 54°	**24** 20 cm²

01 $\overline{\text{AB}}=\overline{\text{AC}}$이므로 $\angle \text{C}=\angle \text{B}=3\angle x-15°$

따라서 △ABC에서

$\angle x+(3\angle x-15°)+(3\angle x-15°)=180°$

$7\angle x=210°$

$\therefore \angle x=30°$

02 $\angle \text{A}=180°-2\angle \text{C}=36°$

$\angle \text{ABD}=\dfrac{1}{2}\angle \text{ABC}=\dfrac{1}{2}\angle \text{C}=36°$이므로 △ABD에서

$\angle \text{BDC}=\angle \text{A}+\angle \text{ABD}=36°+36°=72°$

$\therefore \angle \text{A}+\angle \text{BDC}=36°+72°=108°$

03 $\angle ACD = \dfrac{1}{2}(180° - 72°) = 54°$이므로

$\angle DBC = \angle D = \dfrac{1}{2}(180° - 72° - 54°) = 27°$

이때 $\angle ABC = \angle ACB = 72°$이므로

$\angle x = \angle ABC - \angle DBC = 72° - 27° = 45°$

04 $\overline{BC} /\!/ \overline{AD}$이므로 $\angle CAD = \angle BCA = 28°$ (엇각)

$\therefore \angle ADC = \dfrac{1}{2}(180° - 28°) = 76°$

이때 $\overline{AD} = \overline{ED}$이므로

$\angle DAE = \angle DEA = \angle x$

따라서 △DAE에서

$\angle x + \angle x = 76°$ $\therefore \angle x = 38°$

05 △ABC에서 $\angle B = \angle C$이므로

$\overline{AC} = \overline{AB} = 8 \text{ cm}$

오른쪽 그림과 같이 $\overline{AP}$를 그으면

△ABC = △ABP + △APC이므로

$24 = \dfrac{1}{2} \times 8 \times \overline{PD} + \dfrac{1}{2} \times 8 \times \overline{PE}$

$24 = 4(\overline{PD} + \overline{PE})$

$\therefore \overline{PD} + \overline{PE} = 6(\text{cm})$

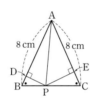

06 $\overline{AB} = \overline{AC}$이므로 $\overline{AD} \perp \overline{BC}$

△ABD에서 $\angle ABD = 180° - (45° + 90°) = 45°$

따라서 △ABD에서 $\angle BAD = \angle ABD$이므로

$\overline{AD} = \overline{BD} = 3 \text{ m}$

또 $\overline{CD} = \overline{BD} = 3 \text{ m}$이므로 $\overline{BC} = \overline{BD} + \overline{CD} = 6(\text{m})$

$\therefore \overline{AD} + \overline{BC} = 3 + 6 = 9(\text{m})$

07 △AED와 △AEC에서

$\overline{AD} = \overline{AC}$, $\overline{AE}$는 공통, $\angle ADE = \angle ACE = 90°$이므로

△AED ≡ △AEC (RHS 합동)

$\therefore \overline{DE} = \overline{CE} = 4 \text{ cm}$

직각이등변삼각형 ABC에서 $\angle B = 45°$이므로

$\angle DEB = 90° - 45° = 45°$

따라서 △BDE에서 $\overline{DB} = \overline{DE} = 4 \text{ cm}$이므로

$\triangle BDE = \dfrac{1}{2} \times 4 \times 4 = 8(\text{cm}^2)$

08 △AMD ≡ △BMD (SAS 합동)이므로

$\angle A = \angle DBM$

또 △BDM ≡ △BDC (RHS 합동)이므로

$\angle DBM = \angle DBC$

$\therefore \angle A = \angle DBM = \angle DBC$

따라서 △ABC에서

$\angle A + \angle DBM + \angle DBC + 90° = 180°$이므로

$3\angle A = 90°$ $\therefore \angle A = 30°$

09 △ADB와 △CEA에서

$\angle D = \angle E = 90°$, $\overline{AB} = \overline{AC}$,

$\angle BAD = 90° - \angle CAE = \angle ACE$

이므로 △ADB ≡ △CEA (RHA 합동)

$\therefore \overline{AD} = \overline{CE}$

또 $\angle BAD + \angle CAE = 180° - 90° = 90°$

10 ④ $\angle OCB = \angle OBC = \angle y$, $\angle OCA = \angle OAC = \angle z$

이므로 $\angle y$와 $\angle z$가 항상 같지는 않다.

11 주어진 원은 △ABC의 외접원이므로 외심을 찾으면 된다.

외심은 세 선분의 수직이등분선의 교점이므로 ③이다.

12 $\overline{OA} = \overline{OB}$이므로 $\angle OBA = \angle OAB = 50°$

$\therefore \angle AOB = 180° - (50° + 50°) = 80°$

$\angle ABC = 50° + 30° = 80°$이므로

$\angle AOC = 2\angle ABC = 160°$

부채꼴의 넓이는 중심각의 크기에 정비례하므로 부채꼴

OAC의 넓이는 부채꼴 OAB의 넓이의 2배이다.

따라서 부채꼴 OAC의 넓이는 $24 \times 2 = 48(\text{cm}^2)$

13 점 O가 △ABC의 외심이므로

$\overline{OA} = \overline{OB} = \overline{OC} = 8 \text{ cm}$

따라서 △AOC는 정삼각형

이므로 $\angle BAC = 60°$

$\therefore \angle B = 180° - (60° + 90°) = 30°$

14 $\angle IBC = \angle IBA = 30°$, $\angle ICB = \angle ICA = 40°$이므로

$\angle y = 180° - (30° + 40°) = 110°$

$110° = 90° + \dfrac{1}{2}\angle x$이므로 $\angle x = 40°$

$\therefore \angle x + \angle y = 40° + 110° = 150°$

15 $\overline{DE} /\!/ \overline{BC}$이므로

$\angle DIB = \angle IBC$ (엇각)

점 I가 △ABC의 내심이므로

$\angle DBI = \angle IBC$

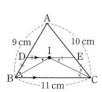

$\therefore \angle DIB = \angle DBI$

즉, $\triangle DBI$는 $\overline{DB} = \overline{DI}$인 이등변삼각형이다.

같은 방법으로 하면 $\triangle EIC$도 $\overline{EI} = \overline{EC}$인 이등변삼각형이다.

따라서 $\triangle ADE$의 둘레의 길이는

$\overline{AD} + \overline{DE} + \overline{EA} = \overline{AD} + (\overline{DB} + \overline{EC}) + \overline{EA}$
$= \overline{AB} + \overline{AC}$
$= 9 + 10 = 19 \text{(cm)}$

16 오른쪽 그림과 같이 밑면인 $\triangle ABC$의 내접원의 중심을 I라고 하자.

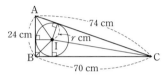

$\triangle ABC$의 넓이는

$\dfrac{1}{2} \times 24 \times 70 = 840 \text{(cm}^2)$

내접원의 반지름의 길이를 r cm라고 할 때, $\triangle ABC$의 넓이는 $\triangle IAB$, $\triangle IBC$, $\triangle ICA$의 넓이의 합과 같으므로

$\dfrac{1}{2} \times 24 \times r + \dfrac{1}{2} \times 70 \times r + \dfrac{1}{2} \times 74 \times r = 840$

$84r = 840 \qquad \therefore r = 10$

따라서 넣을 수 있는 가장 큰 공의 반지름의 길이는 10 cm이다.

17 정삼각형의 외심과 내심은 일치한다.

따라서 외접원의 반지름의 길이는

$\overline{AI} = 9 - 3 = 6 \text{(cm)}$

18 (외접원의 반지름의 길이) $= \dfrac{1}{2} \overline{BC} = \dfrac{1}{2} \times 10 = 5 \text{(cm)}$

이때 내접원의 반지름의 길이를 r cm라고 하면 $\triangle ABC$의 넓이는

$\dfrac{1}{2} \times r \times (10 + 6 + 8) = \dfrac{1}{2} \times 6 \times 8$

$\therefore r = 2$

따라서 외접원과 내접원의 넓이의 합은

$\pi \times 5^2 + \pi \times 2^2 = 29\pi \text{(cm}^2)$

19 $\angle DBE = \angle A$이므로 $\angle ABC = \angle A + 24°$

$\triangle ABC$는 이등변삼각형이므로 $\angle ABC = \angle C$

$\angle A + \angle ABC + \angle C = 180°$이므로

$\angle A + (\angle A + 24°) + (\angle A + 24°) = 180°$, $3\angle A = 132°$

$\therefore \angle A = 44°$

20 $\triangle BDF$와 $\triangle CED$에서

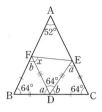

$\overline{BF} = \overline{CD}$, $\overline{BD} = \overline{CE}$

$\triangle ABC$는 이등변삼각형이므로

$\angle B = \angle C$

$\quad = \dfrac{1}{2}(180° - 52°) = 64°$

$\therefore \triangle BDF \equiv \triangle CED$ (SAS 합동)

$\therefore \angle BFD = \angle CDE$, $\angle BDF = \angle CED$, $\overline{DF} = \overline{ED}$

$\angle BDF = a$, $\angle BFD = b$라고 하면

$a + b = 180° - 64° = 116°$

$\therefore \angle FDE = 180° - (a + b)$

$\quad = 180° - 116° = 64°$

따라서 $\triangle DEF$에서 $\overline{DF} = \overline{DE}$이므로

$\angle DEF = \angle DFE$

$\therefore \angle x = \dfrac{1}{2}(180° - 64°) = 58°$

21 $\triangle ADB$와 $\triangle BEC$에서

$\angle ADB = \angle BEC = 90°$, $\overline{AB} = \overline{BC}$,

$\angle BAD = 90° - \angle DBA = \angle CBE$이므로

$\triangle ADB \equiv \triangle BEC$ (RHA 합동)

$\therefore \overline{DB} = \overline{EC} = 6 \text{(cm)}$, $\overline{BE} = \overline{AD} = 14 \text{(cm)}$

$\therefore \overline{DE} = \overline{BE} - \overline{DB} = 14 - 6 = 8 \text{(cm)}$

22 $\overline{OA}$를 그으면 $\overline{OA} = \overline{OB}$이므로

$\angle OAB = \angle OBA = 50°$

또, $\overline{OB} = \overline{OC}$이므로

$\angle OCB = \angle OBC = 20°$

이때 $\angle BCA = \angle x$라고 하면 $\overline{OA} = \overline{OC}$이므로

$\angle OAC = \angle OCA = \angle x + 20°$

$\triangle ABC$의 세 내각의 크기의 합은 $180°$이므로

$\angle BAC + \angle ABC + \angle ACB = 180°$

$(50° + \angle x + 20°) + 30° + \angle x = 180°$

$100° + 2\angle x = 180° \qquad \therefore \angle x = 40°$

$\therefore \angle A = 50° + 40° + 20° = 110°$

23 $\angle BAD = \angle CAD = \angle a$,

$\angle ABE = \angle CBE = \angle b$라고 하면

$\triangle ABE$에서 $2\angle a + \angle b = 180° - 87° = 93°$ $\cdots\cdots$ ㉠

$\triangle ABD$에서 $\angle a + 2\angle b = 180° - 84° = 96°$ $\cdots\cdots$ ㉡

㉠+㉡을 하면 $3\angle a + 3\angle b = 189°$

$\therefore \angle a + \angle b = 63°$

따라서 △ABC에서
$$\angle C = 180° - 2(\angle a + \angle b) = 180° - 126° = 54°$$

24 내접원의 반지름의 길이를 r cm라고 하면
△ABC의 넓이에서
$$\frac{1}{2} \times 12 \times 5 = \frac{1}{2} \times (13 + 12 + 5) \times r$$
$$30 = 15r \qquad \therefore r = 2$$
□IECF는 한 변의 길이가
2 cm인 정사각형이므로
$$\overline{BE} = \overline{BC} - \overline{EC}$$
$$= 12 - 2 = 10(\text{cm})$$
△BEI≡△BDI (RHS 합동)이므로
$$\square DBEI = 2\triangle BEI$$
$$= 2 \times \frac{1}{2} \times 10 \times 2 = 20(\text{cm}^2)$$

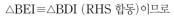

2. 사각형의 성질

(개념 **확인**) (1) 평행 (2) 이등분 (3) 평행사변형

01 (1) $a = 10$, $b = 120$ (2) $a = 5$, $b = 3$

02 (1) $\overline{DC}$, $\overline{BC}$ (2) $\overline{DC}$, $\overline{BC}$ (3) ∠C, ∠D (4) $\overline{OC}$, $\overline{OD}$
　　(5) $\overline{DC}$, $\overline{DC}$

03 (가) ∠EDF, (나) ∠DFC, (다) ∠BFD

01 (1) 평행사변형에서 대변의 길이와 대각의 크기가 각각 같
　　으므로 $a = 10$, $b = 120$

　　(2) 평행사변형의 두 대각선은 서로 다른 것을 이등분하므
　　로 $a = 5$, $b = 3$

유형 ❶ 84°	**1-1** 4 cm	**1-2** 87°			
유형 ❷ 8 cm	**2-1** 7	**2-2** 20 cm			
유형 ❸ 70°	**3-1** ②	**3-2** 36°	**3-3** 58°		
유형 ❹ 24 cm	**4-1** ③	**4-2** 4 cm²			
유형 ❺ ③	**5-1** (가) $\overline{DA}$, (나) SSS, (다) ∠DCA, (라) ∠CAD				
	5-2 (가) ∠DCA, (나) SAS, (다) ∠DAC, (라) $\overline{AD} \parallel \overline{BC}$				
	5-3 ④				
유형 ❻ 16 cm	**6-1** 65°	**6-2** ③			
유형 ❼ 18 cm²	**7-1** 48 cm²	**7-2** 10 cm²			

유형 ❶

$\overline{AD} \parallel \overline{BC}$이므로 ∠DAC = $\angle x$ (엇각)
$\overline{AB} \parallel \overline{DC}$이므로 ∠ABD = $\angle y$ (엇각)
이때 △ABD에서
$$(70° + \angle x) + \angle y + 26° = 180°$$
$$\therefore \angle x + \angle y = 84°$$

1-1 $\overline{AB} \parallel \overline{DC}$이므로
　　∠BEC = ∠DCE (엇각)
　　즉, △BEC가 이등변삼각형이
　　므로
　　$\overline{BE} = \overline{BC} = 12$ cm
　　$\therefore \overline{AE} = \overline{BE} - \overline{AB}$
　　　　$= 12 - 8 = 4(\text{cm})$

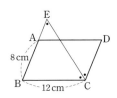

1-2 ∠CDB = ∠ABD = 32°이므로 △DOC에서
　　∠AOD = 32° + 55° = 87°

유형 ❷

△DCE와 △FBE에서
$\overline{CE} = \overline{BE}$, ∠DCE = ∠FBE (엇각),
∠DEC = ∠FEB (맞꼭지각)이므로
△DCE≡△FBE (ASA 합동)
$\therefore \overline{BF} = \overline{CD} = 4$ cm
또 $\overline{AB} = \overline{CD} = 4$ cm이므로
$$\overline{AF} = \overline{AB} + \overline{BF} = 4 + 4 = 8(\text{cm})$$

2-1 $\overline{AB}=\overline{CD}$이므로 $3x=x+6$ $\therefore x=3$

이때 $\overline{BC}=2x+1=2\times3+1=7$이므로
$\overline{AD}=\overline{BC}=7$

2-2 $\triangle ABC$에서 $\overline{AB}=\overline{AC}$이므로 $\angle B=\angle C$
$\overline{AC}/\!/\overline{DE}$이므로 $\angle C=\angle BED$ (동위각)
$\therefore \angle B=\angle BED$
즉, $\triangle DBE$는 $\overline{DB}=\overline{DE}$인 이등변삼각형이므로
$\overline{DE}=8\,\text{cm}$
따라서 □ADEF의 둘레의 길이는
$2(\overline{AD}+\overline{DE})=2\times(2+8)=20\,(\text{cm})$

유형 ❸

$\overline{AD}/\!/\overline{BC}$이므로 $\angle DAE=\angle AEB=55°$ (엇각)
$\therefore \angle A=2\times55°=110°$
이때 $\angle A+\angle D=180°$이므로
$\angle x=180°-110°=70°$

3-1 $\angle A:\angle B=5:4$이고,
$\angle A+\angle B=180°$이므로
$\angle A=\dfrac{5}{9}\times180°=100°$
$\therefore \angle C=\angle A=100°$

3-2 $\angle DAE=\angle E=36°$(엇각)이므로
$\angle DAC=2\times\angle DAE=72°$
또 $\angle D=\angle B=72°$이므로 $\triangle ACD$에서
$\angle ACD=180°-(72°+72°)=36°$

3-3 $\angle ADC=\angle B=64°$이므로
$\angle ADF=\dfrac{1}{2}\times64°=32°$
$\triangle ADF$에서
$\angle DAF=180°-(90°+32°)=58°$
이때 $\angle A+\angle B=180°$이므로
$(\angle x+58°)+64°=180°$ $\therefore \angle x=58°$

유형 ❹

$\overline{AB}=\overline{CD}=8\,\text{cm}$, $\overline{AO}=\dfrac{1}{2}\overline{AC}=7\,\text{cm}$
$\overline{BO}=\dfrac{1}{2}\overline{BD}=9\,\text{cm}$
따라서 $\triangle OAB$의 둘레의 길이는 $8+7+9=24\,(\text{cm})$

4-1 ③ $\overline{OA}=\overline{OC}$, $\overline{OB}=\overline{OD}$

4-2 $\triangle OCQ$와 $\triangle OAP$에서
$\angle OCQ=\angle OAP$ (엇각), $\overline{OC}=\overline{OA}$,
$\angle QOC=\angle POA$ (맞꼭지각)이므로
$\triangle OCQ\equiv\triangle OAP$ (ASA합동)
이때 $\overline{AP}=\overline{AB}-\overline{PB}=8-6=2\,(\text{cm})$이므로
$\triangle OCQ=\triangle OAP=\dfrac{1}{2}\times4\times2=4\,(\text{cm}^2)$

유형 ❺

① 두 쌍의 대변의 길이가 각각 같으므로 평행사변형이다.
② 두 쌍의 대각의 크기가 각각 같으므로 평행사변형이다.
③ $\angle B=\angle C=60°$이면 동측내각의 크기의 합이 $180°$가 아니므로 $\overline{AB}$와 $\overline{DC}$는 평행하지 않다.
따라서 평행사변형이 아니다.
④ 한 쌍의 대변이 평행하고 그 길이가 같으므로 평행사변형이다.
⑤ 두 대각선이 서로 다른 것을 이등분하므로 평행사변형이다.

5-3 대각의 크기가 같아야 하므로 $\angle D=\angle B=68°$
이웃하는 두 내각의 크기의 합이 $180°$이므로
$\angle BCD=180°-68°=112°$
$\triangle DEC$가 이등변삼각형이므로
$\angle ECD=\dfrac{1}{2}(180°-68°)=56°$
$\therefore \angle BCE=\angle BCD-\angle ECD=112°-56°=56°$

유형 ❻

$\angle A+\angle B=180°$이므로 $\angle A=180°-60°=120°$
$\therefore \angle BAE=\angle DAE=60°$
$\overline{AD}/\!/\overline{BC}$이므로 $\angle BEA=\angle FAE=60°$ (엇각)
따라서 $\triangle ABE$는 정삼각형이므로
$\overline{BE}=\overline{AE}=\overline{AB}=6\,\text{cm}$ $\therefore \overline{EC}=8-6=2\,(\text{cm})$
$\overline{CD}=\overline{AB}=6\,\text{cm}$이고, 같은 방법으로 하면 $\triangle CDF$는 정삼각형이므로
$\overline{DF}=\overline{FC}=\overline{CD}=6\,\text{cm}$ $\therefore \overline{AF}=8-6=2\,(\text{cm})$
따라서 □AECF의 둘레의 길이는
$\overline{AE}+\overline{EC}+\overline{CF}+\overline{FA}=6+2+6+2=16\,(\text{cm})$

6-1 $\overline{AE} /\!/ \overline{FC}$, $\overline{AE}=\overline{FC}$이므로 □AFCE는 평행사변형이다.

따라서 ∠AFC=∠AEC=115°이므로

∠AFB=180°−115°=65°

6-2 △ABE와 △CDF에서

$\overline{AB}=\overline{CD}$, ∠BAE=∠DCF (엇각),

∠AEB=∠CFD=90°이므로

△ABE≡△CDF (RHA 합동)

따라서 ① $\overline{AE}=\overline{CF}$, ④ ∠ABE=∠CDF,

⑤ △ABE≡△CDF

또 ∠BEF=∠DFE=90° (엇각)이므로

② $\overline{BE} /\!/ \overline{DF}$

유형 ❼

△PAB+△PCD=△PAD+△PBC이므로

16+14=12+△PBC

∴ △PBC=18 cm²

7-1 △BCD=2△ABO=2×6=12(cm²)

이때 $\overline{BC}=\overline{CE}$, $\overline{DC}=\overline{CF}$이므로 □BFED는 평행사변형이다.

∴ □BFED=4△BCD=4×12=48(cm²)

7-2 △AOP와 △COQ에서

$\overline{AO}=\overline{CO}$, ∠PAO=∠QCO (엇각),

∠AOP=∠COQ (맞꼭지각)이므로

△AOP≡△COQ (ASA 합동)

∴ △AOP+△DOQ=△COQ+△DOQ

$$=△COD=\frac{1}{4}□ABCD$$

$$=\frac{1}{4}×40=10(cm²)$$

개념 CHECK　　02. 여러 가지 사각형　076쪽

개념 확인 (1) 등변사다리꼴 (2) 마름모

01 (1) $x=60$, $y=6$ (2) $x=3$, $y=40$ (3) $x=4$, $y=45$

02 (가) ㄱ 또는 ㄷ, (나) ㄴ 또는 ㄹ

03 14 cm²

01 (1) 직사각형은 두 대각선의 길이가 같고 서로 다른 것을 이등분하므로 △ODA는 이등변삼각형이다.

∴ $y=6$, ∠ADO=30°

△ABD에서 ∠ADO=30°이므로

∠ABD=180°−(90°+30°)=60°

∴ $x=60$

(2) 마름모의 두 대각선은 서로 다른 것을 수직이등분하므로 $x=3$

△ABO에서 ∠AOB=90°이므로

∠ABO=180°−(50°+90°)=40°

∴ $y=40$

(3) 정사각형의 두 대각선은 길이가 같고, 서로 다른 것을 수직이등분하므로 $x=8×\frac{1}{2}=4$

$\overline{AC} \perp \overline{BD}$이므로 ∠BOC=90°

△OBC는 $\overline{OB}=\overline{OC}$인 이등변삼각형이므로

∠OCB=$\frac{1}{2}$(180°−90°)=45°

∴ $y=45$

03 $\overline{AD} /\!/ \overline{BC}$이므로 △ABC=△DBC

∴ △OBC=△ABC−△ABO

=△DBC−△ABO

=20−6=14(cm²)

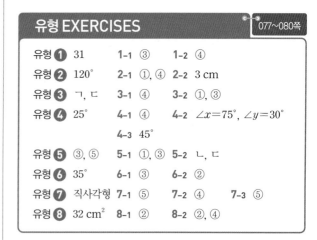

유형 EXERCISES　077~080쪽

유형 ❶	31	1-1 ③	1-2 ④		
유형 ❷	120°	2-1 ①, ④	2-2 3 cm		
유형 ❸	ㄱ, ㄷ	3-1 ④	3-2 ①, ③		
유형 ❹	25°	4-1 ④	4-2 ∠x=75°, ∠y=30°		
		4-3 45°			
유형 ❺	③, ⑤	5-1 ①, ③	5-2 ㄴ, ㄷ		
유형 ❻	35°	6-1 ③	6-2 ②		
유형 ❼	직사각형	7-1 ⑤	7-2 ④	7-3 ⑤	
유형 ❽	32 cm²	8-1 ②	8-2 ②, ④		

유형 ❶

직사각형은 두 대각선의 길이가 같고 서로 다른 것을 이등분하므로 △OBC는 이등변삼각형이다.

즉, $\overline{OB}=\overline{OC}=\frac{1}{2}×10=5$(cm)이므로 $x=5$

△ABC에서 ∠B=90°이므로
∠ACB=180°−(64°+90°)=26°
즉, ∠DBC=∠ACB=26°이므로 $y=26$
∴ $x+y=5+26=31$

1-1 △EDB는 $\overline{BE}=\overline{DE}$인 이등변삼각형이므로
∠DBE=∠BDE
$\overline{AD}\,/\!/\,\overline{BC}$이므로 ∠ADB=∠DBE (엇각)
∴ ∠ADB=∠BDE=∠EDC
이때 ∠ADC=90°이므로 ∠EDC=$\frac{1}{3}$×90°=30°
∴ ∠DEC=180°−(90°+30°)=60°

1-2 ④ $\overline{AB}=\overline{AD}$인 경우에만 성립한다.

유형 ❷
△BCD가 이등변삼각형이므로
∠CBD=∠CDB=30°
∴ ∠C=180°−2×30°=120°
이때 마름모는 대각의 크기가 각각
같으므로 ∠A=∠C=120°

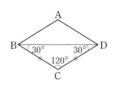

2-1 ⑤ 마름모는 평행사변형이므로 두 쌍의 대변이 각각 평행
하다.

2-2 ∠AOD=90°이므로
∠ADO=180°−(90°+30°)=60°
$\overline{AB}=\overline{AD}$이므로 ∠ABO=∠ADO=60°
따라서 △ABD는 정삼각형이므로
$\overline{BD}=\overline{AB}=\frac{24}{4}=6$ (cm)
∴ $\overline{BO}=\frac{1}{2}\overline{BD}=3$ cm

유형 ❸
ㄱ. $\overline{AC}=10$ cm이면 $\overline{AC}=\overline{BD}$이므로 □ABCD는 직사각형이다.
ㄷ. ∠BAD=90°이면 □ABCD는 직사각형이다.
ㄴ, ㄹ. □ABCD는 마름모가 되고, 직사각형은 되지 않는다.

3-1 ① ∠DAB+∠ABC=180°이므로
∠DAB=∠ABC이면 ∠DAB=∠ABC=90°

③ $\overline{AO}=\frac{1}{2}\overline{AC}$, $\overline{DO}=\frac{1}{2}\overline{BD}$이므로
$\overline{AO}=\overline{DO}$이면 $\overline{AC}=\overline{BD}$
④ $\overline{AC}\perp\overline{BD}$이면 마름모가 된다.
⑤ ∠DAO=∠ADO이면 △AOD가 이등변삼각형이
므로 $\overline{AO}=\overline{DO}$
∴ $\overline{AC}=\overline{BD}$

3-2 평행사변형의 이웃하는 두 변의 길이가 같거나 두 대각선
이 수직으로 만나면 마름모가 된다.

유형 ❹
△ABE≡△ADE (SAS 합동)이므로
∠AEB=∠AED=70°
따라서 △EBC에서
∠EBC+45°=70° ∴ ∠EBC=25°

4-1 $\overline{AC}\perp\overline{BD}$이고 $\overline{OA}=\overline{OB}=\overline{OC}=\overline{OD}=3$ cm이므로
□ABCD=2△ABC
$=\left(\frac{1}{2}\times6\times3\right)\times2=18\,(\text{cm}^2)$

4-2 △BCE는 정삼각형이므로 ∠EBC=∠ECB=60°
□ABCD가 정사각형이므로 ∠y=90°−60°=30°
∠ABE=∠y이고 △ABE는 이등변삼각형이므로
∠x=$\frac{1}{2}$×(180°−30°)=75°

4-3 △DAE는 $\overline{DA}=\overline{DE}$인 이등변삼각형이므로
∠DEA=∠DAE=25°
∴ ∠ADE=180°−(25°+25°)=130°
따라서 ∠CDE=130°−90°=40°이므로
△DCE에서 ∠DEC=$\frac{1}{2}$×(180°−40°)=70°
∴ ∠CEF=∠DEC−∠DEA=70°−25°=45°

유형 ❺
① □ABCD는 직사각형이다.
②, ④ □ABCD는 마름모이다.
③ $\overline{AB}=\overline{BC}$이면 평행사변형 ABCD는 마름모이다.
$\overline{OB}=\overline{OC}$이면 마름모 ABCD는 정사각형이다.
⑤ ∠ABC=90°이면 평행사변형 ABCD는 직사각형이다.
$\overline{AC}\perp\overline{BD}$이면 직사각형 ABCD는 정사각형이다.

5-1 $\overline{OA}=\overline{OB}=\overline{OC}=\overline{OD}$인 평행사변형 ABCD는 직사각형이다.

① $\overline{AB}=\overline{AD}$이면 직사각형 ABCD는 정사각형이다.
③ $\overline{AC}\perp\overline{BD}$이면 직사각형 ABCD는 정사각형이다.

5-2 ㄴ. $\overline{OB}=\overline{OC}$이면 $\overline{BD}=\overline{AC}$이므로 마름모 ABCD는 정사각형이다.

ㄷ. $\angle ABC=\angle BCD$이면
$\angle ABC=\angle BCD=\angle CDA=\angle DAB$이므로
마름모 ABCD는 정사각형이다.

유형 6

$\angle DCB=\angle B=75°$, $\angle BCA=\angle DAC=40°$ (엇각)
$\therefore \angle ACD=75°-40°=35°$

6-1 $\overline{AD}/\!/\overline{BC}$이므로
$\angle ADB=\angle DBC=40°$ (엇각)
$\overline{AB}=\overline{AD}$이므로 $\angle ABD=\angle ADB=40°$
따라서 $\angle ABC=40°+40°=80°$이므로
$\angle C=\angle ABC=80°$

6-2 ② $\overline{AB}=\overline{AD}$인지 알 수 없다.

③, ④ $\triangle ABC\equiv\triangle DCB$ (SAS 합동)이므로
$\angle DBC=\angle ACB$, $\overline{AC}=\overline{DB}$
⑤ $\triangle ABC=\triangle DBC$이므로 $\triangle AOB=\triangle DOC$

유형 7

□ABCD는 평행사변형이므로 $\angle A+\angle B=180°$
$\therefore \angle EAB+\angle EBA=\dfrac{1}{2}(\angle A+\angle B)=90°$
$\triangle ABE$에서 $\angle AEB=180°-90°=90°$
$\therefore \angle HEF=\angle AEB=90°$
같은 방법으로 하면 $\angle EFG=\angle FGH=\angle GHE=90°$
따라서 □EFGH는 직사각형이다.

7-1 $\triangle DEO$와 $\triangle BFO$에서
$\overline{DO}=\overline{BO}$, $\angle EDO=\angle FBO$ (엇각),
$\angle DOE=\angle BOF=90°$이므로
$\triangle DEO\equiv\triangle BFO$ (ASA 합동)
$\therefore \overline{EO}=\overline{FO}$ ②
따라서 □EBFD는 두 대각선이 서로 다른 것을 수직이등분하므로 마름모이다.

① $\triangle EBF$가 이등변삼각형이므로 $\angle EBO=\angle FBO$
③ 마름모는 네 변의 길이가 같으므로 $\overline{BE}=\overline{DE}$
④ 마름모는 평행사변형이므로 $\overline{BE}/\!/\overline{DF}$

7-2 평행사변형에 포함되는 사각형은 대각선이 서로 다른 것을 이등분한다.
④ 등변사다리꼴의 대각선은 서로 길이가 같다.

7-3 ⑤ 사각형에서 두 쌍의 대각의 크기가 각각 같으면 평행사변형이다.

유형 8

□ABCD$=\triangle ABC+\triangle ACD=\triangle ABC+\triangle ACE$
$\qquad =20+12=32(\text{cm}^2)$

8-1 $\overline{AD}/\!/\overline{BC}$이므로
$\triangle DBC=\triangle ABC=35(\text{cm}^2)$
$\therefore \triangle DOC=\triangle DBC-\triangle OBC$
$\qquad\quad =35-20=15(\text{cm}^2)$

8-2 $\overline{AB}/\!/\overline{DC}$이므로 $\triangle ADF=\triangle BDF$
$\overline{AE}/\!/\overline{BC}$이므로 $\triangle DBE=\triangle DCE$
$\therefore \triangle BDF=\triangle CEF$

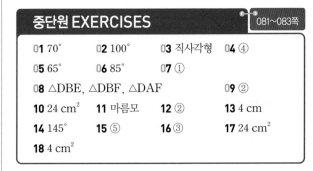

중단원 EXERCISES `081~083쪽`

01 70°	**02** 100°	**03** 직사각형	**04** ④
05 65°	**06** 85°	**07** ①	
08 △DBE, △DBF, △DAF			**09** ②
10 24 cm²	**11** 마름모	**12** ②	**13** 4 cm
14 145°	**15** ⑤	**16** ③	**17** 24 cm²
18 4 cm²			

01 $\angle B+\angle C=180°$이므로
$\angle C=180°-\angle B=180°-70°=110°$
$\therefore \angle EAF=360°-(90°+90°+110°)=70°$

02 $\angle FDB=\angle BDC=40°$ (접은 각)
$\angle FBD=\angle BDC=40°$ (엇각)
즉, $\angle FBD=\angle FDB=40°$이므로 $\triangle FBD$에서
$\angle BFD=180°-2\times40°=100°$

03 $\overline{AB}=\overline{DC}$, $\overline{AM}=\overline{DM}$, $\overline{MB}=\overline{MC}$이면
$\triangle ABM \equiv \triangle DCM$ (SSS 합동)이므로
$\angle A = \angle D$ ······ ㉠
□ABCD는 평행사변형이므로
$\angle A + \angle D = 180°$ ······ ㉡
㉠, ㉡에서 $\angle A = \angle D = 90°$
따라서 □ABCD는 직사각형이다.

04 $\overline{AM} /\!/ \overline{NC}$, $\overline{AM}=\overline{NC}$이므로 □ANCM은 평행사변형
이다.
또한 $\overline{MD} /\!/ \overline{BN}$, $\overline{MD}=\overline{BN}$이므로 □MBND도 평행사
변형이다.
따라서 $\overline{PN} /\!/ \overline{MQ}$, $\overline{MP} /\!/ \overline{QN}$이므로 □MPNQ는 평행
사변형이다.

05 □ABCD는 마름모이므로 $\angle A + \angle B = 180°$
$\therefore \angle A = 180° - 70° = 110°$
정삼각형 ABP에서 $\angle BAP = 60°$이므로
$\angle PAD = \angle A - \angle BAP = 110° - 60° = 50°$
또한, □ABCD는 마름모이고 △ABP는 정삼각형이므로
$\overline{AB} = \overline{AP} = \overline{AD}$
따라서 △APD가 이등변삼각형이므로
$\angle x = \frac{1}{2} \times (180° - 50°) = 65°$

06 $\overline{AD} /\!/ \overline{BC}$이므로
$\angle ADB = \angle CBD = 25°$
이때 $\angle D = \angle A = 110°$이므로
$\angle BDC = 110° - 25° = 85°$

07 $\triangle ABM = \frac{1}{2}\triangle ABC = \frac{1}{4}\square ABCD = \frac{1}{4} \times 16 = 4(cm^2)$
$\triangle CMN = \frac{1}{2}\triangle CMD = \frac{1}{2}\triangle ABM = \frac{1}{2} \times 4 = 2(cm^2)$
$\triangle AND = \frac{1}{2}\triangle ACD = \frac{1}{4}\square ABCD = \frac{1}{4} \times 16 = 4(cm^2)$
$\therefore \triangle AMN$
$= \square ABCD - (\triangle ABM + \triangle CMN + \triangle AND)$
$= 16 - (4+2+4) = 6(cm^2)$

08 $\triangle ABE = \triangle DBE = \triangle DBF = \triangle DAF$

09 ② 이웃하는 두 내각의 크기가 같은 평행사변형은 직사각
형이다.

10 $\triangle APS \equiv \triangle BPQ \equiv \triangle CRQ \equiv \triangle DRS$ (SAS 합동)
이므로 $\overline{PS} = \overline{PQ} = \overline{RQ} = \overline{RS}$
따라서 □PQRS는 마름모이므로 그 넓이는
$\frac{1}{2} \times 6 \times 8 = 24(cm^2)$

11 $\angle AFB = \angle EBF$ (엇각)이므로
$\angle ABF = \angle AFB$ $\therefore \overline{AB} = \overline{AF}$
또 $\angle BEA = \angle FAE$ (엇각)이므로
$\angle BAE = \angle BEA$ $\therefore \overline{AB} = \overline{BE}$
따라서 $\overline{AF} = \overline{BE}$이고 $\overline{AF} /\!/ \overline{BE}$이므로
□ABEF는 평행사변형이다.
$\therefore \overline{AB} /\!/ \overline{FE}$
$\angle ABF = \angle EFB$ (엇각)이므로 $\angle EBF = \angle EFB$
$\therefore \overline{BE} = \overline{EF}$
따라서 $\overline{AB} = \overline{BE} = \overline{EF} = \overline{AF}$이므로 □ABEF는
마름모이다.

12 $\overline{BM} : \overline{QM} = 2 : 3$이므로
$\triangle PBM : \triangle PMQ = 2 : 3$
$6 : \triangle PMQ = 2 : 3$
$\therefore \triangle PMQ = 9(cm^2)$
$\therefore \square APMC = \triangle PMC + \triangle PCA$
$= \triangle PMC + \triangle PCQ$
$= \triangle PMQ = 9(cm^2)$

13 $\overline{AD} /\!/ \overline{BC}$이므로 $\angle ADF = \angle CFD$ (엇각)
따라서 △CDF가 이등변삼각형이므로
$\overline{CF} = \overline{CD} = \overline{AB} = 6\ cm$
$\therefore \overline{BF} = \overline{BC} - \overline{CF} = 8 - 6 = 2(cm)$
△AGD에서 $\angle DAG + \angle ADG = 90°$이고
평행사변형 ABCD에서 $\angle A + \angle D = 180°$이므로
$\angle BAG + \angle FDC = 90°$ $\therefore \angle BAG = \angle DAG$
따라서 $\angle DAE = \angle BEA$ (엇각)에서 △BAE도 이등변삼
각형이므로
$\overline{BE} = \overline{AB} = 6\ cm$
$\therefore \overline{EF} = \overline{BE} - \overline{BF} = 6 - 2 = 4(cm)$

14 $\overline{GB} /\!/ \overline{DC}$이므로
$\angle DCG = \angle BGC = 55°$ (엇각)
$\therefore \angle BCG = \angle DCG = 55°$
△BCG에서 $\angle BCG = \angle BGC = 55°$이므로

$\angle CBG = 180° - (55° + 55°) = 70°$

$\overline{AD} /\!/ \overline{BC}$이므로

$\angle FEB = \angle EBC = \dfrac{1}{2} \times 70° = 35°$ (엇각)

$\therefore \angle BED = 180° - 35° = 145°$

15 오른쪽 그림과 같이 $\overline{CD}$의 연장선 위에 $\overline{BP} = \overline{DR}$가 되도록 점 R를 잡으면 $\triangle ABP \equiv \triangle ADR$ (SAS 합동)

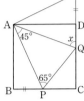

이때 $\angle BAP = \angle DAR$이므로

$\angle RAQ = \angle DAR + \angle DAQ$
$\qquad\quad = \angle BAP + \angle DAQ$
$\qquad\quad = 90° - 45° = 45°$

$\triangle APQ$와 $\triangle ARQ$에서

$\overline{AP} = \overline{AR}$, $\angle PAQ = \angle RAQ = 45°$,

$\overline{AQ}$는 공통이므로

$\triangle APQ \equiv \triangle ARQ$ (SAS 합동)

$\therefore \angle x = \angle AQP = 180° - (45° + 65°) = 70°$

16 $\overline{OA} : \overline{OC} = 1 : 2$이므로

$\triangle OAD : \triangle OCD = 1 : 2$, $2 : \triangle OCD = 1 : 2$

$\therefore \triangle OCD = 4 \text{ cm}^2$

이때 $\overline{AD} /\!/ \overline{BC}$이므로 $\triangle ABD = \triangle ACD$

$\therefore \triangle OAB = \triangle OCD = 4 \text{ cm}^2$

$\overline{OA} : \overline{OC} = 1 : 2$이므로

$\triangle OAB : \triangle OBC = 1 : 2$, $4 : \triangle OBC = 1 : 2$

$\therefore \triangle OBC = 8 \text{ cm}^2$

$\therefore \square ABCD$
$\quad = \triangle OAD + \triangle OAB + \triangle OBC + \triangle OCD$
$\quad = 2 + 4 + 8 + 4 = 18 (\text{cm}^2)$

17 $\triangle DPC = \triangle DPM + \triangle DMC$
$\qquad\quad = \triangle DAM + \triangle DMC$
$\qquad\quad = \triangle AMC = \triangle ABM$
$\qquad\quad = \dfrac{1}{2} \times 6 \times 8 = 24 (\text{cm}^2)$

18 $\overline{AB} /\!/ \overline{DC}$이고 $\overline{AB} = \overline{DC}$이므로 $\triangle ABE = \triangle DBC$

즉, $\triangle ABF + \triangle FBE = \triangle DEF + \triangle FBE + \triangle EBC$

이므로

$\triangle ABF = \triangle DEF + \triangle EBC$

$16 = \triangle DEF + 12$

$\therefore \triangle DEF = 4 (\text{cm}^2)$

01 ②	02 ③	03 ②	04 26°
05 7 cm	06 ②	07 ④	08 ①
09 ③	10 ①	11 ②	12 ③
13 D(9, 5)	14 ④	15 ⑤	16 ③
17 ③	18 마름모	19 ②, ③	20 ③
21 27 cm²	22 6°	23 18°	24 9 cm

01 $\triangle AEC$에서 $\overline{EA} = \overline{EC}$이므로

$\angle EAC = \angle ECA = \angle a$라고 하면 $\triangle ABC$에서

$180° = 90° + 3\angle a$

$3\angle a = 90°$ $\therefore \angle a = 30°$

따라서 $\triangle ABE$에서

$\angle x = 180° - (90° + 30°) = 60°$

02 ①, ② 이등변삼각형의 꼭지각의 이등분선은 밑변을 수직이등분하므로 $\overline{PD} \perp \overline{BC}$, $\overline{BD} = \overline{CD}$

④ $\triangle ABP$와 $\triangle ACP$에서

$\overline{AB} = \overline{AC}$, $\angle BAP = \angle CAP$, $\overline{AP}$는 공통

$\therefore \triangle ABP \equiv \triangle ACP$ (SAS 합동)

⑤ $\triangle PBC$에서 $\overline{PB} = \overline{PC}$이고

$\overline{PD} \perp \overline{BC}$, $\overline{BD} = \overline{CD}$이므로

$\angle BPC = 2 \angle BPD$

03 $\triangle DBC$에서 $\overline{BD} = \overline{BC}$이므로 $\angle BDC = \angle C = 70°$

$\therefore \angle DBC = 180° - (70° + 70°) = 40°$

$\triangle ABC$에서 $\overline{AB} = \overline{AC}$이므로

$\angle B = \angle C = 70°$

$\therefore \angle ABD = \angle B - \angle DBC = 70° - 40° = 30°$

04 $\angle ABC = \angle ACB = \dfrac{1}{2}(180° - 52°) = 64°$이므로

$\angle DBC = \dfrac{1}{2}\angle ABC = \dfrac{1}{2} \times 64° = 32°$

$\angle DCE = \dfrac{1}{2}\angle ACE = \dfrac{1}{2}(180° - 64°) = 58°$

$\therefore \angle D = \angle DCE - \angle DBC = 58° - 32° = 26°$

05 $\triangle ABD$와 $\triangle CAE$에서

$\angle ADB = \angle CEA = 90°$, $\overline{AB} = \overline{CA}$,

$\angle ABD = 90° - \angle BAD = \angle CAE$이므로

$\triangle ABD \equiv \triangle CAE$ (RHA 합동)

따라서 $\overline{AD}=\overline{CE}=5$ cm, $\overline{AE}=\overline{BD}=12$ cm이므로
$\overline{DE}=\overline{AE}-\overline{AD}=12-5=7$(cm)

06 △POQ와 △POR에서
$\overline{OP}$는 공통, $\angle PQO=\angle PRO=90°$,
$\angle QOP=\angle ROP$이므로
△POQ≡△POR (RHA 합동)
$\therefore \overline{PQ}=\overline{PR}$

07 $\overline{OA}=\overline{OB}$이므로 $\angle OAB=\angle OBA=42°$
$\therefore \angle A=42°+\angle x$
$2(42°+\angle x)=136°$, $42°+\angle x=68°$
$\therefore \angle x=26°$

08 △ABC의 내접원의 반지름의 길이를
r cm라고 하면
$(6-r)+(8-r)=10$
$\therefore r=2$
따라서 색칠한 부분의 넓이는
$2\times 2-\dfrac{1}{4}\times\pi\times 2^2=4-\pi$(cm²)

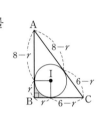

09 $\overline{AD}=\overline{AF}=x$ cm라고 하면
$\overline{BE}=\overline{BD}=10-x$(cm), $\overline{CE}=\overline{CF}=13-x$(cm)
$\overline{BE}+\overline{CE}=\overline{BC}$이므로 $(10-x)+(13-x)=15$
$2x=8$ $\quad\therefore x=4$ $\quad\therefore \overline{AD}=4$ cm

10 $\overline{BI}$, $\overline{CI}$는 각각 $\angle B$, $\angle C$의 이등분선이므로
$\angle DBI=\angle CBI$, $\angle ECI=\angle BCI$
이때 $\overline{DE}/\!/\overline{BC}$이므로
$\angle DIB=\angle CBI$ (엇각), $\angle EIC=\angle BCI$ (엇각)
$\therefore \angle DBI=\angle DIB$,
$\quad \angle ECI=\angle EIC$
따라서 △DBI, △ECI는
이등변삼각형이다.
즉, $\overline{DI}=\overline{DB}$, $\overline{EI}=\overline{EC}$이므로
△ADE의 둘레의 길이는
$\overline{AD}+\overline{DE}+\overline{EA}=\overline{AB}+\overline{AC}=6+9=15$(cm)
이때 △ADE의 내접원의 반지름의 길이가 2 cm이므로
$\triangle ADE=\dfrac{1}{2}\times 2\times 15=15$(cm²)

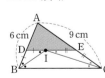

11 $\angle A+\angle B=180°$이므로 $\angle A=180°-60°=120°$
$\angle FAD=\dfrac{1}{2}\times 120°=60°$이고, $\angle D=\angle B=60°$
또 $\overline{AD}/\!/\overline{FC}$이므로
$\angle EFC=\angle FAD=60°$ (동위각), $\angle ECF=\angle D=60°$
따라서 △ADE, △FEC는 정삼각형이다.
$\overline{DE}=\overline{AD}=9$ cm, $\overline{CD}=\overline{AB}=5$ cm이므로
$\overline{CE}=\overline{DE}-\overline{DC}=9-5=4$(cm)
따라서 정삼각형 FEC의 둘레의 길이는
$4\times 3=12$(cm)

12 $\angle B$, $\angle C$의 크기를 각각 $\angle b$, $\angle c$라고 하면
$\angle b+\angle c=180°$
두 이등변삼각형 ABE, CEF에서
$\angle AEB=\dfrac{1}{2}\times(180°-\angle b)$
$\angle CEF=\dfrac{1}{2}\times(180°-\angle c)$
$\therefore \angle x=180°-(\angle AEB+\angle CEF)$
$\quad=180°-\dfrac{1}{2}\times\{(180°-\angle b)+(180°-\angle c)\}$
$\quad=\dfrac{1}{2}\times(\angle b+\angle c)=\dfrac{1}{2}\times 180°=90°$

13 $\overline{AD}$가 x축과 평행해야 하므로 점 D는 직선 $y=5$ 위에 있
어야 한다.
또 $\overline{AD}=\overline{BC}=7$이므로
$D(2+7,5)=D(9,5)$

14 오른쪽 그림에서 $\overline{AB}/\!/\overline{DC}$
이므로
$\angle ABD=\angle BDC$ (엇각)
$\therefore \angle ABE=\angle EBD$
$\quad=\angle BDF=\angle FDC$
따라서 $\angle EBD=\angle FDB$ (엇각)에서
$\overline{BE}/\!/\overline{FD}$이고, $\overline{ED}/\!/\overline{BF}$이므로
□EBFD는 평행사변형이다.
이때 주어진 조건에서 $\overline{BE}=\overline{ED}$이므로 □EBFD는 마름
모이다.
따라서 △FBD는 $\overline{FB}=\overline{FD}$인 이등변삼각형이고,
$\angle FBD=\angle FDB=\dfrac{1}{3}\times 90°=30°$이므로
$x=180-2\times 30=120$
한편 △DFO≡△DFC (RHA 합동)이므로

$\overline{DC}=\overline{DO}=\dfrac{1}{2}\overline{BD}=\dfrac{1}{2}\times12=6\,(\text{cm})$　　$\therefore y=6$

$\therefore x+y=120+6=126$

15 ① 두 대각선의 길이가 같으므로 직사각형이다.

　　② 두 대각선이 수직으로 만나므로 마름모이다.

　　③ 이웃하는 두 변의 길이가 같으므로 마름모이다.

　　④ 이웃하는 두 변의 길이가 같고, 한 내각의 크기가 $90°$이
므로 정사각형이다.

　　⑤ 이웃하는 두 변의 길이가 같으므로 마름모이다.

16 $\angle BCE=45°$이므로 $\triangle BCE$에서

　　$45°+\angle EBC=65°$　　$\therefore \angle EBC=20°$

17 $\triangle BCD$는 이등변삼각형이므로

　　$\angle BDC=\dfrac{1}{2}\times(180°-120°)=30°$

　　$\therefore \angle APB=\angle DPH=90°-30°=60°$

18 $\square ABCD$는 평행사변형이므로 $\overline{BO}=\overline{DO}$

　　즉, $\triangle BPO\equiv\triangle DPO$ (SSS 합동)이므로

　　$\angle BOP=\angle DOP=90°$

　　따라서 두 대각선이 수직으로 만나므로 $\square ABCD$는 마름
모이다.

19 마름모의 각 변의 중점을 연결하면 직사각형이 된다.

　　보기 중 직사각형의 성질이 아닌 것은 ②, ③이다.

20 $\triangle ABH$와 $\triangle DFH$에서

　　$\overline{AB}=\overline{DC}$이고 $\overline{DF}=\overline{DC}$이므로

　　$\overline{AB}=\overline{DF}$,

　　$\angle ABH=\angle DFH$ (엇각),

　　$\angle BAH=\angle FDH$ (엇각)이므로

　　$\triangle ABH\equiv\triangle DFH$ (ASA 합동)

　　$\therefore \overline{AH}=\overline{DH}$　　　　　　　$\cdots\cdots$ ㉠

　　같은 방법으로 $\triangle ABG\equiv\triangle ECG$ (ASA 합동)

　　$\therefore \overline{BG}=\overline{CG}$　　　　　　　$\cdots\cdots$ ㉡

　　이때 $\overline{AD}=\overline{BC}$이므로 ㉠, ㉡에 의하여 $\overline{AH}=\overline{BG}$

　　즉, $\square ABGH$는 한 쌍의 대변이 평행하고 그 길이가 같으
므로 평행사변형이다.

　　그런데 $\overline{AD}=2\overline{AB}$에서 $\overline{AH}=\overline{AB}$이므로

　　$\square ABGH$는 마름모이다.

이때 마름모의 두 대각선은 수직으로 만나므로

　　$\angle FPE=90°$

따라서 $\triangle FPE$는 직각삼각형이다.

③ 마름모의 두 대각선은 서로 다른 것을 수직이등분한다.

21 $\overline{AC}\,/\!/\,\overline{DE}$이므로 $\triangle ACD=\triangle ACE$

　　$\square ABCD=\triangle ABC+\triangle ACD$

　　　　　　　　$=\triangle ABC+\triangle ACE$

　　　　　　　　$=\triangle ABE$

　　　　　　　　$=\dfrac{1}{2}\times(6+3)\times6$

　　　　　　　　$=27\,(\text{cm}^2)$

22 $\angle BAC=180°-2\angle ABC$

　　　　　　　$=180°-2\times64°=52°$

　　$\therefore \angle BOC=2\angle BAC=2\times52°=104°$

　　$\triangle OBC$는 $\overline{OB}=\overline{OC}$인 이등변삼각형이므로

　　$\angle OCB=\dfrac{1}{2}\times(180°-104°)=38°$　　$\cdots\cdots$ ❶

　　$\triangle IBC$에서 $\angle ICB=\dfrac{1}{2}\times64°=32°$　　$\cdots\cdots$ ❷

　　$\therefore \angle OCI=\angle OCB-\angle ICB=38°-32°=6°$　$\cdots\cdots$ ❸

채점 기준	배점
❶ $\angle OCB$의 크기 구하기	40 %
❷ $\angle ICB$의 크기 구하기	40 %
❸ $\angle OCI$의 크기 구하기	20 %

23 정오각형의 한 외각의 크기는

　　$\dfrac{360°}{5}=72°$이므로 $\angle AEF=72°$　　　$\cdots\cdots$ ❶

　　$\angle AEF=\angle CEF=72°$ (접은 각)이므로

　　$\angle AEC=2\times72°=144°$

　　$\overline{AE}=\overline{CE}$ (접은 선)이므로 이등변삼각형 EAC에서

　　$\angle EAC=\dfrac{1}{2}\times(180°-144°)=18°$　　$\cdots\cdots$ ❷

　　이때 $\overline{AD}\,/\!/\,\overline{BC}$이므로

　　$\angle ACB=\angle EAC=18°$　　　　　　$\cdots\cdots$ ❸

채점 기준	배점
❶ $\angle AEF$의 크기 구하기	30 %
❷ $\angle EAC$의 크기 구하기	40 %
❸ $\angle ACB$의 크기 구하기	30 %

24 오른쪽 그림과 같이
$\overline{AE}$, $\overline{OD}$를 그으면
$\overline{ED}=\overline{OC}=\overline{OA}$,
$\overline{AC}/\!/\overline{ED}$
따라서 □AODE는 평행사변형
이므로
$\overline{AF}=\overline{FD}$, $\overline{OF}=\overline{EF}$
$\therefore \overline{AF}=\dfrac{1}{2}\overline{AD}=\dfrac{1}{2}\overline{BC}=5(cm)$ ...... ❶

$\overline{FO}=\dfrac{1}{2}\overline{EO}=\dfrac{1}{2}\overline{CD}=\dfrac{1}{2}\overline{AB}=4(cm)$ ...... ❷

$\therefore \overline{AF}+\overline{FO}=5+4=9(cm)$ ...... ❸

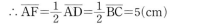

채점 기준	배점
❶ $\overline{AF}$의 길이 구하기	40 %
❷ $\overline{FO}$의 길이 구하기	40 %
❸ $\overline{AF}+\overline{FO}$의 길이 구하기	20 %

VI 도형의 닮음과 피타고라스 정리

1. 도형의 닮음

개념 CHECK

01. 도형의 닮음 105쪽

개념 확인 (1) 일정 (2) 같다

01 (1) 2 : 1 (2) 3 cm (3) 75°

02 (1) 5 : 3 (2) $\dfrac{20}{3}$ cm (3) 80°

03 (1) 2 : 3 (2) $x=3$, $y=\dfrac{9}{2}$, $z=9$

04 ④

01 (1) 닮음비는 대응변의 길이의 비와 같으므로
$\overline{AB}:\overline{DE}=4:2=2:1$
(2) 닮음비가 2 : 1이므로
$6:\overline{DF}=2:1$, $2\overline{DF}=6$ $\therefore \overline{DF}=3(cm)$
(3) 대응각의 크기는 서로 같으므로
$\angle E=\angle B=65°$
$\therefore \angle D=180°-(65°+40°)=75°$

02 (1) 닮음비는 대응변의 길이의 비와 같으므로
$\overline{AB}:\overline{EF}=5:3$
(2) 닮음비가 5 : 3이므로
$\overline{BC}:4=5:3$, $3\overline{BC}=20$ $\therefore \overline{BC}=\dfrac{20}{3}(cm)$
(3) □ABCD에서
$\angle A=360°-(70°+75°+135°)=80°$
대응각의 크기는 서로 같으므로 $\angle E=\angle A=80°$

03 (1) 입체도형에서 닮음비는 대응하는 모서리의 길이의 비와
같으므로
$\overline{BC}:\overline{B'C'}=4:6=2:3$
(2) 닮음비가 2 : 3이므로
$\overline{AB}:\overline{A'B'}=2:3$에서 $2:x=2:3$ $\therefore x=3$
$\overline{AC}:\overline{A'C'}=2:3$에서 $3:y=2:3$ $\therefore y=\dfrac{9}{2}$
$\overline{BE}:\overline{B'E'}=2:3$에서 $6:z=2:3$ $\therefore z=9$

04 다음의 경우에 닮음이 아니다.

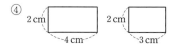

개념 확인 (1) ② SAS ③ AA (2) ① $\overline{BC}$ ② $\overline{CD}$ ③ $\overline{BD}$

01 ㄱ과 ㄹ (AA 닮음), ㄴ과 ㅁ (SAS 닮음),

ㄷ과 ㅂ (SSS 닮음)

02 (1) △ABC∽△CBD (SSS 닮음)

(2) △ABC∽△EBD (AA 닮음)

03 $\dfrac{16}{3}$

04 (1) $\dfrac{9}{2}$ (2) $\dfrac{32}{3}$ (3) 15

---

03 △ABC와 △ACD에서

∠A는 공통, $\overline{AB} : \overline{AC} = \overline{AC} : \overline{AD} = 3 : 2$

이므로 △ABC∽△ACD (SAS 닮음)

$3 : 2 = \overline{BC} : \overline{CD}, \ 3 : 2 = 8 : \overline{CD}$ $\therefore \overline{CD} = \dfrac{16}{3}$

04 (1) $6^2 = x \times 8, \ 8x = 36$ $\therefore x = \dfrac{9}{2}$

(2) $10^2 = 6(6+x), \ 100 = 36 + 6x, \ 6x = 64$

$\therefore x = \dfrac{32}{3}$

(3) $12^2 = 16 \times \overline{BD}, \ 144 = 16 \times \overline{BD}$ $\therefore \overline{BD} = 9$

이때 $x^2 = 9 \times (9+16) = (3 \times 5)^2 = 15^2$이므로

$x = 15 \ (\because x > 0)$

유형 ❶ ⑤	1-1 190°	1-2 21 cm
유형 ❷ 36	2-1 16	2-2 20π cm
유형 ❸ (1) 6 cm (2) 7 cm		
	3-1 ①	3-2 6 cm 3-3 ⑤
	3-4 ④	3-5 ②
유형 ❹ 6 cm	4-1 ④	4-2 ③ 4-3 ②
	4-4 ③	4-5 5 cm

유형 ❶

$\overline{AC} : \overline{DF} = 10 : 8 = 5 : 4$이므로

△ABC와 △DEF의 닮음비는 5 : 4이다.

① $\overline{AB} : \overline{DE} = 5 : 4$

② $\overline{AB} : \overline{DE} = 5 : 4$이므로 $8 : \overline{DE} = 5 : 4$

$5\overline{DE} = 32$ $\therefore \overline{DE} = 6.4 (cm)$

③ ∠E = ∠B = 70°

④ ∠C = ∠F = 35°

⑤ ∠A = 180° − (70° + 35°) = 75°

1-1 ∠A = ∠E = 120°

∠F = ∠B = 360° − (120° + 90° + 80°) = 70°

$\therefore$ ∠A + ∠F = 190°

1-2 $9 : \overline{A'B'} = 3 : 2$이므로 $\overline{A'B'} = 6 (cm)$

$12 : \overline{B'C'} = 3 : 2$이므로 $\overline{B'C'} = 8 (cm)$

따라서 △A'B'C'의 둘레의 길이는

$6 + 8 + 7 = 21 (cm)$

유형 ❷

$\overline{GH} : \overline{G'H'} = 9 : 12 = 3 : 4$이므로 두 직육면체의 닮음비는

3 : 4이다.

$12 : x = 3 : 4$이므로 $x = 16$

$15 : y = 3 : 4$이므로 $y = 20$

$\therefore x + y = 16 + 20 = 36$

2-1 $\overline{AC} : \overline{A'C'} = 9 : 6 = 3 : 2$이므로 두 삼각기둥의

닮음비는 3 : 2이다.

$6 : x = 3 : 2$이므로 $x = 4$

$y : 8 = 3 : 2$이므로 $y = 12$

$\therefore x + y = 4 + 12 = 16$

2-2 두 원뿔 A, B의 모선의 길이의 비는 15 : 18 = 5 : 6이므로 두 원뿔의 닮음비는 5 : 6이다.

즉, 원뿔 A의 밑면의 반지름의 길이를 r cm라고 하면

$r : 12 = 5 : 6$이므로 $r = 10$

따라서 원뿔 A의 밑면의 둘레의 길이는

$2\pi \times 10 = 20\pi (cm)$

유형 ❸

△ABC와 △EDC에서

∠ABC = ∠EDC, ∠C는 공통

$\therefore$ △ABC∽△EDC (AA 닮음)

(1) $\overline{CA} : \overline{CE} = \overline{AB} : \overline{ED}$이므로

$(4+6) : 5 = \overline{AB} : 3$

$5\overline{AB} = 30$ $\therefore \overline{AB} = 6 (cm)$

(2) $\overline{AB} : \overline{ED} = \overline{BC} : \overline{DC}$이므로

$6 : 3 = (\overline{BE} + 5) : 6$

$3(\overline{BE} + 5) = 36, \ \overline{BE} + 5 = 12$ $\therefore \overline{BE} = 7 (cm)$

3-1 ① △ABC에서 ∠A=70°이면

$\angle C = 180° - (50° + 70°) = 60°$

△DEF에서 ∠E=50°이면

$\angle C = \angle F$, $\angle B = \angle E$이므로

△ABC∽△DEF (AA 닮음)

3-2 △ABC와 △CBD에서

∠B는 공통, $\overline{AB} : \overline{CB} = \overline{BC} : \overline{BD} = 2 : 1$

∴ △ABC∽△CBD (SAS 닮음)

따라서 $\overline{AC} : \overline{CD} = 2 : 1$이므로 $\overline{AC} : 3 = 2 : 1$

∴ $\overline{AC} = 6$(cm)

3-3 △ABC와 △DBA에서

∠B는 공통, $\overline{AB} : \overline{DB} = \overline{BC} : \overline{BA} = 4 : 3$

∴ △ABC∽△DBA (SAS 닮음)

$\overline{AC} : \overline{DA} = 4 : 3$이므로 $20 : \overline{DA} = 4 : 3$

∴ $\overline{DA} = 15$(cm)

3-4 △ABC와 △EDA에서

$\overline{AD} /\!/ \overline{BC}$이므로 ∠ACB=∠EAD (엇각)

$\overline{AB} /\!/ \overline{DE}$이므로 ∠BAC=∠DEA (엇각)

∴ △ABC∽△EDA (AA 닮음)

$\overline{AC} : \overline{EA} = \overline{BC} : \overline{DA}$이므로

$12 : (12-4) = \overline{BC} : 10$

$8\overline{BC} = 120$ ∴ $\overline{BC} = 15$(cm)

3-5 △BED와 △CFE에서

$\angle B = \angle C = 60°$ ······ ㉠

∠BED+∠BDE=120°,

∠BED+∠CEF=120°이므로

∠BDE=∠CEF ······ ㉡

㉠, ㉡에서 △BED∽△CFE (AA 닮음)

정삼각형 ABC의 한 변의 길이가 15 cm이고

$\overline{DE} = \overline{AD} = 7$ cm이므로

$\overline{BD} = 15 - 7 = 8$(cm), $\overline{CE} = 15 - 3 = 12$(cm)

이때 $\overline{BD} : \overline{CE} = \overline{ED} : \overline{FE}$이므로

$8 : 12 = 7 : \overline{FE}$ ∴ $\overline{FE} = \dfrac{21}{2}$(cm)

∴ $\overline{AF} = \overline{FE} = \dfrac{21}{2}$(cm)

유형 ④

△ABD와 △ACE에서

∠ADB=∠AEC=90°, ∠A는 공통

∴ △ABD∽△ACE (AA 닮음)

이때 $\overline{AD} = 20 \times \dfrac{2}{5} = 8$(cm)이고,

$\overline{AB} : \overline{AC} = \overline{AD} : \overline{AE}$이므로

$16 : 20 = 8 : \overline{AE}$ ∴ $\overline{AE} = 10$(cm)

∴ $\overline{BE} = 16 - 10 = 6$(cm)

4-1 △ADE와 △ACB에서

∠ADE=∠ACB=90°, ∠A는 공통

∴ △ADE∽△ACB (AA 닮음)

$\overline{AD} : \overline{AC} = \overline{DE} : \overline{CB}$이므로

$5 : 8 = \overline{DE} : 6$, $8\overline{DE} = 30$ ∴ $\overline{DE} = \dfrac{15}{4}$(cm)

4-2 (ⅰ) △ABD와 △ACE에서

∠ADB=∠AEC=90°, ∠A는 공통

∴ △ABD∽△ACE (AA 닮음)

(ⅱ) △ABD와 △FBE에서

∠ADB=∠FEB=90°, ∠ABD는 공통

∴ △ABD∽△FBE (AA 닮음)

(ⅲ) △FBE와 △FCD에서

∠FEB=∠FDC=90°,

∠EFB=∠DFC (맞꼭지각)

∴ △FBE∽△FCD (AA 닮음)

(ⅰ), (ⅱ), (ⅲ)에 의하여

△ABD∽△ACE∽△FBE∽△FCD

따라서 나머지 네 삼각형과 닮음이 아닌 삼각형은

③ △BCD이다.

4-3 ①, ②, ③, ④ △ABH∽△CAH (AA 닮음)이므로

$\overline{AH} : \overline{BH} = \overline{CH} : \overline{AH}$에서 $\overline{AH}^2 = \overline{BH} \times \overline{CH}$

$\overline{BH} : \overline{AB} = \overline{AH} : \overline{CA}$

$\overline{AH} : \overline{AB} = \overline{CH} : \overline{CA}$

⑤ △ABC∽△HBA (AA 닮음)이므로

$\overline{AB} : \overline{BC} = \overline{HB} : \overline{BA}$ ∴ $\overline{AB}^2 = \overline{BC} \times \overline{BH}$

4-4 $\overline{AD}^2 = \overline{BD} \times \overline{CD}$이므로

$12^2 = 9 \times y$ ∴ $y = 16$

$\overline{AC}^2 = \overline{CD} \times \overline{CB}$이므로

$$x^2=16\times(16+9)=4^2\times5^2=(4\times5)^2=20^2$$
$$\therefore x=20\ (\because x>0)$$
$$\therefore x-y=20-16=4$$

4-5 $\triangle$ABF와 $\triangle$DFE에서

$\angle A=\angle D=90°$ ……… ㉠

$\angle ABF+\angle AFB=90°$, $\angle AFB+\angle DFE=90°$

$\therefore \angle ABF=\angle DFE$ ……… ㉡

㉠, ㉡에서 $\triangle$ABF$\backsim$$\triangle$DFE (AA 닮음)

즉, $\overline{AB}:\overline{DF}=\overline{BF}:\overline{FE}$이므로

$9:(15-12)=15:\overline{FE}$

$9\overline{FE}=45$ $\therefore \overline{FE}=5(cm)$

중단원 EXERCISES 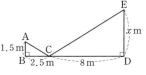 114~116쪽

01 ③	**02** ③	**03** 14 cm	**04** $\frac{24}{5}$ m
05 27 cm	**06** 6 cm	**07** 32 cm	**08** ④
09 ②	**10** $\frac{96}{7}$ cm	**11** ②	**12** $\frac{35}{2}$ cm
13 ③	**14** $\frac{54}{5}$ cm	**15** 8.4	**16** 4 : 1
17 $\frac{19}{5}$	**18** 6 cm		

01 $\overline{AD}:\overline{A'D'}=5:10=1:2$이므로

$\overline{BC}:\overline{B'C'}=1:2$, $3:\overline{B'C'}=1:2$

$\therefore \overline{B'C'}=6(cm)$

02 $\square$ABCD$\backsim$$\square$HIJA이므로 $\overline{AB}:\overline{HI}=\overline{AD}:\overline{HA}$

$\overline{AB}:3=(4+8):4$

$4\overline{AB}=36$ $\therefore \overline{AB}=9(cm)$

$\square$ABCD$\backsim$$\square$AEFG이므로

$\overline{AB}:\overline{AE}=\overline{AD}:\overline{AG}$

$9:\overline{AE}=12:20$ $\therefore \overline{AE}=15(cm)$

$\therefore \overline{BE}=\overline{AE}-\overline{AB}=15-9=6(cm)$

03 $\triangle$ACB와 $\triangle$ECD에서 $\overline{AB}/\!/\overline{DE}$이므로

$\angle A=\angle E$ (엇각), $\angle B=\angle D$ (엇각)

$\therefore \triangle$ACB$\backsim$$\triangle$ECD (AA 닮음)

따라서 $\overline{AB}:\overline{ED}=\overline{AC}:\overline{EC}$, 즉 $7:\overline{DE}=3:6$

이므로 $3\overline{DE}=42$ $\therefore \overline{DE}=14(cm)$

04 오른쪽 그림과 같이 건
물의 높이를 x m라고
하면 $\triangle$ABC$\backsim$$\triangle$EDC
이므로

$1.5:x=2.5:8$ $\therefore x=\frac{24}{5}$

따라서 건물의 높이는 $\frac{24}{5}$ m이다.

05 $\triangle$OAB와 $\triangle$OBC의 닮음비는

$\overline{OA}:\overline{OB}=8:12=2:3$

따라서 $\overline{OB}:\overline{OC}=2:3$, 즉 $12:\overline{OC}=2:3$이므로

$\overline{OC}=18(cm)$

$\triangle$OBC와 $\triangle$OCD의 닮음비는

$\overline{OB}:\overline{OC}=2:3$

따라서 $\overline{OC}:\overline{OD}=2:3$, 즉 $18:\overline{OD}=2:3$이므로

$\overline{OD}=27(cm)$

06 $\triangle$FBE와 $\triangle$FAD에서

$\overline{AD}/\!/\overline{BC}$이므로 $\angle FBE=\angle FAD$ (동위각)

$\angle F$는 공통

$\therefore \triangle$FBE$\backsim$$\triangle$FAD (AA 닮음)

즉, $\overline{FB}:\overline{FA}=\overline{BE}:\overline{AD}$이므로

$2:(2+4)=\overline{BE}:9$

$6\overline{BE}=18$ $\therefore \overline{BE}=3(cm)$

$\therefore \overline{CE}=\overline{BC}-\overline{BE}=9-3=6(cm)$

07 $\triangle$ABE와 $\triangle$CDA에서 $\angle BAE=\angle DCA$ (엇각),

$\angle AEB=\angle CAD$ (엇각)이므로

$\triangle$ABE$\backsim$$\triangle$CDA (AA 닮음)

이때 닮음비는 $\overline{AE}:\overline{CA}=9:12=3:4$이므로

$\overline{AB}:\overline{CD}=3:4$, $7:\overline{CD}=3:4$ $\therefore \overline{CD}=\frac{28}{3}(cm)$

$\overline{BE}:\overline{DA}=3:4$, $8:\overline{DA}=3:4$ $\therefore \overline{DA}=\frac{32}{3}(cm)$

따라서 $\triangle$ACD의 둘레의 길이는

$\overline{AC}+\overline{CD}+\overline{DA}=12+\frac{28}{3}+\frac{32}{3}=32(cm)$

08 $\overline{BD}$가 접는 선이므로 $\angle EBD=\angle CBD$

$\overline{AD}/\!/\overline{BC}$이므로 $\angle CBD=\angle EDB$ (엇각)

$\therefore \angle EBD=\angle EDB$

따라서 $\triangle$EBD는 이등변삼각형이므로

$\overline{BF}=\overline{FD}=10(cm)$

또, $\triangle$FED와 $\triangle$ABD에서

$\angle DFE = \angle DAB = 90°$, $\angle ADB$는 공통

$\therefore \triangle FED \backsim \triangle ABD$ (AA 닮음)

즉, $\overline{FD} : \overline{AD} = \overline{EF} : \overline{BA}$이므로

$10 : 16 = \overline{EF} : 12$ $\therefore \overline{EF} = \dfrac{15}{2}$(cm)

09 $\triangle AGE$와 $\triangle ADC$에서

$\angle EAG$는 공통, $\angle AGE = \angle ADC = 90°$

$\therefore \triangle AGE \backsim \triangle ADC$ (AA 닮음)

따라서 $\overline{AG} : \overline{AD} = \overline{GE} : \overline{DC}$이므로

$5 : 8 = \overline{GE} : 6$ $\therefore \overline{GE} = \dfrac{15}{4}$(cm)

10 $\triangle ADF$와 $\triangle ABC$에서

$\angle ADF = \angle ABC = 90°$, $\angle A$는 공통

$\therefore \triangle ADF \backsim \triangle ABC$ (AA 닮음)

정사각형 DBEF의 한 변의 길이를 x cm라고 하면

$\overline{AD} = (6-x)$ cm

즉, $\overline{AD} : \overline{AB} = \overline{DF} : \overline{BC}$이므로 $(6-x) : 6 = x : 8$

$6x = 48 - 8x$, $14x = 48$ $\therefore x = \dfrac{24}{7}$

따라서 정사각형 DBEF의 둘레의 길이는

$\dfrac{24}{7} \times 4 = \dfrac{96}{7}$(cm)

11 $\overline{AD}^2 = \overline{BD} \times \overline{DC}$이므로

$4^2 = \overline{BD} \times 6$ $\therefore \overline{BD} = \dfrac{8}{3}$(cm)

$\therefore \triangle ABD = \dfrac{1}{2} \times \dfrac{8}{3} \times 4 = \dfrac{16}{3}$(cm^2)

12 직각삼각형 DAC에서

$\overline{DE}^2 = \overline{AE} \times \overline{CE}$이므로 $3^2 = \overline{AE} \times 4$

$\therefore \overline{AE} = \dfrac{9}{4}$(cm)

$\overline{AD}^2 = \overline{AE} \times \overline{AC}$이므로

$\overline{AD}^2 = \dfrac{9}{4} \times \left(\dfrac{9}{4} + 4\right) = \dfrac{9}{4} \times \dfrac{25}{4} = \left(\dfrac{15}{4}\right)^2$

$\therefore \overline{AD} = \dfrac{15}{4}$(cm)

$\overline{DC}^2 = \overline{CE} \times \overline{CA}$이므로

$\overline{DC}^2 = 4 \times \left(4 + \dfrac{9}{4}\right) = 4 \times \dfrac{25}{4} = 25 = 5^2$

$\therefore \overline{DC} = 5$(cm)

따라서 □ABCD의 둘레의 길이는

$2 \times \left(\dfrac{15}{4} + 5\right) = \dfrac{35}{2}$(cm)

13 $\triangle ICD$는 세 각의 크기가 각각 108°, 36°, 36°인 이등변삼각형이다. 각의 크기를 이용하여 $\triangle ICD$와 닮음인 삼각형을 찾으면 $\triangle HBC$, $\triangle FAB$, $\triangle GEA$, $\triangle JDE$, $\triangle ABE$, $\triangle BCA$, $\triangle CDB$, $\triangle DEC$, $\triangle EAD$, $\triangle FCE$, $\triangle HDA$, $\triangle IEB$, $\triangle JAC$, $\triangle GBD$로 14개이다.

14 $\triangle DEF$와 $\triangle ABC$에서

$\angle DEF = \angle BAE + \angle ABE$

$= \angle CBF + \angle ABE = \angle ABC$

$\angle DFE = \angle CBF + \angle BCF$

$= \angle ACD + \angle BCF = \angle ACB$

$\therefore \triangle DEF \backsim \triangle ABC$ (AA 닮음)

$\overline{DF} : \overline{AC} = 3 : 5$이므로

$\overline{EF} : 7 = 3 : 5$ $\therefore \overline{EF} = \dfrac{21}{5}$(cm)

$\overline{DE} : 6 = 3 : 5$ $\therefore \overline{DE} = \dfrac{18}{5}$(cm)

따라서 $\triangle DEF$의 둘레의 길이는

$\dfrac{18}{5} + \dfrac{21}{5} + 3 = \dfrac{54}{5}$(cm)

15 정삼각형의 한 변의 길이는 18이고,

$\dfrac{\overline{BE}}{\overline{EC}} = \dfrac{1}{2}$이므로 $\overline{EC} = \dfrac{2}{3} \times 18 = 12$이다.

$\triangle EDB$와 $\triangle FEC$에서 $\angle B = \angle C$,

$\angle B + \angle BDE = \angle DEF + \angle CEF$이다.

이때 $\angle B = \angle DEF = 60°$이므로 $\angle BDE = \angle CEF$

$\therefore \triangle EDB \backsim \triangle FEC$ (AA 닮음)

즉, $\overline{BD} : \overline{CE} = \overline{BE} : \overline{CF}$이므로 $\overline{BD} : 12 = 6 : 7.5$

$7.5\overline{BD} = 72$ $\therefore \overline{BD} = 9.6$

$\therefore \overline{AD} = 18 - 9.6 = 8.4$

16 제 n단계에서 지워지는 정삼각형의 한 변의 길이는 처음 정삼각형의 한 변의 길이의 $\dfrac{1}{2^n}$ (n은 자연수)이다.

따라서 제10단계에서 지워지는 정삼각형과 제12단계에서 지워지는 정삼각형의 닮음비는

$\dfrac{1}{2^{10}} : \dfrac{1}{2^{12}} = 2^2 : 1 = 4 : 1$이다.

17 정삼각형의 한 변의 길이는 $5k$이고, $\overline{BD} : \overline{DC} = 3 : 2$

이므로 $\overline{BD} = \dfrac{3}{5} \times 5k = 3k$

$\triangle BDF$와 $\triangle CAD$에서

$\angle B = \angle C = 60°$

$\angle BDF + \angle BFD = 120°$이고, $\angle BDF + \angle CDA = 120°$

이므로 $\angle BFD = \angle CDA$

$\therefore \triangle BDF \backsim \triangle CAD(AA \text{ 닮음})$

따라서 $\overline{BD} : \overline{CA} = \overline{BF} : \overline{CD}$, 즉, $3k : 5k = \overline{BF} : 2k$이므로

$5\overline{BF} = 6k$ $\therefore \overline{BF} = \dfrac{6}{5}k$

$\therefore \overline{AF} = \overline{AB} - \overline{BF} = 5k - \dfrac{6}{5}k = \dfrac{19}{5}k$ $\therefore a = \dfrac{19}{5}$

18 $\overline{AD}^2 = 5 \times 20 = 100 = 10^2$ $\therefore \overline{AD} = 10(\text{cm})$

점 M은 직각삼각형 ABC의 외심이므로

$\overline{AM} = \overline{BM} = \overline{CM} = \dfrac{1}{2}\overline{BC} = \dfrac{25}{2}(\text{cm})$

$\therefore \overline{DM} = \overline{BM} - \overline{BD} = \dfrac{25}{2} - 5 = \dfrac{15}{2}(\text{cm})$

$\angle ADM = 90°$이므로 $\triangle ADM$의 넓이는

$\dfrac{1}{2} \times 10 \times \dfrac{15}{2} = \dfrac{1}{2} \times \dfrac{25}{2} \times \overline{DE}$ $\therefore \overline{DE} = 6(\text{cm})$

2. 닮음의 활용

_{개념} 확인   (1) $\overline{AE}, \overline{CE}$

01 (1) 8 (2) 12   **02** (1) 8 (2) 4

03 6 cm   **04** 4 cm

01 (1) $6 : (6+9) = x : 20$이므로

  $15x = 120$ $\therefore x = 8$

(2) $3 : 6 = (x-8) : 8$이므로

  $6(x-8) = 24, x-8 = 4$ $\therefore x = 12$

02 (1) $6 : 9 = x : 12$이므로 $9x = 72$ $\therefore x = 8$

(2) $5 : 10 = x : 8$이므로 $10x = 40$ $\therefore x = 4$

03 $\overline{AD}$는 $\angle A$의 이등분선이므로

$\overline{AB} : \overline{AC} = \overline{BD} : \overline{CD}$

$8 : 12 = (10 - \overline{CD}) : \overline{CD}$

$8\overline{CD} = 120 - 12\overline{CD}$ $\therefore \overline{CD} = 6(\text{cm})$

04 $\overline{AD}$는 $\angle A$의 외각의 이등분선이므로

$\overline{AB} : \overline{AC} = \overline{BD} : \overline{CD}$,

$7 : 5 = (\overline{BC} + 10) : 10$,

$5\overline{BC} + 50 = 70, 5\overline{BC} = 20$ $\therefore \overline{BC} = 4(\text{cm})$

_{개념} 확인   (1) $\dfrac{1}{2}$ (2) 직사각형

01 $x = 50, y = 3$ **02** $x = 8, y = 12$

03 (1) 15 (2) 24   **04** (1) 9 (2) 8

01 $\overline{AM} = \overline{MB}, \overline{AN} = \overline{NC}$이므로 $\overline{MN} /\!/ \overline{BC}$

  $\angle AMN = \angle MBC = 50°$ (동위각)이므로 $x = 50$

  $y = \overline{MN} = \dfrac{1}{2}\overline{BC} = 3$

02 $\overline{AM} = \overline{MB}, \overline{MN} /\!/ \overline{BC}$이므로 $\overline{AN} = \overline{NC}$

  $\therefore x = 2 \times 4 = 8$

  $y = \overline{BC} = 2\overline{MN} = 2 \times 6 = 12$

03 (1) $\overline{DF} = \dfrac{1}{2}\overline{BC} = 6$

  $\overline{DE} = \dfrac{1}{2}\overline{AC} = 4, \overline{EF} = \dfrac{1}{2}\overline{AB} = 5$

  $\therefore (\triangle DEF\text{의 둘레의 길이}) = 6+4+5 = 15$

(2) $\overline{EF} = \overline{GH} = \dfrac{1}{2}\overline{AC} = 4$,

  $\overline{EH} = \overline{FG} = \dfrac{1}{2}\overline{BD} = 8$

  $\therefore (\square EFGH\text{의 둘레의 길이}) = 2(4+8) = 24$

04 (1) $x = \dfrac{1}{2}(\overline{AD} + \overline{BC}) = \dfrac{1}{2} \times (8+10) = 9$

(2) $\overline{PN} = \dfrac{1}{2}\overline{BC} = \dfrac{1}{2} \times 14 = 7$이므로 $\overline{QN} = 7-3 = 4$

  $\therefore x = 2\overline{QN} = 2 \times 4 = 8$

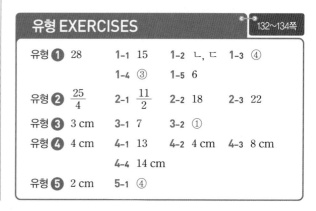

유형 ❶ 28	1-1 15	1-2 ㄴ, ㄷ	1-3 ④
	1-4 ③	1-5 6	
유형 ❷ $\dfrac{25}{4}$	2-1 $\dfrac{11}{2}$	2-2 18	2-3 22
유형 ❸ 3 cm	3-1 7	3-2 ①	
유형 ❹ 4 cm	4-1 13	4-2 4 cm	4-3 8 cm
	4-4 14 cm		
유형 ❺ 2 cm	5-1 ④		

유형 ❶

$(x+8):8=9:3$이므로

$3(x+8)=72,\ x+8=24 \qquad \therefore x=16$

$3:9=4:y$이므로 $3y=36 \qquad \therefore y=12$

$\therefore x+y=16+12=28$

1-1 $(6+4):6=15:x$이므로

$\quad 10x=90 \qquad \therefore x=9$

$\quad 4:6=y:9$이므로

$\quad 6y=36 \qquad \therefore y=6$

$\quad \therefore x+y=9+6=15$

1-2 ㄱ. $(6-2):2\neq3:1$이므로 $\overline{BC}$와 $\overline{DE}$는 평행하지 않다.

$\quad$ ㄴ. $(8-6):6=(12-9):9$이므로 $\overline{BC}/\!/\overline{DE}$이다.

$\quad$ ㄷ. $24:16=21:14$이므로 $\overline{BC}/\!/\overline{DE}$이다.

$\quad$ ㄹ. $3:9\neq4:8$이므로 $\overline{BC}$와 $\overline{DE}$는 평행하지 않다.

$\quad$ 따라서 $\overline{BC}/\!/\overline{DE}$인 것은 ㄴ, ㄷ이다.

1-3 $\overline{AE}=2\overline{EB}$이므로 $\overline{AE}:\overline{EB}=2:1$

$\quad \triangle ABC$에서

$\quad 2:3=\overline{EN}:24,\ 3\overline{EN}=48$

$\quad \therefore \overline{EN}=16(cm)$

$\quad \triangle BAD$에서

$\quad 1:3=\overline{EM}:21,\ 3\overline{EM}=21$

$\quad \therefore \overline{EM}=7(cm)$

$\quad \therefore \overline{MN}=16-7=9(cm)$

1-4 $\overline{AC}$를 긋고 $\overline{AC}$와 $\overline{EF}$의 교점을 H라고 하자.

$\quad \triangle ABC$에서

$\quad 3:8=\overline{EH}:16,\ 8\overline{EH}=48$

$\quad \therefore \overline{EH}=6(cm)$

$\quad \triangle CDA$에서

$\quad 5:8=\overline{FH}:8 \qquad \therefore \overline{FH}=5(cm)$

$\quad \therefore \overline{EF}=6+5=11(cm)$

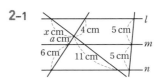

1-5 $\triangle CAB$에서 $\overline{CF}:\overline{CB}=2:3$

$\quad \therefore \overline{CF}:\overline{FB}=2:1$

$\quad$ 한편 $\overline{FB}:\overline{BC}=1:3$이므로

$\quad 1:3=2:x \qquad \therefore x=6$

유형 ❷

$4:5=2:x$이므로 $4x=10 \qquad \therefore x=\dfrac{5}{2}$

$4:5=3:y$이므로 $4y=15 \qquad \therefore y=\dfrac{15}{4}$

$\therefore x+y=\dfrac{5}{2}+\dfrac{15}{4}=\dfrac{25}{4}$

2-1

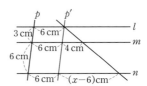

$\quad (4+a):6=5:5$이므로

$\quad 4+a=6 \qquad \therefore a=2$

$\quad 4:(2+6)=x:11$이므로

$\quad 8x=44 \qquad \therefore x=\dfrac{11}{2}$

2-2 다음 그림과 같이 직선 p와 평행한 직선 p'을 그으면

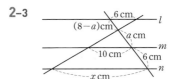

$\quad 3:(3+6)=4:(x-6)$이므로

$\quad 3(x-6)=36,\ x-6=12 \qquad \therefore x=18$

2-3

$\quad (8-a):a=6:10$이므로

$\quad 6a=10(8-a),\ 6a=80-10a$

$\quad 16a=80 \qquad \therefore a=5$

$\quad 5:(5+6)=10:x$이므로

$\quad 5x=110 \qquad \therefore x=22$

유형 ❸

$10:6=5:\overline{DC}$이므로

$10\overline{DC}=30 \qquad \therefore \overline{DC}=3(cm)$

3-1 $8:4=14:x$이므로

$\quad 8x=56 \qquad \therefore x=7$

3-2 $\overline{BD} : \overline{CD} = \overline{AB} : \overline{AC} = 9 : 6 = 3 : 2$

이때 $\triangle ABD : \triangle ADC = \overline{BD} : \overline{CD}$ 이므로

$12 : \triangle ADC = 3 : 2$, $3\triangle ADC = 24$

$\therefore \triangle ADC = 8(cm^2)$

유형 ④

삼각형의 중점연결정리에 의하여

$\triangle DBC$에서 $\overline{BC} = 2\overline{MN} = 2 \times 9 = 18(cm)$

$\triangle ABC$에서 $\overline{PQ} = \dfrac{1}{2}\overline{BC} = \dfrac{1}{2} \times 18 = 9(cm)$

$\therefore \overline{PR} = 9 - 5 = 4(cm)$

4-1 $\overline{AM} = \overline{MB}$, $\overline{MN} /\!/ \overline{BC}$ 이므로

$\overline{NC} = \overline{AN} = 4(cm)$ $\therefore x = 4 + 4 = 8$

$y = \dfrac{1}{2}\overline{BC} = \dfrac{1}{2} \times 10 = 5$

$\therefore x + y = 8 + 5 = 13$

4-2 $\triangle ABF$에서 삼각형의 중점연결정리에 의하여

$\overline{DE} /\!/ \overline{BF}$, $\overline{DE} = \dfrac{1}{2}\overline{BF} = \dfrac{1}{2} \times 16 = 8(cm)$

$\triangle CDE$에서 삼각형의 중점연결정리에 의하여

$\overline{GF} = \dfrac{1}{2}\overline{DE} = \dfrac{1}{2} \times 8 = 4(cm)$

4-3 점 E에서 $\overline{BD}$에 평행한 선분을 그어

$\overline{AC}$와 만나는 점을 F라고 하면

$\triangle ABC$에서 $\overline{BC} = 2\overline{EF}$

$\triangle GEF \equiv \triangle GDC$ (ASA 합동)

$\therefore \overline{EF} = \overline{DC}$

$\overline{BD} = \overline{BC} + \overline{CD} = 2\overline{EF} + \overline{EF} = 3\overline{EF}$

$3\overline{EF} = 24$ $\therefore \overline{EF} = 8(cm)$

$\therefore \overline{CD} = \overline{EF} = 8(cm)$

4-4 $\overline{AE} = \overline{EB}$, $\overline{AH} = \overline{HD}$, $\overline{BF} = \overline{FC}$, $\overline{CG} = \overline{GD}$

이므로 $\overline{EF} /\!/ \overline{HG}$, $\overline{EH} /\!/ \overline{FG}$

따라서 □EFGH는 평행사변형이다.

이때 $\overline{AC} \perp \overline{BD}$ 이므로 $\overline{EF} \perp \overline{EH}$

즉, $\angle HEF = 90°$ 이므로 □EFGH는 직사각형이다.

$\triangle ABD$에서 $\overline{EH} = \dfrac{1}{2}\overline{BD} = \dfrac{1}{2} \times 6 = 3(cm)$

$\triangle ABC$에서 $\overline{EF} = \dfrac{1}{2}\overline{AC} = \dfrac{1}{2} \times 8 = 4(cm)$

$\therefore$ (□EFGH의 둘레의 길이) $= 2 \times (3 + 4) = 14(cm)$

유형 ⑤

$\overline{AD} /\!/ \overline{BC}$ 이고 $\overline{AE} = \overline{EB}$, $\overline{DF} = \overline{FC}$ 이므로

$\overline{AD} /\!/ \overline{EF} /\!/ \overline{BC}$, $\overline{EF} = \dfrac{1}{2}(5 + 9) = 7(cm)$

$\triangle ABD$와 $\triangle ACD$에서 삼각형의 중점연결정리에 의하여

$\overline{EM} = \overline{NF} = \dfrac{1}{2}\overline{AD} = \dfrac{1}{2} \times 5 = \dfrac{5}{2}(cm)$

$\therefore \overline{MN} = 7 - 2 \times \dfrac{5}{2} = 2(cm)$

5-1 $\triangle ABD$에서 삼각형의 중점연결정리에 의하여

$\overline{MP} = \dfrac{1}{2}\overline{AD} = 4(cm)$ 이므로

$\overline{MQ} = 2\overline{MP} = 8(cm)$

$\therefore \overline{BC} = 2\overline{MQ} = 2 \times 8 = 16(cm)$

개념 CHECK

03. 삼각형의 무게중심 · 139쪽

개념 확인 (1) 무게중심 (2) 2, 1

01 (1) 6 (2) 18

02 8

03 (1) 6 cm² (2) 6 cm² (3) 18 cm²

04 15 cm

05 5 cm²

01 (1) $x = \dfrac{2}{3} \times 9 = 6$

(2) $12 : x = 2 : 3$, $2x = 36$ $\therefore x = 18$

02 $\overline{GD} = \dfrac{1}{2}\overline{AG} = \dfrac{1}{2} \times 24 = 12$ 이므로

$\overline{GG'} = \dfrac{2}{3}\overline{GD} = \dfrac{2}{3} \times 12 = 8$

03 (1) $\triangle GBC = 2\triangle GFB = 2 \times 3 = 6(cm^2)$

(2) □GDCE $= 2\triangle GFB = 2 \times 3 = 6(cm^2)$

(3) $\triangle ABC = 6\triangle GFB = 6 \times 3 = 18(cm^2)$

04 두 대각선 BD와 AC의 교점을 O라고 하면 두 점 P, Q는 각각 $\triangle ABC$, $\triangle ACD$의 무게중심이므로

$\overline{BP} = \overline{PQ} = \overline{QD} = 5$ cm $\therefore \overline{BD} = 3 \times 5 = 15(cm)$

05 점 P는 △ABC의 무게중심이므로

$$\triangle APO = \frac{1}{6}\triangle ABC$$

$$= \frac{1}{6}\times\left(\frac{1}{2}\square ABCD\right)$$

$$= \frac{1}{12}\square ABCD$$

$$= \frac{1}{12}\times 60 = 5(cm^2)$$

개념 CHECK

04. 닮은 도형의 넓이와 부피　145쪽

개념 확인 (1) m^2, n^2, m^3, n^3

01 9 : 25　　　　　　　　**02** 900 mL

03 120 cm³　　　　　　**04** (1) 10 cm　(2) 0.75 km²

01 $\angle ADB = \angle BDC = 90°$

$\angle ABD = 90° - \angle BAD = \angle ACB$

$\therefore \triangle ABD \backsim \triangle ACB$ (AA 닮음)

이때 두 삼각형의 닮음비가 6 : 10 = 3 : 5이므로 두 삼각형의 넓이의 비는 $3^2 : 5^2 = 9 : 25$이다.

02 두 직육면체 모양의 상자의 닮음비가 2 : 3이므로

겉넓이의 비는 $2^2 : 3^2 = 4 : 9$이다.

따라서 큰 상자를 칠하는 데 필요한 페인트의 양을 x mL 라고 하면 4 : 9 = 400 : x

$4x = 3600$　$\therefore x = 900$

따라서 큰 상자를 칠하는 데 필요한 페인트의 양은 900 mL이다.

03 두 사면체 A, B의 닮음비가 2 : 3이므로

부피의 비는 $2^3 : 3^3 = 8 : 27$이다.

사면체 A의 부피를 x cm³라고 하면

$x : 405 = 8 : 27$

$27x = 3240$　$\therefore x = 120$

따라서 사면체 A의 부피는 120 cm³이다.

04 (1) 5(km) = 500000(cm)이므로

$$500000 \times \frac{1}{50000} = 10(cm)$$

(2) $3 \times 50000^2 = 7500000000(cm^2) = 0.75(km^2)$

유형 EXERCISES

146~147쪽

유형 ❶	4 cm	**1-1** 18 cm	**1-2** ⑤	**1-3** 15 cm²
유형 ❷	8 cm	**2-1** 9 cm	**2-2** 4 cm²	**2-3** 7 cm²
유형 ❸	32 cm²	**3-1** 24 cm²	**3-2** 1 : 8 : 27	
		3-3 384 cm²		
유형 ❹	81π cm³	**4-1** 28분	**4-2** 125개	**4-3** 25 : 16

유형 ❶

점 G는 △ABC의 무게중심이므로

$$\overline{GD} = \frac{1}{3}\overline{AD} = \frac{1}{3}\times 18 = 6(cm)$$

점 G′은 △GBC의 무게중심이므로

$$\overline{GG'} = \frac{2}{3}\overline{GD} = \frac{2}{3}\times 6 = 4(cm)$$

1-1 △AGG′ ∽ △AEF (SAS 닮음)이므로

$2 : 3 = 6 : \overline{EF}$, $2\overline{EF} = 18$　$\therefore \overline{EF} = 9(cm)$

$\overline{BE} = \overline{ED}$, $\overline{DF} = \overline{FC}$이므로

$\overline{BC} = 2\overline{EF} = 2\times 9 = 18(cm)$

1-2 $\triangle GBC = 6\triangle G'BD = 6\times 3 = 18(cm^2)$

$\therefore \triangle ABC = 3\triangle GBC = 3\times 18 = 54(cm^2)$

1-3 점 G는 △ABC의 무게중심이므로

$$\square BDGF = \triangle FBG + \triangle GBD$$

$$= \frac{1}{6}\triangle ABC + \frac{1}{6}\triangle ABC$$

$$= \frac{2}{6}\triangle ABC$$

$$= \frac{1}{3}\times 45 = 15(cm^2)$$

유형 ❷

$\overline{AC}$, $\overline{BD}$의 교점을 O라고 하면 $\overline{BM} = \overline{MC}$, $\overline{AO} = \overline{OC}$, $\overline{CN} = \overline{ND}$이므로 점 P, Q는 각각 △ABC, △ACD의 무게중심이다.

따라서 $\overline{BP} = \overline{PQ} = \overline{QD}$이므로 $\overline{PQ} = \frac{1}{3}\overline{BD} = 8(cm)$

2-1 두 점 P, Q는 각각 △ABC, △ACD의 무게중심이므로

$\overline{BP} = \overline{PQ} = \overline{QD} = 6$ cm

$\therefore \overline{BD} = 3\overline{BP} = 18(cm)$

△CBD에서 삼각형의 중점연결정리에 의하여

$$\overline{MN}=\frac{1}{2}\overline{BD}=\frac{1}{2}\times18=9(cm)$$

2-2 점 P는 △ABC의 무게중심이므로

$$\square OPMC=\frac{1}{3}\triangle ABC=\frac{1}{3}\times\frac{1}{2}\square ABCD$$

$$=\frac{1}{6}\square ABCD=4(cm^2)$$

2-3 $\overline{AC}$와 $\overline{BD}$의 교점을 O라고 하면 $\overline{AN}=\overline{ND}$, $\overline{BO}=\overline{OD}$, $\overline{DM}=\overline{MC}$이므로 점 P, Q는 각각 △ABD, △DBC의 무게중심이다.
이때 $\overline{AP}=\overline{PQ}=\overline{QC}$이므로

$$\triangle BPQ=\frac{1}{3}\triangle ABC=\frac{1}{3}\times\frac{1}{2}\square ABCD$$

$$=\frac{1}{6}\square ABCD=\frac{1}{6}\times42=7(cm^2)$$

유형 ❸

△ADE∽△ABC (AA 닮음)이고 닮음비가 3 : 5이므로 두 삼각형의 넓이의 비는 9 : 25이다.
따라서 △ADE : □DBCE=9 : 16이므로
9 : 16=18 : □DBCE, 9□DBCE=288
∴ □DBCE=32(cm²)

3-1 △GED∽△GBC (SAS 닮음)이고 닮음비가 1 : 2이므로 두 삼각형의 넓이의 비는 1 : 4이다.
∴ △GBC=4×6=24(cm²)

3-2 △ABB'∽△ACC'∽△ADD' (AA 닮음)이고 닮음비가 1 : 3 : 6이므로 세 삼각형의 넓이의 비는 1 : 9 : 36이다.
∴ △ABB' : □BCC'B' : □CDD'C'=1 : 8 : 27

3-3 두 상자 A, B의 닮음비는 3 : 4이므로 겉넓이의 비는 $3^2 : 4^2=9 : 16$이다.
구하는 포장지의 넓이를 x cm²라고 하면
216 : x=9 : 16, 9x=216×16
∴ x=384
따라서 상자 B의 겉면을 싸는 데 384 cm²의 포장지가 필요하다.

유형 ❹

두 컵 A, B의 겉넓이의 비가 $4 : 9=2^2 : 3^2$이므로 닮음비가 2 : 3이다. 따라서 두 컵 A, B의 부피의 비는 8 : 27이다.
$8 : 27=24\pi$: (B의 부피), $8\times$(B의 부피)$=648\pi$
∴ (B의 부피)$=81\pi(cm^3)$

4-1 물의 높이와 그릇의 높이의 비가 1 : 2이므로 4분 동안 채운 물과 그릇의 부피의 비는 1 : 8이다.
현재 물의 양과 그릇을 가득 채울 때까지 더 넣어야 할 물의 양의 비는 1 : (8-1)=1 : 7
따라서 이 그릇에 물을 가득 채우려면 4×7=28(분)이 더 걸린다.

4-2 큰 쇠구슬과 작은 쇠구슬의 닮음비가 5 : 1이므로 두 쇠구슬의 부피의 비는 $5^3 : 1=125 : 1$이다.
따라서 큰 쇠구슬 한 개를 녹이면 작은 쇠구슬 125개를 만들 수 있다.

4-3 두 직육면체 P, Q의 부피의 비가 $250 : 128=5^3 : 4^3$이므로 두 직육면체의 닮음비는 5 : 4이다.
따라서 두 직육면체의 겉넓이의 비는
$5^2 : 4^2=25 : 16$이다.

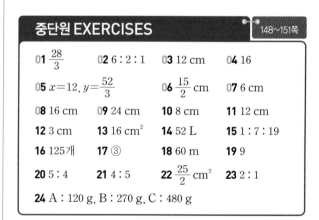

중단원 EXERCISES 148~151쪽

01 $\frac{28}{3}$	**02** 6 : 2 : 1	**03** 12 cm	**04** 16
05 $x=12, y=\frac{52}{3}$		**06** $\frac{15}{2}$ cm	**07** 6 cm
08 16 cm	**09** 24 cm	**10** 8 cm	**11** 12 cm
12 3 cm	**13** 16 cm²	**14** 52 L	**15** 1 : 7 : 19
16 125개	**17** ③	**18** 60 m	**19** 9
20 5 : 4	**21** 4 : 5	**22** $\frac{25}{2}$ cm²	**23** 2 : 1
24 A : 120 g, B : 270 g, C : 480 g			

01 3 : 5=2 : x ∴ $x=\frac{10}{3}$

3 : 5=y : (y+4), 5y=3(y+4), 2y=12 ∴ y=6

∴ $x+y=\frac{10}{3}+6=\frac{28}{3}$

02 $\triangle ADC$에서 $\overline{AD} \parallel \overline{EF}$이므로

$\overline{DF} : \overline{FC} = \overline{AE} : \overline{EC} = 4 : 2 = 2 : 1$

$\triangle ABC$에서 $\overline{AB} \parallel \overline{ED}$이므로

$\overline{BD} : \overline{DC} = \overline{AE} : \overline{EC} = 4 : 2 = 2 : 1$

$\overline{FC} = a$라고 하면 $\overline{DF} = 2a$이므로

$\overline{DC} = 3a$ $\quad \therefore \overline{BD} = 6a$

$\therefore \overline{BD} : \overline{DF} : \overline{FC} = 6a : 2a : a = 6 : 2 : 1$

03 $12 : 6 = 8 : \overline{CD}$이므로

$12\overline{CD} = 48$ $\quad \therefore \overline{CD} = 4\,(\text{cm})$

$\overline{BC} = 8 + 4 = 12\,(\text{cm})$이므로

$12 : 6 = (12 + \overline{CE}) : \overline{CE}$, $12 + \overline{CE} = 2\overline{CE}$

$\therefore \overline{CE} = 12\,(\text{cm})$

04 $2 : 3 = x : 6$, $3x = 12$ $\quad \therefore x = 4$

$1 : 3 = y : 12$, $3y = 12$ $\quad \therefore y = 4$

$\therefore xy = 4 \times 4 = 16$

05 점 A를 지나고 $\overline{DC}$에
평행한 직선을 그으면

$x : 6 = 10 : 5$이므로

$5x = 60$ $\quad \therefore x = 12$

$(y - 12) : 8 = 10 : 15$이므로

$15(y - 12) = 80$, $15y = 260$ $\quad \therefore y = \dfrac{52}{3}$

06 $\triangle CAB$에서 $\overline{FC} : \overline{BC} = 3 : 5$

$\therefore \overline{BF} : \overline{BC} = 2 : 5$

$\triangle BCD$에서 $\overline{EF} : \overline{DC} = 2 : 5$, $3 : \overline{DC} = 2 : 5$

$2\overline{DC} = 15$ $\quad \therefore \overline{DC} = \dfrac{15}{2}\,(\text{cm})$

07 $\triangle AFG$에서 $\overline{AD} = \overline{DF}$, $\overline{AE} = \overline{EG}$이므로

$\overline{DE} \parallel \overline{FG}$, $\overline{FG} = 2\overline{DE} = 12\,(\text{cm})$

$\triangle DBE$에서 $\overline{DF} = \overline{FB}$, $\overline{DE} \parallel \overline{FP}$이므로

$\overline{FP} = \dfrac{1}{2}\overline{DE} = 3\,(\text{cm})$

$\triangle EDC$에서 $\overline{EG} = \overline{GC}$, $\overline{DE} \parallel \overline{QG}$이므로

$\overline{QG} = \dfrac{1}{2}\overline{DE} = 3\,(\text{cm})$

$\therefore \overline{PQ} = 12 - (3 + 3) = 6\,(\text{cm})$

08 삼각형의 중점연결정리에 의하여

$\overline{EG} = \dfrac{1}{2}\overline{AB}$, $\overline{GF} = \dfrac{1}{2}\overline{DC}$이므로

$\overline{EG} + \overline{GF} = \dfrac{1}{2}(\overline{AB} + \overline{DC}) = \dfrac{1}{2} \times 18 = 9\,(\text{cm})$

$\therefore (\triangle EGF\text{의 둘레의 길이}) = 9 + 7 = 16\,(\text{cm})$

09 삼각형의 중점연결정리에 의하여

$\overline{DE} = \dfrac{1}{2}\overline{AC}$, $\overline{EF} = \dfrac{1}{2}\overline{AB}$, $\overline{DF} = \dfrac{1}{2}\overline{BC}$이므로

$(\triangle DEF\text{의 둘레의 길이}) = \overline{DE} + \overline{EF} + \overline{DF}$

$= \dfrac{1}{2}(\overline{AC} + \overline{AB} + \overline{BC})$

$= \dfrac{1}{2} \times 48 = 24\,(\text{cm})$

10 $\triangle ABC$에서 삼각형의 중점연결정리에 의하여

$\overline{MQ} = \dfrac{1}{2}\overline{BC} = \dfrac{1}{2} \times 14 = 7\,(\text{cm})$

$\therefore \overline{MP} = \overline{MQ} - \overline{PQ} = 7 - 3 = 4\,(\text{cm})$

$\triangle BAD$에서 삼각형의 중점연결정리에 의하여

$\overline{AD} = 2\overline{MP} = 2 \times 4 = 8\,(\text{cm})$

11 $\triangle CAD$에서 삼각형의 중점연결정리에 의하여

$\overline{AD} = 2\overline{EF} = 2 \times 9 = 18\,(\text{cm})$

이때 점 G는 $\triangle ABC$의 무게중심이므로

$\overline{AG} = \dfrac{2}{3}\overline{AD} = 18 \times \dfrac{2}{3} = 12\,(\text{cm})$

12 $\overline{CO} = \dfrac{1}{2}\overline{AC} = 9\,(\text{cm})$이고

점 P는 $\triangle BCD$의 무게중심이므로

$\overline{CP} : \overline{PO} = 2 : 1$ $\quad \therefore \overline{OP} = 9 \times \dfrac{1}{3} = 3\,(\text{cm})$

13 $\triangle AOD \backsim \triangle COB$ (AA 닮음)이고 그 닮음비가

$4 : 6 = 2 : 3$이므로

$\triangle AOD : \triangle COB = 4 : 9$

따라서 $\triangle AOD : 36 = 4 : 9$이므로

$9\triangle AOD = 144$ $\quad \therefore \triangle AOD = 16\,(\text{cm}^2)$

14 물의 높이와 그릇의 높이의 비가 $1 : 3$이므로
부피의 비는 $1^3 : 3^3 = 1 : 27$

현재 물의 양과 그릇에 가득 채울 때까지 더 넣어야 할 물의
양의 비는 $1 : (27 - 1) = 2 : (\text{물의 양})$

$\therefore (\text{물의 양}) = 2 \times 26 = 52\,(\text{L})$

15 모선의 길이의 비가 $1:2:3$인 세 원뿔의 부피의 비는
$1^3:2^3:3^3=1:8:27$
따라서 세 입체도형 A, B, C의 부피의 비는
$1:(8-1):(27-8)=1:7:19$

16 큰 쇠공과 작은 쇠공의 반지름의 길이의 비가 $15:3=5:1$
이므로 부피의 비는 $5^3:1^3=125:1$이다. 따라서 작은 쇠공
을 125개 만들 수 있다.

17 $400(\text{m})=40000(\text{cm})$이므로 지도에서 두 지점 사이의
거리는 $40000\times\dfrac{1}{10000}=4(\text{cm})$

18 $100(\text{m})=10000(\text{cm})$이므로
$(축척)=\dfrac{5}{10000}=\dfrac{1}{2000}$
$\therefore \overline{\text{AB}}=3\times2000=6000(\text{cm})=60(\text{m})$

19 △ABC에서 $\overline{\text{DE}}/\!/\overline{\text{BC}}$이므로
$\overline{\text{AE}}:\overline{\text{EC}}=\overline{\text{AD}}:\overline{\text{DB}}=3:1$
△ADC에서 $\overline{\text{DC}}/\!/\overline{\text{FE}}$이므로
$\overline{\text{AF}}:\overline{\text{FD}}=\overline{\text{AE}}:\overline{\text{EC}}=3:1$
따라서 $x:(12-x)=3:1$이므로
$x=36-3x$ $\therefore x=9$

20 점 E에서 $\overline{\text{BC}}$에 평행한 직선을 그어
$\overline{\text{AD}}$와 만나는 점을 G라고 하자.
△ABD에서 삼각형의 중점연결정리
에 의하여 $\overline{\text{EG}}=\dfrac{1}{2}\overline{\text{BD}}$
△FEG∽△FCD (AA 닮음)이고 닮음비가
$\overline{\text{EG}}:\overline{\text{CD}}=\dfrac{1}{2}\overline{\text{BD}}:4\overline{\text{BD}}=1:8$
$\overline{\text{GF}}:\overline{\text{FD}}=1:8$이고 $\overline{\text{AG}}:\overline{\text{GD}}=1:1$이므로
$\overline{\text{GF}}=a$라고 하면 $\overline{\text{FD}}=8a$
$\therefore \overline{\text{AG}}=\overline{\text{GD}}=a+8a=9a$
이때 $\overline{\text{AF}}=9a+a=10a$이므로
$\overline{\text{AF}}:\overline{\text{FD}}=10a:8a=5:4$

21 △ABD에서 $\overline{\text{EI}}:12=2:3$
$3\overline{\text{EI}}=24$ $\therefore \overline{\text{EI}}=8(\text{cm})$
△AGK에서 $8:\overline{\text{GK}}=1:2$
$\therefore \overline{\text{GK}}=16(\text{cm})$

△DAC에서 $\overline{\text{HK}}:\overline{\text{IF}}:12=1:2:3$
$\therefore \overline{\text{HK}}=4(\text{cm})$, $\overline{\text{IF}}=8(\text{cm})$
즉, $\overline{\text{EF}}=8+8=16(\text{cm})$, $\overline{\text{GH}}=16+4=20(\text{cm})$
이므로 $\overline{\text{EF}}:\overline{\text{GH}}=16:20=4:5$

22 △EDC=△EBD=$\dfrac{1}{2}$△EBC=$\dfrac{1}{2}\times\dfrac{1}{2}$△ABC
$=\dfrac{1}{4}\times60=15(\text{cm}^2)$
△EDC에서 $\overline{\text{DF}}:\overline{\text{FC}}=1:1$이므로
△EDF=$\dfrac{1}{2}$△EDC=$\dfrac{15}{2}(\text{cm}^2)$
△DEB에서 $\overline{\text{BG}}:\overline{\text{GE}}=2:1$이므로
△DGE=$\dfrac{1}{3}$△DEB=$\dfrac{1}{3}\times15=5(\text{cm}^2)$
$\therefore$ □GDFE=$\dfrac{15}{2}+5=\dfrac{25}{2}(\text{cm}^2)$

23 점 P는 △ABC의 무게중심이므로
△PBM=$\dfrac{1}{6}$△ABC=$\dfrac{1}{12}$□ABCD
$\overline{\text{BP}}=\overline{\text{PQ}}=\overline{\text{QD}}$이므로
△APQ=$\dfrac{1}{3}$△ABD=$\dfrac{1}{6}$□ABCD
$\therefore$ △APQ : △PBM=$\dfrac{1}{6}$□ABCD : $\dfrac{1}{12}$□ABCD
$=2:1$

24 빵 A, B, C의 높이가 서로 같으므로 빵의 부피의 비는 밑
면의 넓이의 비와 같다.
즉, 3개의 빵 A, B, C의 부피의 비는
$2^2:3^2:4^2=4:9:16$
이때 반죽의 무게가 총 870 g이므로
(빵 A의 반죽의 무게)=$870\times\dfrac{4}{4+9+16}=120(\text{g})$
(빵 B의 반죽의 무게)=$870\times\dfrac{9}{4+9+16}=270(\text{g})$
(빵 C의 반죽의 무게)=$870\times\dfrac{16}{4+9+16}=480(\text{g})$

3. 피타고라스 정리

개념 CHECK　　　01. 피타고라스 정리 (1)　159쪽

개념 확인) (1) a^2+b^2　(2) c^2-b^2　(3) c^2-a^2

01 (1) 10　(2) 9　(3) 8

02 (1) 64 cm^2　(2) 8 cm

03 (1) 5 cm　(2) 25 cm^2

04 13

01 (1) $x^2=6^2+8^2=10^2$　∴ $x=10$ ($\because x>0$)
　　(2) $x^2=15^2-12^2=9^2$　∴ $x=9$ ($\because x>0$)
　　(3) $x^2=17^2-15^2=8^2$　∴ $x=8$ ($\because x>0$)

02 (1) □ADEB+□ACHI=□BFGC이므로
　　　□ADEB+17=81　∴ □ADEB=64(cm^2)
　　(2) $\overline{AB}^2=64$이므로 $\overline{AB}=8$(cm) ($\because \overline{AB}>0$)

04 오른쪽 그림과 같이 꼭짓점 D에서
$\overline{AB}$에 내린 수선의 발을 H라고 하면
$\overline{AH}=10-5=5$
△AHD에서
$\overline{AD}^2=5^2+12^2=13^2$
∴ $\overline{AD}=13$ ($\because \overline{AD}>0$)

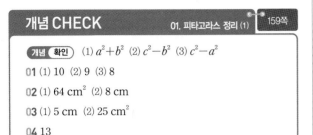

개념 CHECK　　　01. 피타고라스 정리 (2)　168쪽

개념 확인) (1) 예각　(2) 직각　(3) 둔각

01 12

02 (1) 둔각삼각형　(2) 직각삼각형
　　(3) 둔각삼각형　(4) 예각삼각형

03 12　　　　　　　　　　**04** (1) 72　(2) 52

05 6

01 가장 긴 변의 길이가 13 cm이므로
　　$13^2=5^2+x^2$, $x^2=144$　∴ $x=12$ ($\because x>0$)

02 (1) $7^2>4^2+5^2$이므로 둔각삼각형
　　(2) $15^2=9^2+12^2$이므로 직각삼각형
　　(3) $10^2>5^2+8^2$이므로 둔각삼각형
　　(4) $12^2<8^2+11^2$이므로 예각삼각형

03 세 변의 길이 사이의 관계에 의하여
　　$10<x<10+6$　∴ $10<x<16$　……㉠
　　둔각삼각형이므로 $x^2>6^2+10^2$　∴ $x^2>136$　……㉡
　　따라서 ㉠, ㉡을 만족시키는 자연수 x의 값은 12, 13, 14, 15이므로 자연수 x의 최솟값은 12이다.

04 (1) $x^2+y^2=6^2+6^2=72$
　　(2) $x^2+y^2=4^2+6^2=52$

05 (색칠한 부분의 넓이)=△ABC=$\frac{1}{2}\times 4\times 3=6$

유형 EXERCISES　　　169~171쪽

유형 ❶	5	1-1	25	1-2	174 cm^2		
유형 ❷	④	2-1	32	2-2	5		
유형 ❸	13	3-1	③	3-2	40	3-3	72
유형 ❹	2	4-1	④	4-2	8	4-3	18
유형 ❺	51	5-1	48	5-2	$\frac{12}{5}$		
유형 ❻	88	6-1	6	6-2	17	6-3	20 cm

유형 ❶
△ABD에서 $\overline{AD}^2=20^2-16^2=12^2$
∴ $\overline{AD}=12$ ($\because \overline{AD}>0$)
△ADC에서 $\overline{CD}^2=13^2-12^2=5^2$
∴ $\overline{CD}=5$ ($\because \overline{CD}>0$)

1-1 △ADC에서 $\overline{DC}^2=17^2-15^2=8^2$
　　∴ $\overline{DC}=8$ ($\because \overline{DC}>0$)
　　△ABC에서 $\overline{BC}=12+8=20$이므로
　　$\overline{AB}^2=20^2+15^2=25^2$　∴ $\overline{AB}=25$ ($\because \overline{AB}>0$)

1-2 오른쪽 그림과 같이 꼭짓점 A에서 $\overline{BC}$에 내린 수선의 발을 H라고 하면 △ABH에서
　　$\overline{BH}=17-12=5$(cm)이므로
　　$\overline{AH}^2=13^2-5^2=12^2$
　　∴ $\overline{AH}=12$(cm) ($\because \overline{AH}>0$)
　　∴ □ABCD=$\frac{1}{2}\times(12+17)\times 12=174$(cm^2)

유형 ②

밑변의 길이와 높이가 같으므로

$\triangle EBA = \triangle EBC$, $\triangle ABF = \triangle BFJ$

이때 $\triangle EBC \equiv \triangle ABF$ (SAS 합동)이므로

$\triangle EBA = \triangle EBC = \triangle ABF = \triangle BFJ$

2-1 $\triangle ABC$에서 $\overline{AB}^2 = 10^2 - 6^2 = 8^2$

$\therefore \overline{AB} = 8 \ (\because \overline{AB} > 0)$

$\therefore \triangle LFM = \dfrac{1}{2} \square BFML = \dfrac{1}{2} \square ADEB$

$\qquad\qquad = \dfrac{1}{2} \times 8^2 = 32$

2-2 $\triangle APS \equiv \triangle BQP \equiv \triangle CRQ \equiv \triangle DSR$이므로

$\square PQRS$는 정사각형이다.

$\triangle APS$에서 $\overline{AS} = 3 - 1 = 2$이므로

$\overline{PS}^2 = 1^2 + 2^2 = 5$

$\therefore \square PQRS = \overline{PS}^2 = 5$

유형 ③

x가 가장 긴 변의 길이이므로

$x^2 = 5^2 + 12^2 = 13^2 \qquad \therefore x = 13 \ (\because x > 0)$

3-1 ③ $7^2 + 24^2 = 25^2$

3-2 피타고라스 정리를 만족시키는 수를 구하면

$(9, 12, 15), (12, 16, 20), (8, 15, 17)$이므로

$12 + 20 + 8 = 40$

3-3 나머지 한 변의 길이를 x라고 하자.

(i) 10이 가장 긴 변의 길이일 때,

$10^2 = x^2 + 6^2$에서 $x^2 = 8^2$

(ii) x가 가장 긴 변의 길이일 때,

$x^2 = 6^2 + 10^2 = 136$

(i), (ii)에서 $A^2 = 8^2$, $B^2 = 136$

$\therefore B^2 - A^2 = 136 - 64 = 72$

유형 ④

삼각형의 세 변의 길이 사이의 관계에 의하여

$5 < x < 4 + 5 \quad \therefore 5 < x < 9 \qquad \cdots\cdots \㉠$

삼각형이 둔각삼각형이므로

$x^2 > 4^2 + 5^2 \quad \therefore x^2 > 41 \qquad \cdots\cdots \ ㉡$

㉠, ㉡을 만족시키는 자연수 x는 7, 8의 2개이다.

4-1 ① $3^2 + 4^2 = 5^2$ (직각삼각형)

② $4^2 + 6^2 < 8^2$ (둔각삼각형)

③ $5^2 + 8^2 < 10^2$ (둔각삼각형)

④ $5^2 + 10^2 > 11^2$ (예각삼각형)

⑤ $5^2 + 12^2 = 13^2$ (직각삼각형)

4-2 삼각형의 세 변의 길이 사이의 관계에 의하여

$7 < x < 4 + 7 \qquad \therefore 7 < x < 11 \qquad \cdots\cdots \ ㉠$

예각삼각형이 되어야 하므로

$x^2 < 4^2 + 7^2 \qquad \therefore x^2 < 65 \qquad \cdots\cdots \ ㉡$

㉠, ㉡을 만족시키는 자연수 x의 값은 8이다.

4-3 $\angle C$가 둔각이므로 $\overline{AB} = 10$이 가장 긴 변의 길이이다.

삼각형의 세 변의 길이 사이의 관계에 의하여

$10 - 6 < x < 10 \quad \therefore 4 < x < 10 \qquad \cdots\cdots \ ㉠$

둔각삼각형이므로 $10^2 > x^2 + 6^2 \quad \therefore x^2 < 64 \quad \cdots\cdots \ ㉡$

㉠, ㉡을 만족시키는 자연수 x의 값은 5, 6, 7이므로

그 합은 $5 + 6 + 7 = 18$

유형 ⑤

$\triangle ABD$에서 $x^2 = 9^2 + 12^2 = 15^2$이므로 $x = 15 \ (\because x > 0)$

$\triangle ABC$에서 $12^2 = 9 \times y \quad \therefore y = 16$

$\triangle ADC$에서 $z^2 = 16^2 + 12^2 = 20^2$이므로 $z = 20$

$\therefore x + y + z = 15 + 16 + 20 = 51$

5-1 $\overline{AC}^2 = \overline{CH} \times \overline{CB}$이므로 $4^2 = 2 \times \overline{BC} \qquad \therefore \overline{BC} = 8$

$\triangle ABC$에서 $\overline{AB}^2 = 8^2 - 4^2 = 48$

5-2 $\triangle ABC$에서 $\overline{AC}^2 = 5^2 - 3^2 = 4^2$이므로

$\overline{AC} = 4 \ (\because \overline{AC} > 0)$

$\overline{AB} \times \overline{AC} = \overline{BC} \times \overline{AH}$이므로 $3 \times 4 = 5 \times \overline{AH}$

$\therefore \overline{AH} = \dfrac{12}{5}$

유형 ⑥

$\triangle AOD$에서 $\overline{AD}^2 = 4^2 + 3^2 = 5^2$이므로 $\overline{AD} = 5 \ (\because \overline{AD} > 0)$

$\overline{AD}^2 + \overline{BC}^2 = \overline{AB}^2 + \overline{CD}^2$이므로

$5^2 + \overline{BC}^2 = 7^2 + 8^2 \qquad \therefore \overline{BC}^2 = 88$

6-1 $\overline{DE}^2 + \overline{BC}^2 = \overline{BE}^2 + \overline{DC}^2$이므로 $2^2 + 9^2 = \overline{BE}^2 + 7^2$

$\overline{BE}^2 = 6^2 \qquad \therefore \overline{BE} = 6 \ (\because \overline{BE} > 0)$

6-2 $9^2 + y^2 = x^2 + 8^2$이므로 $x^2 - y^2 = 9^2 - 8^2 = 17$

6-3 $\overline{BC}$를 지름으로 하는 반원의 넓이는

$20\pi + 30\pi = 50\pi\,(cm^2)$

$\dfrac{1}{2} \times \pi \times \left(\dfrac{\overline{BC}}{2}\right)^2 = 50\pi$이므로

$\overline{BC}^2 = 400$ ∴ $\overline{BC} = 20\,(cm)\ (\because \overline{BC} > 0)$

중단원 EXERCISES

172~174쪽

01 10 cm	**02** 61	**03** 20 cm²	**04** 4
05 45 cm²	**06** 17	**07** 289 cm²	**08** ⑤
09 ①, ③	**10** ②	**11** $\dfrac{28}{5}$	**12** 45
13 2.8 cm	**14** 96π cm³	**15** ④	**16** 4.8 cm
17 6	**18** 216°		

---

01 $\triangle ABC = \dfrac{1}{2} \times \overline{AB} \times \overline{AC}$이므로

$24 = \dfrac{1}{2} \times 8 \times \overline{AC}$ ∴ $\overline{AC} = 6\,(cm)$

따라서 $\overline{BC}^2 = 8^2 + 6^2 = 10^2$이므로

$\overline{BC} = 10\,(cm)\ (\because \overline{BC} > 0)$

02 $\triangle ABC$에서 $\overline{BC}^2 = 13^2 - 5^2 = 12^2$이므로

$\overline{BC} = 12\ (\because \overline{BC} > 0)$ ∴ $\overline{MC} = \dfrac{1}{2} \times 12 = 6$

$\triangle AMC$에서 $\overline{AM}^2 = 6^2 + 5^2 = 61$

03 오른쪽 그림과 같이 꼭짓점 A, D 에서 $\overline{BC}$에 내린 수선의 발을 각각 E, F라고 하자. 이때

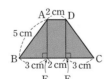

$\overline{BE} = \overline{CF} = \dfrac{1}{2}(8-2) = 3\,(cm)$

이므로 $\triangle ABE$에서

$\overline{AE}^2 = 5^2 - 3^2 = 4^2$ ∴ $\overline{AE} = 4\,(cm)\ (\because \overline{AE} > 0)$

∴ $\square ABCD = \dfrac{1}{2} \times (2+8) \times 4 = 20\,(cm^2)$

04 $\overline{OB}^2 = \overline{OQ}^2 = 2^2 + 2^2 = 8$

$\overline{OC}^2 = \overline{OR}^2 = \overline{OB}^2 + \overline{RB}^2 = 8 + 2^2 = 12$

$\overline{OS}^2 = \overline{OC}^2 + \overline{SC}^2 = 12 + 2^2 = 16$

∴ $\overline{OS} = 4\ (\because \overline{OS} > 0)$

05 $\triangle EBC = \triangle EBA = \dfrac{1}{2}\square ADEB = 18\ cm^2$이므로

$\square ADEB = 36\,(cm^2)$

$\square ACHI$의 넓이가 $3^2 = 9\,(cm^2)$이므로

$\square BFGC = \square ADEB + \square ACHI$

$= 36 + 9 = 45\,(cm^2)$

06 오른쪽 그림과 같이 $\overline{AB}$가 빗변인 직각삼각형 ABH를 그리면

$\overline{AH} = 8$, $\overline{BH} = 15$이므로

$\overline{AB}^2 = 8^2 + 15^2 = 17^2$

∴ $\overline{AB} = 17\ (\because \overline{AB} > 0)$

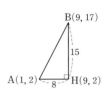

07 $\square EFGH = 169 = 13^2\,(cm^2)$이므로

$\overline{EH} = 13\ cm\ (\because \overline{EH} > 0)$

$\triangle EHD$에서 $\overline{DH}^2 = 13^2 - 12^2 = 5^2$이므로

$\overline{DH} = 5\ cm\ (\because \overline{DH} > 0)$

$\overline{AE} = \overline{DH} = 5\ cm$이므로 $\overline{AD} = 5 + 12 = 17\,(cm)$

∴ $\square ABCD = 17^2 = 289\,(cm^2)$

08 ⑤ $26^2 \neq 7^2 + 24^2$이므로 피타고라스 정리를 만족시키지 않는다.

09 ① 삼각형의 세 변의 길이 사이의 관계에 의하여 $a < b + c$

③ $\angle A < 90°$이므로 $a^2 < b^2 + c^2$

10 ② $4^2 + 5^2 > 6^2$이므로 예각삼각형이다.

11 $\triangle ABC$에서 $\overline{BC}^2 = 4^2 + 3^2 = 25$

∴ $\overline{BC} = 5\ (\because \overline{BC} > 0)$

$4 \times 3 = 5 \times x$, $4^2 = y \times 5$ ∴ $x = \dfrac{12}{5}$, $y = \dfrac{16}{5}$

∴ $x + y = \dfrac{12}{5} + \dfrac{16}{5} = \dfrac{28}{5}$

12 삼각형의 중점연결정리에 의하여

$\overline{DE} = \dfrac{1}{2}\overline{AC} = \dfrac{1}{2} \times 6 = 3$

∴ $\overline{AE}^2 + \overline{CD}^2 = \overline{DE}^2 + \overline{AC}^2 = 3^2 + 6^2 = 45$

13 $\triangle ABC$에서 $\overline{AC}^2 = 6^2 + 8^2 = 10^2$이므로

$\overline{AC} = 10\,(cm)\ (\because \overline{AC} > 0)$

$6^2 = \overline{AQ} \times 10$이므로 $\overline{AQ} = 3.6\,(cm)$

같은 방법으로 $\overline{CP} = \overline{AQ} = 3.6\,(cm)$

∴ $\overline{PQ} = 10 - 2 \times 3.6 = 2.8\,(cm)$

14 밑면의 반지름의 길이를 r cm라고 하면
$\pi r^2 = 36\pi$이므로 $r = 6$ $(\because r > 0)$
이때 원뿔의 높이를 h cm라고 하면
$h^2 = 10^2 - 6^2 = 8^2$이므로 $h = 8$ $(\because h > 0)$
따라서 원뿔의 부피는 $\dfrac{1}{3} \times \pi \times 6^2 \times 8 = 96\pi$ (cm^3)

15 ④ □AEBC가 평행사변형일 때만 성립한다.

16 (색칠한 부분의 넓이) $= \triangle ABC = \dfrac{1}{2} \times 8 \times \overline{AC} = 24$이므로
$\overline{AC} = 6 (cm)$
$\triangle ABC$에서 $\overline{BC}^2 = 8^2 + 6^2 = 10^2$이므로
$\overline{BC} = 10 (cm)$ $(\because \overline{BC} > 0)$
$\overline{AB} \times \overline{AC} = \overline{BC} \times \overline{AH}$이므로
$8 \times 6 = 10 \times \overline{AH}$ $\therefore \overline{AH} = 4.8 (cm)$

17 $\triangle ABE$에서 $\overline{AE} = \overline{AD} = 20$이므로
$\overline{BE}^2 = 20^2 - 16^2 = 12^2$ $\therefore \overline{BE} = 12 (\because \overline{BE} > 0)$
$\therefore \overline{CE} = 20 - 12 = 8$
$\triangle ABE \backsim \triangle ECF$ (AA 닮음)이므로
$\overline{AB} : \overline{AE} = \overline{EC} : \overline{EF}$, $16 : 20 = 8 : \overline{EF}$ $\therefore \overline{EF} = 10$
$\overline{DF} = \overline{EF} = 10$이므로 $\overline{CF} = 16 - 10 = 6$

18 $\triangle OAH$에서 $\overline{OA}^2 = 6^2 + 8^2 = 10^2$
$\therefore \overline{OA} = 10 (\because \overline{OA} > 0)$
옆면인 부채꼴의 중심각의 크기를 $x°$라고 하면
$2\pi \times 10 \times \dfrac{x}{360} = 2\pi \times 6$ $\therefore x = 216$
따라서 구하는 중심각의 크기는 $216°$이다.

대단원 EXERCISES

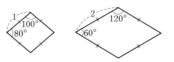

01 ⑤	**02** ③	**03** ④	**04** 5 cm
05 ②	**06** $x=9, y=15$		**07** 30
08 $\dfrac{24}{7}$ cm	**09** 4	**10** $x=6, y=\dfrac{16}{3}$	
11 $\dfrac{21}{4}$	**12** 6 cm	**13** ③	**14** ③
15 ①	**16** ⑤	**17** ②	**18** 8
19 $4:5:3$	**20** $x=15, y=17$		**21** ①, ③
22 10 cm	**23** 48 cm^2	**24** 45	**25** 12 cm

---

01 ⑤ 두 마름모는 대응변의 길이의 비가 같아도 대응각의 크기가 다르면 닮음이 아니다.

02 ① $\angle P = \angle A = 360° - (\angle B + \angle C + \angle D)$
$= 360° - (80° + 70° + 65°) = 145°$
② 대응각의 크기가 각각 같으므로 $\angle Q = \angle B = 80°$
③ $\overline{AD}$와 $\overline{PQ}$는 대응변이 아니고, $\overline{AD}$, $\overline{PQ}$의 길이도 알 수 없으므로 길이의 비를 알 수 없다.
④ $\overline{AB} : \overline{PQ} = 3 : 2$이므로
$10 : \overline{PQ} = 3 : 2$ $\therefore \overline{PQ} = \dfrac{20}{3}$ cm
⑤ 닮음비는 대응변의 길이의 비와 같으므로
$\overline{BC} : \overline{QR} = 12 : 8 = 3 : 2$

03 (i) $\triangle ABC$와 $\triangle DEC$에서
$\angle ABC = \angle DEC = 90°$, $\angle C$는 공통이므로
$\triangle ABC \backsim \triangle DEC$ (AA 닮음)
(ii) $\triangle ABC$와 $\triangle AEF$에서
$\angle ABC = \angle AEF = 90°$, $\angle A$는 공통이므로
$\triangle ABC \backsim \triangle AEF$ (AA 닮음)
(iii) $\triangle DEC$와 $\triangle DBF$에서
$\angle DEC = \angle DBF = 90°$, $\angle D$는 공통이므로
$\triangle DEC \backsim \triangle DBF$ (AA 닮음)
(i), (ii), (iii)에 의하여
$\triangle ABC \backsim \triangle DEC \backsim \triangle AEF \backsim \triangle DBF$이므로 닮음이 아닌 것은 ④ $\triangle CEF$이다.

04 (i) $\triangle BFD$와 $\triangle AFE$에서
$\angle BFD = \angle AFE$ (맞꼭지각),
$\angle BDF = \angle AEF = 90°$이므로
$\triangle BFD \backsim \triangle AFE$ (AA 닮음)
(ii) $\triangle AFE$와 $\triangle ACD$에서
$\angle EAF$는 공통, $\angle AEF = \angle ADC = 90°$이므로
$\triangle AFE \backsim \triangle ACD$ (AA 닮음)
(i), (ii)에 의하여 $\triangle BFD \backsim \triangle ACD$이므로
$4 : 6 = 6 : (\overline{AF} + 4)$, $4(\overline{AF} + 4) = 36$
$\overline{AF} + 4 = 9$ $\therefore \overline{AF} = 5 (cm)$

05 $\triangle ABC$와 $\triangle AEF$에서
$\angle B = \angle AEF$, $\angle A$는 공통

$\therefore \triangle ABC \backsim \triangle AEF$ (AA 닮음)

즉, $\overline{AB} : \overline{AE} = \overline{AC} : \overline{AF}$이므로

$6 : 3 = 5 : \overline{AF}$ $\therefore \overline{AF} = 2.5 \text{(cm)}$

$\overline{DE} /\!/ \overline{BC}$이므로

$\triangle ADE \backsim \triangle ABC$ (AA 닮음)

즉, $\overline{AD} : \overline{AB} = \overline{AE} : \overline{AC}$이므로

$\overline{AD} : 6 = 3 : 5$ $\therefore \overline{AD} = 3.6 \text{(cm)}$

$\therefore \overline{AF} + \overline{AD} = 2.5 + 3.6 = 6.1 \text{(cm)}$

06 $12^2 = x \times 16$이므로 $x = 9$

$y^2 = 9 \times (9 + 16) = 3^2 \times 5^2 = 15^2$

$\therefore y = 15 \ (\because y > 0)$

07 $9 : 15 = x : 10$이므로 $15x = 90$ $\therefore x = 6$

$6 : (6 + 10) = 9 : y$이므로

$6y = 144$ $\therefore y = 24$

$\therefore x + y = 6 + 24 = 30$

08 삼각형의 내각의 이등분선의 성질에 의하여

$\overline{BD} : \overline{DC} = \overline{AB} : \overline{AC} = 3 : 4$

이때 $\overline{AB} /\!/ \overline{ED}$이고 $\overline{CD} : \overline{CB} = 4 : (4+3)$이므로

$4 : 7 = \overline{DE} : 6$, $7\overline{DE} = 24$ $\therefore \overline{DE} = \dfrac{24}{7} \text{(cm)}$

09 삼각형의 외각의 이등분선의 성질에 의하여

$6 : \overline{AC} = 12 : (12 - 4)$이므로

$12\overline{AC} = 48$ $\therefore \overline{AC} = 4$

10 $x : (14 - x) = 3 : 4$이므로

$4x = 42 - 3x$, $7x = 42$ $\therefore x = 6$

$3 : 4 = 4 : y$이므로 $3y = 16$ $\therefore y = \dfrac{16}{3}$

11 $\overline{AE} : \overline{EC} = \overline{AD} : \overline{DB} = \overline{AF} : \overline{FE} = 4 : 3$이므로

$7 : \overline{EC} = 4 : 3$, $4\overline{EC} = 21$ $\therefore \overline{EC} = \dfrac{21}{4}$

12 점 D를 지나면서 $\overline{BC}$에 평행한
직선이 $\overline{AC}$와 만나는 점을 G라고
하면

$\triangle GFD \equiv \triangle CFE$ (ASA 합동)

$\therefore \overline{DG} = \overline{EC}$

$\triangle ABC$에서 삼각형의 중점연결정리에 의하여

$\overline{BC} = 2\overline{DG} = 2\overline{EC}$

이때 $\overline{BE} = \overline{BC} + \overline{CE} = 2\overline{CE} + \overline{CE} = 3\overline{CE} = 18 \text{ cm}$

이므로 $\overline{CE} = 18 \times \dfrac{1}{3} = 6 \text{(cm)}$

13 삼각형의 중점연결정리에 의하여

$\triangle ABD$와 $\triangle DBC$에서

$\overline{EH} = \overline{FG} = \dfrac{1}{2}\overline{BD} = \dfrac{1}{2} \times 9 = \dfrac{9}{2} \text{(cm)}$

$\triangle ABC$와 $\triangle DAC$에서

$\overline{EF} = \overline{HG} = \dfrac{1}{2}\overline{AC} = \dfrac{1}{2} \times 12 = 6 \text{(cm)}$

$\therefore$ ($\square EFGH$의 둘레의 길이)

$= 2 \times \left(\dfrac{9}{2} + 6 \right) = 21 \text{(cm)}$

14 $\overline{BP} : \overline{DP} = \overline{AB} : \overline{CD} = 5 : 10 = 1 : 2$이므로

$\overline{BP} : \overline{BD} = 1 : 3$

따라서 $1 : 3 = \overline{PQ} : 10$이므로

$\overline{PQ} = \dfrac{10}{3} \text{(cm)}$

15 $\triangle DBC$에서 삼각형의 중점연결정리에 의하여

$\overline{PN} = \dfrac{1}{2}\overline{BC} = \dfrac{1}{2} \times 12 = 6 \text{(cm)}$

$\triangle CAD$에서 삼각형의 중점연결정리에 의하여

$\overline{QN} = \dfrac{1}{2}\overline{AD} = \dfrac{1}{2} \times 8 = 4 \text{(cm)}$

$\therefore \overline{PQ} = \overline{PN} - \overline{QN} = 6 - 4 = 2 \text{(cm)}$

16 ⑤ $\overline{AD} = \overline{DB}$, $\overline{BE} = \overline{EC}$, $\overline{CF} = \overline{FA}$

17 $\triangle ADE$와 $\triangle ABC$에서

$\angle ADE = \angle ABC$, $\angle A$는 공통

$\therefore \triangle ADE \backsim \triangle ABC$ (AA 닮음)

이때 $\triangle ADE$와 $\triangle ABC$의 닮음비가

$\overline{AD} : \overline{AB} = 12 : (10 + 8) = 2 : 3$

따라서 $\triangle ADE$와 $\triangle ABC$의 넓이의 비는

$2^2 : 3^2 = 4 : 9$

$\triangle ADE : 108 = 4 : 9$이므로

$9\triangle ADE = 432$ $\therefore \triangle ADE = 48 \text{(cm}^2)$

18 $\overline{AG} : \overline{GD} = 2 : 1$이므로

$2 : 1 = 6 : y$, $2y = 6$ $\therefore y = 3$

점 D는 $\overline{BC}$의 중점이므로 $\overline{CD} = 4$이고

$\overline{AG} : \overline{AD} = 2 : 3$이므로

$2:3=x:4$, $3x=8$ $\therefore x=\dfrac{8}{3}$

$\therefore xy=\dfrac{8}{3}\times 3=8$

19 두 점 G, H는 각각 $\triangle$ABC, $\triangle$ACD의 무게중심이므로

$\overline{BG}=\overline{GH}=\overline{HD}$ $\therefore \triangle AGH=\dfrac{1}{3}\triangle ABD$

$\overline{AG}:\overline{AE}=2:3$이므로 $\triangle AGH:\triangle AEF=4:9$에서

$\triangle AGH:\square GEFH=4:5$

$\therefore \square GEFH=\dfrac{5}{4}\triangle AGH=\dfrac{5}{12}\triangle ABD$

$\triangle CEF=\dfrac{1}{4}\triangle CBD=\dfrac{1}{4}\triangle ABD$

$\therefore S_1:S_2:S_3=\dfrac{1}{3}\triangle ABD:\dfrac{5}{12}\triangle ABD:\dfrac{1}{4}\triangle ABD$
$=4:5:3$

20 $\triangle$ABD에서 $x^2=12^2+9^2=15^2$ $\therefore x=15\,(\because x>0)$
$\triangle$DBC에서 $y^2=8^2+15^2=17^2$ $\therefore y=17\,(\because y>0)$

21 ① $2^2+3^2\neq 4^2$
③ $6^2+8^2\neq 9^2$

22 $\triangle$DFE에서 $\overline{FE}^2=4^2+3^2=5^2$이므로
$\overline{FE}=5(\text{cm})\,(\because \overline{FE}>0)$
$\overline{EC}=\overline{FE}=5\text{ cm}$이므로 $\overline{AB}=\overline{DC}=3+5=8(\text{cm})$
$\triangle$ABF와 $\triangle$DFE에서
$\angle A=\angle D=90°$ ······ ㉠
$\angle ABF+\angle AFB=90°$, $\angle AFB+\angle DFE=90°$
$\therefore \angle ABF=\angle DFE$ ······ ㉡
㉠, ㉡에서 $\triangle ABF\sim\triangle DFE$ (AA 닮음)
즉, $\overline{AB}:\overline{DF}=\overline{BF}:\overline{FE}$이므로
$8:4=\overline{BF}:5$ $\therefore \overline{BF}=10(\text{cm})$

23 오른쪽 그림에서 $S_1+S_2=\triangle$ABC,
$S_3+S_4=\triangle$ACD이므로
(색칠한 부분의 넓이)
$=\triangle ABC+\triangle ACD$
$=\square ABCD=6\times 8=48(\text{cm}^2)$

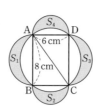

24 $\triangle$ABC에서 $\overline{BC}^2=10^2-6^2=8^2$이므로
$\overline{BC}=8\,(\because \overline{BC}>0)$ ······ ❶
각의 이등분선의 성질에 의해
$\overline{BD}:\overline{DC}=\overline{AB}:\overline{AC}=5:3$

$\therefore \overline{DC}=\dfrac{3}{8}\overline{BC}=3$ ······ ❷

따라서 $\triangle$ADC에서
$\overline{AD}^2=3^2+6^2=45$ ······ ❸

채점 기준	배점
❶ $\overline{BC}$의 길이 구하기	30 %
❷ $\overline{DC}$의 길이 구하기	40 %
❸ $\overline{AD}^2$의 값 구하기	30 %

25 $\overline{AG}$의 연장선이 $\overline{BC}$와 만나는
점을 M이라고 하면

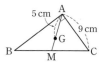

$\overline{AM}=\dfrac{3}{2}\times 5=\dfrac{15}{2}(\text{cm})$ ······ ❶
$\overline{AM}=\overline{BM}=\overline{CM}$이므로
$\overline{BC}=2\times\dfrac{15}{2}=15(\text{cm})$ ······ ❷
$\triangle$ABC에서 $\overline{AB}^2=15^2-9^2=12^2$이므로
$\overline{AB}=12(\text{cm})\,(\because \overline{AB}>0)$ ······ ❸

채점 기준	배점
❶ $\overline{AM}$의 길이 구하기	30 %
❷ $\overline{BC}$의 길이 구하기	40 %
❸ $\overline{AB}$의 길이 구하기	30 %

Advanced Lecture 182~183쪽

[유제] **01** 6.8 %   **02** 8 : 3

01 $x\,\%$의 소금물이 된다고 하면
$200(x-5)=300(8-x)$
$200x-1000=2400-300x$
$500x=3400$ $\therefore x=6.8$

02 점 A와 M의 무게가 각각 3, 8이므로
$\overline{AP}:\overline{PM}=8:3$이다.

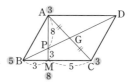

Ⅶ 확률

1. 경우의 수

개념 CHECK 01. 사건과 경우의 수 197쪽

개념 확인 (1) 사건 (2) 경우의 수

01 (1) 2 (2) 3   02 6   03 6
04 20   05 27

01 (1) 3보다 작은 수의 눈이 나오는 경우 : 1, 2 ➡ 2가지
   (2) 소수의 눈이 나오는 경우 : 2, 3, 5 ➡ 3가지

02 3의 배수인 경우 : 3, 6, 9, 12 ➡ 4가지
   5의 배수인 경우 : 5, 10 ➡ 2가지
   따라서 구하는 경우의 수는 4+2=6

03 눈의 수의 합이 3인 경우를 순서쌍으로 나타내면
   (1, 2), (2, 1)의 2가지
   눈의 수의 합이 9인 경우를 순서쌍으로 나타내면
   (3, 6), (4, 5), (5, 4), (6, 3)의 4가지
   따라서 구하는 경우의 수는 2+4=6

04 4×5=20

05 가위바위보를 할 때, 한 사람이 낼 수 있는 경우의 수는 3이
   므로 구하는 경우의 수는 3×3×3=27

유형 EXERCISES 198~199쪽

유형 ❶ 6	1-1 4	1-2 6	1-3 6
유형 ❷ 6	2-1 3	2-2 7	2-3 6
유형 ❸ 8	3-1 7	3-2 8	3-3 16
유형 ❹ 12	4-1 36	4-2 12	4-3 9
	4-4 9		

유형 ❶
눈의 수의 차가 3인 경우를 순서쌍으로 나타내면
(1, 4), (2, 5), (3, 6), (4, 1), (5, 2), (6, 3)
의 6가지이다.

1-1 10의 약수는 1, 2, 5, 10이므로 12개의 공 중에서 한 개
의 공을 꺼낼 때, 10의 약수가 나오는 경우의 수는 4이다.

1-2 동전의 앞면을 H, 뒷면을 T라 하고 앞면 2개와 뒷면 2개
가 나오는 경우를 순서쌍으로 나타내면
(H, H, T, T), (H, T, H, T), (H, T, T, H),
(T, H, H, T), (T, H, T, H), (T, T, H, H)
의 6가지이다.

1-3 눈의 수의 합이 5인 경우를 순서쌍으로 나타내면
(1, 1, 3), (1, 3, 1), (3, 1, 1), (1, 2, 2), (2, 1, 2),
(2, 2, 1)의 6가지이다.

유형 ❷
250원이 되는 경우를 표로 나
타내면 오른쪽과 같으므로 구
하는 경우의 수는 6이다.

100원(개)	50원(개)	10원(개)
2	1	0
2	0	5
1	3	0
1	2	5
0	5	0
0	4	5

2-1 2100원을 지불하는 방법을 표로
나타내면 오른쪽과 같으므로 구
하는 경우의 수는 3이다.

500원(개)	100원(개)
4	1
3	6
2	11

2-2 1000원을 지불하는 방
법을 표로 나타내면 오
른쪽과 같으므로 구하
는 경우의 수는 7이다.

500원(개)	100원(개)	50원(개)
2	0	0
1	5	0
1	4	2
1	3	4
1	2	6
0	8	4
0	7	6

2-3 지불할 수 있는 금액을 표로 나타내면 오른쪽과 같으므로 구하는 금액의 가짓수는 6이다.

500원(개)	100원(개)	금액(원)
1	1	600
1	2	700
1	3	800
2	1	1100
2	2	1200
2	3	1300

유형 ③

눈의 수의 합이 4인 경우를 순서쌍으로 나타내면
$(1, 3), (2, 2), (3, 1)$의 3가지
눈의 수의 합이 8인 경우를 순서쌍으로 나타내면
$(2, 6), (3, 5), (4, 4), (5, 3), (6, 2)$의 5가지
따라서 구하는 경우의 수는 $3+5=8$

3-1 $2+5=7$

3-2 3의 배수가 나오는 경우는 3, 6, 9, 12, 15, 18의 6가지, 7의 배수가 나오는 경우는 7, 14의 2가지이다.
따라서 구하는 경우의 수는
$6+2=8$

3-3 4의 배수가 나오는 경우는 4, 8, 12, …, 48의 12가지, 6의 배수가 나오는 경우는 6, 12, …, 48의 8가지이다.
이때 4와 6의 공배수인 12의 배수가 나오는 경우는 12, 24, 36, 48의 4가지이다.
따라서 구하는 경우의 수는
$12+8-4=16$

유형 ④

$6 \times 2 = 12$

4-1 투수는 9명, 포수는 4명 있으므로 투수와 포수를 각각 한 명씩 선발하는 경우의 수는
$9 \times 4 = 36$

4-2 $4 \times 3 = 12$

4-3 두 눈의 수의 곱이 홀수가 되는 경우는 (홀수)×(홀수)이고, 한 개의 주사위에서 나올 수 있는 홀수는 1, 3, 5의

3가지이므로 구하는 경우의 수는
$3 \times 3 = 9$

4-4 (i) A → B → C로 가는 경우의 수는 $4 \times 2 = 8$
(ii) A → C로 가는 경우의 수는 1
(i), (ii)에 의하여 구하는 경우의 수는 $8+1=9$

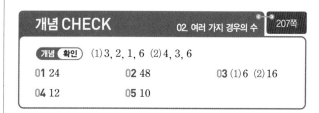

개념 CHECK   02. 여러 가지 경우의 수   207쪽

개념 확인   (1) 3, 2, 1, 6   (2) 4, 3, 6

01 24   **02** 48   **03** (1) 6   (2) 16

04 12   **05** 10

01 A를 제외한 4명을 한 줄로 세우는 경우의 수와 같으므로
$4 \times 3 \times 2 \times 1 = 24$

02 지현이와 현아를 한 명으로 생각하면 4명이 한 줄로 서는 경우의 수는 $4 \times 3 \times 2 \times 1 = 24$
이때 지현이와 현아가 서로 자리를 바꾸는 경우의 수는 2이므로 구하는 경우의 수는 $24 \times 2 = 48$

03 (1) $3 \times 2 = 6$
(2) $4 \times 4 = 16$

04 $4 \times 3 = 12$

05 $\dfrac{5 \times 4}{2} = 10$

유형 EXERCISES   208~209쪽

유형 ① 48	1-1 120	1-2 (1) 36 (2) 12	
	1-3 24		
유형 ② 12	2-1 9	2-2 8	2-3 24
유형 ③ 120	3-1 140	3-2 21	3-3 6
	3-4 21		
유형 ④ 4	4-1 10	4-2 28	4-3 19

유형 ①

부모님을 1명으로 생각하면 4명을 한 줄로 세우는 경우의 수는
$4 \times 3 \times 2 \times 1 = 24$

이때 부모님이 서로 자리를 바꾸는 경우의 수는 2이므로
구하는 경우의 수는
$24 \times 2 = 48$

1-1 5명을 한 줄로 세우는 경우의 수와 같으므로
$5 \times 4 \times 3 \times 2 \times 1 = 120$

1-2 (1) C, D, E를 1명으로 생각하면 3명이 한 줄로 앉는 경우의 수는
$3 \times 2 \times 1 = 6$
이때 C, D, E가 서로 자리를 바꾸는 경우의 수는
$3 \times 2 \times 1 = 6$이므로 구하는 경우의 수는
$6 \times 6 = 36$
(2) 양 끝을 제외한 세 자리에 A, D, E가 앉는 경우의 수는 $3 \times 2 \times 1 = 6$
양 끝에 앉는 B, C가 서로 자리를 바꾸는 경우의 수는 2이므로 구하는 경우의 수는
$6 \times 2 = 12$

1-3 A에 칠할 수 있는 색은 4가지, B에 칠할 수 있는 색은 3가지, C에 칠할 수 있는 색은 2가지, D에 칠할 수 있는 색은 1가지이므로 구하는 경우의 수는
$4 \times 3 \times 2 \times 1 = 24$

유형 ❷

십의 자리에 올 수 있는 숫자는 2, 3, 4의 3개, 일의 자리에 올 수 있는 숫자는 십의 자리의 숫자를 제외한 4개이다.
따라서 구하는 20 이상인 자연수의 개수는
$3 \times 4 = 12$

2-1 (i) 백의 자리의 숫자가 4일 때
435, 452, 453의 3개
(ii) 백의 자리의 숫자가 5일 때
5□□인 경우이므로 $3 \times 2 = 6$(개)
(i), (ii)에 의하여 432보다 큰 수의 개수는
$3 + 6 = 9$

2-2 일의 자리에 올 수 있는 숫자는 2, 4의 2개, 십의 자리에 올 수 있는 숫자는 일의 자리의 숫자를 제외한 4개이다.
따라서 구하는 짝수의 개수는
$2 \times 4 = 8$

2-3 백의 자리에 올 수 있는 숫자는 0을 제외한 1, 2, 3의 3개, 십의 자리에 올 수 있는 숫자는 4개, 일의 자리에 올 수 있는 숫자는 1, 3의 2개이다.
따라서 구하는 홀수의 개수는
$3 \times 4 \times 2 = 24$

유형 ❸

회장을 뽑는 경우의 수는 6, 부회장을 뽑는 경우의 수는 5, 총무를 뽑는 경우의 수는 4이므로 구하는 경우의 수는
$6 \times 5 \times 4 = 120$

3-1 남자 대의원 1명과 여자 대의원 1명을 뽑는 경우의 수는
$4 \times 5 = 20$
대의원 2명을 제외한 7명 중에서 회장 1명을 뽑는 경우의 수는 7
따라서 구하는 경우의 수는 $20 \times 7 = 140$

■ **다른 풀이** ■
(i) 회장이 남학생인 경우의 수는
$4 \times (3 \times 5) = 60$
(ii) 회장이 여학생인 경우의 수는
$5 \times (4 \times 4) = 80$
(i), (ii)에 의하여 구하는 경우의 수는
$60 + 80 = 140$

3-2 7권 중에서 순서를 생각하지 않고 2권을 뽑는 경우의 수와 같으므로 구하는 경우의 수는
$\dfrac{7 \times 6}{2} = 21$

3-3 A를 제외한 B, C, D, E의 4명의 후보 중에서 2명의 대표를 뽑아야 하므로 구하는 경우의 수는
$\dfrac{4 \times 3}{2} = 6$

3-4 여학생 6명 중에서 대표 2명을 뽑는 경우의 수는
$\dfrac{6 \times 5}{2} = 15$
남학생 4명 중에서 대표 2명을 뽑는 경우의 수는
$\dfrac{4 \times 3}{2} = 6$
따라서 구하는 경우의 수는 $15 + 6 = 21$

유형 ④

4개의 점 중에서 순서를 생각하지 않고 3개를 선택하는 경우의 수와 같으므로

$$\frac{4 \times 3 \times 2}{3 \times 2 \times 1} = 4$$

4-1 5개의 점 중에서 순서를 생각하지 않고 3개를 선택하는 경우의 수와 같으므로

$$\frac{5 \times 4 \times 3}{3 \times 2 \times 1} = 10$$

4-2 8개의 점 중에서 순서를 생각하지 않고 2개를 선택하는 경우의 수와 같으므로

$$\frac{8 \times 7}{2} = 28$$

4-3 8개의 점 중에서 순서를 생각하지 않고 2개를 선택하는 경우의 수는 $\frac{8 \times 7}{2} = 28$

이때 지름 위의 5개의 점은 모두 한 직선 위에 있으므로 $\frac{5 \times 4}{2} = 10$(개)의 직선은 서로 일치한다.

따라서 만들 수 있는 직선의 개수는 $28 - 10 + 1 = 19$

■ 다른 풀이 ■

(ⅰ) 반원의 호 위의 세 점 중 한 점, 지름 위의 5개의 점 중에서 한 점을 이어서 직선을 만드는 경우의 수는
$3 \times 5 = 15$

(ⅱ) 반원의 호 위의 세 점 중 두 점을 이어서 직선을 만드는 경우의 수는
$$\frac{3 \times 2}{2} = 3$$

(ⅲ) 지름 위의 5개의 점 중에서 두 점을 이어서 직선을 만드는 경우의 수는 1

따라서 만들 수 있는 직선의 개수는 $15 + 3 + 1 = 19$

중단원 EXERCISES
210~212쪽

01 ④	**02** 11	**03** 2	**04** 5
05 7	**06** 16	**07** 12	**08** 8
09 6	**10** 52	**11** ⑤	**12** 12
13 720	**14** 8명	**15** 28	**16** ④
17 ④	**18** 3	**19** 15	**20** 8
21 ④	**22** 40		

01 ① 2, 4, 6, ···, 20 ➡ 10

② 2, 3, 5, 7, 11, 13, 17, 19 ➡ 8

③ 6, 12, 18 ➡ 3

④ 1, 5 ➡ 2

⑤ 15, 16, 17, 18, 19, 20 ➡ 6

02 두 접시를 각각 A, B라고 하면 과자 12개를 다음 표와 같이 나누어 담을 수 있다.

A접시	11개	10개	···	2개	1개
B접시	1개	2개	···	10개	11개

따라서 구하는 경우의 수는 11이다.

03 $x + 3y = 15$를 만족시키는 순서쌍 (x, y)를 구하면 $(6, 3), (3, 4)$의 2가지이다.

04 사용할 수 있는 동전의 개수는 다음 표와 같다.

500원(개)	1	1	1	0	0
100원(개)	3	2	1	7	6
50원(개)	0	2	4	2	4

따라서 구하는 경우의 수는 5이다.

05 $3 + 4 = 7$

06 1에서 60까지의 수 중 5의 배수인 경우는 5, 10, ···, 60의 12가지, 11의 배수인 경우는 11, 22, ···, 55의 5가지이다. 이때 55는 두 경우에 모두 포함되므로 구하는 경우의 수는 $12 + 5 - 1 = 16$

07 수학 문제집을 고르는 경우의 수는 4, 영어 문제집을 고르는 경우의 수는 3이므로 수학, 영어 문제집을 각각 한 권씩 짝 지어 사는 경우의 수는
$4 \times 3 = 12$

08 집에서 우체통까지 가장 짧은 거리로 가는 경우의 수는 2, 우체통에서 학교까지 가장 짧은 거리로 가는 경우의 수는 4이다. 따라서 구하는 경우의 수는
$2 \times 4 = 8$

09 A선수는 첫 번째 주자로 정해졌으므로 B, C, D 세 명의 선수가 뛰는 순서를 정하면 된다.

따라서 구하는 경우의 수는
$3 \times 2 \times 1 = 6$

10 짝수가 되기 위해 일의 자리에 올 수 있는 숫자는
0, 2, 4이다.
(i) □□0인 경우 : $5 \times 4 = 20$(개)
(ii) □□2인 경우 : $4 \times 4 = 16$(개)
(iii) □□4인 경우 : $4 \times 4 = 16$(개)
(i), (ii), (iii)에서 구하는 세 자리의 짝수의 개수는
$20 + 16 + 16 = 52$

11 ① $2 \times 6 = 12$ ② $3 \times 3 = 9$
③ $2 \times 2 \times 2 = 16$ ④ $\dfrac{4 \times 3}{2} = 6$
⑤ $5 \times 4 \times 3 = 60$

12 A에 칠할 수 있는 색은 3가지, B에 칠할 수 있는 색은 A에 칠한 색을 제외한 2가지, C에 칠할 수 있는 색은 B에 칠한 색을 제외한 2가지이다.
따라서 구하는 경우의 수는
$3 \times 2 \times 2 = 12$

13 여학생 3명을 하나로 묶어서 생각하면 5명을 한 줄로 세우는 것과 같으므로
$5 \times 4 \times 3 \times 2 \times 1 = 120$ ……㉠
이웃한 여학생 3명이 서로 자리를 바꾸어 서는 경우의 수는
$3 \times 2 \times 1 = 6$ ……㉡
따라서 ㉠의 경우와 ㉡의 경우가 동시에 일어나므로
$120 \times 6 = 720$

14 동창회에 참석한 사람이 n명이라고 하면
$\dfrac{n \times (n-1)}{2} = 28$, $n \times (n-1) = 56 = 8 \times 7$
$\therefore n = 8$

15 3개의 점을 연결하여 삼각형을 만들려면 윗쪽에 있는 한 개의 점은 반드시 선택해야 한다.
따라서 아래의 8개의 점 중에서 순서를 생각하지 않고 두 점을 선택하는 경우의 수와 같으므로
$\dfrac{8 \times 7}{2} = 28$

16 $(-3, -1)$, $(-3, 1)$, $(-2, -2)$, $(-2, 2)$,
$(-1, -3)$, $(-1, 3)$, $(1, -3)$, $(1, 3)$,

$(2, -2)$, $(2, 2)$, $(3, -1)$, $(3, 1)$
의 12가지이다.

17 $\dfrac{b}{a} > 1$, 즉 $b > a$인 경우를 순서쌍 (a, b)로 나타내면
$(1, 2)$, $(1, 3)$, $(1, 4)$, $(1, 5)$, $(1, 6)$,
$(2, 3)$, $(2, 4)$, $(2, 5)$, $(2, 6)$,
$(3, 4)$, $(3, 5)$, $(3, 6)$, $(4, 5)$, $(4, 6)$, $(5, 6)$
의 15가지이다.

18 (i) 이등변삼각형인 경우 :
(5 cm, 5 cm, 7 cm), (5 cm, 5 cm, 9 cm)로 2가지
(ii) 직각삼각형인 경우 : 피타고라스 정리를 만족시키는 경우는 (5 cm, 12 cm, 13 cm)로 1가지

19 2명이 먼저 2인용 텐트에 들어가고 나머지 4명이 4인용 텐트에 들어가면 되므로 6명 중 2명을 뽑는 경우의 수와 같다. 따라서 구하는 방법의 수는
$\dfrac{6 \times 5}{2} = 15$

20 한 계단 또는 두 계단을 올라 5계단을 오르는 경우는 다음과 같이 8가지이다.
$1+1+1+1+1=5$, $2+1+1+1=5$
$1+1+1+2=5$, $1+1+2+1=5$, $1+2+1+1=5$
$1+2+2=5$, $2+1+2=5$, $2+2+1=5$

21 a□□□□꼴 : $4 \times 3 \times 2 \times 1 = 24$(개)
b□□□□꼴 : $4 \times 3 \times 2 \times 1 = 24$(개)
따라서 49번째는 맨 앞에 c가 온다.
$cabde$, $cabed$, $\cdots$이므로 50번째에 나오는 문자는 $cabed$이다.

22 6명 중 자기 이름이 적힌 의자에 앉는 3명을 뽑는 경우의 수
$\dfrac{6 \times 5 \times 4}{3 \times 2 \times 1} = 20$
나머지 3명이 서로 다른 학생의 이름이 적힌 의자에 앉는 경우는 오른쪽 표와 같이 2가지이므로 구하는 경우의 수는
$20 \times 2 = 40$

A	B	C
C	A	B
B	C	A

2. 확률

개념 확인 (1) 모든 경우의 수

01 $\dfrac{1}{4}$ 02 $\dfrac{7}{20}$ 03 (1) $\dfrac{1}{4}$ (2) $\dfrac{1}{2}$

04 $\dfrac{1}{9}$ 05 $\dfrac{1}{4}$

01 4의 배수는 4, 8, 12, 16, 20의 5개이므로 구하는 확률은

$$\dfrac{5}{20}=\dfrac{1}{4}$$

02 모든 경우의 수가 100, A형을 뽑는 경우의 수가 35이므로

구하는 확률은 $\dfrac{35}{100}=\dfrac{7}{20}$

04 모든 경우의 수는 $6\times6=36$
두 눈의 수의 합이 5인 경우의 수는
$(1,4),(2,3),(3,2),(4,1)$의 4

따라서 구하는 확률은 $\dfrac{4}{36}=\dfrac{1}{9}$

05 만들 수 있는 자연수는 모두 $4\times3=12$(개)이고, 15 이하인

자연수는 12, 13, 14로 3개이다.

따라서 구하는 확률은 $\dfrac{3}{12}=\dfrac{1}{4}$

개념 확인 (1) $0\le p\le1$ (2) 0, 1 (3) $1-p$

01 (1) $\dfrac{2}{5}$ (2) 1 (3) 0

02 (1) 40 % (2) $\dfrac{1}{4}$ (3) $\dfrac{2}{3}$

03 $\dfrac{4}{5}$ 04 $\dfrac{2}{3}$ 05 $\dfrac{7}{8}$

01 모든 경우의 수는 10
(1) 흰 공이 나오는 경우의 수가 4이므로 구하는 확률은

$$\dfrac{4}{10}=\dfrac{2}{5}$$

(2) 반드시 흰 공 또는 검은 공이 나오므로 구하는 확률은 1
(3) 노란 공은 절대로 나올 수 없으므로 구하는 확률은 0

02 (1) 비가 오지 않을 확률은 $1-\dfrac{60}{100}=\dfrac{40}{100}$이므로 40 %

(2) $1-\dfrac{3}{4}=\dfrac{1}{4}$

(3) 3의 배수의 눈이 나올 확률이 $\dfrac{2}{6}=\dfrac{1}{3}$이므로

구하는 확률은 $1-\dfrac{1}{3}=\dfrac{2}{3}$

03 5의 배수는 5, 10, 15, 20, 25, 30의 6개이므로

5의 배수가 적힌 카드일 확률은 $\dfrac{6}{30}=\dfrac{1}{5}$

따라서 구하는 확률은 $1-\dfrac{1}{5}=\dfrac{4}{5}$

04 승부가 나지 않을 확률, 즉 서로 비길 확률이 $\dfrac{1}{3}$이므로

승부가 날 확률은 $1-\dfrac{1}{3}=\dfrac{2}{3}$이다.

05 일어날 수 있는 모든 경우의 수는 $2\times2\times2=8$
모두 앞면이 나오는 경우의 수는 1이므로

모두 앞면이 나올 확률은 $\dfrac{1}{8}$

따라서 구하는 확률은 $1-\dfrac{1}{8}=\dfrac{7}{8}$

유형 ❶	$\dfrac{1}{9}$	1-1 $\dfrac{1}{5}$	1-2 3	1-3 $\dfrac{1}{3}$
유형 ❷	0	2-1 (1) $\dfrac{3}{5}$ (2) 0 (3) 1	2-2 0	
		2-3 1		
유형 ❸	$\dfrac{5}{6}$	3-1 $\dfrac{2}{3}$	3-2 $\dfrac{3}{4}$	3-3 $\dfrac{35}{36}$
유형 ❹	$\dfrac{11}{36}$	4-1 $\dfrac{5}{9}$	4-2 $\dfrac{1}{2}$	4-3 $\dfrac{11}{12}$

유형 ❶

모든 경우의 수는 $6\times6=36$
두 눈의 수의 합이 5가 되는 경우를 순서쌍으로 나타내면
$(1,4),(2,3),(3,2),(4,1)$의 4가지이다.

따라서 구하는 확률은 $\dfrac{4}{36}=\dfrac{1}{9}$

1-1 $\dfrac{40}{200}=\dfrac{1}{5}$

1-2 빨간 공이 나올 확률이 $\dfrac{1}{3}$이므로

$\dfrac{2}{n}=\dfrac{1}{3}$ $\quad\therefore n=6$

따라서 노란 공의 개수는 $6-(1+2)=3$

1-3 12등분 중 색칠한 부분은 4부분이므로

구하는 확률은 $\dfrac{4}{12}=\dfrac{1}{3}$

유형 ②

두 눈의 수의 합은 항상 2 이상이므로 구하는 확률은 0이다.

2-1 (1) 소수가 나오는 경우는 2, 3, 5의 3가지이므로 구하는

확률은 $\dfrac{3}{5}$이다.

(2) 6의 배수는 나올 수 없으므로 구하는 확률은 0이다.

(3) 1부터 5까지의 자연수는 모두 60의 약수이므로 구하
는 확률은 1이다.

2-2 11의 배수는 만들 수 없으므로 구하는 확률은 0이다.

2-3 항상 $x+y\le 12$이므로 구하는 확률은 1이다.

유형 ③

모든 경우의 수는 $6\times6=36$

나오는 두 눈의 수가 서로 같은 경우는

$(1,1), (2,2), (3,3), (4,4), (5,5), (6,6)$의 6가지이므로

두 눈의 수가 서로 같을 확률은 $\dfrac{6}{36}=\dfrac{1}{6}$

따라서 두 눈의 수가 서로 다를 확률은 $1-\dfrac{1}{6}=\dfrac{5}{6}$

3-1 모든 경우의 수는 $3\times3=9$

비기는 경우는 (가위, 가위), (바위, 바위), (보, 보)의 3가지

이므로 두 사람이 비길 확률은 $\dfrac{3}{9}=\dfrac{1}{3}$

따라서 승부가 결정될 확률은 $1-\dfrac{1}{3}=\dfrac{2}{3}$

3-2 모든 경우의 수는 $4\times3=12$

40 이상인 자연수는 41, 42, 43의 3가지이므로

40 이상일 확률은 $\dfrac{3}{12}=\dfrac{1}{4}$

따라서 40 미만일 확률은 $1-\dfrac{1}{4}=\dfrac{3}{4}$

3-3 모든 경우의 수는 $6\times6=36$

두 눈의 수의 합이 3 미만인 경우는 $(1,1)$의 1가지이므로

그 확률은 $\dfrac{1}{36}$이다.

따라서 3 이상일 확률은 $1-\dfrac{1}{36}=\dfrac{35}{36}$

유형 ④

모든 경우의 수는 $6\times6=36$

6의 눈이 나오지 않는 경우의 수는 $5\times5=25$이므로

그 확률은 $\dfrac{25}{36}$이다.

따라서 구하는 확률은 $1-\dfrac{25}{36}=\dfrac{11}{36}$

4-1 모든 경우의 수는 $3\times3=9$

직선 도로를 한 번도 이용하지 않는 경우의 수는

$2\times2=4$이므로 그 확률은 $\dfrac{4}{9}$이다.

따라서 구하는 확률은 $1-\dfrac{4}{9}=\dfrac{5}{9}$

4-2 모든 경우의 수는 $4\times3\times2\times1=24$

부모님이 이웃하여 서는 경우의 수는

$(3\times2\times1)\times2=12$이므로 그 확률은 $\dfrac{12}{24}=\dfrac{1}{2}$이다.

따라서 구하는 확률은 $1-\dfrac{1}{2}=\dfrac{1}{2}$

4-3 모든 경우의 수는 $3\times2\times2\times2=24$

노란색, 파란색으로만 색을 칠하는 경우의 수는 2이므로

그 확률은 $\dfrac{2}{24}=\dfrac{1}{12}$이다.

따라서 구하는 확률은 $1-\dfrac{1}{12}=\dfrac{11}{12}$

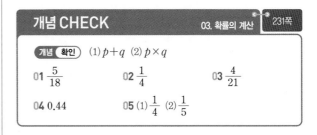

개념 CHECK   03. 확률의 계산   231쪽

개념 확인   (1) $p+q$ (2) $p\times q$

01 $\dfrac{5}{18}$ 02 $\dfrac{1}{4}$ 03 $\dfrac{4}{21}$

04 0.44   05 (1) $\dfrac{1}{4}$ (2) $\dfrac{1}{5}$

01 주사위 A, B를 동시에 던질 때 일어나는 모든 경우의 수는

$6\times6=36$

(i) 눈의 수의 차가 3인 경우는

$(1,4), (2,5), (3,6), (4,1), (5,2), (6,3)$의 6가지

이므로 눈의 수의 차가 3일 확률은 $\dfrac{6}{36}=\dfrac{1}{6}$

(ii) 눈의 수의 차가 4인 경우는

$(1,5),(2,6),(5,1),(6,2)$의 4가지이므로

눈의 수의 차가 4일 확률은 $\dfrac{4}{36}=\dfrac{1}{9}$

따라서 나온 눈의 수의 차가 3 또는 4일 확률은

$\dfrac{1}{6}+\dfrac{1}{9}=\dfrac{5}{18}$

02 처음에 짝수의 눈이 나오는 경우는 2, 4, 6의 3가지이므로

짝수의 눈이 나오는 확률은 $\dfrac{3}{6}=\dfrac{1}{2}$

나중에 소수의 눈이 나오는 경우는 2, 3, 5의 3가지이므로

소수의 눈이 나오는 확률은 $\dfrac{3}{6}=\dfrac{1}{2}$

$\therefore$ (구하는 확률)$=\dfrac{1}{2}\times\dfrac{1}{2}=\dfrac{1}{4}$

03 A 주머니에서 노란 공이 나올 확률은 $\dfrac{2}{6}=\dfrac{1}{3}$이고

B 주머니에서 파란 공이 나올 확률은 $\dfrac{4}{7}$이므로

구하는 확률은 $\dfrac{1}{3}\times\dfrac{4}{7}=\dfrac{4}{21}$

04 두 야구 선수가 각각 안타를 치지 못할 확률은 0.8, 0.7이므로 두 야구 선수가 모두 안타를 치지 못할 확률은

$0.8\times0.7=0.56$

따라서 적어도 한 선수는 안타를 칠 확률은

$1-0.56=0.44$

05 (1) 1부터 6까지의 자연수 중 소수는 2, 3, 5이다.

재석이가 소수가 적힌 카드를 꺼낼 확률은 $\dfrac{3}{6}=\dfrac{1}{2}$,

현아가 소수가 적힌 카드를 꺼낼 확률은 $\dfrac{3}{6}=\dfrac{1}{2}$이므로

구하는 확률은 $\dfrac{1}{2}\times\dfrac{1}{2}=\dfrac{1}{4}$

(2) 재석이가 소수가 적힌 카드를 꺼낼 확률은 $\dfrac{3}{6}=\dfrac{1}{2}$,

현아가 소수가 적힌 카드를 꺼낼 확률은 $\dfrac{2}{5}$이므로

구하는 확률은 $\dfrac{1}{2}\times\dfrac{2}{5}=\dfrac{1}{5}$

유형 EXERCISES

232~233쪽

유형 ❶	$\dfrac{13}{16}$	1-1 $\dfrac{2}{5}$	1-2 $\dfrac{5}{36}$	1-3 $\dfrac{3}{4}$
유형 ❷	$\dfrac{2}{9}$	2-1 $\dfrac{2}{5}$	2-2 $\dfrac{6}{25}$	2-3 $\dfrac{2}{3}$
유형 ❸	$\dfrac{7}{15}$	3-1 $\dfrac{1}{2}$	3-2 $\dfrac{11}{16}$	3-3 $\dfrac{3}{4}$
유형 ❹	$\dfrac{3}{5}$	4-1 $\dfrac{9}{25}$	4-2 $\dfrac{1}{15}$	4-3 $\dfrac{3}{5}$

유형 ❶

모든 경우의 수는 $4\times4=16$

(i) 두 자리의 자연수가 20 이하인 경우는 10, 12, 13, 14, 20의 5가지이므로 그 확률은 $\dfrac{5}{16}$

(ii) 두 자리의 자연수가 30 이상인 경우는 30, 31, 32, 34, 40, 41, 42, 43의 8가지이므로 그 확률은 $\dfrac{8}{16}$

(i), (ii)에 의하여 구하는 확률은 $\dfrac{5}{16}+\dfrac{8}{16}=\dfrac{13}{16}$

1-1 모든 경우의 수는 $5\times4\times3\times2\times1=120$

(i) M이 맨 앞에 오는 경우의 수는 $4\times3\times2\times1=24$

이므로 그 확률은 $\dfrac{24}{120}=\dfrac{1}{5}$

(ii) M이 맨 뒤에 오는 경우의 수는 $4\times3\times2\times1=24$

이므로 그 확률은 $\dfrac{1}{5}$

(i), (ii)에 의하여 구하는 확률은 $\dfrac{1}{5}+\dfrac{1}{5}=\dfrac{2}{5}$

1-2 주사위에서 나온 수를 순서쌍 (a,b)로 나타내면

(i) $x=2$일 때, 즉 $2a=b$를 만족하는 경우는

$(1,2),(2,4),(3,6)$이므로 그 확률은 $\dfrac{3}{36}$

(ii) $x=3$일 때, 즉 $3a=b$를 만족하는 경우는

$(1,3),(2,6)$이므로 그 확률은 $\dfrac{2}{36}$

(i), (ii)에 의하여 구하는 확률은

$\dfrac{3}{36}+\dfrac{2}{36}=\dfrac{5}{36}$

1-3 동전을 3번 던지므로 모든 경우의 수는

$2\times2\times2=8$

(i) 점 P의 좌표가 1이 되려면 앞면이 2번, 뒷면이 1번 나와야 하므로 구하는 경우는 (앞, 앞, 뒤), (앞, 뒤, 앞),

(뒤, 앞, 앞)의 3가지이고, 그 확률은 $\dfrac{3}{8}$이다.

(ii) 점 P의 좌표가 -1이 되려면 앞면이 1번, 뒷면이 2번 나와야 하므로 구하는 경우는 (뒤, 뒤, 앞), (뒤, 앞, 뒤), (앞, 뒤, 뒤)의 3가지이고, 그 확률은 $\dfrac{3}{8}$이다.

(i), (ii)에 의하여 구하는 확률은 $\dfrac{3}{8}+\dfrac{3}{8}=\dfrac{6}{8}=\dfrac{3}{4}$

유형 ❷

6의 약수의 눈이 나오는 경우는 1, 2, 3, 6의 4가지이므로 그 확률은 $\dfrac{4}{6}$, 3의 배수의 눈이 나오는 경우는 3, 6의 2가지이므로 그 확률은 $\dfrac{2}{6}$이다.

따라서 구하는 확률은 $\dfrac{4}{6}\times\dfrac{2}{6}=\dfrac{2}{9}$

2-1 $\dfrac{3}{5}\times\dfrac{2}{3}=\dfrac{2}{5}$

2-2 통로가 갈라지는 각 지점에서 로봇이 오른쪽으로 갈 확률은 $1-\dfrac{3}{5}=\dfrac{2}{5}$

로봇이 A에서 출발하여 D로 나오려면 오른쪽으로 한 번, 왼쪽으로 한 번 가야 하므로 구하는 확률은

$\dfrac{2}{5}\times\dfrac{3}{5}=\dfrac{6}{25}$

2-3 원판 A에서 바늘이 멈춘 수가 4 이하일 확률은 $\dfrac{4}{6}=\dfrac{2}{3}$,

원판 B에서 바늘이 멈춘 수가 4 이하일 확률은 $\dfrac{2}{4}=\dfrac{1}{2}$

이므로 바늘이 멈춘 두 수가 모두 4 이하일 확률은

$\dfrac{2}{3}\times\dfrac{1}{2}=\dfrac{1}{3}$이다.

따라서 구하는 확률은 $1-\dfrac{1}{3}=\dfrac{2}{3}$

유형 ❸

(i) 꺼낸 공이 모두 흰 공일 확률은 $\dfrac{3}{5}\times\dfrac{1}{3}=\dfrac{3}{15}$

(ii) 꺼낸 공이 모두 검은 공일 확률은 $\dfrac{2}{5}\times\dfrac{2}{3}=\dfrac{4}{15}$

(i), (ii)에 의하여 구하는 확률은 $\dfrac{3}{15}+\dfrac{4}{15}=\dfrac{7}{15}$

3-1 $a+b$가 짝수이려면 a, b가 모두 짝수이거나 모두 홀수이어야 한다.

(i) 뽑은 카드가 모두 짝수일 확률은 $\dfrac{1}{3}\times\dfrac{2}{4}=\dfrac{1}{6}$

(ii) 뽑은 카드가 모두 홀수일 확률은 $\dfrac{2}{3}\times\dfrac{2}{4}=\dfrac{1}{3}$

(i), (ii)에 의하여 구하는 확률은 $\dfrac{1}{6}+\dfrac{1}{3}=\dfrac{1}{2}$

3-2 2문제 미만 맞힐 확률은 1문제만 맞히거나 모두 틀릴 확률이므로

$\dfrac{1}{2}\times\dfrac{1}{2}\times\dfrac{1}{2}\times\dfrac{1}{2}\times4+\dfrac{1}{2}\times\dfrac{1}{2}\times\dfrac{1}{2}\times\dfrac{1}{2}$

$=\dfrac{4}{16}+\dfrac{1}{16}=\dfrac{5}{16}$

∴ (4문제 중 2문제 이상 맞힐 확률)

$=1-$(1문제만 맞히거나 모두 틀릴 확률)

$=1-\dfrac{5}{16}=\dfrac{11}{16}$

3-3 A가 한 번만 더 이기면 되므로 A가 승리하는 각각의 경우의 확률은 다음과 같다.

4회	5회	확률
A승		$\dfrac{1}{2}$
B승	A승	$\dfrac{1}{2}\times\dfrac{1}{2}=\dfrac{1}{4}$

따라서 A가 승리할 확률은 $\dfrac{1}{2}+\dfrac{1}{4}=\dfrac{3}{4}$

유형 ❹

(한 사람만 당첨될 확률)

$=$(A만 당첨될 확률)$+$(B만 당첨될 확률)

$=\dfrac{2}{5}\times\dfrac{3}{4}+\dfrac{3}{5}\times\dfrac{2}{4}=\dfrac{3}{5}$

4-1 $\dfrac{3}{5}\times\dfrac{3}{5}=\dfrac{9}{25}$

4-2 1부터 10까지의 자연수 중 3의 배수는 3, 6, 9이므로 구하는 확률은 $\dfrac{3}{10}\times\dfrac{2}{9}=\dfrac{1}{15}$

4-3 A가 이기는 각각의 경우의 확률은 다음과 같다.

A	B	A	확률
흰 공			$\dfrac{2}{5}$
검은 공	검은 공	흰 공	$\dfrac{3}{5}\times\dfrac{2}{4}\times\dfrac{2}{3}=\dfrac{1}{5}$

따라서 A가 이길 확률은 $\dfrac{2}{5}+\dfrac{1}{5}=\dfrac{3}{5}$

01 25	**02** $\dfrac{5}{16}$	**03** 18	**04** $\dfrac{1}{6}$
05 $\dfrac{3}{8}$	**06** $\dfrac{1}{18}$	**07** $\dfrac{1}{3}$	**08** $\dfrac{7}{18}$
09 ②, ⑤	**10** $\dfrac{7}{9}$	**11** $\dfrac{7}{36}$	**12** 0.15
13 $\dfrac{1}{50}$	**14** $\dfrac{2}{3}$	**15** $\dfrac{3}{4}$	**16** $\dfrac{8}{15}$
17 $\dfrac{5}{16}$	**18** $\dfrac{1}{12}$	**19** $\dfrac{7}{10}$	**20** $\dfrac{7}{24}$
21 $\dfrac{2}{5}$	**22** $\dfrac{19}{30}$	**23** $\dfrac{1}{6}$	**24** $\dfrac{9}{25}$

01 만들 수 있는 두 자리의 자연수의 개수는 $3 \times 3 = 9$이므로
$a = 9$
짝수인 경우는 10, 20, 30, 12, 32로 모두 5가지이므로
$b = 5$
짝수가 만들어질 확률은 $\dfrac{5}{9}$이므로 $c = \dfrac{5}{9}$
$\therefore abc = 9 \times 5 \times \dfrac{5}{9} = 25$

02 모든 경우의 수는 $4 \times 4 = 16$
두 자리의 자연수가 3의 배수인 경우는
30, 45, 54, 57, 75 ➡ 5가지
따라서 구하는 확률은 $\dfrac{5}{16}$

03 12의 약수가 나오는 경우는 1, 2, 3, 4, 6, 12의 6가지이므로
12의 약수를 뽑을 확률이 $\dfrac{1}{3}$이 되려면
$\dfrac{6}{n} = \dfrac{1}{3}$ $\therefore n = 18$

04 모든 경우의 수는 $6 \times 6 = 36$
처음보다 한 계단 위에 있으려면 짝수가 홀수보다 1 큰 수
이어야 하므로 가능한 경우를 순서쌍으로 나타내면
$(1, 2), (2, 1), (3, 4), (4, 3), (5, 6), (6, 5)$의 6가지이
다. 따라서 구하는 확률은 $\dfrac{6}{36} = \dfrac{1}{6}$

05 모든 경우의 수는 $4 \times 4 = 16$
두 수의 합이 6 이상인 경우는 $(2, 4), (3, 3), (3, 4),$
$(4, 2), (4, 3), (4, 4)$의 6가지이므로 구하는 확률은
$\dfrac{6}{16} = \dfrac{3}{8}$

06 모든 경우의 수는 $6 \times 6 = 36$
점 (a, b)가 일차함수 $y = 2x + 1$의 그래프 위의 점이 되는
경우는 $(1, 3), (2, 5)$의 2가지이므로 구하는 확률은
$\dfrac{2}{36} = \dfrac{1}{18}$

07 모든 경우의 수는 $6 \times 6 = 36$
$x = 1$일 때 주어진 부등식은 $y \leq 6$: y의 값은 6개
$x = 2$일 때 주어진 부등식은 $y \leq 4$: y의 값은 4개
$x = 3$일 때 주어진 부등식은 $y \leq 2$: y의 값은 2개
$x = 4, 5, 6$일 때는 부등식을 만족하는 y의 값이 존재하지
않는다.
따라서 구하는 확률은 $\dfrac{12}{36} = \dfrac{1}{3}$

08 가로 방향의 4개의 직선 중에서 2개, 세로 방향의 4개의 직
선 중에서 2개를 택하면 직사각형이 1개 만들어진다.
따라서 만들 수 있는 직사각형의 개수는
$\dfrac{4 \times 3}{2} \times \dfrac{4 \times 3}{2} = 36$
이 중 정사각형의 개수는 한 칸짜리는 9개, 4칸짜리는 4개,
9칸짜리는 1개이므로 $9 + 4 + 1 = 14$
따라서 구하는 확률은 $\dfrac{14}{36} = \dfrac{7}{18}$

09 ① $0 \leq p \leq 1$
③ $p = 1$이면 $q = 0$이다.
④ $q = 1$이면 사건 A는 절대로 일어나지 않는다.

10 파란색 영역을 맞힐 확률은 $\dfrac{3}{9}$,
분홍색 영역을 맞힐 확률은 $\dfrac{4}{9}$이므로
파란색 영역 또는 분홍색 영역을 맞힐 확률은
$\dfrac{3}{9} + \dfrac{4}{9} = \dfrac{7}{9}$

11 $a = 1$일 때, $b > 1$인 경우의 수는 5,
$a = 2$일 때, $b > 4$인 경우의 수는 2이다.
따라서 구하는 확률은 $\dfrac{5}{36} + \dfrac{2}{36} = \dfrac{7}{36}$

12 두 타자가 연속으로 안타를 칠 확률은
$0.3 \times 0.5 = 0.15$

13 $\dfrac{10}{100} \times \dfrac{20}{100} = \dfrac{1}{50}$

14 세 사람이 가위바위보를 할 때 나올 수 있는 모든 경우의 수는 $3 \times 3 \times 3 = 27$

이 중 세 사람이 모두 같은 것을 내는 경우의 수는 3,

세 사람이 모두 다른 것을 내는 경우의 수는 $3 \times 2 \times 1 = 6$

이므로 이기는 사람이 나오지 않을 확률은

$\dfrac{3}{27} + \dfrac{6}{27} = \dfrac{9}{27} = \dfrac{1}{3}$

따라서 구하는 확률은 $1 - \dfrac{1}{3} = \dfrac{2}{3}$

■ 다른 풀이 ■

한 명이 이기는 경우의 수는 9, 두 명이 이기는 경우의 수는 9

이므로 적어도 한 명은 이기는 사람이 나올 확률은

$\dfrac{9}{27} + \dfrac{9}{27} = \dfrac{2}{3}$

15 세 사람이 모두 목표물을 맞히지 못할 확률은

$\dfrac{1}{2} \times \dfrac{2}{3} \times \dfrac{3}{4} = \dfrac{1}{4}$

따라서 적어도 한 명은 목표물을 맞힐 확률은

$1 - \dfrac{1}{4} = \dfrac{3}{4}$

16 $a+b$가 짝수가 되려면 a, b가 모두 짝수이거나 모두 홀수이어야 한다.

a, b가 모두 짝수일 확률은 $\dfrac{1}{3} \times \dfrac{2}{5} = \dfrac{2}{15}$

a, b가 모두 홀수일 확률은 $\dfrac{2}{3} \times \dfrac{3}{5} = \dfrac{2}{5}$

따라서 구하는 확률은 $\dfrac{2}{15} + \dfrac{2}{5} = \dfrac{8}{15}$

17 원판 전체의 넓이는 16π

$2 \le \overline{OP} \le 3$을 만족하는 점 P를 잡을 수 있는 영역은 오른쪽 그림의 색칠한 부분이므로 넓이는

$9\pi - 4\pi = 5\pi$

따라서 구하는 확률은 $\dfrac{5\pi}{16\pi} = \dfrac{5}{16}$

18 모든 경우의 수는 $6 \times 6 = 36$

점 $P(a, b)$와 원점 $O(0, 0)$을 지나는 직선의 방정식은

$y = \dfrac{b}{a}x$이므로 $\dfrac{b}{a} > 3$, 즉 $b > 3a$일 확률을 구하면 된다.

$b > 3a$를 만족하는 순서쌍 (a, b)는 $(1, 4)$, $(1, 5)$,

$(1, 6)$이므로 구하는 확률은 $\dfrac{3}{36} = \dfrac{1}{12}$

19 한 자리의 자연수 중 홀수인 경우의 수는 5이다. 두 자리의 자연수 중 각 자리의 숫자가 모두 홀수인 경우의 수는 $5 \times 5 = 25$이므로 각 자리의 숫자가 모두 홀수인 경우의 수는 $5 + 25 = 30$이다.

즉, 각 자리의 숫자가 모두 홀수일 확률은 $\dfrac{30}{100} = \dfrac{3}{10}$이다.

따라서 구하는 확률은 $1 - \dfrac{3}{10} = \dfrac{7}{10}$

20 12의 약수는 1, 2, 3, 4, 6, 12이고,

두 수의 합이 1이 되는 경우는 없다.

1이 아닌 12의 약수가 되는 경우를 순서쌍으로 나타내면

2가 되는 경우는 $(1, 1)$: 1가지

3이 되는 경우는 $(1, 2)$, $(2, 1)$: 2가지

4가 되는 경우는 $(1, 3)$, $(2, 2)$, $(3, 1)$: 3가지

6이 되는 경우는 $(1, 5)$, $(2, 4)$, $(3, 3)$, $(4, 2)$, $(5, 1)$: 5가지

12가 되는 경우는 $(4, 8)$, $(5, 7)$, $(6, 6)$: 3가지

따라서 구하는 확률은

$\dfrac{1+2+3+5+3}{6 \times 8} = \dfrac{14}{48} = \dfrac{7}{24}$

21 (i) A와 B가 모두 당첨 제비를 뽑을 확률은

$\dfrac{2}{5} \times \dfrac{1}{4} = \dfrac{1}{10}$

(ii) A는 당첨 제비를 뽑지 못하고 B만 당첨 제비를 뽑을 확률은 $\dfrac{3}{5} \times \dfrac{2}{4} = \dfrac{3}{10}$

(i), (ii)에 의하여 구하는 확률은 $\dfrac{1}{10} + \dfrac{3}{10} = \dfrac{4}{10} = \dfrac{2}{5}$

22 (i) A팀과 B팀의 경기에서 A팀이 이기고, A팀과 C팀의 경기에서 C팀이 이길 확률은 $\dfrac{1}{3} \times \dfrac{2}{5} = \dfrac{2}{15}$

(ii) A팀과 B팀의 경기에서 B팀이 이기고, B팀과 C팀의 경기에서 C팀이 이길 확률은

$\left(1 - \dfrac{1}{3}\right) \times \left(1 - \dfrac{1}{4}\right) = \dfrac{1}{2}$

(i), (ii)에 의하여 구하는 확률은 $\dfrac{2}{15} + \dfrac{1}{2} = \dfrac{19}{30}$

23 (i) 2번에 끝날 확률 : $\dfrac{2}{9} \times \dfrac{1}{8} = \dfrac{1}{36}$

(ii) 3번에 끝날 확률 : $\dfrac{2}{9} \times \dfrac{7}{8} \times \dfrac{1}{7} + \dfrac{7}{9} \times \dfrac{2}{8} \times \dfrac{1}{7} = \dfrac{1}{18}$

(iii) 4번에 끝날 확률 :

$$\frac{2}{9} \times \frac{7}{8} \times \frac{6}{7} \times \frac{1}{6} + \frac{7}{9} \times \frac{2}{8} \times \frac{6}{7} \times \frac{1}{6}$$
$$+ \frac{7}{9} \times \frac{6}{8} \times \frac{2}{7} \times \frac{1}{6} = \frac{1}{12}$$

(i), (ii), (iii)에 의하여 구하는 확률은

$$\frac{1}{36} + \frac{1}{18} + \frac{1}{12} = \frac{1}{6}$$

24 비가 온 것을 ○, 비가 오지 않은 것을 ×로 나타내면 월요일에 비가 오고 수요일에 비가 오는 경우는 오른쪽 표와 같다.

	월	화	수
	○	×	○
	○	○	○

따라서 월요일에 비가 왔을 때, 수요일에도 비가 올 확률은

$$\left(1 - \frac{2}{5}\right) \times \frac{1}{3} + \frac{2}{5} \times \frac{2}{5} = \frac{1}{5} + \frac{4}{25} = \frac{9}{25}$$

대단원 EXERCISES

238~241쪽

01 3	**02** 12	**03** 6	**04** 17
05 20가지	**06** 48	**07** 12	**08** 6
09 ⑤	**10** 45회	**11** 43	**12** $\frac{1}{9}$
13 $\frac{2}{9}$	**14** ㄱ, ㄴ	**15** $\frac{4}{5}$	**16** $\frac{3}{4}$
17 $\frac{1}{5}$	**18** $\frac{5}{12}$	**19** $\frac{2}{3}$	**20** $\frac{117}{125}$
21 $\frac{39}{64}$	**22** $\frac{5}{6}$		

23 방 A에 들어갈 확률 : $\frac{3}{8}$, 방 B에 들어갈 확률 : $\frac{5}{8}$

24 $\frac{5}{9}$	**25** 72	**26** $\frac{19}{216}$	**27** $\frac{2}{9}$

---

01 $y=1$일 때, x의 값은 없다.
$y=2$일 때, $x=5$
$y=3$일 때, $x=3$
$y=4$일 때, $x=1$
$y=5, 6$일 때, x의 값은 없다.
따라서 $x+2y=9$인 경우의 수는 3이다.

02 소수의 눈이 나오는 경우는 2, 3, 5의 3가지이므로 $a=3$
7 이상의 눈이 나오는 경우는 없으므로 $b=0$
5 이하의 눈이 나오는 경우는 1, 2, 3, 4, 5의 5가지이므로 $c=5$

1의 눈 또는 4 이상의 눈이 나오는 경우는 1, 4, 5, 6의 4가지이므로 $d=4$
∴ $a+b+c+d = 3+0+5+4 = 12$

03 두 눈의 수의 합이 5가 되는 경우를 순서쌍으로 나타내면 $(1, 4), (2, 3), (3, 2), (4, 1)$의 4가지, 두 눈의 수의 합이 11이 되는 경우는 $(5, 6), (6, 5)$의 2가지이므로 구하는 경우의 수는 $4+2 = 6$

04 3의 배수가 나오는 경우의 수는 11, 4의 배수가 나오는 경우의 수는 8, 3과 4의 공배수, 즉 12의 배수가 나오는 경우의 수는 2이므로 구하는 경우의 수는
$11+8-2 = 17$

05 올라갈 때 선택할 수 있는 등산로는 5가지이고, 내려올 때 선택할 수 있는 등산로는 4가지이므로 모두
$5 \times 4 = 20$(가지)의 코스가 있다.

06 A에 색을 칠하는 경우의 수는 4, B에 색을 칠하는 경우의 수는 3, C에 색을 칠하는 경우의 수는 2, D에 색을 칠하는 경우의 수는 2이므로 깃발에 색을 칠하는 경우의 수는
$4 \times 3 \times 2 \times 2 = 48$

07 분모에 올 수 있는 숫자는 4개, 분자에 올 수 있는 숫자는 3개이므로 만들 수 있는 분수의 개수는
$4 \times 3 = 12$

08 4명의 여학생 중에서 두 명의 대표를 뽑는 경우의 수와 같으므로 $\frac{4 \times 3}{2} = 6$

09 7개의 점 중에서 순서를 생각하지 않고 3개를 선택하는 경우와 같다. 따라서 만들 수 있는 삼각형의 개수는
$$\frac{7 \times 6 \times 5}{3 \times 2 \times 1} = 35$$

10 10명 중에서 순서를 생각하지 않고 2명을 선택하는 경우와 같으므로
$$\frac{10 \times 9}{2} = 45(회)$$

11 처음 주머니에 들어 있던 흰 공의 개수를 m, 검은 공의 개수를 n이라고 하면

$$\frac{m-1}{m+n-1}=\frac{1}{6}, \quad \frac{m}{m+n-3}=\frac{1}{5}$$

$m+n-1=6m-6$에서 $5m-n=5$이고

$m+n-3=5m$에서 $4m-n=-3$이므로

연립하여 풀면 $m=8$, $n=35$

따라서 처음 주머니에 들어 있던 공의 개수는

$8+35=43$이다.

12 두 직선의 방정식에 $x=1$을 각각 대입하면

$y=2-a$, $y=-3+b$이므로

$2-a=-3+b$ $\therefore a+b=5$

즉, 두 개의 주사위를 던졌을 때, 나오는 두 눈의 수의 합이

5가 될 확률과 같다.

이때 두 눈의 수의 합이 5가 되는 경우를 순서쌍으로 나타

내면 $(1, 4)$, $(2, 3)$, $(3, 2)$, $(4, 1)$의 4가지이므로

구하는 확률은 $\dfrac{4}{36}=\dfrac{1}{9}$

13 (i) 앞면이 나오는 경우 : $\dfrac{1}{2} \times \dfrac{1}{6} = \dfrac{1}{12}$

(ii) 뒷면이 나오는 경우 : $\dfrac{1}{2} \times \dfrac{1}{6} \times \dfrac{5}{6} + \dfrac{1}{2} \times \dfrac{5}{6} \times \dfrac{1}{6} = \dfrac{5}{36}$

(i), (ii)에서 구하는 확률은 $\dfrac{1}{12} + \dfrac{5}{36} = \dfrac{2}{9}$

14 ㄷ. 어떤 사건이 일어날 확률은 0 이상 1 이하이다. (거짓)

ㄹ. 어떤 사건이 일어날 확률이 $\dfrac{1}{3}$이면 일어나지 않을 확률

은 $1-\dfrac{1}{3}=\dfrac{2}{3}$이다. (거짓)

따라서 옳은 것은 ㄱ, ㄴ이다.

15 모든 경우의 수는 $\dfrac{10 \times 9}{2} = 45$

카드에 적힌 두 수가 연속하는 자연수인 경우는

1과 2, 2와 3, 3과 4, 4와 5, 5와 6, 6과 7, 7과 8, 8과 9,

9와 10의 9가지이다.

따라서 두 수가 연속하는 자연수가 아닐 확률은

$1-\dfrac{9}{45}=\dfrac{4}{5}$

16 모두 앞면이 나오거나 모두 뒷면이 나올 때만 같은 모양이

나오지 않는다.

따라서 구하는 확률은 $1-\left(\dfrac{1}{8}+\dfrac{1}{8}\right)=\dfrac{6}{8}=\dfrac{3}{4}$

17 15장 중에서 짝수인 카드는 7장이므로

구하는 확률은 $\dfrac{7}{15} \times \dfrac{6}{14} = \dfrac{1}{5}$

18 A만 시험에 합격할 확률은 $\dfrac{1}{3} \times \dfrac{3}{4} = \dfrac{1}{4}$

B만 시험에 합격할 확률은 $\dfrac{2}{3} \times \dfrac{1}{4} = \dfrac{1}{6}$

따라서 구하는 확률은 $\dfrac{1}{4} + \dfrac{1}{6} = \dfrac{5}{12}$

19 전구에 불이 들어올 확률은 $\dfrac{1}{2} \times \dfrac{2}{3} = \dfrac{1}{3}$

따라서 구하는 확률은 $1-\dfrac{1}{3} = \dfrac{2}{3}$

20 치료율이 $\dfrac{60}{100}=\dfrac{3}{5}$이므로 3명 모두 치료되지 못할

확률은 $\dfrac{2}{5} \times \dfrac{2}{5} \times \dfrac{2}{5} = \dfrac{8}{125}$

따라서 구하는 확률은 $1-\dfrac{8}{125} = \dfrac{117}{125}$

21 형과 동생 모두 경품을 받지 못할 확률은

$\dfrac{5}{8} \times \dfrac{5}{8} = \dfrac{25}{64}$

따라서 구하는 확률은 $1-\dfrac{25}{64} = \dfrac{39}{64}$

22 당첨 제비를 1개도 뽑지 못할 확률은

$\dfrac{6}{10} \times \dfrac{5}{9} \times \dfrac{4}{8} = \dfrac{1}{6}$

따라서 구하는 확률은 $1-\dfrac{1}{6} = \dfrac{5}{6}$

23 갈라지는 부분에서 각 통로로 들어갈

확률은 $\dfrac{1}{2}$이다.

방 A에 들어갈 확률은

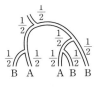

$\dfrac{1}{2} \times \dfrac{1}{2} + \dfrac{1}{2} \times \dfrac{1}{2} \times \dfrac{1}{2} = \dfrac{3}{8}$

방 B에 들어갈 확률은 $1-\dfrac{3}{8} = \dfrac{5}{8}$

24 A상자를 고르고, 노란 공이 나올 확률은 $\dfrac{1}{3} \times 1 = \dfrac{1}{3}$

B상자를 고르고, 노란 공이 나올 확률은 $\dfrac{1}{3} \times \dfrac{2}{3} = \dfrac{2}{9}$

C상자를 고르고, 노란 공이 나올 확률은 $\dfrac{1}{3} \times 0 = 0$

따라서 구하는 확률은 $\dfrac{1}{3} + \dfrac{2}{9} + 0 = \dfrac{5}{9}$

25 $x = 5 \times 4 \times 3 \times 2 \times 1 = 120$ ...... ❶

$y = (4 \times 3 \times 2 \times 1) \times 2 = 48$ ...... ❷

$\therefore x - y = 120 - 48 = 72$ ...... ❸

채점 기준	배점
❶ x의 값 구하기	40 %
❷ y의 값 구하기	50 %
❸ $x-y$의 값 구하기	10 %

26 모든 경우의 수는 $6 \times 6 \times 6 = 216$

$a+b$가 c의 약수이어야 하므로 c의 값에 따른 a, b의 순서쌍 (a, b)의 개수는 다음과 같다.

$c=2$일 때, $a+b=2$ ➡ $(1, 1)$의 1개

$c=3$일 때, $a+b=3$ ➡ $(1, 2), (2, 1)$의 2개

$c=4$일 때, $a+b=2$ 또는 $a+b=4$

➡ $(1, 1), (1, 3), (2, 2), (3, 1)$의 4개

$c=5$일 때, $a+b=5$

➡ $(1, 4), (4, 1), (2, 3), (3, 2)$의 4개

$c=6$일 때, $a+b=2$ 또는 $a+b=3$ 또는 $a+b=6$

➡ $(1, 1), (1, 2), (2, 1), (1, 5), (5, 1), (2, 4),$
$(4, 2), (3, 3)$의 8개 ...... ❶

따라서 구하는 확률은

$\dfrac{1}{216} + \dfrac{2}{216} + \dfrac{4}{216} + \dfrac{4}{216} + \dfrac{8}{216} = \dfrac{19}{216}$ ...... ❷

채점 기준	배점
❶ $\dfrac{c}{a+b}$ 가 정수가 되는 각각의 경우의 수 구하기	80 %
❷ $\dfrac{c}{a+b}$ 가 정수가 될 확률 구하기	20 %

27 바둑돌이 꼭짓점 C에 있으려면 두 눈의 수의 합이 2 또는 7 또는 12이어야 한다.

(i) 두 눈의 수의 합이 2인 경우는 $(1, 1)$의 1가지

(ii) 두 눈의 수의 합이 7인 경우는

　$(1, 6), (2, 5), (3, 4), (4, 3), (5, 2), (6, 1)$의
　6가지

(iii) 두 눈의 수의 합이 12인 경우는 $(6, 6)$의 1가지

...... ❶

따라서 구하는 확률은

$\dfrac{1}{36} + \dfrac{6}{36} + \dfrac{1}{36} = \dfrac{2}{9}$ ...... ❷

채점 기준	배점
❶ 꼭짓점 C에 있게 되는 경우의 수 구하기	50 %
❷ 꼭짓점 C에 있게 될 확률 구하기	50 %

Advanced Lecture 242~243쪽

[유제] 01 (1) 6　(2) 2　(3) 12　**02** (1) 4　(2) 10

01 (1) 펭귄의 위치는 고정이므로 나머지 3개를 한 줄로 나열하는 경우만 생각하면 된다.

따라서 구하는 경우의 수는 $3 \times 2 \times 1 = 6$이다.

(2) 고양이와 달팽이의 위치는 고정이므로 나머지 2개를 한 줄로 나열하는 경우만 생각하면 된다.

따라서 구하는 경우의 수는 $2 \times 1 = 2$이다.

(3) 거북과 펭귄을 하나로 생각하여 3개를 한 줄로 세우는 경우의 수를 구하면 $3 \times 2 \times 1 = 6$이다.

이때 거북과 펭귄의 자리를 바꾸는 경우의 수가 2이므로 구하는 경우의 수는 $6 \times 2 = 12$이다.

02 (1) A 지점에서 B 지점까지 가려면 가로로 3번, 세로로 1번 가야 한다. 즉,

(가로), (가로), (가로), (세로)

를 한 줄로 나열하는 경우의 수와 같으므로 구하는 경우의 수는 $4 \times 3 \times 2 \times 1 \div 6 = 4$이다.

(2) A 지점에서 B 지점까지 가려면 가로로 3번, 세로로 2번 가야 한다. 즉,

(가로), (가로), (가로), (세로), (세로)

를 한 줄로 나열하는 경우의 수와 같으므로 구하는 경우의 수는 $5 \times 4 \times 3 \times 2 \times 1 \div 6 \div 2 = 10$이다.

Ⅴ 도형의 성질

1. 삼각형의 성질

유형 TEST   01. 이등변삼각형과 직각삼각형   002~006쪽

01 (개) $\overline{AC}$, (내) ∠BAD, (대) $\overline{AD}$, (래) SAS			**02** ①
03 ⑤	**04** ③	**05** ④	**06** 8 cm
07 ④	**08** ②	**09** ③	**10** 18°
11 28°	**12** 8 cm	**13** 7 cm	**14** 5 cm
15 10 cm	**16** ④	**17** 6 cm	**18** 30°
19 ③	**20** ⑤		
21 (개) ∠CEB, (내) $\overline{BC}$, (대) RHA			**22** 4 cm
23 50 cm²	**24** 7 cm	**25** 124°	**26** ④
27 3 cm	**28** ⑤	**29** 5 cm	**30** 4 cm

02 $\overline{AB}=\overline{AC}$이므로
$$\angle B=\angle ACB=180°-100°=80°$$

03 △DBC에서 $\overline{BC}=\overline{BD}$이므로
$$\angle BCD=\angle BDC=68°$$
△ABC에서 $\overline{AB}=\overline{AC}$이므로
$$\angle ABC=\angle ACB=68°$$
$$\therefore \angle A=180°-(68°+68°)=44°$$

04 △ABC에서 $\overline{AB}=\overline{AC}$이므로
$$\angle B=\angle ACB=\frac{1}{2}(180°-50°)=65°$$
△CDB에서 $\overline{BC}=\overline{CD}$이므로 $\angle BDC=\angle B=65°$
$$\therefore \angle DCB=180°-(65°+65°)=50°$$
$$\therefore \angle ACD=\angle ACB-\angle DCB=65°-50°=15°$$

05 ④ $\overline{AP}=\overline{BP}$인지 알 수 없다.

06 △ABC에서 $\overline{AB}=\overline{AC}$, ∠BAD=∠CAD이므로
$$\angle ADB=90°, \overline{BD}=\overline{CD}=5 \text{ cm}$$

△ABD의 넓이가 20 cm²이므로
$$\frac{1}{2}\times\overline{BD}\times\overline{AD}=\frac{1}{2}\times 5\times\overline{AD}=20$$
$$\therefore \overline{AD}=8(\text{cm})$$

07 △DAB에서 $\overline{DA}=\overline{DB}$이므로 ∠BAD=∠B=48°
△DCA에서 $\overline{DA}=\overline{DC}$이므로 ∠DCA=∠DAC=∠x
따라서 △ABC에서
$$48°+(48°+\angle x)+\angle x=180°, 2\angle x=84°$$
$$\therefore \angle x=42°$$

08 △ABC는 이등변삼각형이므로
$$\angle ACB=\angle ABC=\angle x$$
$$\angle CAD=\angle x+\angle x=2\angle x$$
△CAD는 이등변삼각형이므로
$$\angle CDA=\angle CAD=2\angle x$$
$$180°-114°=2\angle x, 2\angle x=66° \quad \therefore \angle x=33°$$

09 ∠ABC=∠x라고 하면
$\overline{AB}=\overline{AC}$이므로
$$\angle ACB=\angle ABC=\angle x$$
△ABC에서
$$\angle CAD=\angle ABC+\angle ACB$$
$$=\angle x+\angle x=2\angle x$$
이때 △ACD에서 $\overline{AC}=\overline{DC}$이므로
$$\angle CDA=\angle CAD=2\angle x$$
따라서 △DBC에서
$$\angle DCE=2\angle x+\angle x=3\angle x=102° \quad \therefore \angle x=34°$$
$$\therefore \angle ACB=34°$$

10 $\overline{AB}=\overline{AC}$이므로
$$\angle ACB=\angle B=54°$$
따라서 △ACD에서
$$\angle CAD=\angle ACB-\angle ADC$$
$$=54°-36°=18°$$

11 $\angle ACB=\frac{1}{2}(180°-44°)=68°$이므로

$\angle ACD = \frac{1}{2}(180° - 68°) = 56°$

$\therefore \angle BCD = 68° + 56° = 124°$

따라서 △CDB에서

$\angle x = \frac{1}{2}(180° - 124°) = 28°$

12 △ABC에서 $\overline{AB} = \overline{AC}$, $\angle BAD = \angle CAD$이므로

$\angle ADB = 90°$, $\overline{BD} = \overline{CD}$

따라서 △ABD의 넓이에서

$\frac{1}{2} \times \overline{AB} \times \overline{DE} = \frac{1}{2} \times \overline{BD} \times \overline{AD}$

$\frac{1}{2} \times 5 \times \frac{12}{5} = \frac{1}{2} \times \overline{BD} \times 3$ $\therefore \overline{BD} = 4(cm)$

$\therefore \overline{BC} = 2\overline{BD} = 8\ cm$

13 $\angle A = \angle C$이므로 $\overline{AB} = \overline{BC}$

△ABC의 둘레의 길이가 24 cm이므로

$\overline{AB} + \overline{BC} + 10 = 24$

$2\overline{BC} = 14$ $\therefore \overline{BC} = 7(cm)$

14 △DBC에서 $\angle ADC = \angle DBC + \angle DCB$이므로

$\angle DCB = \angle ADC - \angle DBC = 72° - 36° = 36°$

따라서 $\angle DBC = \angle DCB$이므로 △DBC는 $\overline{DB} = \overline{DC}$인 이등변삼각형이다.

한편 $\angle A = 180° - (36° + 72°) = 72°$이므로

$\angle CDA = \angle A$

따라서 △ADC는 $\overline{AC} = \overline{DC}$인 이등변삼각형이므로

$\overline{AC} = \overline{DC} = \overline{DB} = 5\ cm$

15 △ABC에서 $\angle BAC = 180° - (90° + 30°) = 60°$

$\overline{AD} = \overline{BD}$이므로 $\angle ABD = \angle A = 60°$

즉, △ABD는 한 변의 길이가 5 cm인 정삼각형이므로

$\angle DBC = 90° - 60° = 30°$

$\therefore \overline{CD} = \overline{BD} = 5\ cm$

$\therefore \overline{AC} = \overline{AD} + \overline{DC} = 5 + 5 = 10(cm)$

16 $\angle EAD = 60°$이므로

$\angle BAE = 90° - 60° = 30°$

$\overline{AB} = \overline{AD} = \overline{AE}$이므로 △ABE에서

$\angle BEA = \frac{1}{2}(180° - 30°) = 75°$

같은 방법으로 △DEC에서 $\angle DEC = 75°$

$\therefore \angle BEC = 360° - (75° + 60° + 75°) = 150°$

17 $\overline{AD} /\!/ \overline{BC}$이므로

$\angle CAD = \angle BCA$ (엇각)

$\angle CAD = \angle BAC$ (접은 각)

$\therefore \angle BCA = \angle BAC$

따라서 △ABC는 이등변삼각형이므로

$\overline{AB} = \overline{BC} = 6\ cm$

18 $\angle CAB = \angle BAD = 75°$

(접은 각)

$\overline{AD} /\!/ \overline{CB}$이므로

$\angle CBA = \angle BAD = 75°$ (엇각)

따라서 $\angle CAB = \angle CBA = 75°$이므로 △ACB는 이등변삼각형이다.

$\therefore \angle x = 180° - (75° + 75°) = 30°$

19 ① RHA 합동

② RHS 합동

③ 모양은 같으나 크기가 같다고 할 수 없으므로 합동이 아니다.

④ $\angle A = \angle D$, $\angle C = \angle F$이므로 $\angle B = \angle E$

  $\therefore$ ASA 합동

⑤ SAS 합동

20 △ADE와 △ACE에서

$\overline{AE}$는 공통, $\angle ADE = \angle ACE = 90°$, $\overline{AD} = \overline{AC}$

이므로 △ADE ≡ △ACE (RHS 합동)

$\therefore \angle AED = \angle AEC$, $\overline{DE} = \overline{CE}$,

  $\angle DAE = \angle CAE$

22 △ABD와 △AED에서

$\angle ABD = \angle AED = 90°$, $\overline{AD}$는 공통,

$\angle BAD = \angle EAD$이므로

△ABD ≡ △AED(RHA 합동)

$\therefore \overline{AE} = \overline{AB} = 6\ cm$

$\therefore \overline{EC} = 10 - 6 = 4(cm)$

23 △ABD와 △BCE에서

$\angle D = \angle E = 90°$, $\overline{AB} = \overline{BC}$

$\angle DAB + \angle DBA = 90°$, $\angle DBA + \angle EBC = 90°$

이므로 $\angle DAB = \angle EBC$

$\therefore$ △ABD ≡ △BCE (RHA 합동)

따라서 $\overline{DB}=\overline{EC}=8$ cm, $\overline{BE}=\overline{AD}=6$ cm이므로

$\overline{DE}=8+6=14$ (cm)

$\therefore \square ADEC=\dfrac{1}{2}\times(8+6)\times14=98$ (cm^2)

$\therefore \triangle ABC=\square ADEC-(\triangle ADB+\triangle BEC)$

$\qquad =98-\left(\dfrac{1}{2}\times6\times8+\dfrac{1}{2}\times8\times6\right)$

$\qquad =50$ (cm^2)

24 $\triangle ABD$와 $\triangle CAE$에서

$\angle ADB=\angle CEA=90\degree$,

$\overline{AB}=\overline{CA}$,

$\angle ABD=\angle CAE$이므로

$\triangle ABD\equiv\triangle CAE$ (RHA 합동)

따라서 $\overline{AD}=\overline{CE}=5$ cm, $\overline{AE}=\overline{BD}=12$ cm이므로

$\overline{DE}=\overline{AE}-\overline{AD}=12-5=7$ (cm)

25 $\triangle ADM$과 $\triangle CEM$에서

$\angle ADM=\angle CEM=90\degree$, $\overline{AM}=\overline{CM}$, $\overline{DM}=\overline{EM}$

이므로

$\triangle ADM\equiv\triangle CEM$ (RHS 합동)

$\therefore \angle A=\angle C=28\degree$

따라서 $\triangle ABC$에서 $\angle B=180\degree-2\times28\degree=124\degree$

26 $\triangle ABD$와 $\triangle AED$에서

$\angle ABD=\angle AED=90\degree$, $\overline{AD}$는 공통, $\overline{BD}=\overline{ED}$이므로

$\triangle ABD\equiv\triangle AED$ (RHS 합동)

$\therefore \angle BDA=\dfrac{1}{2}\angle BDE=\dfrac{1}{2}\times136\degree=68\degree$

$\therefore \angle x=90\degree-68\degree=22\degree$

27 $\triangle ADE$와 $\triangle ACE$에서

$\angle ADE=\angle ACE=90\degree$, $\overline{AE}$는 공통, $\overline{AD}=\overline{AC}$이므로

$\triangle ADE\equiv\triangle ACE$ (RHS 합동)

$\therefore \overline{DE}=\overline{CE}=3$ cm

한편, $\overline{AC}=\overline{BC}$이므로 $\triangle ABC$는 직각이등변삼각형이다.

$\therefore \angle B=45\degree$

이때 $\angle DEB=180\degree-(90\degree+45\degree)=45\degree$이므로 $\triangle DBE$도

직각이등변삼각형이다.

$\therefore \overline{BD}=\overline{DE}=3$ cm

28 $\triangle AOP$와 $\triangle BOP$에서

$\angle PAO=\angle PBO=90\degree$, $\angle AOP=\angle BOP$,

$\overline{OP}$는 공통이므로

$\triangle AOP\equiv\triangle BOP$ (RHA 합동)

$\therefore \overline{PA}=\overline{PB}$

29 오른쪽 그림과 같이 점 D에서 $\overline{AB}$에 내린 수선의 발을 E라고 하면

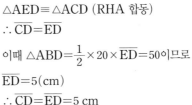

$\triangle AED$와 $\triangle ACD$에서

$\angle AED=\angle ACD=90\degree$,

$\angle EAD=\angle CAD$,

$\overline{AD}$는 공통이므로

$\triangle AED\equiv\triangle ACD$ (RHA 합동)

$\therefore \overline{CD}=\overline{ED}$

이때 $\triangle ABD=\dfrac{1}{2}\times20\times\overline{ED}=50$이므로

$\overline{ED}=5$ (cm)

$\therefore \overline{CD}=\overline{ED}=5$ cm

30 $\triangle PDA$와 $\triangle PEA$에서 $\angle PDA=\angle PEA=90\degree$,

$\overline{AP}$는 공통, $\angle PAD=\angle PAE$이므로

$\triangle PDA\equiv\triangle PEA$ (RHA 합동)

$\therefore \overline{PE}=\overline{PD}=4$ cm

마찬가지로 $\triangle PEC\equiv\triangle PFC$ (RHA 합동)

$\therefore \overline{PF}=\overline{PE}=4$ cm

유형 TEST		02. 삼각형의 외심과 내심	007~010쪽
01 ㄹ	**02** 5 cm	**03** ②	**04** 10 cm
05 12 cm^2	**06** 20$\degree$	**07** ②	**08** 136$\degree$
09 120$\degree$	**10** ②, ④	**11** ③	**12** 64$\degree$
13 11 cm	**14** 15 cm	**15** 5 cm	**16** ④
17 45 cm	**18** $(24-4\pi)$cm^2	**19** ④	
20 7 cm	**21** 27 cm	**22** ③	**23** ③
24 ③, ④			

01 ㄱ. 삼각형의 외심은 삼각형의 세 변의 수직이등분선의 교점이므로 $\overline{AD}=\overline{BD}$

ㄴ. 삼각형의 외심에서 삼각형의 세 꼭짓점에 이르는 거리는 같으므로 $\overline{OA}=\overline{OB}=\overline{OC}$

ㄷ. $\triangle BOE$와 $\triangle COE$에서

$\angle BEO=\angle CEO=90°$, $\overline{OB}=\overline{OC}$, $\overline{OE}$는 공통이므로 $\triangle BOE\equiv\triangle COE$ (RHS 합동)

$\therefore \angle BOE=\angle COE$

ㅁ. $\triangle OAD$와 $\triangle OBD$에서

$\angle ODA=\angle ODB=90°$, $\overline{OA}=\overline{OB}$, $\overline{OD}$는 공통이므로 $\triangle OAD\equiv\triangle OBD$ (RHS 합동)

$\therefore \angle OAD=\angle OBD$

02 $\overline{OA}=\overline{OB}=\overline{OC}$이고 $\overline{OA}+\overline{OC}+\overline{AC}=18$이므로

$2\overline{OA}+8=18$

$\therefore \overline{OA}=5(cm)$

따라서 외접원의 반지름의 길이는 5 cm이다.

03 점 O가 $\triangle ABC$의 외심이므로 $\overline{OA}=\overline{OB}=\overline{OC}$

$\triangle OAB$에서 $\overline{OA}=\overline{OB}$이므로

$\angle ABO=\dfrac{1}{2}(180°-70°)=55°$

$\triangle OBC$에서 $\overline{OB}=\overline{OC}$이므로

$\angle OBC=\dfrac{1}{2}(180°-40°)=70°$

$\therefore \angle ABC=\angle ABO+\angle OBC=55°+70°=125°$

04 직각삼각형의 외심은 빗변의 중점이므로 $\overline{AB}$의 중점을 M이라고 하면

$\overline{AM}=\overline{BM}=\overline{CM}=\dfrac{1}{2}\overline{AB}$

$=\dfrac{1}{2}\times20=10(cm)$

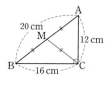

05 점 O가 $\triangle ABC$의 외심이므로 $\overline{OA}=\overline{OB}=\overline{OC}$

$\therefore \triangle OBC=\dfrac{1}{2}\triangle ABC$

$=\dfrac{1}{2}\times\left(\dfrac{1}{2}\times6\times8\right)=12(cm^2)$

06 점 M은 $\overline{BC}$의 중점이므로 $\overline{MA}=\overline{MB}=\overline{MC}$

$\therefore \angle MAB=\angle B=35°$

이때 $\triangle ABM$에서

$\angle AMD=35°+35°=70°$

$\therefore \angle MAD=90°-70°=20°$

07 $\angle OAC=\angle OCA=\dfrac{1}{2}(180°-110°)=35°$이므로

$\angle x+25°+35°=90°$ $\therefore \angle x=30°$

08 $\overline{OA}=\overline{OB}$이므로 $\angle OAB=\angle OBA=45°$

$\therefore \angle A=45°+23°=68°$

$\therefore \angle x=2\angle A=136°$

09 $\angle B=\dfrac{3}{4+3+2}\times180°=60°$

$\therefore \angle AOC=2\angle B=120°$

10 ① $\overline{CI}$는 $\angle C$의 이등분선이므로 $\overline{CI}$의 연장선이 $\overline{AB}$에 수직이라고 할 수 없다.

③ 점 I가 외심일 때, 세 꼭짓점까지의 거리가 같다.

⑤ 점 I가 외심일 때, $\angle IBC=\angle ICB$이다.

11 $\angle ICB=\angle ACI=\dfrac{1}{2}\angle C=30°$이므로

$\angle y+32°+30°=90°$ $\therefore \angle y=28°$

$\angle A=2\times28°=56°$이므로

$\angle x=90°+\dfrac{1}{2}\times56°=118°$

$\therefore \angle x+\angle y=118°+28°=146°$

12 점 I는 $\triangle ABC$의 내심이므로

$122°=90°+\dfrac{1}{2}\angle x$ $\therefore \angle x=64°$

13 $\overline{CE}=\overline{CD}=9$ cm이므로

$\overline{AF}=\overline{AE}=14-9=5(cm)$, $\overline{BF}=\overline{BD}=6$ cm

$\therefore \overline{AB}=\overline{AF}+\overline{BF}=5+6=11(cm)$

14 $\overline{AD}=\overline{AF}=5(cm)$, $\overline{BE}=\overline{BD}=11-5=6(cm)$,

$\overline{CE}=\overline{CF}=9(cm)$이므로

$\overline{BC}=\overline{BE}+\overline{CE}=6+9=15(cm)$

15 $\overline{AQ}=\overline{AR}=x$ cm라고 하면

$\overline{CP}=\overline{CQ}=7-x(cm)$, $\overline{BP}=\overline{BR}=13-x(cm)$

$\overline{BC}=\overline{BP}+\overline{CP}$이므로

$10=(13-x)+(7-x)$

$2x=10$ $\therefore x=5$

$\therefore \overline{AQ}=5$ cm

16 $\triangle ABC = \triangle IAB + \triangle IBC + \triangle ICA$

$= \dfrac{1}{2} \times (12+15+9) \times 3 = 54(\text{cm}^2)$

17 삼각형의 세 변의 길이를 각각 a cm, b cm, c cm라고 하면

$\triangle ABC = \dfrac{1}{2} \times (a+b+c) \times 4$

$90 = 2(a+b+c)$

$\therefore a+b+c = 45$

따라서 $\triangle ABC$의 둘레의 길이는 45 cm이다.

18 내접원의 반지름의 길이를 r cm라고 하면

$\triangle ABC = \triangle IAB + \triangle IBC + \triangle ICA$

$\dfrac{1}{2} \times 8 \times 6 = \dfrac{1}{2} \times r \times (10+8+6)$

$\therefore r = 2$

$\therefore$ (색칠한 부분의 넓이) $= \triangle ABC -$ (원 I의 넓이)

$= \dfrac{1}{2} \times 8 \times 6 - \pi \times 2^2$

$= 24 - 4\pi (\text{cm}^2)$

19 ①, ② $\overline{BI}$, $\overline{CI}$는 각각 $\angle B$와 $\angle C$의 이등분선이므로

$\angle ABI = \angle IBC$, $\angle ACI = \angle ICB$

③ $\angle BIC = 90° + \dfrac{1}{2}\angle A$이므로

$\angle A = 2\angle BIC - 180°$

⑤ $\overline{DE} \parallel \overline{BC}$이므로

$\angle DIB = \angle IBC = \angle DBI \quad \therefore \overline{DI} = \overline{DB}$

$\angle EIC = \angle ICB = \angle ECI \quad \therefore \overline{EI} = \overline{EC}$

$\therefore \overline{DE} = \overline{DI} + \overline{EI} = \overline{DB} + \overline{EC}$

20 $\angle DBI = \angle IBC$, $\angle ECI = \angle ICB$이고

$\angle DIB = \angle DBI$, $\angle EIC = \angle ECI$이므로

$\triangle DBI$, $\triangle EIC$는 이등변삼각형이다.

$\overline{DI} = \overline{DB} = 3$ cm, $\overline{EI} = \overline{EC} = 4$ cm이므로

$\overline{DE} = \overline{DI} + \overline{EI} = 3+4 = 7(\text{cm})$

21 오른쪽 그림과 같이 $\overline{IB}$, $\overline{IC}$를

그으면 $\angle DBI = \angle DIB$,

$\angle ECI = \angle EIC$이므로

$\overline{DB} = \overline{DI}$, $\overline{EC} = \overline{EI}$

$\therefore$ ($\triangle ABC$의 둘레의 길이)

$= \overline{AB} + \overline{BC} + \overline{CA}$

$= (\overline{AD} + \overline{DB}) + \overline{BC} + (\overline{AE} + \overline{EC})$

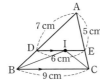

$= \overline{AD} + \overline{DI} + \overline{BC} + \overline{AE} + \overline{EI}$

$= \overline{AD} + (\overline{DI} + \overline{EI}) + \overline{BC} + \overline{AE}$

$= 7+6+9+5 = 27(\text{cm})$

22 ③ 삼각형의 세 변의 수직이등분선의 교점은 외심이고, 내심은 세 내각의 이등분선의 교점이다.

23 $\overline{OB} = \overline{OC}$이므로 $\angle OCB = \angle OBC = 46°$

$\triangle OBC$에서 $\angle BOC = 180° - (46° + 46°) = 88°$이므로

$\angle A = \dfrac{1}{2}\angle BOC = \dfrac{1}{2} \times 88° = 44°$

$\therefore \angle BIC = 90° + \dfrac{1}{2}\angle A = 90° + \dfrac{1}{2} \times 44° = 112°$

24 ① $\overline{OB} = \overline{OC}$이고 $\overline{IB}$, $\overline{IC}$의 길이가 같은지는 알 수 없다.

② $\overline{OA} = \overline{OB} = \overline{OC}$이므로

$\angle OBA = \angle OAB$, $\angle OBC = \angle OCB$

⑤ $\overline{AB}$의 수직이등분선은 외심 O를 지난다.

실력 TEST 011~013쪽

01 96°	**02** 75°	**03** 6 cm	**04** 120°
05 42°	**06** $\dfrac{27}{2}$ cm²	**07** $\dfrac{84}{25}$	**08** 54°
09 1 cm	**10** 15°	**11** 117.5°	**12** 3 cm

01 $\angle BAC = \angle a$라고 하면

$\overline{AB} = \overline{BC}$이므로

$\angle ACB = \angle BAC = \angle a$

$\triangle ACB$에서 $\angle CBD = 2\angle a$

$\overline{BC} = \overline{CD}$이므로 $\angle CDB = \angle CDB = 2\angle a$

$\triangle ACD$에서 $\angle DCE = \angle a + 2\angle a = 3\angle a$

$\overline{CD} = \overline{DE}$이므로 $\angle CED = \angle DCE = 3\angle a$

삼각형의 세 내각의 크기의 합은 180°이므로

$\triangle DCE$에서 $3\angle a + 3\angle a + (\angle a + 33°) = 180°$

$7\angle a = 147° \quad \therefore \angle a = 21°$

따라서 $\triangle BCD$에서

$\angle x = 180° - 4\angle a = 180° - 84° = 96°$

02 $\angle B = \angle C = \angle a$라고 하면

$\triangle BDF$에서 $\angle FDC = \angle a + 45°$

$\angle CED = \angle FDC = \angle a + 45°$이므로

$\triangle EDC$에서 $2(\angle a + 45°) + \angle a = 180°$,

$3\angle a = 90°$ ∴ $\angle a = 30°$

∴ $\angle CDE = \angle a + 45° = 75°$

03 $\overline{AB} = \overline{AC}$이므로 $\angle B = \angle C$

$\triangle BEF$와 $\triangle CDF$에서

$\angle DEA = \angle BEF = 90° - \angle B = 90° - \angle C = \angle FDC$

이므로 $\triangle DEA$는 $\overline{AD} = \overline{AE}$인 이등변삼각형이다.

이때 $\overline{AB} = \overline{AC}$이므로

$8 + \overline{AE} = 14$ ∴ $\overline{AE} = 6(cm)$

∴ $\overline{AD} = \overline{AE} = 6$ cm

04 $\triangle BCD$에서 $\overline{CB} = \overline{CD}$이므로 $\angle DBC = \angle D = \angle x$

따라서 $\angle DCE = 2\angle x$이므로 $\angle ACD = 2\angle x$

또한 $\angle A = 2\angle D = 2\angle x$

이때 $\angle A = \angle ACD$이므로 $\overline{AB} /\!/ \overline{DC}$

즉 $\angle ABD = \angle D = \angle x$(엇각)이므로 $\angle ABC = 2\angle x$

...... ❶

따라서 $\triangle ABC$에서 $\angle ACB = \angle ABC = 2\angle x$이므로

$2\angle x + 2\angle x + 2\angle x = 180°$, $6\angle x = 180°$

∴ $\angle x = 30°$ ...... ❷

$\angle y = \angle DBC + \angle ACB = 30° + 60° = 90°$ ...... ❸

∴ $\angle x + \angle y = 30° + 90° = 120°$ ...... ❹

채점 기준	배점
❶ $\angle ABC$의 크기를 $\angle x$로 나타내기	30 %
❷ $\angle x$의 크기 구하기	30 %
❸ $\angle y$의 크기 구하기	20 %
❹ $\angle x + \angle y$의 크기 구하기	20 %

05 $\angle A = \angle a$라고 하면 $\angle DBE = \angle a$

$\angle EBC = \angle B - \angle DBE$

$\qquad = \dfrac{1}{2}(180° - \angle a) - \angle a$

$\qquad = 90° - \dfrac{3}{2}\angle a$

$\angle DBE - \angle EBC = \angle a - \left(90° - \dfrac{3}{2}\angle a\right) = 15°$

$\dfrac{5}{2}\angle a - 90° = 15°$, $\dfrac{5}{2}\angle a = 105°$ ∴ $\angle a = 42°$

∴ $\angle A = 42°$

06 $\triangle ABF$와 $\triangle BCG$에서

$\angle AFB = \angle BGC = 90°$, $\overline{AB} = \overline{BC}$,

$\angle BAF = 90° - \angle ABF = \angle CBG$이므로

$\triangle ABF \equiv \triangle BCG$ (RHA 합동)

∴ $\overline{BF} = \overline{CG} = 6$ cm, $\overline{BG} = \overline{AF} = 9$ cm

따라서 $\overline{FG} = 9 - 6 = 3(cm)$이므로

$\triangle AFG = \dfrac{1}{2} \times 3 \times 9 = \dfrac{27}{2}(cm^2)$

07 점 O는 $\triangle ABC$의 외심이므로

$\overline{AO} = \overline{BO} = \overline{CO} = \dfrac{25}{2}$

∴ $\overline{OD} = \overline{OC} - \overline{DC} = \dfrac{25}{2} - 9 = \dfrac{7}{2}$

따라서 $\triangle AOD$의 넓이에서

$\dfrac{1}{2} \times \overline{AO} \times \overline{DE} = \dfrac{1}{2} \times \overline{OD} \times \overline{AD}$

$\dfrac{1}{2} \times \dfrac{25}{2} \times \overline{DE} = \dfrac{1}{2} \times \dfrac{7}{2} \times 12$ ∴ $\overline{DE} = \dfrac{84}{25}$

08 $\triangle DBC$에서 $\overline{BD} = \overline{BC}$이고 $\angle DBC = 36°$이므로

$\angle BDC = \angle BCD = \dfrac{1}{2}(180° - 36°) = 72°$

이때 점 I'은 $\triangle DBC$의 내심이므로

$\angle I'DB = \dfrac{1}{2} \times 72° = 36°$

$\triangle ABD$에서 $\overline{AB} = \overline{AD}$이므로 $\angle ABD = \angle ADB$이고,

$\overline{AD} /\!/ \overline{BC}$이므로

$\angle ABD = \angle ADB = \angle DBC = 36°$ (엇각)

$\triangle ABD$에서

$\angle BAD = 180° - (36° + 36°) = 108°$

∴ $\angle OAD = \dfrac{1}{2}\angle BAD = 54°$

$\triangle DAO$에서

$\angle AOD = 180° - 54° - 72° = 54°$

09 $\triangle ABC$의 내접원과
$\overline{AB}$, $\overline{BC}$와의 교점을
각각 G, H라 하고,
$\overline{AE} = x$ cm라고 하면
$\overline{AG} = \overline{AE} = x$ cm,
$\overline{BH} = \overline{BG} = (3-x)$ cm
$\overline{CE} = \overline{CH} = 4 - (3-x) = (1+x)$ cm
이때 $\triangle ABC \equiv \triangle CDA$이므로 $\overline{CF} = x$ cm
∴ $\overline{EF} = \overline{CE} - \overline{CF} = (1+x) - x = 1(cm)$

10 △ABC에서

$\angle A = 180° - (35° + 65°) = 80°$

$\overline{AI}$가 ∠A의 이등분선이므로

$\angle IAC = 40°$ ...... ❶

$\angle AOC = 2\angle B = 70°$이고 $\overline{OA} = \overline{OC}$이므로

$\angle OAC = \dfrac{1}{2}(180° - 70°) = 55°$ ...... ❷

$\therefore \angle OAI = \angle OAC - \angle IAC$

$= 55° - 40° = 15°$ ...... ❸

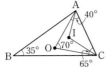

채점 기준	배점
❶ ∠IAC의 크기 구하기	30 %
❷ ∠OAC의 크기 구하기	40 %
❸ ∠OAI의 크기 구하기	30 %

11 점 I가 △ABC의 내심이므로

$\angle AIC = 90° + \dfrac{1}{2}\angle B = 125°$ ...... ㉠

또, 점 I는 △ACD의 외심이므로

$\overline{IA} = \overline{ID} = \overline{IC}$

즉, △AID, △CID는 모두 이등변삼각형이므로

∠IAD = ∠x, ∠ICD = ∠y라고 하면

$\angle IDA = \angle IAD = \angle x$

$\angle IDC = \angle ICD = \angle y$

□AICD에서 네 내각의 크기의 합은 360°이므로

$\angle x + 125° + \angle y + (\angle x + \angle y) = 360°$

$\therefore \angle D = \angle x + \angle y = 117.5°$

12 오른쪽 그림에서 점 I가 내심이므로

∠IAB = ∠IAE,

∠IBA = ∠IBC

그런데 $\overline{IA} = \overline{IB}$이므로

∠IAB = ∠IBA

따라서 △ABC는 ∠A = ∠B인 이등변삼각형이므로

$\overline{AC} = \overline{BC} = 12$ cm

한편 △ABI와 △AEI에서

$\overline{IA}$는 공통, $\overline{IB} = \overline{IE}$, ∠AIB = ∠AIE이므로

△ABI≡△AEI(SAS 합동)

$\therefore \overline{AE} = \overline{AB} = 9$ cm

$\therefore \overline{EC} = \overline{AC} - \overline{AE} = 12 - 9 = 3$(cm)

2. 사각형의 성질

유형 TEST   01. 평행사변형   014~017쪽

01 105°	**02** 65°	**03** 80°	**04** 3 cm
05 12 cm	**06** 4 cm	**07** 116	**08** 140°
09 140°	**10** 34°	**11** 17 cm	**12** ④
13 $x = 6, y = 45$		**14** ①	**15** ⑤

16 (가) $\overline{CG}$, (나) $\overline{CF}$, (다) ∠C, (라) $\overline{GF}$, (마) △DHG

17 평행사변형   **18** 68°   **19** 4 cm   **20** 14 cm

21 6 cm²   **22** 26 cm²   **23** 15 cm²

01 ∠DBC = ∠ADB = 30° (엇각)

△OBC에서 ∠BOC = 180° - (30° + 45°) = 105°

02 ∠A + ∠D = 180°에서 ∠A = 130°

$\overline{AD} /\!/ \overline{BC}$이므로

$\angle AEB = \angle DAE = \dfrac{1}{2} \times 130° = 65°$

03 ∠BCA = ∠DAC = 70° (엇각)이고

∠B + ∠C = 180°이므로

$(\angle x + 30°) + (70° + \angle y) = 180°$

$\therefore \angle x + \angle y = 80°$

04 △ABE와 △CDF에서

∠BEA = ∠DFC = 90°,

$\overline{AB} = \overline{CD}$, ∠ABE = ∠CDF (엇각)

이므로 △ABE≡△CDF (RHA 합동)

$\therefore \overline{FD} = \overline{BE} = 5$ cm

$\therefore \overline{EF} = 13 - 5 - 5 = 3$(cm)

05 △ABE와 △FCE에서

$\overline{BE} = \overline{CE}$, ∠ABE = ∠FCE (엇각),

∠AEB = ∠FEC (맞꼭지각)이므로

△ABE≡△FCE (ASA 합동)

$\therefore \overline{FC} = \overline{AB} = 6$ cm

또, $\overline{CD} = \overline{AB} = 6$ cm이므로

$\overline{DF} = \overline{CD} + \overline{CF} = 6 + 6 = 12$(cm)

06 $\overline{AB} /\!/ \overline{FC}$이므로

∠ABF = ∠BFC

△BCF는 $\overline{BC}=\overline{CF}$인 이등변삼각형이므로

$\overline{CF}=\overline{BC}=12$ cm

∴ $\overline{DF}=\overline{CF}-\overline{CD}=12-8=4$(cm)

07 $\overline{EF}=\overline{AB}=10$ cm, $\overline{EP}=\overline{DH}=4$ cm이므로

$\overline{PF}=\overline{EF}-\overline{EP}=6$(cm) ∴ $x=6$

∠CHP=∠CDA=$180°-70°=110°$

∴ $y=110$

∴ $x+y=6+110=116$

08 ∠B+∠C=$180°$이므로

∠B=$180°-100°=80°$

∴ ∠EBC=$\frac{1}{2}$∠B=$\frac{1}{2}×80°=40°$

이때 ∠AEB=∠EBC=$40°$ (엇각)이므로

∠x=$180°-40°=140°$

09 ∠A+∠D=$180°$이고 ∠A : ∠D=5 : 4이므로

∠A=$180°×\frac{5}{9}=100°$, ∠D=∠B=$80°$

△ABF에서 ∠AFB=∠FBE=$\frac{1}{2}×80°=40°$ (엇각)

∴ ∠x=$180°-40°=140°$

10 ∠D=∠B=$74°$

△ACD에서

∠DAC=$180°-(74°+38°)=68°$

∴ ∠DAE=$\frac{1}{2}$∠DAC=$\frac{1}{2}×68°=34°$

∴ ∠x=∠DAE=$34°$

11 $\overline{CD}=\overline{AB}=6$ cm, $\overline{OC}=\frac{1}{2}\overline{AC}=5$ cm,

$\overline{DO}=\frac{1}{2}\overline{BD}=6$ cm

∴ (△DOC의 둘레의 길이)=$\overline{OC}+\overline{CD}+\overline{DO}$

$=5+6+6=17$(cm)

12 △AOE와 △COF에서

$\overline{AO}=\overline{CO}$, ∠EAO=∠FCO (엇각),

∠EOA=∠FOC (맞꼭지각)이므로

△AOE≡△COF (ASA 합동)

∴ $\overline{EO}=\overline{FO}$, $\overline{AE}=\overline{CF}$

또, △ABO와 △CDO에서 $\overline{AO}=\overline{CO}$, $\overline{BO}=\overline{DO}$,

∠AOB=∠COD (맞꼭지각)이므로

△ABO≡△CDO (SAS 합동)

13 $\overline{AD}=\overline{BC}$이고 $\overline{AD}$∥$\overline{BC}$이어야 하므로

$3x-5=2x+1$, $y=180-135=45$

∴ $x=6$, $y=45$

14 $\overline{OA}=\overline{OC}$이어야 하므로

$3x+1=7$ ∴ $x=2$

$\overline{OD}=\overline{OB}$이어야 하므로

$2y=y+4$ ∴ $y=4$ ∴ $x+y=6$

15 ① 한 쌍의 대변이 평행하고 그 길이가 같으므로

□ABCD는 평행사변형이다.

② 오른쪽 그림에서

∠B+∠C=$180°$이면

∠BCE=∠B

즉, 엇각의 크기가 같으므로

$\overline{AB}$∥$\overline{DC}$

또, $\overline{AD}$∥$\overline{BC}$이므로 두 쌍의 대변이 평행하다.

따라서 □ABCD는 평행사변형이다.

③ △AOB≡△COD이므로 $\overline{AB}=\overline{CD}$

또, $\overline{AB}$∥$\overline{DC}$이므로 한 쌍의 대변이 평행하고 그 길이가 같다.

따라서 □ABCD는 평행사변형이다.

④ 두 대각선이 서로 다른 것을 이등분하므로

□ABCD는 평행사변형이다.

⑤ 오른쪽 그림에서 □ABCD는

$\overline{AD}$∥$\overline{BC}$, ∠B=∠C이지만

평행사변형이 아니다.

17 △AED와 △CFB에서

$\overline{AE}=\overline{CF}$, $\overline{AD}=\overline{CB}$, ∠DAE=∠BCF (엇각)

이므로 △AED≡△CFB (SAS 합동)

∴ $\overline{DE}=\overline{BF}$

△AEB와 △CFD에서

$\overline{AE}=\overline{CF}$, $\overline{AB}=\overline{CD}$, ∠BAE=∠DCF (엇각)

이므로 △AEB≡△CFD (SAS 합동)

∴ $\overline{BE}=\overline{DF}$

따라서 □EBFD는 두 쌍의 대변의 길이가 각각 같으므로 평행사변형이다.

18 □AFCE가 평행사변형이므로

∠AEC=∠AFC=112°

∴ ∠x=180°−112°=68°

19 □ABCD는 평행사변형이므로

$\overline{AB}=\overline{CD}$=8 cm, $\overline{AD}=\overline{BC}$=12 cm

$\overline{AD}$∥$\overline{BC}$이므로 ∠AEB=∠EBC (엇각)

따라서 △ABE는 $\overline{AE}=\overline{AB}$인 이등변삼각형이므로

$\overline{AE}=\overline{AB}$=8 cm

∴ $\overline{DE}=\overline{AD}-\overline{AE}$=12−8=4(cm)

20 □EOCD가 평행사변형이므로 $\overline{ED}$∥$\overline{OC}$, $\overline{ED}=\overline{OC}$이다. 즉, $\overline{ED}$∥$\overline{AO}$, $\overline{ED}=\overline{AO}$이므로 □AODE는 평행사변형이다.

이때 $\overline{AD}$=16 cm, $\overline{EO}=\overline{DC}$=12 cm이고

□AODE의 두 대각선은 서로 다른 것을 이등분하므로

$\overline{FD}=\overline{AF}$=8 cm, $\overline{EF}=\overline{FO}$=6 cm

∴ $\overline{EF}+\overline{FD}$=6+8=14(cm)

21 □ABNM, □MNCD는 평행사변형이므로 두 대각선에 의해 넓이가 4등분된다.

∴ □MPNQ=△MPN+△MNQ

$=\frac{1}{4}$□ABNM$+\frac{1}{4}$□MNCD

$=\frac{1}{4}\times\frac{1}{2}$□ABCD$+\frac{1}{4}\times\frac{1}{2}$□ABCD

$=\frac{1}{4}$□ABCD$=\frac{1}{4}\times24$=6(cm²)

22 △OAE와 △OCF에서

$\overline{AO}=\overline{CO}$, ∠AOE=∠COF (맞꼭지각),

∠OAE=∠OCF (엇각)

∴ △OAE≡△OCF (ASA 합동)

즉, △OAE와 △OCF의 넓이가 같다.

∴ (색칠한 부분의 넓이)

=△OAB+△OCF+△ODE

=△OAB+△OAE+△ODE

=△ABD$=\frac{1}{2}$□ABCD

$=\frac{1}{2}\times52$=26(cm²)

23 △APD+△BPC=△ABP+△CDP

$=\frac{1}{2}$□ABCD

$=\frac{1}{2}\times40$=20(cm²)

이때 △APD : △BPC=3 : 1이므로

△APD$=\frac{3}{4}\times20$=15(cm²)

유형 TEST 02. 여러 가지 사각형 018~022쪽

01 103	**02** ②	**03** 직사각형	**04** 40°
05 65°	**06** 8	**07** 80°	**08** 64 cm²
09 30°	**10** ①, ③	**11** ②, ⑤	**12** 정사각형
13 ∠x=40°, ∠y=110°	**14** 4 cm	**15** 120°	
16 ⑤	**17** ②, ④	**18** ㄴ, ㄷ	**19** ④
20 60°	**21** ②	**22** ②, ④	**23** ⑤
24 ⑤	**25** 18 cm²	**26** 5 cm²	**27** 4 cm
28 12 cm	**29** 8 cm²	**30** 10 cm²	

01 직사각형의 두 대각선은 길이가 같고 서로 다른 것을 이등분하므로 $\overline{OB}=\overline{OD}$, $\overline{OC}=\overline{OD}$

따라서 △OCD가 이등변삼각형이므로

∠ODC=∠OCD=40°

$x°$=∠COD=180°−2×40°=100°이므로 x=100

$\overline{OB}=\overline{OD}$에서 $2y+1=y+4$ ∴ y=3

∴ $x+y$=103

02 평행사변형이 직사각형이 되려면 한 내각이 직각이거나 두 대각선의 길이가 같아야 한다.

② 오른쪽 그림에서 □ABCD가 평행사변형이므로

∠A+∠B=180°

이때 ∠A=∠B이면

∠A=∠B=90°

따라서 □ABCD는 직사각형이다.

03 △OAB가 이등변삼각형이므로 $\overline{OA}=\overline{OB}$

∴ $\overline{AC}=\overline{BD}$

따라서 평행사변형 ABCD는 두 대각선의 길이가 같으므로 직사각형이다.

04 마름모는 두 대각선이 서로 다른 것을 수직이등분하므로

∠AOD=90°

$\therefore \angle ADO = 90° - 65° = 25°$

이때 $\overline{AB} = \overline{AD}$이므로 $\angle x = \angle ADO = 25°$

또, $\overline{DA} = \overline{DC}$이므로 $\angle y = \angle DAO = 65°$

$\therefore \angle y - \angle x = 65° - 25° = 40°$

05 $\triangle ABP$와 $\triangle ADQ$에서

$\overline{AB} = \overline{AD}$, $\angle ABP = \angle ADQ$,

$\angle BPA = \angle DQA = 90°$이므로

$\triangle ABP \equiv \triangle ADQ$ (RHA 합동)

$\therefore \overline{AP} = \overline{AQ}$

따라서 $\triangle APQ$가 $\overline{AP} = \overline{AQ}$인 이등변삼각형이므로

$\angle APQ = \dfrac{1}{2}(180° - 50°) = 65°$

06 평행사변형 ABCD의 두 대각선이 수직으로 만나므로
□ABCD는 마름모이다.

$\therefore \overline{AB} = \overline{BC}$

즉, $2x - 4 = 12$이므로 $x = 8$

07 □ABCD가 정사각형이므로 $\overline{AC}$는 $\angle A$를 이등분한다.

$\therefore \angle BAF = 45°$

이때 $\triangle ABF \equiv \triangle ADF$ (SAS 합동)이므로

$\angle ABF = \angle ADF = 90° - 35° = 55°$

$\therefore \angle x = 180° - (45° + 55°) = 80°$

08 $\triangle AOE$와 $\triangle DOF$에서

$\overline{AO} = \overline{DO}$, $\angle OAE = \angle ODF = 45°$이고,

$\angle AOE + \angle AOF = \angle AOF + \angle DOF = 90°$에서

$\angle AOE = \angle DOF$

$\therefore \triangle AOE \equiv \triangle DOF$ (ASA 합동)

즉, $\overline{DF} = \overline{AE} = 3$ cm이므로 $\overline{AD} = 5 + 3 = 8$(cm)

따라서 □ABCD의 한 변의 길이는 8 cm이므로

$\square ABCD = 8 \times 8 = 64 (\text{cm}^2)$

09 $\angle ECD = 90° - 60° = 30°$

이때 $\triangle CDE$는 $\overline{CD} = \overline{CE}$인 이등변삼각형이므로

$\angle CDE = \dfrac{1}{2}(180° - 30°) = 75°$

$\therefore \angle EDB = \angle CDE - \angle CDB = 75° - 45° = 30°$

10 마름모가 정사각형이 되려면 한 내각이 직각이거나 두 대각선의 길이가 같아야 한다.

11 직사각형이 정사각형이 되려면 이웃하는 두 변의 길이가 같거나 두 대각선이 수직으로 만나야 한다.

12 $\overline{AB} /\!/ \overline{CD}$, $\overline{AB} = \overline{CD}$이므로 □ABCD는 평행사변형이다.
평행사변형에서 이웃하는 두 변의 길이가 같고, 한 내각이 직각이면 정사각형이 된다.

13 $\angle A + \angle B = 180°$이므로 $\angle A = 180° - 70° = 110°$

$\therefore \angle y = \angle A = 110°$

또, $\angle DAC = 110° - 80° = 30°$이므로 $\triangle ACD$에서

$\angle x = 180° - (110° + 30°) = 40°$

14 오른쪽 그림과 같이 점 A를
지나고 $\overline{DC}$에 평행한 직선이
$\overline{BC}$와 만나는 점을 E라고 하면 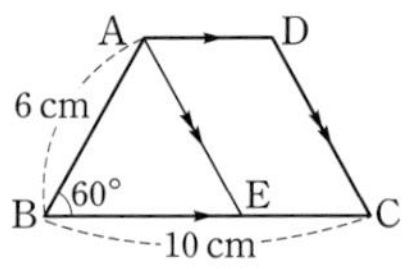
$\angle BEA = \angle C = 60°$ (동위각)
이므로 $\angle EAB = 60°$

따라서 $\triangle ABE$는 정삼각형이므로

$\overline{BE} = \overline{AB} = 6$ cm

이때 □AECD는 평행사변형이므로

$\overline{AD} = \overline{CE} = 10 - 6 = 4 (\text{cm})$

15 오른쪽 그림과 같이 점 D를
지나고 $\overline{AB}$에 평행한 직선이
$\overline{BC}$와 만나는 점을 E라고
하면 □ABED는 마름모이다. 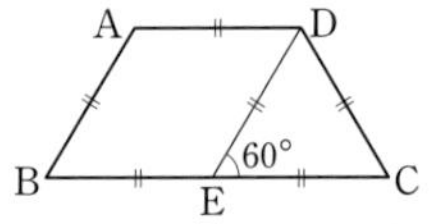
즉, $\overline{AB} = \overline{DE} = \overline{EC} = \overline{CD}$이므로 $\triangle DEC$는 정삼각형이다.

$\therefore \angle DEC = 60°$

따라서 $\overline{AB} /\!/ \overline{DE}$이므로

$\angle B = \angle DEC = 60°$ (동위각)

$\therefore \angle A = 180° - 60° = 120°$

16 ⑤ 이웃하는 두 내각의 크기가 같은 평행사변형은 직사각형이다.

17 ① 평행사변형 → 평행사변형
③ 마름모 → 직사각형
⑤ 등변사다리꼴 → 마름모

18 ㄱ. 정사각형은 직사각형이지만 직사각형은 정사각형이 아니다.
ㄹ. 평행사변형의 한 내각의 크기가 90°이면 직사각형이다.

19 □ABCD는 평행사변형이므로 ∠A+∠D=180°

∴ ∠FAD+∠FDA=$\frac{1}{2}$(∠A+∠D)=90°

즉, △FAD에서

∠AFD=180°−90°=90°

같은 방법으로 하면

∠HEF=∠FGH=∠BHC=90°

따라서 □EFGH는 네 내각의 크기가 모두 90°이므로 직사각형이다.

④ 두 대각선이 서로 수직으로 만나는 사각형은 마름모이다.

20 □ABCD는 직사각형이므로 $\overline{AB}$ ∥ $\overline{CD}$

∴ ∠ABD=∠CDB (엇각)

□EBFD는 마름모이므로 $\overline{EB}$=$\overline{ED}$

∴ ∠EBD=∠EDB

즉, ∠ABE=∠a라고 하면

∠D=∠CDB+∠BDE=2∠a+∠a=90°

따라서 ∠a=30°이므로

∠x=90°−30°=60°

21 △AEH≡△BEF≡△CGF≡△DGH (SAS 합동)

이므로 $\overline{EH}$=$\overline{EF}$=$\overline{GF}$=$\overline{GH}$

따라서 □EFGH는 마름모이다.

22 두 대각선의 길이가 같은 사각형은 ① 정사각형, ③ 직사각형, ⑤ 등변사다리꼴이다.

23 ⑤ 등변사다리꼴의 두 대각선은 그 길이는 같지만 서로 다른 것을 이등분하지 않는다.

24 두 대각선이 서로 다른 것을 수직이등분하는 것은 마름모, 정사각형이다.

25 $\overline{AD}$ ∥ $\overline{BC}$이므로 △ABD=△DCA

이때 △AOD는 공통이므로

△ABO=△DOC

∴ △DOC=18 cm²

26 △ABP=$\frac{2}{3}$△ABM=$\frac{2}{3}$×$\frac{1}{2}$△ABC=$\frac{1}{3}$△ABC

$=\frac{1}{3}$×15=5(cm²)

27 △ACD=△ABC=△ABE=28(cm²)이므로

△ACD=△ADE+△ACE에서

28=12+△ACE

∴ △ACE=28−12=16(cm²)

이때 $\overline{AB}$ ∥ $\overline{CD}$이므로

△ACE : △AED=$\overline{CE}$: $\overline{ED}$

16 : 12=$\overline{CE}$: 3

12$\overline{CE}$=48 ∴ $\overline{CE}$=4(cm)

28 $\overline{AC}$ ∥ $\overline{DE}$이므로 △ACE=△ACD

∴ △ABE=△ABC+△ACE

$\quad\quad\quad$ =△ABC+△ACD

$\quad\quad\quad$ =□ABCD=24(cm²)

따라서 직각삼각형 ABE의 넓이가 24 cm²이고,

$\overline{AB}$=4 cm이므로

$\frac{1}{2}$×$\overline{BE}$×4=24

∴ $\overline{BE}$=12(cm)

29 $\overline{BD}$: $\overline{CD}$=1 : 2이므로

△ADC=$\frac{2}{3}$△ABC=$\frac{2}{3}$×12=8(cm²)

이때 $\overline{AD}$ ∥ $\overline{CE}$이므로

△ADE=△ADC=8 cm²

30 $\overline{AB}$ ∥ $\overline{DC}$이므로 △BCQ=△ACQ

$\overline{AC}$ ∥ $\overline{PQ}$이므로 △ACQ=△ACP

이때 △ACP : △ACD=2 : 5이므로

△ACP=$\frac{2}{5}$△ACD=$\frac{2}{5}$×$\frac{1}{2}$□ABCD

$\quad\quad\quad$ =$\frac{1}{5}$□ABCD=$\frac{1}{5}$×50=10(cm²)

∴ △BCQ=△ACP=10 cm²

01 12 cm	**02** 25°	**03** 평행사변형	**04** 128°
05 9 cm²	**06** 직사각형	**07** 45°	**08** 36 cm²
09 90°	**10** 56 cm²	**11** 16 cm²	**12** 12 cm²

01 ∠BAE=∠DEA (엇각)이므로 △DAE는
$\overline{DE}=\overline{DA}=10$ cm인 이등변삼각형이다.
그런데 $\overline{CD}=8$ cm이므로
$\overline{CE}=\overline{DE}-\overline{CD}=10-8=2(cm)$
또, ∠ABF=∠CFB (엇각)이므로 △CBF는
$\overline{CF}=\overline{CB}=10$ cm인 이등변삼각형이다.
∴ $\overline{EF}=\overline{CF}+\overline{CE}=10+2=12(cm)$

02 △AFP에서
∠APF=180°-(90°+65°)=25° ······ ❶
이때 △EPD와 △EBC에서
$\overline{ED}=\overline{EC}$, ∠DEP=∠CEB (맞꼭지각),
∠PDE=∠BCE (엇각)이므로
△EPD≡△EBC (ASA 합동)
∴ $\overline{DP}=\overline{CB}=\overline{AD}$
즉, 점 D가 △AFP의 외심이므로 $\overline{DF}=\overline{DP}$ ······ ❷
∴ ∠x=∠DPF=25° ······ ❸

채점 기준	배점
❶ ∠APF의 크기 구하기	20 %
❷ 점 D가 △AFP의 외심임을 알기	50 %
❸ ∠x의 크기 구하기	30 %

03 △AOE와 △COG에서
∠AOE=∠COG (맞꼭지각), $\overline{AO}=\overline{CO}$,
∠EAO=∠GCO (엇각)이므로
△AOE≡△COG (ASA 합동)
∴ $\overline{EO}=\overline{GO}$
같은 방법으로 하면 △AOH≡△COF (ASA 합동)
∴ $\overline{HO}=\overline{FO}$
따라서 □EFGH의 두 대각선이 서로 다른 것을 이등분하
므로 □EFGH는 평행사변형이다.

04 ∠ABF=∠EBC=∠x라 하면
$\overline{AB}/\!/\overline{DC}$이므로 ∠CEB=∠x (엇각)
△ABF에서 ∠BAF=90°-∠x,

△CEB에서 ∠BCE=180°-2∠x
∠BAD=∠BCD이므로
90°-∠x+64°=180°-2∠x
∴ ∠x=26°
∴ ∠BCD=180°-2∠x=180°-52°=128°

05 $\overline{ED}/\!/\overline{BF}$, $\overline{ED}=\overline{BF}$이므로 □EBFD는 평행사변형이다.
  ······ ❶
또 $\overline{ED}=\frac{1}{2}\overline{AD}$, $\overline{BF}=\frac{1}{2}\overline{BC}$이므로
□EBFD=$\frac{1}{2}$□ABCD=$\frac{1}{2}\times36=18(cm^2)$ ······ ❷
오른쪽 그림과 같이 □ABCD의
두 대각선의 교점을 O라고 하면
△BOG≡△DOH (ASA 합동)
이므로

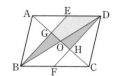

□EGHD=□EGOD+△DOH
=□EGOD+△BOG
=△EBD=$\frac{1}{2}$□EBFD
=$\frac{1}{2}\times18=9(cm^2)$ ······ ❸

채점 기준	배점
❶ □EBFD가 평행사변형임을 알기	20 %
❷ □EBFD의 넓이 구하기	40 %
❸ □EGHD의 넓이 구하기	40 %

06 □ANCM, □MBND는 평행사변형이므로
$\overline{PN}/\!/\overline{MQ}$, $\overline{MP}/\!/\overline{QN}$
이때 $\overline{NM}$을 그으면 $\overline{AB}=\overline{AM}$이므로 □ABNM은
마름모이다.
∴ ∠MPN=90°
따라서 □MPNQ는 한 내각의 크기가 90°인 평행사변형
이므로 직사각형이다.

07 $\overline{AB}=2a$라고 하면
$\overline{BC}=3a$이다.
이때 $\overline{BQ}:\overline{QC}=2:1$
이므로 $\overline{BQ}=2a$, $\overline{QC}=a$

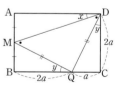

따라서 △MBQ≡△QCD (SAS 합동)이므로
∠BMQ=∠CQD, ∠BQM=∠CDQ
또, $\overline{QM}=\overline{DQ}$이고
∠BQM+∠CQD=∠BQM+∠BMQ=90°이므로

$\angle MQD = 90°$

따라서 $\triangle QMD$는 $\overline{MQ} = \overline{DQ}$인 직각이등변삼각형이므로

$\angle QDM = \angle QMD = 45°$

$\therefore \angle x + \angle y = \angle ADM + \angle CDQ = 45°$

08 $\triangle EIC$와 $\triangle EJD$에서

$\overline{EC} = \overline{ED}$, $\angle ECI = \angle EDJ = 45°$

$\angle IEC = 90° - \angle CEJ = \angle JED$이므로

$\triangle EIC \equiv \triangle EJD$ (ASA 합동)

$\therefore \square EICJ = \triangle EIC + \triangle ECJ = \triangle EJD + \triangle ECJ$

$\qquad = \triangle ECD = \dfrac{1}{4} \square ABCD$

$\qquad = \dfrac{1}{4} \times 12 \times 12 = 36 (\text{cm}^2)$

09 $\triangle ABE$와 $\triangle BCF$에서

$\overline{AB} = \overline{BC}$,

$\angle ABE = \angle BCF = 90°$,

$\overline{BE} = \overline{CF}$이므로

$\triangle ABE \equiv \triangle BCF$ (SAS 합동)

따라서 $\angle BAE = \angle CBF$이므로

$\angle AGF = \angle BGE$

$\qquad = 180° - (\angle GBE + \angle BEG)$

$\qquad = 180° - (\angle BAE + \angle AEB)$

$\qquad = \angle ABE = 90°$

10 $\overline{BP} : \overline{PC} = 4 : 3$이므로

$\triangle ABP = \dfrac{4}{7} \triangle ABC$

$\qquad = \dfrac{4}{7} \times \dfrac{1}{2} \square ABCD$

$\qquad = \dfrac{4}{7} \times \dfrac{1}{2} \times \left(\dfrac{1}{2} \times 28 \times 14 \right)$

$\qquad = 56 (\text{cm}^2)$

11 $\overline{AO} : \overline{OC} = 3 : 4$이므로

$\triangle AOD : \triangle DOC = 3 : 4$

$9 : \triangle DOC = 3 : 4$, $3 \triangle DOC = 36$

$\therefore \triangle DOC = 12 (\text{cm}^2)$ ......❶

$\triangle ABO = \triangle DOC = 12 \text{cm}^2$이므로

$\triangle ABO : \triangle OBC = 3 : 4$에서

$12 : \triangle OBC = 3 : 4$, $3 \triangle OBC = 48$

$\therefore \triangle OBC = 16 (\text{cm}^2)$ ......❷

채점 기준	배점
❶ $\triangle DOC$의 넓이 구하기	50 %
❷ $\triangle OBC$의 넓이 구하기	50 %

12 $\overline{DB}$를 그으면 $\overline{AD} /\!/ \overline{BC}$이므로

$\triangle DBE = \triangle ABE = 12 \text{cm}^2$

$\overline{AF} /\!/ \overline{DC}$이므로 $\triangle DBF = \triangle CBF$

즉, $\triangle DBE + \triangle EBF = \triangle CEF + \triangle EBF$이므로

$\triangle DBE = \triangle CEF$

따라서 $\triangle CEF$의 넓이는 12cm^2이다.

대단원 TEST 026~028쪽

01 ②	**02** 68°	**03** ④	**04** 63°
05 ③	**06** 6	**07** ④	**08** ③
09 ⑤	**10** ④	**11** ①, ③	**12** 2
13 ③	**14** 54	**15** ③	**16** ③, ⑤
17 12 cm²	**18** 9 cm²		

01 $\overline{AD} /\!/ \overline{BC}$이므로 동위각의 크기가 같다.

$\therefore \angle EAD = \angle B = \dfrac{1}{2}(180° - 72°) = 54°$

02 $\overline{AD} = \overline{ED}$이므로 $\angle DAE = \angle DEA = 28°$

$\triangle ADE$에서 $\angle ADC = 28° + 28° = 56°$

$\overline{AD} = \overline{AC}$이므로 $\angle ACD = \angle ADC = 56°$

$\therefore \angle CAD = 180° - (56° + 56°) = 68°$

$\overline{BC} /\!/ \overline{AD}$이므로

$\angle BCA = \angle CAD = 68°$ (엇각)

03 $\angle B = 6 \angle x$라고 하면 $\angle C = 4 \angle x$

따라서 $\angle BAM = \angle B = 6 \angle x$,

$\angle MAC = \angle C = 4 \angle x$이므로 $\triangle ABC$에서

$6 \angle x + (6 \angle x + 4 \angle x) + 4 \angle x = 180°$

$\therefore \angle x = 9°$

$\therefore \angle MAC = 4 \angle x = 36°$

04 $\angle BAC = \angle x$ (접은 각), $\angle ACB = \angle x$ (엇각)이므로

$\angle x = \dfrac{1}{2}(180° - 54°) = 63°$

05 △ABP와 △ADQ에서

∠B=∠D=90°, $\overline{AP}=\overline{AQ}$, $\overline{AB}=\overline{AD}$이므로

△ABP≡△ADQ (RHS 합동)

∴ ∠BAP=∠DAQ=$\dfrac{1}{2}(90°-60°)=15°$

△ABP에서 ∠BPA=180°-(90°+15°)=75°

06 △ABD≡△AED (RHA 합동)이므로

$\overline{AE}=\overline{AB}=6$

∴ $\overline{EC}=\overline{AC}-\overline{AE}=10-6=4$ ······ ❶

$\overline{DE}=\overline{DB}=x$라 하면 △ABC의 넓이는

$\dfrac{1}{2}\times6\times8=\dfrac{1}{2}\times6\times x+\dfrac{1}{2}\times10\times x$

8x=24 ∴ x=3 ······ ❷

∴ △DEC=$\dfrac{1}{2}\times4\times3=6$ ······ ❸

채점 기준	배점
❶ $\overline{EC}$의 길이 구하기	30 %
❷ $\overline{DE}$의 길이 구하기	40 %
❸ △DEC의 넓이 구하기	30 %

07 빗변의 중점을 M이라고 하면

점 M은 △ABC의 외심이므로

$\overline{MA}=\overline{MB}=\overline{MC}$

△MBC에서

∠MCB=∠MBC=30°이므로

∠AMC=60°

이때 △MCA는 이등변삼각형이므로

∠MAC=∠MCA=60°

따라서 △MCA는 정삼각형이므로 $\overline{MA}=8$ cm

∴ $\overline{AB}=\overline{MA}+\overline{MB}=8+8=16$(cm)

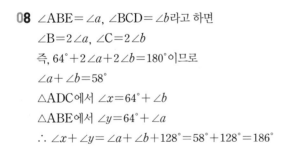

08 ∠ABE=∠a, ∠BCD=∠b라고 하면

∠B=2∠a, ∠C=2∠b

즉, 64°+2∠a+2∠b=180°이므로

∠a+∠b=58°

△ADC에서 ∠x=64°+∠b

△ABE에서 ∠y=64°+∠a

∴ ∠x+∠y=∠a+∠b+128°=58°+128°=186°

09 ∠C=180°-(90°+50°)=40°이므로

∠OCI=$\dfrac{1}{2}$∠C=$\dfrac{1}{2}\times40°=20°$

이때 $\overline{OB}=\overline{OC}$이므로

∠BOC=180°-(40°+40°)=100°

따라서 △POC에서

∠BPC=∠POC+∠OCP=100°+20°=120°

10 ∠DBI=∠CBI이고, ∠DIB=∠CBI (엇각)이므로

△DBI는 $\overline{DB}=\overline{DI}$인 이등변삼각형이다.

또, ∠ECI=∠BCI이고, ∠EIC=∠BCI (엇각)이므로

△EIC는 $\overline{EI}=\overline{EC}$인 이등변삼각형이다.

∴ (△ADE의 둘레의 길이)

=$\overline{AD}+\overline{DE}+\overline{EA}=\overline{AD}+(\overline{DI}+\overline{EI})+\overline{EA}$

=$(\overline{AD}+\overline{DB})+(\overline{EC}+\overline{EA})=\overline{AB}+\overline{AC}$

=12+8=20(cm)

11 ① 오른쪽 그림에서

$\overline{AB}=\overline{BC}$, $\overline{CD}=\overline{DA}$이지만

평행사변형이 아니다.

② ∠D=360°-(120°+60°+120°)=60°

따라서 두 쌍의 대각의 크기가 각각 같으므로 평행사변
형이다.

③ 오른쪽 그림에서

$\overline{AB}/\!/\overline{DC}$, $\overline{AD}=\overline{BC}$이지만

평행사변형이 아니다.

④ ∠A+∠B=180°, ∠B+∠C=180°

에서 ∠A=∠C

∴ ∠D=360°-(∠A+∠B+∠C)

=360°-(180°+∠C)

=180°-∠C=∠B

즉, 두 쌍의 대각의 크기가 각각 같으므로 평행사변형이
다.

⑤ 두 대각선이 서로 다른 것을 이등분하므로 평행사변형
이다.

12 ∠DAC=∠BCA (엇각)이므로 ∠BAC=∠BCA

따라서 △BAC는 $\overline{BA}=\overline{BC}$인 이등변삼각형이므로

8=3x+2 ∴ x=2

13 두 대각선이 서로 다른 것을 이등분하므로 □ABCD는 평
행사변형이고, 평행사변형의 두 대각선이 수직으로 만나므
로 □ABCD는 마름모이다.

14 ∠BDA=∠DBC=44°(엇각)이므로

$\angle AOD = 180° - (44° + 46°) = 90°$

따라서 □ABCD는 마름모이다. $\cdots\cdots$ ❶

$\overline{AB} = \overline{BC} = 10$ cm이므로 $x = 10$

$y = \angle ODA = 44°$이므로 $y = 44$ $\cdots\cdots$ ❷

$\therefore x + y = 10 + 44 = 54$ $\cdots\cdots$ ❸

채점 기준	배점
❶ □ABCD가 마름모임을 알기	40 %
❷ x, y의 값을 각각 구하기	40 %
❸ $x + y$의 값 구하기	20 %

15 $\angle BED = \angle BDE = \dfrac{1}{2}(180° - 30°) = 75°$

$\overline{AE} /\!/ \overline{BD}$이므로 $\angle AEB = \angle EBD = 30°$ (엇각)

$\therefore \angle AED = 75° + 30° = 105°$

16 ① $\overline{AD} /\!/ \overline{BC}$이므로 $\triangle AEB = \triangle AEC$

② $\overline{EF} /\!/ \overline{AC}$이므로 $\triangle AEC = \triangle AFC$

④ $\overline{AB} /\!/ \overline{DC}$이므로 $\triangle BFC = \triangle AFC = \triangle AEC$

17 $\triangle ABC = \triangle DBC = \triangle DEC$

$= \dfrac{1}{2} \times 6 \times 4 = 12 (\text{cm}^2)$

18 오른쪽 그림과 같이
$\overline{AB} /\!/ \overline{EF}$가 되도록 $\overline{AD}$
위에 점 F를 잡으면 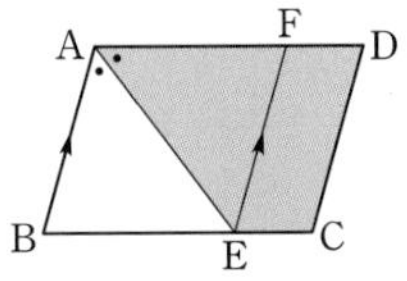
$\triangle ABE \equiv \triangle AFE$
(ASA 합동)이고, $\angle FAE = \angle AEB = \angle BAE$
이므로 $\overline{BA} = \overline{BE}$ $\cdots\cdots$ ❶
따라서 $\overline{BE} : \overline{EC} = 4 : 1$이므로

$\triangle ABE = \dfrac{4}{5}\triangle ABC = \dfrac{4}{5} \times \dfrac{1}{2}\,□ABCD$

$= \dfrac{2}{5} \times 15 = 6 (\text{cm}^2)$ $\cdots\cdots$ ❷

$\therefore □AECD = □ABCD - \triangle ABE$

$= 15 - 6 = 9 (\text{cm}^2)$ $\cdots\cdots$ ❸

채점 기준	배점
❶ $\triangle ABE \equiv \triangle AFE$임을 이용하여 $\overline{BA} = \overline{BE}$를 알기	30 %
❷ $\triangle ABE$의 넓이 구하기	40 %
❸ □AECD의 넓이 구하기	30 %

01 143°   **02** 60°

01 오른쪽 그림에서

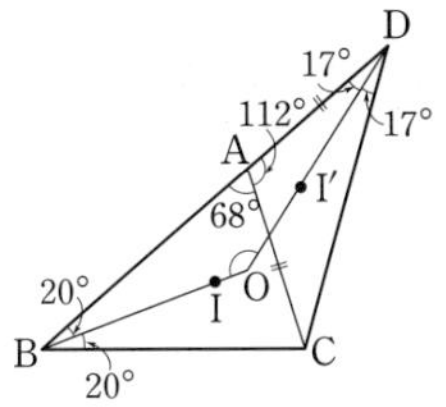

$\angle DAC = 180° - 68° = 112°$

$\triangle ACD$에서 $\overline{AC} = \overline{AD}$이므로

$\angle ADC = \dfrac{1}{2}(180° - 112°)$

$= 34°$

이때 점 I′은 $\triangle ACD$의 내심이므로

$\angle ADI' = \dfrac{1}{2}\angle ADC = \dfrac{1}{2} \times 34° = 17°$

또, 점 I는 $\triangle ABC$의 내심이므로

$\angle ABI = \dfrac{1}{2}\angle ABC = 20°$

따라서 $\triangle DBO$에서

$\angle IOI' = \angle BOD = 180° - (20° + 17°) = 143°$

02 $\triangle ABE$, $\triangle FDA$,
$\triangle FCE$에서 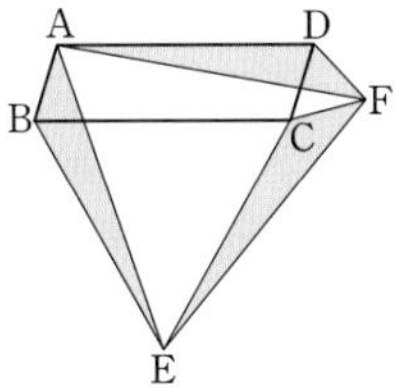
$\overline{AB} = \overline{FD} = \overline{FC}$,
$\overline{BE} = \overline{DA} = \overline{CE}$
또, $\angle ABC$의 크기를 $\angle a$라고
하면 $\angle DAB = 180° - \angle a$이고,
$\angle DAB = \angle BCD$, $\angle ABC = \angle CDA$이므로
$\angle ABE = \angle FDA = 60° + \angle a$이고,
$\angle FCE = 360° - (180° - \angle a) - 60° - 60°$
$= 60° + \angle a$
세 삼각형은 두 쌍의 대응변의 길이가 각각 같고, 그 끼인
각의 크기가 같으므로
$\triangle ABE \equiv \triangle FDA \equiv \triangle FCE$ (SAS 합동)
따라서 $\overline{AE} = \overline{FA} = \overline{FE}$이므로 $\triangle AEF$는 정삼각형이고
$\angle EAF = 60°$이다.

1. 도형의 닮음

01 ②, ⑤   **02** 56 cm   **03** 20π cm   **04** 25
05 9 cm   **06** 12π cm
07 (1) ㄴ, SSS 닮음 (2) ㄱ, SAS 닮음 (3) ㄷ, AA 닮음
08 (1) $\triangle ABC \backsim \triangle EBD$ (SAS 닮음)
  (2) $\triangle ABC \backsim \triangle EBD$ (AA 닮음)
  (3) $\triangle ABC \backsim \triangle BDC$ (SSS 닮음)
  (4) $\triangle ADC \backsim \triangle BEC$ (AA 닮음)
09 ⑤   **10** ①   **11** 9 cm   **12** ②
13 5 cm   **14** ③   **15** 11 cm   **16** 16 cm
17 ④   **18** ③   **19** 24   **20** 2 cm
21 9 cm   **22** $\dfrac{12}{5}$ cm

01 ① 두 닮은 평면도형에서 대응각의 크기는 각각 같으므로
  $\angle A = \angle A'$
  ③ $\overline{BC} : \overline{B'C'} = 8 : 12 = 2 : 3$이므로
    □ABCD와 □A'B'C'D'의 닮음비는 $2 : 3$이다.
    $\therefore \overline{AD} : \overline{A'D'} = 2 : 3$
  ④ $\overline{AB} : 9 = 2 : 3$이므로 $\overline{AB} = 6$(cm)

02 □ABCD와 □EFGH의 닮음비가 $3 : 4$이므로
  $9 : \overline{FG} = 3 : 4$ $\therefore \overline{FG} = 12$(cm)
  이때 평행사변형은 대변의 길이가 각각 같으므로
  $\overline{EF} = \overline{HG} = 16$(cm), $\overline{EH} = \overline{FG} = 12$(cm)
  따라서 □EFGH의 둘레의 길이는
  $2(16+12) = 56$(cm)

03 원 O'의 반지름의 길이를 r cm라고 하면
  원 O와 원 O'의 닮음비가 $4 : 5$이므로
  $8 : r = 4 : 5$ $\therefore r = 10$
  따라서 원 O'의 둘레의 길이는
  $2\pi \times 10 = 20\pi$(cm)

04 $\overline{AB} : \overline{GH} = 6 : 3 = 2 : 1$이므로 두 삼각기둥의 닮음비는
  $2 : 1$이다.
  $x : 5 = 2 : 1$이므로 $x = 10$

$y : 4 = 2 : 1$이므로 $y = 8$
$14 : z = 2 : 1$이므로 $2z = 14$ $\therefore z = 7$
$\therefore x + y + z = 10 + 8 + 7 = 25$

05 $\overline{AG} : \overline{A'G'} = 3 : 5$이므로 $\overline{AG} : 15 = 3 : 5$
  $\therefore \overline{AG} = 9$(cm)

06 원기둥 B의 밑면의 반지름의 길이를 r cm라고 하면
  $5 : 10 = 3 : r$ $\therefore r = 6$
  따라서 원기둥 B의 밑면의 둘레의 길이는
  $2\pi \times 6 = 12\pi$(cm)

07 (1)

세 변의 길이의 비가
$6 : 9 = 8 : 12 = 10 : 15 = 2 : 3$
으로 일정하므로 SSS 닮음이다.

(2)

두 변의 길이의 비가
$8 : 12 = 10 : 15 = 2 : 3$
으로 일정하고, 그 끼인각의 크기가 75°로 같으므로
SAS 닮음이다.

(3)

두 각의 크기가 각각 같으므로 AA 닮음이다.

08 (1) $\triangle ABC$와 $\triangle EBD$에서
    $\overline{AB} : \overline{EB} = \overline{BC} : \overline{BD} = 1 : 2$
    $\angle ABC = \angle EBD$ (맞꼭지각)
    $\therefore \triangle ABC \backsim \triangle EBD$ (SAS 닮음)
  (2) $\triangle ABC$와 $\triangle EBD$에서
    $\angle BAC = \angle BED$, $\angle B$는 공통
    $\therefore \triangle ABC \backsim \triangle EBD$ (AA 닮음)
  (3) $\triangle ABC$와 $\triangle BDC$에서
    $\overline{AB} : \overline{BD} = 6 : 8 = 3 : 4$
    $\overline{BC} : \overline{DC} = 12 : 16 = 3 : 4$

$\overline{AC}:\overline{BC}=9:12=3:4$

$\therefore \triangle ABC \backsim \triangle BDC$ (SSS 닮음)

(4) △ADC와 △BEC에서

$\angle ADC=\angle BEC=90°$,

∠C는 공통

$\therefore \triangle ADC \backsim \triangle BEC$ (AA 닮음)

09 ⑤ $\overline{BC}$와 $\overline{CA}$의 끼인각은 ∠C이고,

$\overline{EF}$와 $\overline{FD}$의 끼인각은 ∠F이므로

∠C=∠F일 때, △ABC∽△DEF (SAS 닮음)이다.

10 ① ∠A=75°이면 ∠C=180°−(45°+75°)=60°

∠F=45°이면 ∠B=∠F, ∠C=∠E이므로

△ABC∽△DFE (AA 닮음)

11 △BDE와 △BAC에서

$\overline{BD}:\overline{BA}=6:9=2:3$,

$\overline{BE}:\overline{BC}=8:12=2:3$,

∠B는 공통

$\therefore \triangle BDE \backsim \triangle BAC$ (SAS 닮음)

따라서 $\overline{DE}:\overline{AC}=2:3$이므로

$6:\overline{AC}=2:3$ $\therefore \overline{AC}=9$(cm)

12 △ADB와 △ABC에서

$\overline{AB}:\overline{AC}=6:12=1:2$,

$\overline{AD}:\overline{AB}=(12-9):6=1:2$,

∠A는 공통

$\therefore \triangle ADB \backsim \triangle ABC$ (SAS 닮음)

따라서 $\overline{DB}:\overline{BC}=1:2$이므로

$4:\overline{BC}=1:2$ $\therefore \overline{BC}=8$(cm)

13 △ABC와 △EDC에서

∠A=∠DEC, ∠C는 공통

$\therefore \triangle ABC \backsim \triangle EDC$ (AA 닮음)

따라서 $\overline{BC}:\overline{DC}=\overline{AC}:\overline{EC}$이므로

$(\overline{BE}+3):4=6:3$

$3(\overline{BE}+3)=24, 3\overline{BE}=15$ $\therefore \overline{BE}=5$(cm)

14 ∠DAE=∠DEB=90°이므로

∠ABE+∠EDB=90°,

∠EDB+∠DEA=90°

따라서 ∠ABE=∠DEA이므로

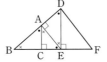

15 △ABD와 △CBE에서

∠BDA=∠BEC=90°, ∠B는 공통

$\therefore \triangle ABD \backsim \triangle CBE$ (AA 닮음)

이때 $\overline{AB}:\overline{CB}=\overline{BD}:\overline{BE}$이므로

$10:15=\overline{BD}:6$

$15\overline{BD}=60$ $\therefore \overline{BD}=4$(cm)

$\therefore \overline{DC}=15-4=11$(cm)

16 △ABE와 △ADF에서

∠AEB=∠AFD=90°

∠B=∠D (평행사변형의 대각)

$\therefore \triangle ABE \backsim \triangle ADF$ (AA 닮음)

$\overline{AB}:\overline{AD}=\overline{AE}:\overline{AF}$이므로

$12:\overline{AD}=9:12$

$9\overline{AD}=144$ $\therefore \overline{AD}=16$(cm)

17 △FEC와 △FAB에서

∠ECF=∠ABF=90°, ∠F는 공통

$\therefore \triangle FEC \backsim \triangle FAB$ (AA 닮음)

$\overline{CF}=16-12=4$(cm)이고,

$\overline{EF}:\overline{AF}=\overline{CF}:\overline{BF}$이므로

$5:\overline{AF}=4:16$

$4\overline{AF}=80$ $\therefore \overline{AF}=20$(cm)

18 $\overline{BD}$가 접는 선이므로 ∠PBD=∠DBC

∠PDB=∠DBC (엇각)이므로 ∠PBD=∠PDB

따라서 △PBD는 이등변삼각형이므로 꼭지각의 이등분선은 밑변을 수직이등분한다.

$\therefore \overline{BQ}=\overline{DQ}=10 \times \frac{1}{2}=5$(cm)

이때 △PQD와 △BAD에서

∠PQD=∠BAD=90°, ∠ADB는 공통

$\therefore \triangle PQD \backsim \triangle BAD$ (AA닮음)

따라서 $\overline{PQ}:\overline{BA}=\overline{QD}:\overline{AD}$이므로

$\overline{PQ}:6=5:8, 8\overline{PQ}=30$ $\therefore \overline{PQ}=\frac{30}{8}=\frac{15}{4}$(cm)

19 △EBF와 △FCG에서

∠B=∠C=90°, ∠EFH=∠A=90°이므로

∠EFB+∠CFG=90°, ∠EFB+∠FEB=90°

테스트 BOOK

$\therefore \angle CFG = \angle FEB$

$\therefore \triangle EBF \backsim \triangle FCG$ (AA 닮음)

이때 $\overline{BF} = \overline{FC} = 8$ cm이고,

$\overline{BF} : \overline{CG} = \overline{EB} : \overline{FC}$이므로

$8 : x = 6 : 8$

$6x = 64 \qquad \therefore x = \dfrac{32}{3}$

이때 $\overline{EF} = \overline{AE} = 16 - 6 = 10$(cm)이므로

$\overline{EF} : \overline{FG} = \overline{EB} : \overline{FC}$

$10 : y = 6 : 8,\ 6y = 80 \qquad \therefore y = \dfrac{40}{3}$

$\therefore x + y = \dfrac{32}{3} + \dfrac{40}{3} = \dfrac{72}{3} = 24$

20 $\overline{AH}^2 = \overline{BH} \times \overline{CH}$이므로 $4^2 = \overline{BH} \times 8$

$\therefore \overline{BH} = 2$(cm)

21 $\overline{BC}^2 = \overline{BD} \times \overline{BA}$이므로 $6^2 = 4\overline{AB}$

$\therefore \overline{AB} = 9$(cm)

22 $\overline{AD}^2 = 2 \times 8 = 16 = 4^2 \qquad \therefore \overline{AD} = 4(cm)(\because \overline{AD} > 0)$

점 M은 직각삼각형 ABC의 외심이므로

$\overline{AM} = \overline{BM} = \overline{CM} = \dfrac{1}{2}\overline{BC} = \dfrac{1}{2} \times 10 = 5$(cm)

$\therefore \overline{DM} = \overline{BM} - \overline{BD} = 5 - 2 = 3$(cm)

$\triangle ADM$에서 $\angle ADM = 90°$이므로

$\dfrac{1}{2} \times 4 \times 3 = \dfrac{1}{2} \times 5 \times \overline{DH} \qquad \therefore \overline{DH} = \dfrac{12}{5}$(cm)

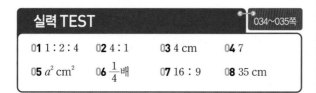
01 원 A의 반지름의 길이를 a라고 하면
원 B의 반지름의 길이는 $2a$,
원 C의 반지름의 길이는 $4a$이므로
세 원 A, B, C의 닮음비는
$a : 2a : 4a = 1 : 2 : 4$

02 A4 용지의 가로, 세로의 길이를
각각 a, b라고 하면 오른쪽 그림
과 같이 A5 용지와 A9 용지의
닮음비는

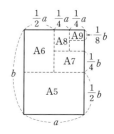

$\dfrac{1}{2}b : \dfrac{1}{8}b = a : \dfrac{1}{4}a = 4 : 1$

03 $\triangle EAB$와 $\triangle EFC$에서
$\overline{AB} /\!/ \overline{CF}$이므로 $\angle EAB = \angle EFC$ (엇각),
$\angle AEB = \angle FEC$ (맞꼭지각)
$\therefore \triangle EAB \backsim \triangle EFC$ (AA 닮음)
즉, $\overline{AB} : \overline{FC} = \overline{BE} : \overline{CE}$이므로 $6 : \overline{FC} = 3 : 2$
$3\overline{FC} = 12 \qquad \therefore \overline{FC} = 4$(cm)

04 $\overline{BD} = 3\overline{DA}$이므로 $\overline{DA} = x$라고 하면 $\overline{BD} = 3x$
$\therefore \overline{AB} = \overline{BD} + \overline{DA} = 3x + x = 4x$
이때 $\overline{AB} = 2\overline{AC}$이므로 $\overline{AC} = 2x$
따라서 $\triangle ACD$와 $\triangle ABC$에서
$\overline{AC} : \overline{AB} = 2x : 4x = 1 : 2$,
$\overline{AD} : \overline{AC} = x : 2x = 1 : 2$,
$\angle A$는 공통
$\therefore \triangle ACD \backsim \triangle ABC$ (SAS 닮음)
따라서 $\overline{CD} : \overline{BC} = 1 : 2$이므로
$\overline{CD} : 14 = 1 : 2,\ 2\overline{CD} = 14 \qquad \therefore \overline{CD} = 7$

05 $\square EBGD$가 평행사변형
이므로

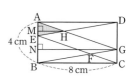

$\angle AHE = \angle AGB$ (동위각)
$\angle AEH = \angle ABG$ (동위각)
$\therefore \triangle AEH \backsim \triangle ABG$ (AA 닮음) $\cdots\cdots$ ❶
$\triangle AEH$의 꼭짓점 H에서 $\overline{AE}$에 내린 수선의 발을 M,
$\triangle ABG$의 꼭짓점 G에서 $\overline{AB}$에 내린 수선의 발을 N이라
고 하면 $\overline{HM} : \overline{GN} = \overline{AE} : \overline{AB}$이므로
$\overline{HM} : 8 = a : 4 \qquad \therefore \overline{HM} = 2a$(cm) $\cdots\cdots$ ❷
$\therefore \triangle AEH = \dfrac{1}{2} \times a \times 2a = a^2$(cm^2) $\cdots\cdots$ ❸

채점 기준	배점
❶ △AEH∽△ABG임을 보이기	40 %
❷ △AEH의 높이를 a에 대하여 나타내기	40 %
❸ △AEH의 넓이 구하기	20 %

$$2 \times \left(\frac{15}{2} + 10 \right) = 35 \, (\text{cm}) \qquad \cdots\cdots \, ❹$$

채점 기준	배점
❶ $\overline{BE}$의 길이 구하기	30 %
❷ $\overline{AB}$의 길이 구하기	30 %
❸ $\overline{AD}$의 길이 구하기	30 %
❹ □ABCD의 둘레의 길이 구하기	10 %

06 □ABCD는 등변사다리꼴이므로 $\overline{AB} = \overline{DC}$

□AECD는 평행사변형이므로 $\overline{AE} = \overline{DC}$

즉, $\overline{AB} = \overline{AE}$이므로 △ABE는 이등변삼각형이다.

△CAB와 △AEB에서

$\overline{AC} = \overline{BC}$이므로 ∠CAB = ∠AEB,

∠B가 공통

∴ △CAB∽△AEB (AA 닮음)

$\overline{AB} : \overline{EB} = \overline{CB} : \overline{AB} = 2 : 1$ ∴ $\overline{AB} = 2\overline{EB}$

∴ $\overline{BE} = \frac{1}{2}\overline{AB} = \frac{1}{2} \times \frac{1}{2}\overline{BC} = \frac{1}{4}\overline{BC}$

따라서 $\overline{BE}$의 길이는 $\overline{BC}$의 길이의 $\frac{1}{4}$배이다.

07 △ADC∽△EFD (AA 닮음)이므로

$\overline{AD} : \overline{EF} = \overline{AC} : \overline{ED} = 4 : 3$

△DAE∽△FEG (AA 닮음)이므로

$\overline{DE} : \overline{FG} = \overline{AD} : \overline{EF} = 4 : 3$ $\cdots\cdots$ ㉠

$\overline{AC} = a$라고 하면

$a : \overline{DE} = 4 : 3$ ∴ $\overline{DE} = \frac{3}{4}a$

이 식을 ㉠에 대입하면 $\frac{3}{4}a : \overline{FG} = 4 : 3$

$4\overline{FG} = \frac{9}{4}a$ ∴ $\overline{FG} = \frac{9}{16}a$

∴ $\overline{AC} : \overline{FG} = a : \frac{9}{16}a = 16 : 9$

08 △ABD에서 $\overline{AE}^2 = \overline{BE} \times \overline{ED}$이므로

$36 = \overline{BE} \times 8$ ∴ $\overline{BE} = \frac{9}{2}\,(\text{cm})$ $\cdots\cdots$ ❶

$\overline{AB}^2 = \overline{BE} \times \overline{BD}$이므로

$\overline{AB}^2 = \frac{9}{2}\left(\frac{9}{2} + 8\right) = \frac{9}{2} \times \frac{25}{2} = \frac{3^2 \times 5^2}{2^2} = \left(\frac{15}{2}\right)^2$

∴ $\overline{AB} = \frac{15}{2}\,(\text{cm})\,(\because \overline{AB} > 0)$ $\cdots\cdots$ ❷

$\overline{AD}^2 = \overline{DE} \times \overline{DB}$이므로

$\overline{AD}^2 = 8\left(8 + \frac{9}{2}\right) = 8 \times \frac{25}{2} = 4 \times 25 = 2^2 \times 5^2 = 10^2$

∴ $\overline{AD} = 10\,(\text{cm})\,(\because \overline{AD} > 0)$ $\cdots\cdots$ ❸

따라서 □ABCD의 둘레의 길이는

2. 닮음의 활용

유형 TEST	01. 삼각형과 평행선~ 04. 닮은 도형의 넓이와 부피	036~041쪽

01 ①, ④	**02** 8	**03** $x=2$, $y=3$
04 $\frac{18}{5}$ cm	**05** 7 cm	**06** (1) $\frac{15}{4}$ cm (2) $\frac{55}{8}$ cm
07 5	**08** $x=8$, $y=\frac{15}{2}$	**09** 13
10 4 cm	**11** 8 cm	**12** 6 cm	**13** ③
14 12 cm	**15** 4 cm	**16** 6 cm	**17** 22 cm
18 36 cm	**19** 64	**20** 5 cm	**21** ③
22 8	**23** 4 cm	**24** 15	**25** 36 cm²
26 9 cm²	**27** 15 cm²	**28** 6 cm	**29** 4 cm²
30 10 cm²	**31** 60π cm²	**32** 65 cm²	**33** $\frac{25}{3}$ cm²
34 320 cm³	**35** 57 cm³	**36** 37분	**37** 24π cm³
38 4 cm	**39** ②		

01 $\overline{BC} /\!/ \overline{DE}$이려면 $\overline{AD} : \overline{AB} = \overline{AE} : \overline{AC}$ 또는

$\overline{AD} : \overline{DB} = \overline{AE} : \overline{EC}$이어야 한다.

① $12 : 6 = 8 : 4$

② $(12-4) : 4 \neq 6 : 2$

③ $5 : 4 \neq 6 : 3$

④ $3 : 9 = 2 : 6$

⑤ $3 : 2 \neq 5 : 2$

따라서 $\overline{BC} /\!/ \overline{DE}$인 것은 ①, ④이다.

02 $10 : 25 = x : 20$이므로

$25x = 200$ ∴ $x = 8$

03 $4:(4+8)=x:6$이므로 $12x=24$ $\quad\therefore x=2$

$2:6=1:y$이므로 $2y=6$ $\quad\therefore y=3$

04 $\overline{EQ}/\!/\overline{BC}$이므로 $\overline{AE}:\overline{AB}=\overline{EQ}:\overline{BC}$

$3:5=\overline{EQ}:10$ $\quad\therefore \overline{EQ}=6(\text{cm})$

$\overline{EP}/\!/\overline{AD}$이므로 $\overline{EB}:\overline{AB}=\overline{EP}:\overline{AD}$

$2:5=\overline{EP}:6$ $\quad\therefore \overline{EP}=\dfrac{12}{5}(\text{cm})$

$\therefore \overline{PQ}=\overline{EQ}-\overline{EP}=6-\dfrac{12}{5}=\dfrac{18}{5}(\text{cm})$

05 점 A를 지나고 $\overline{CD}$에 평행한 직선이 $\overline{EF}$, $\overline{BC}$와 만나는 점을 각각 G, H라고 하면

$\overline{GF}=\overline{HC}=\overline{AD}=5\ \text{cm}$

$\therefore \overline{BH}=\overline{BC}-\overline{HC}=8-5=3(\text{cm})$

$\overline{EG}/\!/\overline{BH}$이므로 $\overline{AE}:\overline{AB}=\overline{EG}:\overline{BH}$

$4:(4+2)=\overline{EG}:3,\ 6\overline{EG}=12$ $\quad\therefore \overline{EG}=2(\text{cm})$

$\therefore \overline{EF}=2+5=7(\text{cm})$

06 (1) $\triangle ABE \backsim \triangle CDE$ (AA 닮음)

$\overline{BE}:\overline{DE}=6:10=3:5$이므로

$\overline{BE}:\overline{BD}=3:8$

따라서 $\overline{EF}:10=3:8$이므로

$8\overline{EF}=30$ $\quad\therefore \overline{EF}=\dfrac{15}{4}(\text{cm})$

(2) $\overline{BF}:\overline{FC}=3:5$이므로 $\overline{FC}=\dfrac{5}{8}\times11=\dfrac{55}{8}(\text{cm})$

07 $x:(15-x)=4:8$이므로

$8x=4(15-x),\ 12x=60$ $\quad\therefore x=5$

08 $12:9=x:6$이므로 $9x=72$ $\quad\therefore x=8$

$12:9=10:y$이므로 $12y=90$ $\quad\therefore y=\dfrac{15}{2}$

09 $12:8=x:6$이므로

$8x=72$ $\quad\therefore x=9$

$8:y=6:3$이므로

$6y=24$ $\quad\therefore y=4$

$\therefore x+y=13$

10 $9:6=(10-\overline{DC}):\overline{DC}$이므로

$9\overline{DC}=6(10-\overline{DC}),\ 9\overline{DC}=60-6\overline{DC}$

$15\overline{DC}=60$ $\quad\therefore \overline{DC}=4(\text{cm})$

11 $\overline{AB}:12=4:6$이므로 $6\overline{AB}=48$ $\quad\therefore \overline{AB}=8(\text{cm})$

12 $6:4=(\overline{CD}+3):\overline{CD}$이므로

$4(\overline{CD}+3)=6\overline{CD},\ 2\overline{CD}=12$ $\quad\therefore \overline{CD}=6(\text{cm})$

13 $6:4=3:\overline{PC}$이므로

$6\overline{PC}=12$ $\quad\therefore \overline{PC}=2(\text{cm})$

$6:4=(5+\overline{CQ}):\overline{CQ}$이므로

$4(5+\overline{CQ})=6\overline{CQ},\ 20+4\overline{CQ}=6\overline{CQ}$

$\therefore \overline{CQ}=10(\text{cm})$

이때 $\triangle ABP$와 $\triangle APQ$의 높이는 같으므로 두 삼각형의 넓이의 비는 밑변의 길이의 비와 같다.

$\therefore \triangle ABP:\triangle APQ=\overline{BP}:\overline{PQ}=3:12=1:4$

14 $\overline{AM}=\overline{MB}$, $\overline{BC}/\!/\overline{MN}$이므로 $\overline{AN}=\overline{NC}$

즉, $\overline{AM}=\dfrac{1}{2}\overline{AB}$, $\overline{MN}=\dfrac{1}{2}\overline{BC}$, $\overline{NA}=\dfrac{1}{2}\overline{CA}$이므로

($\triangle AMN$의 둘레의 길이)

$=\dfrac{1}{2}\times$($\triangle ABC$의 둘레의 길이)

$=\dfrac{1}{2}\times24=12(\text{cm})$

15 삼각형의 중점연결정리에 의하여

$\triangle DBC$에서 $\overline{BC}=2\overline{PQ}=8(\text{cm})$

$\triangle ABC$에서 $\overline{MN}=\dfrac{1}{2}\overline{BC}=4(\text{cm})$

16 $\triangle AEC$에서 $\overline{AD}=\overline{DE}$, $\overline{AF}=\overline{FC}$이므로

$\overline{DF}/\!/\overline{EC}$, $\overline{EC}=2\overline{DF}=8(\text{cm})$

$\triangle BDF$에서 $\overline{DE}=\overline{EB}$, $\overline{DF}/\!/\overline{EP}$이므로

$\overline{EP}=\dfrac{1}{2}\overline{DF}=2(\text{cm})$

$\therefore \overline{CP}=8-2=6(\text{cm})$

17 등변사다리꼴의 두 대각선의 길이는 같으므로

$\overline{AC}=\overline{BD}=11\ \text{cm}$

삼각형의 중점연결정리에 의하여

$\overline{EF}=\overline{HG}=\overline{EH}=\overline{FG}=\dfrac{1}{2}\overline{AC}=\dfrac{11}{2}(\text{cm})$

$\therefore$ ($\square EFGH$의 둘레의 길이)

$=\dfrac{11}{2}\times4=22(\text{cm})$

18 삼각형의 중점연결정리에 의하여

$\overline{EH}=\overline{FG}=\dfrac{1}{2}\overline{AC}=8(cm)$

$\overline{GH}=\overline{EF}=\dfrac{1}{2}\overline{BD}=10(cm)$

∴ (□EFGH의 둘레의 길이)

　$=2\times(8+10)=36(cm)$

19 $\overline{AD}/\!/\overline{BC}$, $\overline{AM}=\overline{MB}$, $\overline{DN}=\overline{NC}$이므로

$\overline{AD}/\!/\overline{MN}/\!/\overline{BC}$

△ABC에서 삼각형의 중점연결정리에 의하여

$x=\dfrac{1}{2}\overline{BC}=\dfrac{1}{2}\times16=8$

△CDA에서 삼각형의 중점연결정리에 의하여

$y=2\overline{PN}=2\times4=8$

∴ $xy=8\times8=64$

20 $\overline{AD}/\!/\overline{BC}$, $\overline{AM}=\overline{MB}$, $\overline{DN}=\overline{NC}$이므로

$\overline{AD}/\!/\overline{MN}/\!/\overline{BC}$

△ABC에서 삼각형의 중점연결정리에 의하여

$\overline{MF}=\dfrac{1}{2}\overline{BC}=\dfrac{15}{2}(cm)$

△ABD에서 삼각형의 중점연결정리에 의하여

$\overline{ME}=\dfrac{1}{2}\overline{AD}=\dfrac{5}{2}(cm)$

∴ $\overline{EF}=\overline{MF}-\overline{ME}=\dfrac{15}{2}-\dfrac{5}{2}=5(cm)$

21 ③ △ABC가 정삼각형일 때만 $\overline{AG}=\overline{BG}=\overline{CG}$가 성립한다.

22 $\overline{CG}:\overline{GD}=2:1$이므로 $x=\dfrac{1}{3}\overline{CD}=\dfrac{1}{3}\times9=3$

점 E는 $\overline{BC}$의 중점이므로 $y=\overline{BE}=5$

∴ $x+y=3+5=8$

23 점 G는 △ABC의 무게중심이므로

$12:\overline{GD}=2:1$, $2\overline{GD}=12$

∴ $\overline{GD}=6(cm)$

점 G′은 △GBC의 무게중심이므로

$\overline{GG'}=\dfrac{2}{3}\overline{GD}=\dfrac{2}{3}\times6=4(cm)$

24 점 G가 △ABC의 무게중심이므로

$12:x=2:1$, $2x=12$

∴ $x=6$

△CAD에서 $\overline{CE}=\overline{EA}$, $\overline{AD}/\!/\overline{EF}$이므로

삼각형의 중점연결정리에 의하여

$y=\dfrac{1}{2}\overline{AD}=\dfrac{1}{2}\times(12+6)=9$

∴ $x+y=6+9=15$

25 △GBM$=2$△GNM$=2\times3=6(cm^2)$

∴ △ABC$=6$△GBM$=6\times6=36(cm^2)$

26 △ADC$=\dfrac{1}{2}$△ABC$=\dfrac{1}{2}\times108=54(cm^2)$

△DAE$=\dfrac{1}{2}$△ADC$=\dfrac{1}{2}\times54=27(cm^2)$

이때 점 G가 △ABC의 무게중심이므로

△GDE$=\dfrac{1}{3}$△DAE$=\dfrac{1}{3}\times27=9(cm^2)$

27 △ADG$=\dfrac{1}{2}$△ABG$=\dfrac{1}{2}\times\dfrac{1}{3}$△ABC$=\dfrac{1}{6}$△ABC

△AEG$=\dfrac{1}{2}$△ACG$=\dfrac{1}{2}\times\dfrac{1}{3}$△ABC$=\dfrac{1}{6}$△ABC

즉, □ADGE$=$△ADG$+$△AEG

$=\dfrac{1}{6}$△ABC$+\dfrac{1}{6}$△ABC

$=\dfrac{1}{3}$△ABC

$=5(cm^2)$

∴ △ABC$=3\times5=15(cm^2)$

28 대각선 AC를 그으면 두 점 M, N은 각각 △ABC, △ACD의 무게중심이다.

∴ $\overline{BD}=3\overline{MN}=3\times4=12(cm)$

△CBD에서 삼각형의 중점연결정리에 의하여

$\overline{PQ}=\dfrac{1}{2}\overline{BD}=\dfrac{1}{2}\times12=6(cm)$

29 점 P는 △ABC의 무게중심이므로

△APO$=\dfrac{1}{6}\times$△ABC$=\dfrac{1}{6}\times\dfrac{1}{2}$□ABCD

$=\dfrac{1}{12}$□ABCD$=\dfrac{1}{12}\times48=4(cm^2)$

30 두 대각선 AC, BD의 교점을 R라고 하면 점 P, Q는 각각 △ABC와 △ACD의 무게중심이므로

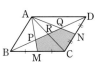

$$\square\text{CMPR}=\frac{1}{3}\triangle\text{ABC}=\frac{1}{3}\times\frac{1}{2}\square\text{ABCD}$$
$$=\frac{1}{6}\square\text{ABCD}=\frac{1}{6}\times30=5(\text{cm}^2)$$
$$\square\text{CNQR}=\frac{1}{3}\triangle\text{ACD}=\frac{1}{3}\times\frac{1}{2}\square\text{ABCD}$$
$$=\frac{1}{6}\square\text{ABCD}=\frac{1}{6}\times30=5(\text{cm}^2)$$
$$\therefore\text{(색칠한 부분의 넓이)}=5+5=10(\text{cm}^2)$$

31 두 원의 둘레의 길이의 비가 $2:3$이므로 닮음비는 $2:3$이다.
따라서 두 원의 넓이의 비는 $2^2:3^2=4:9$이므로 작은 원의 넓이는 $195\pi\times\dfrac{4}{13}=60\pi\,(\text{cm}^2)$

32 가장 작은 원의 반지름의 길이를 r cm라고 하면
$\overline{\text{AN}}=r$ cm, $\overline{\text{AM}}=2r$ cm, $\overline{\text{AB}}=4r$ cm이므로
세 원의 닮음비는 $\overline{\text{AM}}:\overline{\text{AB}}:\overline{\text{AC}}=1:2:4$
이때 각각을 지름으로 하는 세 원의 넓이의 비는
$1^2:2^2:4^2=1:4:16$
따라서 나누어진 세 부분의 넓이의 비는
$1:(4-1):(16-4)=1:3:12$이므로 색칠한 부분의 넓이의 합은
$5+12\times5=65(\text{cm}^2)$

33 $\triangle\text{ABC}\varpropto\triangle\text{ADE}$ (AA닮음)이고 닮음비는
$\overline{\text{AC}}:\overline{\text{AE}}=5:8$이므로
$\triangle\text{ABC}:\triangle\text{ADE}=5^2:8^2=25:64$
$\therefore\triangle\text{ABC}:\square\text{BDEC}=25:(64-25)=25:39$
$\triangle\text{ABC}:13=25:39$, $39\triangle\text{ABC}=325$
$\therefore\triangle\text{ABC}=\dfrac{25}{3}(\text{cm}^2)$

34 두 원기둥의 닮음비가 $3:4$이므로 부피의 비는
$3^3:4^3=27:64$
원기둥 ㈏의 부피를 x cm^{3}라고 하면
$27:64=135:x$, $27x=8640$
$\therefore x=320$
따라서 원기둥 ㈏의 부피는 320 cm^{3}이다.

35 세 원뿔의 닮음비는 $1:2:3$이므로 부피의 비는
$1^3:2^3:3^3=1:8:27$
따라서 세 입체도형 A, B, C의 부피의 비는
$1:(8-1):(27-8)=1:7:19$

이때 원뿔대 C의 부피를 x cm^{3}라고 하면
$7:19=21:x$, $7x=399$
$\therefore x=57$
따라서 원뿔대 C의 부피는 57 cm^{3}이다.

36 수면의 높이와 그릇의 높이의 비가 $3:4$이므로 부피의 비는 $27:64$이다. 15 cm까지 물을 채우는 데 27분이 걸렸으므로 그릇에 물을 가득 채우려면 $64-27=37(분)$이 더 걸린다.

37 두 구의 중심을 지나는 단면의 넓이의 비가 $4:9$이므로 두 구의 닮음비는 $2:3$이다.
따라서 두 구의 부피의 비는 $8:27$이므로 구 O의 부피를 x cm^{3}라고 하면
$8:27=x:81\pi$ $\therefore x=24\pi$
따라서 구 O의 부피는 24π cm^{3}이다.

38 $40(\text{m})=4000(\text{cm})$이므로 지도에서 두 지점 사이의 거리를 x cm라고 하면
$1:1000=x:4000$
$1000x=4000$ $\therefore x=4$
즉, 지도에서 두 지점 사이의 거리는 4 cm이다.

39 축척이 $\dfrac{1}{100000}$이므로 지도에서의 마을의 넓이와 실제 마을의 넓이의 비는 $1^2:100000^2=1:10^{10}$
이때 A마을의 실제 넓이를 x cm^{2}라고 하면
$1:10^{10}=5:x$ $\therefore x=5\times10^{10}$
따라서 A마을의 실제 넓이는
$5\times10^{10}(\text{cm}^2)=5(\text{km}^2)$

01 $\frac{20}{3}$ cm	**02** $\frac{14}{5}$ cm	**03** 1	**04** $x=7, y=4$
05 6 cm	**06** 4 cm²	**07** 4 cm	**08** 15 cm²
09 5 cm²	**10** 48 cm²	**11** 30 cm²	**12** 324 cm³

01 △PBC∽△PNM (AA 닮음)이므로

$4:10=6:\overline{BC}$

$4\overline{BC}=60$ ∴ $\overline{BC}=15$(cm)

△ABC에서 $6:15=\overline{AM}:(\overline{AM}+10)$이므로

$15\overline{AM}=6(\overline{AM}+10)$

$9\overline{AM}=60$ ∴ $\overline{AM}=\frac{20}{3}$(cm)

02 $8:\overline{AC}=4:3$이므로

$4\overline{AC}=24$ ∴ $\overline{AC}=6$(cm)   ······ ❶

$7:8=\overline{CE}:(6-\overline{CE})$이므로 $8\overline{CE}=7(6-\overline{CE})$

$15\overline{CE}=42$ ∴ $\overline{CE}=\frac{14}{5}$(cm)   ······ ❷

채점 기준	배점
❶ $\overline{AC}$의 길이 구하기	50 %
❷ $\overline{CE}$의 길이 구하기	50 %

03 오른쪽 그림에서 $l \parallel m$이므로

$8:(4+8)=a:(2+4)$

∴ $a=4$

이때 $a=4$이므로 점 A, C를
지나면서 직선 r에 평행한
직선 r'을 그으면

△ABC∽△ADE (AA 닮음)

즉, $x:3=4:(4+8)$이므로

$12x=12$ ∴ $x=1$

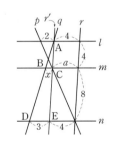

04 사다리꼴 EBCF에서 $\overline{EF} \parallel \overline{GH} \parallel \overline{BC}$, $\overline{FH}=\overline{HC}$

이므로 $8=\frac{1}{2}(x+9)$ ∴ $x=7$

오른쪽 그림과 같이 점 A를 지나
면서 $\overline{CD}$에 평행한 직선과 $\overline{EF}$,
$\overline{GH}$의 교점을 각각 I, J라고 하면
$\overline{EI} \parallel \overline{GJ}$이므로 $2:3=y:(y+2)$

$3y=2(y+2)$ ∴ $y=4$

05 오른쪽 그림과 같이 점 D를 지나
면서 $\overline{AF}$에 평행한 직선과 $\overline{BC}$의
교점을 G라고 하자.

$\overline{EF}=x$ cm라고 하면 삼각형의
중점연결정리에 의하여 △CDG
에서 $\overline{DG}=2x$ cm

즉, △ABF에서 $\overline{AF}=2\times2x=18+x$(cm)

$3x=18$ ∴ $x=6$

따라서 $\overline{EF}$의 길이는 6 cm이다.

06 □AECG는 $\overline{AE} \parallel \overline{GC}$, $\overline{AE}=\overline{GC}$이므로 평행사변형이다.
또한 □HBFD는 $\overline{HD} \parallel \overline{BF}$, $\overline{HD}=\overline{BF}$이므로 평행사변
형이다. 따라서 □PQRS는 두 쌍의 대변이 평행하므로 평
행사변형이다.

$\overline{PH}=a$ cm라고 하면 삼각형의 중점연결정리에 의하여
△ASD에서 $\overline{SD}=2a$ cm

즉, △DRC에서 $\overline{SR}=\overline{SD}=2a$ cm

따라서 △ABP에서 $\overline{PQ}=2a$ cm, $\overline{BQ}=2a$ cm이므로

$\overline{PQ}:\overline{BH}=2a:5a=2:5$

∴ □PQRS$=\frac{2}{5}$□HBFD

$=\frac{2}{5}\times\frac{1}{2}$□ABCD$=\frac{1}{5}$□ABCD

$=\frac{1}{5}\times20=4$(cm²)

07 $\overline{BE}=\overline{ED}=\overline{DF}=\overline{FC}=3$ cm이므로

$\overline{EF}=6$(cm)   ······ ❶

△AGG'∽△AEF (SAS 닮음)이므로   ······ ❷

$2:3=\overline{GG'}:6$ ∴ $\overline{GG'}=4$(cm)   ······ ❸

채점 기준	배점
❶ $\overline{EF}$의 길이 구하기	30 %
❷ 두 삼각형 AGG', AEF가 닮음임을 알기	30 %
❸ $\overline{GG'}$의 길이 구하기	40 %

08 오른쪽 그림과 같이 $\overline{DF}$를
그으면 $\overline{AG}:\overline{GD}=2:1$이고,

△AGF$=20$ cm²이므로

△FGD$=10$ cm²

이때 $\overline{AF}=\overline{FC}$이므로

△DAF$=$△DCF$=30$ cm²

또한 $\overline{DE}=\overline{EC}$이므로

$$\triangle \text{FEC} = \frac{1}{2}\triangle \text{DCF} = \frac{1}{2} \times 30 = 15\,(\text{cm}^2)$$

09 $\triangle \text{GBG}' = \frac{2}{3}\triangle \text{GBM} = \frac{2}{3} \times \frac{1}{2}\triangle \text{GBC}$

$$= \frac{1}{3} \times \frac{1}{3}\triangle \text{ABC} = \frac{1}{9} \times 45 = 5\,(\text{cm}^2)$$

10 $\triangle \text{GNL} \backsim \triangle \text{GBM}$ (AA 닮음)이고 닮음비가
$1:2$이므로 두 삼각형의 넓이의 비는 $1:4$이다.

$$\therefore \triangle \text{GBM} = 4\triangle \text{GNL} = 4 \times 2 = 8\,(\text{cm}^2)$$

$$\therefore \triangle \text{ABC} = 6\triangle \text{GBM} = 6 \times 8 = 48\,(\text{cm}^2)$$

11 $\overline{\text{OD}}$를 지름으로 하는 반원을 P, $\overline{\text{AO}}$를 지름으로 하는 반원을 Q, $\overline{\text{AB}}$를 지름으로 하는 반원을 R라고 하면 P, Q, R의 닮음비는 $1:2:4$이므로 넓이의 비는
$1:4:16$이다. ⋯⋯ ❶
반원 P의 넓이와 색칠한 부분의 넓이의 비는
$1:(16-4-1-1)=1:10$ ⋯⋯ ❷

$$\therefore (\text{색칠한 부분의 넓이}) = 3 \times 10 = 30\,(\text{cm}^2) \quad \text{⋯⋯ ❸}$$

채점 기준	배점
❶ 크기가 서로 다른 세 반원의 넓이의 비 구하기	30 %
❷ 가장 작은 반원의 넓이와 색칠한 부분의 넓이의 비 구하기	40 %
❸ 색칠한 부분의 넓이 구하기	30 %

12 세 정사각뿔의 닮음비는 $1:2:3$이므로 부피의 비는
$1^3 : 2^3 : 3^3 = 1 : 8 : 27$
즉, 세 입체도형 (개), (내), (대)의 부피의 비는
$1 : (8-1) : (27-8) = 1 : 7 : 19$
따라서 입체도형 (내)와 처음에 주어진 정사각뿔의 부피의 비는 $7:27$이므로 처음에 주어진 정사각뿔의 부피를 x cm^3라고 하면
$7 : 27 = 84 : x$

$$\therefore x = 324$$

따라서 처음에 주어진 정사각뿔의 부피는 $324\,\text{cm}^3$이다.

---

3. 피타고라스 정리

045~048쪽

유형 TEST   01. 피타고라스 정리(1)
02. 피타고라스 정리(2)

01 21	02 17	03 3	04 5
05 15	06 124	07 6	08 ④
09 $\frac{9}{2}$	10 200	11 90	12 ②, ④
13 60	14 8	15 ④	16 19
17 9	18 ④	19 $\frac{8}{5}$	20 $\frac{36}{5}$
21 150	22 81	23 18	24 116
25 25π cm^2	26 $24+\frac{25}{2}\pi$	27 6	28 15

01 $\triangle \text{ABD}$에서 $x^2 = 13^2 - 5^2 = 12^2$ $\therefore x = 12\,(\because x>0)$
$\triangle \text{ADC}$에서 $y^2 = 15^2 - 12^2 = 9^2$ $\therefore y = 9\,(\because y>0)$

$$\therefore x + y = 12 + 9 = 21$$

02 $\triangle \text{ABD}$에서 $\overline{\text{BD}}^2 = 10^2 - 8^2 = 6^2$

$$\therefore \overline{\text{BD}} = 6\,(\because \overline{\text{BD}}>0)$$

$\triangle \text{ADC}$에서 $\overline{\text{DC}} = 21 - 6 = 15$이므로
$\overline{\text{AC}}^2 = 15^2 + 8^2 = 17^2$

$$\therefore \overline{\text{AC}} = 17\,(\because \overline{\text{AC}}>0)$$

03 점 D에서 $\overline{\text{BC}}$에 내린 수선의 발을
H라고 하면 $\overline{\text{DH}} = \overline{\text{AB}} = 4$
$\triangle \text{DHC}$에서 $\overline{\text{HC}}^2 = 5^2 - 4^2 = 3^2$

$$\therefore \overline{\text{HC}} = 3\,(\because \overline{\text{HC}}>0)$$

즉, $\overline{\text{BH}} = 6 - 3 = 3$이므로
$\overline{\text{AD}} = \overline{\text{BH}} = 3$

04 $\triangle \text{ABC}$에서 $\overline{\text{BC}}^2 = 10^2 - 6^2 = 8^2$

$$\therefore \overline{\text{BC}} = 8\,(\because \overline{\text{BC}}>0)$$

이때 $\overline{\text{AB}} : \overline{\text{AC}} = \overline{\text{BD}} : \overline{\text{CD}} = 10 : 6 = 5 : 3$이므로

$$\overline{\text{BD}} = 8 \times \frac{5}{8} = 5$$

05 $\triangle \text{ABC}$에서
$\overline{\text{BC}}^2 = 13^2 - 5^2 = 12^2$

$$\therefore \overline{\text{BC}} = 12\,(\because \overline{\text{BC}}>0)$$

점 D에서 $\overline{\text{AB}}$의 연장선에 내린
수선의 발을 H라고 하면
$\triangle \text{AHD}$에서 $\overline{\text{AH}} = 9$, $\overline{\text{HD}} = \overline{\text{BC}} = 12$이므로
$\overline{\text{AD}}^2 = 9^2 + 12^2 = 15^2$ $\therefore \overline{\text{AD}} = 15\,(\because \overline{\text{AD}}>0)$

06 △ACD에서 $x^2=10^2-5^2=75$이므로
△ABC에서 $y^2=x^2+7^2=75+49=124$

07 $\overline{AC}^2=1^2+1^2=2$, $\overline{AD}^2=2+1^2=3$
$\overline{AE}^2=3+1^2=4$, $\overline{AF}^2=4+1^2=5$
$\overline{AG}^2=5+1^2=6$

08 ④ □AEDB$=\overline{AB}^2$, △ABC$=\dfrac{1}{2}\times\overline{AB}\times\overline{AC}$이므로
□AEDB$\neq 2$△ABC

09 $\overline{AC}^2=5^2-4^2=3^2$ $\therefore \overline{AC}=3\,(\because \overline{AC}>0)$
△AGC≡△HBC (SAS 합동)이므로
△AGC$=$△HBC$=$△HAC
$=\dfrac{1}{2}$□ACHI$=\dfrac{1}{2}\times 3^2=\dfrac{9}{2}$

10 $\overline{BC}^2=16^2+12^2=400$이므로
□BDEC$=\overline{BC}^2=400$
꼭짓점 A에서 $\overline{BC}$에 수선을 그어
$\overline{BC}$, $\overline{DE}$와 만나는 점을 각각 F, G
라고 하면 색칠한 부분의 넓이는
△ABD$+$△AEC
$=$△FBD$+$△FEC
$=\dfrac{1}{2}$□BDEC$=\dfrac{1}{2}\times 400=200$

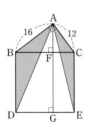

11 △ABP≡△PCD에서 $\overline{AP}=\overline{PD}$, $\angle APD=90°$이므로
△APD는 직각이등변삼각형이다. 이때 $\overline{AB}=\overline{PC}=12$
이고 △ABP에서 $\overline{AP}^2=6^2+12^2=180$이므로
△APD$=\dfrac{1}{2}\times\overline{AP}^2=\dfrac{1}{2}\times 180=90$

12 ② $6^2\neq 3^2+5^2$
④ $5^2\neq 3^2+3^2$

13 $8^2+15^2=17^2$이므로 직각을 낀 두 변의 길이가 8, 15인
직각삼각형이다.
따라서 구하는 삼각형의 넓이는 $\dfrac{1}{2}\times 8\times 15=60$

14 x가 10 미만의 짝수이므로 $x=2,\,4,\,6,\,8$
그런데 $\angle C=90°$인 직각삼각형이 되려면 $x+2$가 가장 긴
변이어야 하므로 $x=6$ 또는 $x=8$이다.
$x=6$이면 세 변의 길이는 $(6,\,6,\,8)$
$x=8$이면 세 변의 길이는 $(6,\,8,\,10)$

이 중 $\overline{AB}^2=\overline{BC}^2+\overline{AC}^2$인 경우는 $(6,\,8,\,10)$이다.
따라서 구하는 x의 값은 8이다.

15 ④ $14^2<9^2+12^2$이므로 예각삼각형이다.

16 x가 가장 긴 변의 길이이므로 삼각형의 세 변의 길이 사이
의 관계에 의하여
$7<x<4+7$ $\therefore 7<x<11$ ······ ㉠
둔각삼각형이므로 $x^2>4^2+7^2$ $\therefore x^2>65$ ······ ㉡
따라서 ㉠, ㉡을 만족시키는 자연수 x의 값은 9, 10이므로
$9+10=19$

17 a가 가장 긴 변의 길이이므로 삼각형의 세 변의 길이 사이
의 관계에 의하여
$8<a<6+8$ $\therefore 8<a<14$ ······ ㉠
예각삼각형이므로 $a^2<6^2+8^2$ $\therefore a^2<100$ ······ ㉡
따라서 ㉠, ㉡을 만족시키는 자연수 a의 값은 9이다.

18 ④ $b^2<a^2+c^2$이면 $\angle B<90°$이지만 $\angle A$ 또는 $\angle C$가 $90°$
보다 클 수 있으므로 예각삼각형이라고 말할 수 없다.

19 △ABC에서 $\overline{BC}^2=8^2+6^2=10^2$
$\therefore \overline{BC}=10\,(\because \overline{BC}>0)$
$\overline{AB}^2=\overline{BH}\times\overline{BC}$이므로 $8^2=10x$ $\therefore x=\dfrac{32}{5}$
$\overline{AB}\times\overline{AC}=\overline{AH}\times\overline{BC}$이므로 $8\times 6=10y$ $\therefore y=\dfrac{24}{5}$
$\therefore x-y=\dfrac{32}{5}-\dfrac{24}{5}=\dfrac{8}{5}$

20 △ABC에서 $\overline{BC}^2=9^2+12^2=15^2$
$\therefore \overline{BC}=15\,(\because \overline{BC}>0)$
$9\times 12=15\times\overline{AH}$ $\therefore \overline{AH}=\dfrac{36}{5}$

21 △AHC에서 $\overline{AH}^2=15^2-9^2=12^2$
$\therefore \overline{AH}=12\,(\because \overline{AH}>0)$
$\overline{AH}^2=\overline{BH}\times\overline{HC}$이므로
$12^2=\overline{BH}\times 9$ $\therefore \overline{BH}=16$
따라서 $\overline{BC}=\overline{BH}+\overline{CH}=25$이므로
△ABC$=\dfrac{1}{2}\times 25\times 12=150$

22 $12^2+x^2=15^2+y^2$
$\therefore x^2-y^2=225-144=81$

23 $5^2+3^2=4^2+\overline{DP}^2$　　$\therefore \overline{DP}^2=18$

24 $\overline{BE}^2+\overline{DC}^2=\overline{DE}^2+\overline{BC}^2=4^2+10^2=116$

25 반원 R의 넓이는 $\dfrac{1}{2}\times 5^2\times\pi=\dfrac{25}{2}\pi\,(\text{cm}^2)$이고,

$R=P+Q$이므로 $P+Q+R=2R=25\pi\,(\text{cm}^2)$

26 $\triangle ABC$에서 $\overline{AC}^2=10^2-8^2=6^2$

$\therefore \overline{AC}=6\ (\because \overline{AC}>0)$

$S_1+S_2=\triangle ABC=\dfrac{1}{2}\times 8\times 6=24$

$S_3=\dfrac{1}{2}\times\pi\times\left(\dfrac{10}{2}\right)^2=\dfrac{25}{2}\pi$

$\therefore$ (색칠한 부분의 넓이)

　$=S_1+S_2+S_3$

　$=24+\dfrac{25}{2}\pi$

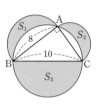

27 $\overline{AQ}=\overline{AD}=15$이므로 $\triangle ABQ$에서

$\overline{BQ}^2=15^2-9^2=12^2$　　$\therefore \overline{BQ}=12\ (\because \overline{BQ}>0)$

$\therefore \overline{CQ}=15-12=3$

$\triangle PQC\backsim\triangle QAB$이므로 $\overline{QC}:\overline{AB}=\overline{PC}:\overline{QB}$

$3:9=\overline{PC}:12$　　$\therefore \overline{PC}=4$

$\therefore \triangle PQC=\dfrac{1}{2}\times 3\times 4=6$

28 $\triangle ABE\equiv\triangle C'DE$ (ASA 합동)이므로 $\overline{AE}=7$

$\triangle ABE$에서 $\overline{BE}^2=24^2+7^2=25^2$이므로

$\overline{BE}=25\ (\because \overline{BE}>0)$

$\triangle ABD$에서 $\overline{BD}^2=32^2+24^2=40^2$이므로

$\overline{BD}=40\ (\because \overline{BD}>0)$　　$\therefore \overline{BF}=20$

$\triangle BFE$에서 $\overline{EF}^2=25^2-20^2=15^2$이므로

$\overline{EF}=15\ (\because \overline{EF}>0)$

실력 TEST　049~051쪽

01 27	**02** 5	**03** 5	**04** 4
05 $\dfrac{12}{5}$	**06** 24	**07** 20	**08** $\dfrac{5}{3}$
09 $\dfrac{7}{2}$	**10** 2.1 cm	**11** 15	**12** $\dfrac{63}{5}$

---

01 $\square ABCD=9\times\overline{BC}=108$　　$\therefore \overline{BC}=12$

$\overline{AC}^2=\overline{BD}^2=12^2+9^2=15^2$이므로

$\overline{AC}=\overline{BD}=15\ (\because \overline{AC}>0,\ \overline{BD}>0)$

$\therefore \overline{OA}=\overline{OD}=\dfrac{15}{2}$

따라서 $\triangle OAD$의 둘레의 길이는 $12+2\times\dfrac{15}{2}=27$

02 $\triangle ABD\equiv\triangle CAE$ (RHA 합동)

$\overline{AD}=\overline{CE}=1,\ \overline{AE}=\overline{BD}=2$이므로

$\overline{DE}=\overline{AE}-\overline{AD}=2-1=1$

따라서 $\triangle DBE$에서 $\overline{BE}^2=2^2+1^2=5$

03 $\square BFQP+\square HNMJ+\square IJLK$

$=\square BFQP+\square ACHI$

$=\square BFQP+\square PQGC=\square BFGC$

한편, $\triangle ABC$에서 $\overline{BC}^2=2^2+1^2=5$이므로

$\square BFGC=\overline{BC}^2=5$

04 $\overline{AC}^2=2^2+2^2=8,\ \overline{AD}^2=8+2^2=12$이므로

$\overline{AE}^2=12+2^2=16$　　$\therefore \overline{AE}=4\ (\because \overline{AE}>0)$

05 $A(0,3),\ B(-4,0)$이므로 $\overline{OA}=3,\ \overline{OB}=4$

$\overline{AB}^2=3^2+4^2=5^2$　　$\therefore \overline{AB}=5\ (\because \overline{AB}>0)$　…… ❶

$5\times\overline{OH}=3\times 4$　　$\therefore \overline{OH}=\dfrac{12}{5}$　…… ❷

채점 기준	배점
❶ $\overline{AB}$의 길이 구하기	60 %
❷ $\overline{OH}$의 길이 구하기	40 %

06 (색칠한 부분의 넓이)$=2\times\triangle ACD$

　　　　　　　　　　　　$=\square ABCD=24$

07 $\overline{AD}=\overline{BD}=6,\ \overline{CE}=\overline{EB}=8$이므로

$\square DECA$에서 $6^2+8^2=\overline{DE}^2+\overline{AC}^2$

$\overline{AC}=2\overline{DE}$이므로 $\overline{DE}^2+4\overline{DE}^2=100$　　$\therefore \overline{DE}^2=20$

08 $\overline{AC}^2=3^2+4^2=5^2$이므로 $\overline{AC}=5\ (\because \overline{AC}>0)$

$\therefore \overline{BD}=\overline{AD}=\overline{DC}=\dfrac{1}{2}\overline{AC}=\dfrac{5}{2}$　…… ❶

$\overline{BG}:\overline{GD}=2:1$이므로

$\overline{BG}=\dfrac{2}{3}\times\overline{BD}=\dfrac{2}{3}\times\dfrac{5}{2}=\dfrac{5}{3}$　…… ❷

채점 기준	배점
❶ $\overline{AC}$, $\overline{BD}$의 길이 구하기	60 %
❷ $\overline{BG}$의 길이 구하기	40 %

09 점 E에서 $\overline{BF}$에 내린 수선의 발을 G라고 하면

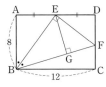

$\triangle ABE \equiv \triangle GBE$ (RHA 합동)

$\therefore \overline{GB}=\overline{AB}=8$,

$\quad \overline{EG}=\overline{EA}=\overline{ED}=6$

이때 $\overline{EF}$를 그으면 $\triangle EGF \equiv \triangle EDF$ (RHS 합동)이므로

직각삼각형 EBF에서

$\overline{EG}^2=\overline{BG}\times\overline{GF}$

$6^2=8\times\overline{GF} \quad \therefore \overline{GF}=\dfrac{9}{2}$

$\therefore \overline{DF}=\overline{GF}=\dfrac{9}{2}$

$\therefore \overline{FC}=\overline{DC}-\overline{DF}=8-\dfrac{9}{2}=\dfrac{7}{2}$

10 $\triangle ABC$에서 $\overline{BC}^2=12^2+9^2=15^2$

$\therefore \overline{BC}=15 \text{(cm)} \ (\because \overline{BC}>0)$

$\overline{AC}^2=\overline{CH}\times\overline{CB}$이므로

$9^2=\overline{CH}\times15 \quad \therefore \overline{CH}=5.4 \text{ cm}$

점 M은 $\overline{BC}$의 중점이므로 $\overline{CM}=\overline{BM}=7.5\text{(cm)}$

$\therefore \overline{MH}=\overline{CM}-\overline{CH}=7.5-5.4=2.1\text{(cm)}$

11 $\triangle ACD$에서 $\overline{AC}^2=16^2+12^2=20^2$

이므로 $\overline{AC}=20 \ (\because \overline{AC}>0)$

오른쪽 그림과 같이 $\overline{PQ}$와 평행한

직선 P′D를 그어 대각선 AC와 $\overline{P'D}$

가 만나는 점을 R라고 하면

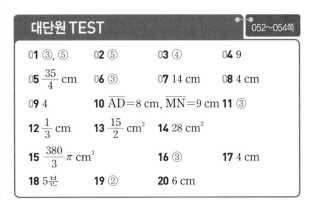

$\overline{AD}\times\overline{CD}=\overline{AC}\times\overline{DR}$이므로

$16\times12=20\times\overline{DR} \quad \therefore \overline{DR}=\dfrac{48}{5}$

$\triangle CDP'$에서 $\overline{CD}^2=\overline{DR}\times\overline{DP'}$이므로

$12^2=\dfrac{48}{5}\times\overline{DP'} \quad \therefore \overline{DP'}=15$

□QPP′D는 평행사변형이므로 $\overline{PQ}=\overline{DP'}=15$

12 $\triangle ABC$에서 $\overline{AB}^2=3^2+4^2=5^2$이므로

$\overline{AB}=5 \ (\because \overline{AB}>0)$

점 A에서 $\overline{DE}$에 내린 수선의 발을 G라 하면

$\angle GAD=90°-\angle GAB=\angle CAB$

$\angle AGD=\angle C=90°$이므로

$\triangle GAD \backsim \triangle CAB$ (AA 닮음)

즉, $\overline{GD}:\overline{CB}=\overline{AD}:\overline{AB}$이므로

$\overline{GD}:4=12:5 \quad \therefore \overline{GD}=\dfrac{48}{5}$

$\therefore \overline{DE}=\overline{GD}+\overline{GE}=\overline{GD}+\overline{AC}=\dfrac{48}{5}+3=\dfrac{63}{5}$

대단원 TEST

052~054쪽

01 ③, ⑤	**02** ⑤	**03** ④	**04** 9
05 $\dfrac{35}{4}$ cm	**06** ③	**07** 14 cm	**08** 4 cm
09 4	**10** $\overline{AD}=8$ cm, $\overline{MN}=9$ cm **11** ③		
12 $\dfrac{1}{3}$ cm	**13** $\dfrac{15}{2}$ cm²	**14** 28 cm²	
15 $\dfrac{380}{3}\pi$ cm³		**16** ③	**17** 4 cm
18 5분	**19** ②	**20** 6 cm	

02 $\overline{AB}:\overline{ED}=\overline{CA}:\overline{BE}$에서

$3:6=7:\overline{BE} \quad \therefore \overline{BE}=14\text{(cm)}$

$\therefore \overline{CE}=\overline{BE}-\overline{BC}=14-5=9\text{(cm)}$

03 $\triangle ABD \backsim \triangle ACE$ (AA 닮음)

이때 $\overline{BE}=x$ cm라고 하면

$10:8=5:(10-x) \quad \therefore x=6$

따라서 $\overline{BE}$의 길이는 6 cm이다.

04 $\triangle ABC$와 $\triangle BCD$에서

$\angle ABC=\angle BCD$, $\angle BCA=\angle CDB$이므로

$\triangle ABC \backsim \triangle BCD$ (AA 닮음) ······ ❶

$\overline{AB}:\overline{BC}=\overline{BC}:\overline{CD}$에서

$12:6=6:(12-x)$ ······ ❷

$12(12-x)=36$

$\therefore x=9$ ······ ❸

채점 기준	배점
❶ 두 삼각형 ABC, BCD가 닮음임을 알기	40 %
❷ x에 대한 비례식 세우기	30 %
❸ x의 값 구하기	30 %

05 $\overline{AD}=\overline{DE}=7\,cm$이므로 $\overline{AB}=7+8=15(cm)$

$\overline{BC}=\overline{AB}=15\,cm$이므로 $\overline{CE}=15-5=10(cm)$

$\triangle DBE \varpropto \triangle ECF$ (AA 닮음)이므로

$\overline{BD}:\overline{CE}=\overline{DE}:\overline{EF}$에서

$8:10=7:\overline{EF}$ $\quad\therefore \overline{EF}=\dfrac{35}{4}(cm)$

$\therefore \overline{AF}=\overline{EF}=\dfrac{35}{4}(cm)$

06 ③ $6:8=9:12$이므로 $\overline{AC}/\!/\overline{DE}$

07 $\overline{EP}=a\,cm$라고 하면

$\triangle AFD$에서 $\overline{FD}=2\overline{EP}=2a(cm)$

$\triangle BCE$에서 $\overline{CE}=2\overline{DF}=4a$, 즉 $21+a=4a$

$3a=21$ $\quad\therefore a=7$ $\quad\therefore \overline{FD}=2a=2\times7=14(cm)$

08 $\overline{AD}$는 $\angle A$의 이등분선이므로

$15:\overline{AC}=6:4$ $\quad\therefore \overline{AC}=10(cm)$

$\overline{BE}$는 $\angle B$의 이등분선이므로 $15:10=(10-\overline{CE}):\overline{CE}$

$\therefore \overline{CE}=4(cm)$

09 $6:16=3:a$이므로 $a=8$

$6:6=b:4$이므로 $b=4$ $\quad\therefore a-b=8-4=4$

10 $\triangle ABC$에서 $\overline{MQ}=\dfrac{1}{2}\overline{BC}=5(cm)$이므로

$\overline{MP}=5\times\dfrac{4}{5}=4(cm)$, $\overline{PQ}=5\times\dfrac{1}{5}=1(cm)$

$\triangle ABD$에서 $\overline{AD}=2\overline{MP}=8(cm)$

$\triangle ACD$에서 $\overline{QN}=\dfrac{1}{2}\overline{AD}=\dfrac{1}{2}\times8=4(cm)$

$\therefore \overline{MN}=4+1+4=9(cm)$

11 ③ $\triangle ABC=3\triangle GBC=3\times2\triangle GBM$

$\qquad\qquad =6\times\dfrac{3}{2}\triangle GBG'=9\triangle GBG'$

$\qquad\qquad =9\times18=162(cm^2)$

12 $\triangle ABC=\dfrac{1}{2}\times12\times8=48(cm^2)$

내접원의 반지름의 길이를 $\overline{ID}=r\,cm$라고 하면

$\dfrac{1}{2}r(10+10+12)=16r=48$ $\quad\therefore r=3$ ...... ❶

한편, 점 G는 $\triangle ABC$의 무게중심이므로

$\overline{GD}=\dfrac{1}{3}\overline{AD}=\dfrac{1}{3}\times8=\dfrac{8}{3}(cm)$ ...... ❷

$\therefore \overline{IG}=\overline{ID}-\overline{GD}=3-\dfrac{8}{3}=\dfrac{1}{3}(cm)$ ...... ❸

채점 기준	배점
❶ $\overline{ID}$의 길이 구하기	40 %
❷ $\overline{GD}$의 길이 구하기	40 %
❸ $\overline{IG}$의 길이 구하기	20 %

13 $\triangle ABD=3\triangle APQ=30(cm^2)$

$\triangle CMN \varpropto \triangle CBD$ (AA 닮음)이고 닮음비가 $1:2$이므로 넓이의 비는 $1:4$이다.

$\therefore \triangle CMN=\dfrac{15}{2}(cm^2)$

14 $\triangle ADE \varpropto \triangle ABC$이고 닮음비는 $3:4$이므로 두 삼각형의 넓이의 비는 $9:16$이다.

따라서 $\triangle ADE$의 넓이와 $\square DBCE$의 넓이의 비가 $9:7$이므로 $9:7=36:\square DBCE$ $\quad\therefore \square DBCE=28(cm^2)$

15 잘라낸 원뿔과 원래 원뿔의 닮음비는 $2:3$이므로 부피의 비는 $8:27$

$\therefore$ (원뿔대의 부피) : (원래 원뿔의 부피)$=19:27$ ...... ❶

이때 원래 원뿔의 높이를 $x\,cm$라고 하면

$2:3=(x-5):x$, $2x=3x-15$ $\quad\therefore x=15$ ...... ❷

$\therefore$ (원래 원뿔의 부피)$=\dfrac{1}{3}\times36\pi\times15$

$\qquad\qquad\qquad\qquad =180\pi(cm^3)$ ...... ❸

$\therefore$ (원뿔대의 부피)$=\dfrac{19}{27}\times180\pi=\dfrac{380}{3}\pi(cm^3)$ ...... ❹

채점 기준	배점
❶ 원뿔대와 원래 원뿔의 부피의 비 구하기	20 %
❷ 원래 원뿔의 높이 구하기	20 %
❸ 원래 원뿔의 부피 구하기	30 %
❹ 원뿔대의 부피 구하기	30 %

16 $\triangle ABD$에서 $x^2=13^2-12^2=5^2$ $\quad\therefore x=5\,(\because x>0)$

$\triangle ABC$에서 $y^2=16^2+12^2=20^2$ $\quad\therefore y=20\,(\because y>0)$

$\therefore y-x=20-5=15$

17 $\square ADEB=\square ACHI+\square CBFG$에서

$48=\square ACHI+32$ $\quad\therefore \square ACHI=16(cm^2)$

$\therefore \overline{AC}=4(cm)\,(\because \overline{AC}>0)$

18 오른쪽 그림에서 $\overline{AC}=11-5=6(m)$

$\triangle ACB$에서 $\overline{AB}^2=8^2+6^2=10^2$이므로

$\overline{AB}=10(m)$ $(\because \overline{AB}>0)$ ······ **❶**

따라서 새가 A나무 꼭대기에 도달하는 데

걸리는 시간은 $\dfrac{10}{2}=5$(분) ······ **❷**

채점 기준	배점
❶ $\overline{AB}$의 길이 구하기	60 %
❷ 걸리는 시간 구하기	40 %

19 ㄱ. $x=10$일 때, $12^2>5^2+10^2$ (둔각삼각형)

ㄷ. $x=14$일 때, $14^2>5^2+12^2$ (둔각삼각형)

20 (색칠한 부분의 넓이)$=\triangle ABC=\dfrac{1}{2}\times 15\times \overline{AC}=45$

$\therefore \overline{AC}=6(cm)$

창의사고력 TEST

055쪽

01 17 : 9	**02** 1 cm³	**03** 1152π

01 $\triangle AEP\equiv\triangle BFQ\equiv\triangle CGR\equiv\triangle DHS$ (SAS 합동)이므로 $\square PQRS$는 정사각형이다.

$\triangle AEP\circ\triangle ABQ$ (AA 닮음)이고 닮음비는 $1:4$이므로 두 삼각형의 넓이의 비는 $1:16$이다. $\triangle AEP$의 넓이를 S라고 하면 $\triangle ABQ$의 넓이는 $16S$이다.

또한 $\triangle AEP\equiv\triangle BFQ$이므로 $\triangle ABF$의 넓이는 $17S$이다. 이때 정사각형 ABCD의 한 변의 길이를 $4a$라고 하면

$\triangle ABF$의 넓이는 $\dfrac{1}{2}\times 4a\times a=2a^2$이므로 $17S=2a^2$

$\therefore S=\dfrac{2}{17}a^2$

$\therefore \square PQRS=\square ABCD-4\triangle ABQ$

$=(4a)^2-4\times 16S=16a^2-4\times 16\times\dfrac{2}{17}a^2$

$=16a^2\left(1-\dfrac{8}{17}\right)=16a^2\times\dfrac{9}{17}$

따라서 두 정사각형 ABCD와 PQRS의 넓이의 비는

$1:\dfrac{9}{17}$, 즉 $17:9$이다.

02 오른쪽 그림과 같이 $\overline{AP}$의 연장선과 $\overline{BC}$의 교점을 M, $\overline{AQ}$의 연장선과 $\overline{CD}$의 교점을 N이라고 하면

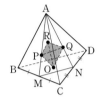

$\overline{MN}=\dfrac{1}{2}\overline{BD}$

점 P는 $\triangle ABC$의 무게중심이고, 점 Q는 $\triangle ACD$의 무게중심이므로

$\overline{AP}:\overline{AM}=\overline{AQ}:\overline{AN}=2:3$

$\therefore \overline{PQ}=\dfrac{2}{3}\overline{MN}=\dfrac{2}{3}\times\dfrac{1}{2}\overline{BD}=\dfrac{1}{3}\overline{BD}$

마찬가지로

$\overline{RQ}=\dfrac{2}{3}\times\dfrac{1}{2}\overline{BC}=\dfrac{1}{3}\overline{BC}$, $\overline{PR}=\dfrac{2}{3}\times\dfrac{1}{2}\overline{CD}=\dfrac{1}{3}\overline{CD}$

따라서 $\triangle PQR\circ\triangle DBC$ (SSS 닮음)이고, 닮음비는 $\overline{PQ}:\overline{BD}=1:3$이다.

같은 방법으로 하면 $\triangle OPQ\circ\triangle ADB$, $\triangle OQR\circ\triangle ABC$, $\triangle ORP\circ\triangle ACD$이고, 닮음비는 모두 $1:3$이다.

따라서 (사면체 $O-PQR$)$\circ$(사면체 $A-DBC$)이고, 닮음비는 $1:3$이므로 부피의 비는 $1^3:3^3=1:27$

$\therefore$ (사면체 $O-PQR$의 부피)

$=\dfrac{1}{27}\times$(사면체 $A-DBC$의 부피)

$=\dfrac{1}{27}\times 27=1(cm^3)$

03 $\triangle ABC$에서 $\overline{AB}=2\times 5=10$

$\overline{AC}=18-(5+5)=8$

$\overline{BC}^2=10^2-8^2=6^2$

$\therefore \overline{BC}=6$ $(\because \overline{BC}>0)$

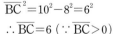
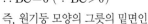

즉, 원기둥 모양의 그릇의 밑면인 원의 지름의 길이는 $5+6+5=16$

따라서 밑면인 원의 반지름의 길이가 8이고, 높이가 18인 원기둥의 부피는

$\pi\times 8^2\times 18=1152\pi$

1. 경우의 수

01 ⑤	02 7	03 3	04 8가지
05 22	06 5	07 10	08 12
09 8	10 8	11 20	12 3
13 24	14 27	15 11	16 24

01 ① 소수의 눈이 나오는 경우의 수는 2, 3, 5의 3
　② 짝수의 눈이 나오는 경우의 수는 2, 4, 6의 3
　③ 홀수의 눈이 나오는 경우의 수는 1, 3, 5의 3
　④ 4의 약수의 눈이 나오는 경우의 수는 1, 2, 4의 3
　⑤ 6의 약수의 눈이 나오는 경우의 수는 1, 2, 3, 6의 4

02 1부터 30까지의 자연수 중에서 4의 배수가 나오는 경우는
　4, 8, 12, …, 28의 7가지이다.

03 $2x+y=9$를 만족시키는 경우는
　$x=2$일 때, $y=5$
　$x=3$일 때, $y=3$
　$x=4$일 때, $y=1$
　따라서 구하는 경우의 수는 3이다.

04 줄 수 있는 용돈을 표로 나타내면 다음과 같다.

(단위 : 원)

5000원(장) ＼ 1000원(장)	0	1	2
0	－	1000	2000
1	5000	6000	7000
2	10000	11000	12000

따라서 혜현이에게 줄 수 있는 용돈의 금액은 8가지이다.

05 $4+8+10=22$

06 $3+2=5$

07 눈의 수의 합이 5인 경우를 순서쌍으로 나타내면
　$(1, 4), (2, 3), (3, 2), (4, 1)$의 4가지이고,
　눈의 수의 합이 7인 경우는

$(1, 6), (2, 5), (3, 4), (4, 3), (5, 2), (6, 1)$의 6가지이다.
따라서 구하는 경우의 수는 $4+6=10$

08 눈의 수의 차가 2인 경우를 순서쌍으로 나타내면
　$(1, 3), (3, 1), (2, 4), (4, 2), (3, 5), (5, 3),$
　$(4, 6), (6, 4)$의 8가지이고,
　눈의 수의 차가 4인 경우는
　$(1, 5), (5, 1), (2, 6), (6, 2)$의 4가지이다.
　따라서 구하는 경우의 수는 $8+4=12$

09 합이 4인 경우 : $(1, 3), (2, 2), (3, 1)$
　합이 10인 경우 : $(2, 8), (3, 7), (4, 6), (5, 5), (6, 4)$
　따라서 구하는 경우의 수는 $3+5=8$

10 20보다 작은 경우 : 12, 13, 14, 15
　50보다 큰 경우 : 51, 52, 53, 54
　따라서 구하는 경우의 수는 $4+4=8$

11 $5×4=20$

12 주사위에서 짝수의 눈이 나오는 경우는 2, 4, 6의 3가지이
　고 동전에서 앞면이 나오는 경우는 1가지이다.
　따라서 구하는 경우의 수는 $3×1=3$

13 햄버거는 4종류, 음료는 3종류, 디저트는 2종류이므로
　구하는 경우의 수는 $4×3×2=24$

14 $3×3×3=27$

15 (i) A → B → D인 경우의 수는
　　$1×2=2$
　(ii) A → C → D인 경우의 수는
　　$3×3=9$
　(i), (ii)에 의하여 구하는 경우의 수는
　　$2+9=11$

16 A지점과 B지점 사이를 왕복하는데
　(i) A → P → B → A인 경우의 수는
　　$(3×2)×2=12$
　(ii) A → B → P → A인 경우의 수는
　　$2×(2×3)=12$

(i), (ii)에 의하여 구하는 경우의 수는

$12+12=24$

유형 TEST 　02. 여러 가지 경우의 수　058~059쪽

01 6	**02** 24	**03** 48	**04** 12
05 24	**06** (1) 24 (2) 48		**07** 24
08 16	**09** 41	**10** 24	**11** 1
12 30	**13** 4	**14** 15회	**15** 56
16 15	**17** 120	**18** 10	

01 $3 \times 2 \times 1 = 6$

02 D를 뺀 나머지 4명을 한 줄로 세우는 경우의 수와 같으므로 $4 \times 3 \times 2 \times 1 = 24$

03 b, c를 하나의 문자로 생각했을 때, 4개의 문자를 한 줄로 나열하는 경우의 수는 $4 \times 3 \times 2 \times 1 = 24$
b, c가 서로 자리를 바꿀 수 있으므로 구하는 경우의 수는
$24 \times 2 = 48$

04 B, C, D를 한 줄로 세우는 경우의 수는
$3 \times 2 \times 1 = 6$
A, E가 양 끝에서 서로 자리를 바꿀 수 있으므로 구하는 경우의 수는 $6 \times 2 = 12$

05 A에 칠할 수 있는 색은 3가지, B에 칠할 수 있는 색은 A에 칠한 색을 제외한 2가지, C에 칠할 수 있는 색은 B에 칠한 색을 제외한 2가지, D에 칠할 수 있는 색은 C에 칠한 색을 제외한 2가지이므로 구하는 경우의 수는
$3 \times 2 \times 2 \times 2 = 24$

06 (1) A에 칠할 수 있는 색은 4가지, B에 칠할 수 있는 색은 A에 칠한 색을 제외한 3가지, C에 칠할 수 있는 색은 A, B에 칠한 색을 제외한 2가지, D에 칠할 수 있는 색은 A, B, C에 칠한 색을 제외한 1가지이므로 구하는 경우의 수는
$4 \times 3 \times 2 \times 1 = 24$

(2) A에 칠할 수 있는 색은 4가지, C에 칠할 수 있는 색은 A에 칠한 색을 제외한 3가지, B에 칠할 수 있는 색은 A, C에 칠한 색을 제외한 2가지, D에 칠할 수 있는 색은 A, C에 칠한 색을 제외한 2가지이므로 구하는 경우의 수는
$4 \times 3 \times 2 \times 2 = 48$

07 $4 \times 3 \times 2 = 24$

08 십의 자리에 올 수 있는 숫자는 0을 제외한 1, 2, 3, 4의 4개, 일의 자리에 올 수 있는 숫자는 십의 자리의 숫자를 제외한 4개이다.
따라서 구하는 자연수의 개수는 $4 \times 4 = 16$

09 (i) 일의 자리의 숫자가 0인 경우 : 십의 자리에 올 수 있는 숫자는 1부터 9까지의 9개
(ii) 일의 자리의 숫자가 0이 아닌 경우 : 일의 자리에 올 수 있는 숫자는 2, 4, 6, 8의 4개, 십의 자리에 올 수 있는 숫자는 0과 일의 자리의 숫자를 제외한 8개이므로
$8 \times 4 = 32$(개)
(i), (ii)에 의하여 구하는 짝수의 개수는
$9 + 32 = 41$

10 4의 배수가 되려면 끝의 두 자리의 수가 4의 배수이어야 한다. 주어진 카드로 만들 수 있는 세 자리의 자연수 중 4의 배수는 끝의 두 자리의 수가
04, 12, 20, 24, 32, 40, 52이어야 한다.
(i) □04, □20, □40인 경우는 백의 자리에 올 수 있는 숫자가 각각 4개이므로 $4 \times 3 = 12$(개)
(ii) □12, □24, □32, □52인 경우는 백의 자리에 올 수 있는 숫자가 각각 3개이므로 $3 \times 4 = 12$(개)
(i), (ii)에 의하여 4의 배수의 개수는 $12 + 12 = 24$

11 0, 1, 2, 3, 4, 5가 적힌 6장의 카드에서 2장의 카드를 뽑아 만들 수 있는 두 자리의 자연수의 개수는
$5 \times 5 = 25$
(i) 짝수의 개수는
일의 자리의 숫자가 0인 경우 : 5
일의 자리의 숫자가 0을 제외한 2, 4인 경우 :
$4 \times 2 = 8$
$\therefore 5 + 8 = 13$

(ii) 홀수의 개수는 $25-13=12$

(i), (ii)에 의하여 짝수의 개수와 홀수의 개수의 차는 1이다.

12 $6 \times 5 = 30$

13 D가 대표로 뽑히는 경우의 수는 D를 제외한 나머지 4명 중에서 대표 1명을 뽑는 경우의 수와 같으므로 구하는 경우의 수는 4이다.

14 2명이 악수를 한 번 하므로 구하는 악수의 횟수는 6명 중에서 순서를 생각하지 않고 2명을 뽑는 경우와 같다.

$$\therefore \frac{6 \times 5}{2} = 15(\text{회})$$

15 8명 중에서 3명의 대표를 뽑는 경우의 수는

$$\frac{8 \times 7 \times 6}{3 \times 2 \times 1} = 56$$

16 6개의 점 중에서 순서를 생각하지 않고 2개를 선택하는 경우와 같으므로

$$\frac{6 \times 5}{2} = 15$$

17 10개의 점 중에서 순서를 생각하지 않고 3개를 선택하는 경우와 같으므로

$$\frac{10 \times 9 \times 8}{3 \times 2 \times 1} = 120$$

18 삼각형이 만들어지려면 점 A를 반드시 선택한 후 B~F의 5개의 점 중에서 순서를 생각하지 않고 2개를 선택하면 된다. 따라서 구하는 개수는

$$\frac{5 \times 4}{2} = 10$$

실력 TEST 060~062쪽

01 23	**02** 6	**03** 4	**04** 69
05 12	**06** 12	**07** 144	**08** 12
09 84	**10** (1) 15 (2) 21 (3) 45		**11** 19

01 한 개의 주사위를 두 번 던져서 나올 수 있는 경우의 수는 36이다. 직선 $ax+by=b$가 일치하는 경우를 순서쌍 (a, b)로 나타내면

$(1, 1) = (2, 2) = (3, 3) = (4, 4) = (5, 5) = (6, 6)$,

$(1, 2) = (2, 4) = (3, 6)$,

$(1, 3) = (2, 6)$,

$(2, 1) = (4, 2) = (6, 3)$,

$(2, 3) = (4, 6)$,

$(3, 1) = (6, 2)$,

$(3, 2) = (6, 4)$

따라서 직선 $ax+by=b$ 중 서로 다른 직선의 개수는

$36 - (5 + 2 + 1 + 2 + 1 + 1 + 1) = 36 - 13 = 23$

02 점 (a, b)가 제2사분면 위의 점이 되려면 $a<0$, $b>0$이어야 한다. 따라서 A주머니에서는 -4, -3이 나오고, B주머니에서는 1, 2, 3이 나오면 되므로 구하는 경우의 수는

$2 \times 3 = 6$

03 4번 중 앞면이 나온 횟수를 x, 뒷면이 나온 횟수를 y라고 할 때 $1 \times x + (-2) \times y = -5$인 경우를 찾으면 $x=1$, $y=3$일 때이다.

즉, 1개의 동전을 4번 던져서 앞면이 1번, 뒷면이 3번 나오는 경우를 순서쌍으로 나타내면

(앞, 뒤, 뒤, 뒤), (뒤, 앞, 뒤, 뒤), (뒤, 뒤, 앞, 뒤),

(뒤, 뒤, 뒤, 앞)의 4가지이다.

04 삼각형의 두 변의 길이 a, b와 다른 한 변의 길이 c는 $a-b<c<a+b$를 만족해야 한다.

(i) 세 변의 길이가 모두 같은 경우 :

$a=b=c$인 순서쌍 (a, b, c)는

$(1, 1, 1)$, $(2, 2, 2)$, $(3, 3, 3)$, $(4, 4, 4)$, $(5, 5, 5)$, $(6, 6, 6)$의 6가지이다.

(ii) 두 변의 길이만 같은 경우 :

순서쌍 (a, b, c)에서 $a=b$인 경우 가능한 c의 값을 구하면

$(2, 2)$일 때 c의 값은 1, 3

$(3, 3)$일 때 c의 값은 1, 2, 4, 5

$(4, 4)$일 때 c의 값은 1, 2, 3, 5, 6

$(5, 5)$일 때 c의 값은 1, 2, 3, 4, 6

$(6, 6)$일 때 c의 값은 1, 2, 3, 4, 5

의 21가지이고, $b=c$, $c=a$일 때도 있으므로

$21 \times 3 = 63(\text{가지})$

(i), (ii)에 의하여 구하는 경우의 수는 $6+63=69$

05 선희가 집에서 출발하여 학교까지
가는 방법이 6가지, 학교에서 도
서관까지 가는 방법이 2가지이므
로 구하는 경우의 수는
$6 \times 2 = 12$

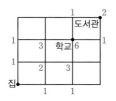

06 여학생 세 명의 순서를 정하는 경우의 수는
$3 \times 2 \times 1 = 6$ ...... ❶
남학생 두 명의 순서를 정하는 경우의 수는
$2 \times 1 = 2$ ...... ❷
따라서 5명의 이어달리기 순서를 정하는 경우의 수는
$6 \times 2 = 12$이다. ...... ❸

채점 기준	배점
❶ 여학생 세 명의 순서를 정하는 경우의 수 구하기	40 %
❷ 남학생 두 명의 순서를 정하는 경우의 수 구하기	40 %
❸ 다섯 명의 달리는 순서를 정하는 경우의 수 구하기	20 %

07 '남여남여남여남'의 순서로 앉아야 한다.
남학생 4명이 한 줄로 앉는 경우의 수는
$4 \times 3 \times 2 \times 1 = 24$
여학생 3명이 한 줄로 앉는 경우의 수는
$3 \times 2 \times 1 = 6$
따라서 구하는 경우의 수는 $24 \times 6 = 144$

08 4명을 한 줄로 세우는 모든 경우의 수는
$4 \times 3 \times 2 \times 1 = 24$ ...... ❶
C와 D가 이웃하여 서는 경우의 수는
$(3 \times 2 \times 1) \times 2 = 12$ ...... ❷
따라서 C와 D가 이웃하여 서지 않는 경우의 수는
$24 - 12 = 12$ ...... ❸

채점 기준	배점
❶ 일어날 수 있는 모든 경우의 수 구하기	40 %
❷ C와 D가 이웃하여 서는 경우의 수 구하기	40 %
❸ C와 D가 이웃하여 서지 않는 경우의 수 구하기	20 %

09 (i) A와 C에 같은 색을 칠하는 경우의 수는
$4 \times 3 \times 3 = 36$
(ii) A와 C에 다른 색을 칠하는 경우의 수는
$4 \times 3 \times 2 \times 2 = 48$

(i), (ii)에 의하여 구하는 경우의 수는 $36+48=84$

10 (1) $5 \times 3 = 15$

(2) 지희를 제외한 7명 중에서 순서를 생각하지 않고
2명을 더 뽑으면 되므로
$\dfrac{7 \times 6}{2} = 21$

(3) 8명 중에서 3명을 뽑는 경우의 수는
$\dfrac{8 \times 7 \times 6}{3 \times 2 \times 1} = 56$
남자만 3명 또는 여자만 3명을 뽑는 경우의 수는
$\dfrac{5 \times 4 \times 3}{3 \times 2 \times 1} + 1 = 11$
따라서 구하는 경우의 수는 $56 - 11 = 45$

11 6개의 점 중에서 순서를 생각하지 않고 3개의 점을 고르는
경우의 수는
$\dfrac{6 \times 5 \times 4}{3 \times 2 \times 1} = 20$
이때 반원의 지름 위에 있는 세 점 A, F, E로는 삼각형을
만들 수 없으므로 구하는 삼각형의 개수는
$20 - 1 = 19$

2. 확률

유형 TEST   01. 확률의 뜻 ~ 02. 확률의 성질   063~065쪽

01 $\dfrac{1}{6}$	**02** $\dfrac{4}{7}$	**03** $\dfrac{1}{5}$	**04** $\dfrac{1}{3}$
05 12	**06** $\dfrac{2}{9}$	**07** $\dfrac{5}{12}$	**08** $\dfrac{1}{6}$
09 $\dfrac{7}{18}$	**10** $\dfrac{5}{9}$	**11** $\dfrac{1}{4}$	
12 (1) 0 (2) $\dfrac{1}{12}$ (3) 1		**13** ①, ③	**14** $\dfrac{4}{7}$
15 $\dfrac{17}{20}$	**16** $\dfrac{3}{4}$	**17** $\dfrac{35}{36}$	**18** $\dfrac{5}{6}$
19 $\dfrac{3}{5}$	**20** $\dfrac{3}{4}$	**21** $\dfrac{7}{8}$	**22** $\dfrac{5}{7}$
23 $\dfrac{4}{5}$			

01 모든 경우의 수는 $6 \times 6 = 36$
두 눈의 수의 차가 3인 경우를 순서쌍으로 나타내면

$(1, 4), (2, 5), (3, 6), (4, 1), (5, 2), (6, 3)$의 6가지이다.

따라서 구하는 확률은 $\dfrac{6}{36}=\dfrac{1}{6}$

02 D는 남은 7장의 카드 중에서 1장을 뽑아야 한다. 이때 D가 대표가 되려면 7, 8, 9, 10이 적힌 카드 중에서 하나를 뽑아야 하므로 구하는 확률은 $\dfrac{4}{7}$이다.

03 2등급을 받은 학생은 $20-(3+8+3+2)=4$(명)이다.

따라서 구하는 확률은 $\dfrac{4}{20}=\dfrac{1}{5}$

04 4장에서 2장을 뽑아 만들 수 있는 두 자리의 자연수의 개수는 $4\times3=12$이고, 그 자연수가 3의 배수인 경우는 12, 21, 24, 42의 4가지이다.

따라서 구하는 확률은 $\dfrac{4}{12}=\dfrac{1}{3}$

05 구슬의 개수는 $(n+3)$이고, 파란 구슬을 꺼낼 확률은 $\dfrac{1}{5}$이므로

$$\dfrac{3}{n+3}=\dfrac{1}{5},\ n+3=15\qquad \therefore n=12$$

06 모든 경우의 수는 $6\times6=36$

a가 1, 2, 4, 5일 때는 b가 1부터 6까지의 어떤 수라도 정수 또는 유한소수가 된다. a가 3일 때 b가 될 수 있는 수는 3, 6을 제외한 4개이고, a가 6일 때 b가 될 수 있는 수는 3, 6을 제외한 4개이므로 구하는 경우의 수는 $4+4=8$

따라서 구하는 확률은 $\dfrac{8}{36}=\dfrac{2}{9}$

07 모든 경우의 수는 $6\times6=36$

A가 던져서 나온 눈의 수를 x, B가 던져서 나온 눈의 수를 y라고 할 때, $x>y$인 경우는 다음과 같다.

$y=1$일 때, $x=2, 3, 4, 5, 6$

$y=2$일 때, $x=3, 4, 5, 6$

$y=3$일 때, $x=4, 5, 6$

$y=4$일 때, $x=5, 6$

$y=5$일 때, $x=6$

즉, A가 이기는 경우의 수는 15이므로

구하는 확률은 $\dfrac{15}{36}=\dfrac{5}{12}$

08 모든 경우의 수는 $6\times6=36$

$x+2y<7$이 되는 경우를 순서쌍 (x, y)로 나타내면

$(1, 1), (1, 2), (2, 1), (2, 2), (3, 1), (4, 1)$의 6가지이다.

따라서 구하는 확률은 $\dfrac{6}{36}=\dfrac{1}{6}$

09 모든 경우의 수는 $6\times6=36$

$ax=b$에서 b가 a의 배수이면 $x=\dfrac{b}{a}$가 정수이다.

따라서 이를 만족하는 경우는

$a=1$일 때, $b=1, 2, 3, 4, 5, 6$

$a=2$일 때, $b=2, 4, 6$

$a=3$일 때, $b=3, 6$

$a=4$일 때, $b=4$

$a=5$일 때, $b=5$

$a=6$일 때, $b=6$

의 14가지이다.

따라서 구하는 확률은 $\dfrac{14}{36}=\dfrac{7}{18}$

10 원판 전체의 넓이는 9π이고 색칠한 부분의 넓이는 $9\pi-4\pi=5\pi$이므로 구하는 확률은

$$\dfrac{5\pi}{9\pi}=\dfrac{5}{9}$$

11 색칠한 부분은 전체 원의 넓이의 $\dfrac{1}{4}$이므로 구하는 확률은 $\dfrac{1}{4}$이다.

12 (1) 두 눈의 수의 합이 15인 경우는 없으므로 구하는 확률은 0이다.

(2) 두 눈의 수의 합이 10인 경우는 $(4, 6), (5, 5), (6, 4)$의 3가지이므로 구하는 확률은

$$\dfrac{3}{36}=\dfrac{1}{12}$$

(3) 두 눈의 수의 합은 항상 12 이하이므로 구하는 확률은 1이다.

13 ② 1이 적힌 구슬이 나올 확률은 $\dfrac{1}{10}$이다.

④ 10 이상의 수는 10뿐이므로 그 확률은 $\dfrac{1}{10}$이다.

⑤ 5 이상의 수는 5, 6, 7, 8, 9, 10이므로 그 확률은

$\frac{6}{10} = \frac{3}{5}$이다.

따라서 옳은 것은 ①, ③이다.

14 흰 공이 나올 확률이 $\frac{3}{7}$이므로 노란 공이 나올 확률은

$1 - \frac{3}{7} = \frac{4}{7}$

15 불량품이 나올 확률이 $\frac{15}{100}$이므로 합격품이 나올 확률은

$1 - \frac{15}{100} = \frac{85}{100} = \frac{17}{20}$

16 1부터 20까지의 수 중 4의 배수는 4, 8, 12, 16, 20의 5개이다. 따라서 4의 배수가 아닌 수가 나올 확률은

$1 - \frac{5}{20} = \frac{15}{20} = \frac{3}{4}$

17 두 눈의 수의 합이 11보다 큰 경우는 합이 12인 경우로 $(6, 6)$뿐이다.

따라서 구하는 확률은 $1 - \frac{1}{36} = \frac{35}{36}$

18 서로 같은 눈이 나오는 경우의 수는 6이므로

서로 다른 눈이 나올 확률은 $1 - \frac{6}{36} = \frac{30}{36} = \frac{5}{6}$

19 모든 경우의 수는 $5 \times 4 \times 3 \times 2 \times 1 = 120$

A, B가 이웃하여 서는 경우의 수는

$(4 \times 3 \times 2 \times 1) \times 2 = 48$

따라서 A, B가 이웃하여 설 확률은 $\frac{48}{120} = \frac{2}{5}$이므로

구하는 확률은 $1 - \frac{2}{5} = \frac{3}{5}$

20 모든 경우의 수는 $4 \times 3 \times 2 \times 1 = 24$

A가 맨 뒤에 서는 경우의 수는 $3 \times 2 \times 1 = 6$

따라서 A가 맨 뒤에 설 확률은 $\frac{6}{24} = \frac{1}{4}$이므로

구하는 확률은 $1 - \frac{1}{4} = \frac{3}{4}$

21 모든 경우의 수는 $2 \times 2 \times 2 = 8$

모두 뒷면이 나오는 경우의 수는 1이므로 그 확률은 $\frac{1}{8}$이다.

따라서 구하는 확률은 $1 - \frac{1}{8} = \frac{7}{8}$

22 7명 중에서 2명의 대표를 뽑는 경우의 수는

$\frac{7 \times 6}{2} = 21$

2명의 대표 모두 여학생이 뽑히는 경우의 수는

$\frac{4 \times 3}{2} = 6$

따라서 2명의 대표 모두 여학생이 뽑힐 확률은

$\frac{6}{21} = \frac{2}{7}$이므로 구하는 확률은 $1 - \frac{2}{7} = \frac{5}{7}$

23 모든 경우의 수는 $\frac{6 \times 5}{2} = 15$

두 개 모두 빨간 공이 나오는 경우의 수는 $\frac{3 \times 2}{2} = 3$

따라서 두 개 모두 빨간 공일 확률은 $\frac{3}{15} = \frac{1}{5}$이므로 구하는

확률은 $1 - \frac{1}{5} = \frac{4}{5}$

유형 TEST 　02. 확률의 계산　066~068쪽

01 $\frac{3}{5}$	02 $\frac{7}{9}$	03 $\frac{1}{2}$	04 $\frac{59}{100}$
05 $\frac{1}{3}$	06 $\frac{1}{4}$	07 $\frac{3}{4}$	08 $\frac{2}{5}$
09 $\frac{2}{9}$	10 $\frac{3}{56}$	11 $\frac{1}{10}$	12 $\frac{1}{3}$
13 $\frac{2}{9}$	14 $\frac{2}{5}$	15 6 %	16 $\frac{7}{15}$
17 $\frac{13}{28}$	18 $\frac{2}{5}$	19 $\frac{23}{40}$	20 $\frac{4}{27}$
21 $\frac{3}{10}$	22 $\frac{5}{21}$	23 $\frac{21}{25}$	

01 소수는 2, 3, 5, 7, 11, 13의 6개이므로 그 확률은 $\frac{6}{15}$이고,

4의 배수는 4, 8, 12의 3개이므로 그 확률은 $\frac{3}{15}$이다.

따라서 구하는 확률은 $\frac{6}{15} + \frac{3}{15} = \frac{9}{15} = \frac{3}{5}$

02 흰 공이 나올 확률은 $\frac{4}{9}$, 노란 공이 나올 확률은 $\frac{3}{9}$이다.

따라서 구하는 확률은 $\frac{4}{9} + \frac{3}{9} = \frac{7}{9}$

03 3의 배수는 3, 6, 9, 12이므로 그 확률은 $\dfrac{4}{12}$이고,

5의 배수는 5, 10이므로 그 확률은 $\dfrac{2}{12}$이다.

따라서 구하는 확률은 $\dfrac{4}{12}+\dfrac{2}{12}=\dfrac{6}{12}=\dfrac{1}{2}$

04 A형일 확률은 $\dfrac{30}{100}$, O형일 확률은 $\dfrac{29}{100}$이므로

구하는 확률은 $\dfrac{30}{100}+\dfrac{29}{100}=\dfrac{59}{100}$

05 모든 경우의 수는 $3\times3\times3=27$

A, B, C가 내는 것을 순서쌍 (A, B, C)로 나타내면

(i) A만 이기는 경우는

(가위, 보, 보), (바위, 가위, 가위), (보, 바위, 바위)

의 3가지이므로 그 확률은 $\dfrac{3}{27}$

(ii) A와 B가 이기는 경우는

(가위, 가위, 보), (바위, 바위, 가위), (보, 보, 바위)

의 3가지이므로 그 확률은 $\dfrac{3}{27}$

(iii) A와 C가 이기는 경우

(가위, 보, 가위), (바위, 가위, 바위), (보, 바위, 보)

의 3가지이므로 그 확률은 $\dfrac{3}{27}$

(i), (ii), (iii)에 의하여 구하는 확률은

$\dfrac{3}{27}+\dfrac{3}{27}+\dfrac{3}{27}=\dfrac{9}{27}=\dfrac{1}{3}$

06 모든 경우의 수는 $6\times6=36$

두 눈의 수의 합이 6이 되는 경우를 순서쌍으로 나타내면

(1, 5), (2, 4), (3, 3), (4, 2), (5, 1)의 5가지이므로

그 확률은 $\dfrac{5}{36}$, 곱이 6이 되는 경우는 (1, 6), (2, 3),

(3, 2), (6, 1)의 4가지이므로 그 확률은 $\dfrac{4}{36}$이다.

따라서 구하는 확률은 $\dfrac{5}{36}+\dfrac{4}{36}=\dfrac{9}{36}=\dfrac{1}{4}$

07 모든 경우의 수는 $2\times2\times2=8$

앞면이 1번, 뒷면이 2번 나오면 점 P의 좌표는 0이므로

그 경우를 순서쌍으로 나타내면 (앞, 뒤, 뒤), (뒤, 앞, 뒤),

(뒤, 뒤, 앞)의 3가지이고, 그 확률은 $\dfrac{3}{8}$이다.

앞면이 2번, 뒷면이 1번 나오면 점 P의 좌표는 3이므로

그 경우를 순서쌍으로 나타내면 (앞, 앞, 뒤), (앞, 뒤, 앞),

(뒤, 앞, 앞)의 3가지이고 그 확률은 $\dfrac{3}{8}$이다.

따라서 구하는 확률은 $\dfrac{3}{8}+\dfrac{3}{8}=\dfrac{6}{8}=\dfrac{3}{4}$

08 모든 경우의 수는 $\dfrac{6\times5\times4}{3\times2\times1}=20$

정삼각형이 되는 경우는 2가지이므로

그 확률은 $\dfrac{2}{20}$, 정삼각형이 아닌 이등변삼각

형이 되는 경우는 한 꼭짓점과 이웃하는 두

꼭짓점을 선택하는 6가지이므로

그 확률은 $\dfrac{6}{20}$이다.

따라서 구하는 확률은 $\dfrac{2}{20}+\dfrac{6}{20}=\dfrac{8}{20}=\dfrac{2}{5}$

09 A주머니에서 검은 공을 꺼낼 확률은 $\dfrac{1}{3}$이고,

B주머니에서 검은 공을 꺼낼 확률은 $\dfrac{2}{3}$이므로

구하는 확률은 $\dfrac{1}{3}\times\dfrac{2}{3}=\dfrac{2}{9}$

10 선택된 남학생이 B팀을 선호할 확률은 $\dfrac{14}{80}$

선택된 여학생이 C팀을 선호할 확률은 $\dfrac{30}{98}$

따라서 구하는 확률은

$\dfrac{14}{80}\times\dfrac{30}{98}=\dfrac{3}{56}$

11 제4사분면 위의 점이려면 $x>0$, $y<0$이어야 한다.

A주머니에서 양수를 뽑을 확률은 $\dfrac{2}{5}$이고,

B주머니에서 음수를 뽑을 확률은 $\dfrac{1}{4}$이므로

구하는 확률은 $\dfrac{2}{5}\times\dfrac{1}{4}=\dfrac{1}{10}$

12 원판 A에서 바늘이 멈춘 수가 홀수일 확률은 $\dfrac{2}{4}$,

원판 B에서 바늘이 멈춘 수가 홀수일 확률은 $\dfrac{2}{3}$이므로

구하는 확률은 $\dfrac{2}{4}\times\dfrac{2}{3}=\dfrac{1}{3}$

13 첫 번째 가위바위보에서 서로 비기는 경우는

(가위, 가위), (바위, 바위), (보, 보)의 3가지이므로 그 확률은

$\dfrac{3}{9}=\dfrac{1}{3}$이고, 두 번째 가위바위보에서 승부가 날 확률은

$1-\dfrac{1}{3}=\dfrac{2}{3}$이다.

따라서 구하는 확률은 $\dfrac{1}{3}\times\dfrac{2}{3}=\dfrac{2}{9}$

14 두 사람 모두 약속 장소에 나갈 확률이 $\dfrac{3}{4}\times\dfrac{4}{5}=\dfrac{3}{5}$이므로

구하는 확률은 $1-\dfrac{3}{5}=\dfrac{2}{5}$

15 내일 비가 올 확률은 $1-\dfrac{80}{100}=\dfrac{20}{100}$, 모레 비가 올 확률은

$\dfrac{30}{100}$이므로 내일, 모레 이틀 연속 비가 올 확률은

$\dfrac{20}{100}\times\dfrac{30}{100}\times100=6(\%)$

16 A주머니에서 흰 공이, B주머니에서 검은 공이 나올 확률은

$\dfrac{3}{5}\times\dfrac{1}{3}=\dfrac{3}{15}$

A주머니에서 검은 공이, B주머니에서 흰 공이 나올 확률은

$\dfrac{2}{5}\times\dfrac{2}{3}=\dfrac{4}{15}$

따라서 구하는 확률은 $\dfrac{3}{15}+\dfrac{4}{15}=\dfrac{7}{15}$

17 2명 모두 남학생일 확률은 $\dfrac{5}{8}\times\dfrac{4}{7}=\dfrac{5}{14}$

2명 모두 여학생일 확률은 $\dfrac{3}{8}\times\dfrac{2}{7}=\dfrac{3}{28}$

따라서 구하는 확률은 $\dfrac{5}{14}+\dfrac{3}{28}=\dfrac{13}{28}$

18 A만 과녁을 맞힐 확률은 $\dfrac{2}{3}\times\left(1-\dfrac{4}{5}\right)=\dfrac{2}{3}\times\dfrac{1}{5}=\dfrac{2}{15}$

B만 과녁을 맞힐 확률은 $\left(1-\dfrac{2}{3}\right)\times\dfrac{4}{5}=\dfrac{1}{3}\times\dfrac{4}{5}=\dfrac{4}{15}$

따라서 한 사람만 과녁을 맞힐 확률은

$\dfrac{2}{15}+\dfrac{4}{15}=\dfrac{6}{15}=\dfrac{2}{5}$

19 같은 색깔의 공을 계속 뽑으면 공의 개수가 변하지 않는다.

(i) A주머니에서 흰 공을 꺼내 B주머니에 넣고, B주머니에서 다시 흰 공을 꺼내 A주머니에 넣을 확률은

$\dfrac{2}{5}\times\dfrac{4}{8}=\dfrac{1}{5}$

(ii) A주머니에서 검은 공을 꺼내 B주머니에 넣고, B주머니에서 다시 검은 공을 꺼내 A주머니에 넣을 확률은

$\dfrac{3}{5}\times\dfrac{5}{8}=\dfrac{3}{8}$

(i), (ii)에 의하여 구하는 확률은 $\dfrac{1}{5}+\dfrac{3}{8}=\dfrac{23}{40}$

20 3의 배수는 3, 6, 9이므로 그 확률은 $\dfrac{3}{9}$이고

6의 약수는 1, 2, 3, 6이므로 그 확률은 $\dfrac{4}{9}$이다.

따라서 구하는 확률은 $\dfrac{3}{9}\times\dfrac{4}{9}=\dfrac{4}{27}$

21 A가 당첨 제비를 뽑을 확률은 $\dfrac{3}{6}$

B가 당첨 제비를 뽑지 못할 확률은 $\dfrac{3}{5}$

따라서 구하는 확률은 $\dfrac{3}{6}\times\dfrac{3}{5}=\dfrac{3}{10}$

22 이룸이가 불량품을 꺼내지 않을 확률은 $\dfrac{5}{7}$

숨마가 불량품을 꺼낼 확률은 $\dfrac{2}{6}$

따라서 구하는 확률은 $\dfrac{5}{7}\times\dfrac{2}{6}=\dfrac{5}{21}$

23 (적어도 한 개는 흰 공일 확률)

$=1-$(두 개 모두 검은 공일 확률)

$=1-\dfrac{2}{5}\times\dfrac{2}{5}=1-\dfrac{4}{25}=\dfrac{21}{25}$

실력 TEST

069~071쪽

01 $\dfrac{5}{54}$	02 $\dfrac{6}{7}$	03 $\dfrac{29}{36}$	04 $\dfrac{3}{8}$
05 $\dfrac{7}{36}$	06 $\dfrac{1}{24}$	07 $\dfrac{14}{27}$	08 $\dfrac{1}{9}$
09 $\dfrac{1}{9}$	10 $\dfrac{11}{36}$	11 $\dfrac{11}{16}$	12 $\dfrac{11}{24}$

01 모든 경우의 수는 $6\times6\times6=216$

$a<b<c$를 만족하는 a, b, c는 1, 2, 3, 4, 5, 6에서 서로 다른 3개의 수를 택하여 크기순으로 나열한 것과 같다.

이때 크기순으로 나열하는 방법은 1가지뿐이므로 3개의 수를 택하는 경우의 수만 구하면 된다.

즉, $\dfrac{6\times5\times4}{3\times2\times1}=20$이므로 구하는 확률은

$\dfrac{20}{216}=\dfrac{5}{54}$

02 7개의 점 중에서 3개의 점을 선택하는 경우의 수는

$$\frac{7 \times 6 \times 5}{3 \times 2 \times 1} = 35$$

한 직선 위에 있는 3개의 점을 선택했을 때 삼각형이 만들어지지 않으므로 이때의 경우의 수는

$$1 + \frac{4 \times 3 \times 2}{3 \times 2 \times 1} = 1 + 4 = 5$$이고 그 확률은 $\frac{5}{35} = \frac{1}{7}$

따라서 구하는 확률은 $1 - \frac{1}{7} = \frac{6}{7}$

03 모든 경우의 수는 $6 \times 6 = 36$

나오는 눈의 수의 합이 5인 경우는 $(1, 4), (2, 3), (3, 2),$

$(4, 1)$의 4가지이므로 그 확률은 $\frac{4}{36}$

나오는 눈의 수의 합이 10인 경우는 $(4, 6), (5, 5), (6, 4)$

의 3가지이므로 그 확률은 $\frac{3}{36}$

즉, 두 눈의 수의 합이 5의 배수일 확률은

$$\frac{4}{36} + \frac{3}{36} = \frac{7}{36}$$

따라서 구하는 확률은 $1 - \frac{7}{36} = \frac{29}{36}$

04 공이 B로 나오는 경우는 다음 그림과 같다.

이때 각 갈림길에서 공이 오른쪽이나 왼쪽으로 이동할

확률은 $\frac{1}{2}$이므로 각 경우의 확률은

$$\frac{1}{2} \times \frac{1}{2} \times \frac{1}{2} = \frac{1}{8}$$

따라서 구하는 확률은 $\frac{1}{8} + \frac{1}{8} + \frac{1}{8} = \frac{3}{8}$

05 모든 경우의 수는 $6 \times 6 = 36$

주사위를 두 번 던져서 점 P가 꼭짓점 E에 오려면 눈의 수의 합이 4이거나 9이어야 한다.

두 눈의 수의 합이 4인 경우는 $(1, 3), (2, 2), (3, 1)$의

3가지이므로 그 확률은 $\frac{3}{36}$,

두 눈의 수의 합이 9인 경우는 $(3, 6), (4, 5), (5, 4),$

$(6, 3)$의 4가지이므로 그 확률은 $\frac{4}{36}$

따라서 구하는 확률은 $\frac{3}{36} + \frac{4}{36} = \frac{7}{36}$

06 버스가 정시보다 늦게 도착할 확률은

$$1 - \left(\frac{7}{12} + \frac{1}{6}\right) = \frac{1}{4}$$

따라서 구하는 확률은 $\frac{1}{4} \times \frac{1}{6} = \frac{1}{24}$

07 세 자연수 a, b, c의 합이 짝수가 되려면 모두 짝수이거나 하나만 짝수이어야 한다.

따라서 구하는 확률은

(모두 짝수일 확률) + (하나만 짝수일 확률)

$$= \frac{2}{3} \times \frac{2}{3} \times \frac{2}{3} + 3 \times \left\{ \frac{2}{3} \times \left(1 - \frac{2}{3}\right) \times \left(1 - \frac{2}{3}\right) \right\}$$

$$= \frac{8}{27} + \frac{6}{27} = \frac{14}{27}$$

08 직선 $ax + by = 1$의 x절편은 $\frac{1}{a}$, y절편은 $\frac{1}{b}$이므로

직선과 x축, y축으로 둘러싸인 부분의 넓이는

$$\frac{1}{2} \times \frac{1}{a} \times \frac{1}{b} = \frac{1}{2ab} \qquad \cdots\cdots ❶$$

이때 삼각형의 넓이가 $\frac{1}{12}$이므로

$$\frac{1}{2ab} = \frac{1}{12} \qquad \therefore ab = 6 \qquad \cdots\cdots ❷$$

따라서 구하는 확률은 두 주사위의 눈의 수의 곱이 6일

확률과 같으므로 $\frac{4}{36} = \frac{1}{9}$ $\qquad \cdots\cdots ❸$

채점 기준	배점
❶ 삼각형의 넓이를 a, b에 대한 식으로 나타내기	40 %
❷ ab의 값 구하기	20 %
❸ 확률 구하기	40 %

09 모든 경우의 수는 $6 \times 6 = 36$

A상자의 공이 6개에서 5개로 1개 줄어야 하므로

$-x + y = -1$이고 $x < 6$이어야 한다.

즉, $y = x - 1$이므로 이것을 만족하는 순서쌍 (x, y)는

$(2, 1), (3, 2), (4, 3), (5, 4)$의 4가지이다.

따라서 구하는 확률은 $\frac{4}{36} = \frac{1}{9}$

10 모든 경우의 수는 $6 \times 6 \times 6 = 216$

$(a - b)(b - c) = 0$이려면 $a = b \neq c$ 또는 $a \neq b = c$ 또는

$a = b = c$이어야 한다.

(i) $a = b \neq c$인 경우의 수는 $6 \times 5 = 30$이므로

그 확률은 $\frac{30}{216} = \frac{5}{36}$

(ii) $a \neq b = c$인 경우의 수는 $6 \times 5 = 30$이므로

그 확률은 $\dfrac{30}{216} = \dfrac{5}{36}$

(iii) $a = b = c$인 경우의 수는 6이므로

그 확률은 $\dfrac{6}{216} = \dfrac{1}{36}$

(i), (ii), (iii)에 의하여 구하는 확률은

$\dfrac{5}{36} + \dfrac{5}{36} + \dfrac{1}{36} = \dfrac{11}{36}$

11 A가 이기는 경우를 ○, 지는 경우를 ×로 하여 A가 우승하는 경우와 그때의 확률을 표로 나타내면 다음과 같다.

1회	2회	3회	4회	5회	확률
○	○	○			$\dfrac{1}{2} \times \dfrac{1}{2} = \dfrac{1}{4}$
○	○	×	○		$\dfrac{1}{2} \times \dfrac{1}{2} \times \dfrac{1}{2} = \dfrac{1}{8}$
○	×	○	○		$\dfrac{1}{2} \times \dfrac{1}{2} \times \dfrac{1}{2} = \dfrac{1}{8}$
○	○	×	×	○	$\dfrac{1}{2} \times \dfrac{1}{2} \times \dfrac{1}{2} \times \dfrac{1}{2} = \dfrac{1}{16}$
○	×	○	×	○	$\dfrac{1}{2} \times \dfrac{1}{2} \times \dfrac{1}{2} \times \dfrac{1}{2} = \dfrac{1}{16}$
○	×	×	○	○	$\dfrac{1}{2} \times \dfrac{1}{2} \times \dfrac{1}{2} \times \dfrac{1}{2} = \dfrac{1}{16}$

따라서 A가 우승할 확률은

$\dfrac{1}{4} + \dfrac{1}{8} \times 2 + \dfrac{1}{16} \times 3 = \dfrac{1}{4} + \dfrac{1}{4} + \dfrac{3}{16} = \dfrac{11}{16}$

12 A, B, C가 어떤 시험에 통과하지 못할 확률은 각각

$\dfrac{1}{2}, \dfrac{1}{3}, \dfrac{1}{4}$이다. ...... ❶

(i) A, B는 통과하고, C는 통과하지 못할 확률 :

$\dfrac{1}{2} \times \dfrac{2}{3} \times \dfrac{1}{4} = \dfrac{1}{12}$

(ii) A, C는 통과하고, B는 통과하지 못할 확률 :

$\dfrac{1}{2} \times \dfrac{1}{3} \times \dfrac{3}{4} = \dfrac{1}{8}$

(iii) B, C는 통과하고, A는 통과하지 못할 확률 :

$\dfrac{1}{2} \times \dfrac{2}{3} \times \dfrac{3}{4} = \dfrac{1}{4}$ ...... ❷

(i), (ii), (iii)에 의하여 구하는 확률은

$\dfrac{1}{12} + \dfrac{1}{8} + \dfrac{1}{4} = \dfrac{11}{24}$ ...... ❸

채점 기준	배점
❶ 시험에 통과하지 못할 각각의 확률 구하기	20 %
❷ 두 사람만 통과할 각각의 확률 구하기	60 %
❸ 확률 구하기	20 %

01 6	**02** 20	**03** ②	**04** 14
05 ⑤	**06** ④	**07** 105	**08** 18
09 ⑤	**10** $\dfrac{3}{5}$	**11** $\dfrac{1}{6}$	
12 ㄱ, ㄴ, ㄷ, ㅁ		**13** $\dfrac{5}{8}$	**14** $\dfrac{7}{8}$
15 $\dfrac{1}{16}$	**16** $\dfrac{1}{9}$	**17** $\dfrac{3}{4}$	**18** $\dfrac{23}{24}$
19 $\dfrac{17}{30}$	**20** $\dfrac{11}{18}$	**21** $\dfrac{9}{20}$	**22** $\dfrac{2}{5}$

01 1에서 15까지의 자연수 중 소수는 2, 3, 5, 7, 11, 13이므로 소수가 적힌 공이 나오는 경우의 수는 6이다.

02 $8 + 12 = 20$

03 ① 2   ② $6 \times 6 = 36$
③ $2 \times 2 \times 2 \times 2 = 16$ ④ $3 \times 3 \times 3 = 27$
⑤ $6 \times 2 = 12$
따라서 경우의 수가 가장 큰 것은 ②이다.

04 (i) A → B → C로 가는 경우의 수는 $4 \times 3 = 12$
(ii) A → C로 가는 경우의 수는 2
(i), (ii)에 의하여 구하는 경우의 수는 $12 + 2 = 14$

05 A, B학교에서 각각 한 명씩 대표를 뽑는 경우의 수는 $7 \times 6 = 42$이고, 대표가 모두 여학생이 뽑히는 경우의 수는 $3 \times 3 = 9$이므로 남학생이 적어도 한 명은 뽑히는 경우의 수는 $42 - 9 = 33$

06 C, D, E, F가 뒤에 한 줄로 서는 경우의 수는 $4 \times 3 \times 2 \times 1 = 24$이다. 이때 A, B가 의자에 앉아 순서를 바꾸는 경우의 수는 2이므로 구하는 경우의 수는 $24 \times 2 = 48$

07 일의 자리의 숫자가 0, 2, 4, 6일 때, 짝수가 된다.
(i) 일의 자리의 숫자가 0일 때,
경우의 수는 $6 \times 5 = 30$ ...... ❶
(ii) 일의 자리의 숫자가 2, 4, 6일 때,
경우의 수는 $5 \times 5 \times 3 = 75$ ...... ❷
따라서 구하는 경우의 수는 $30 + 75 = 105$ ...... ❸

VII. 확률   **089**

채점 기준	배점
❶ 일의 자리의 숫자가 0일 때 경우의 수 구하기	40 %
❷ 일의 자리의 숫자가 2, 4, 6일 때 경우의 수 구하기	40 %
❸ 짝수인 경우의 수 구하기	20 %

08 $a=3\times2=6$, $b=\dfrac{3\times2}{2}=3$이므로 $ab=18$

09 가로줄 3개 중 2개를, 세로줄 7개 중 2개를 각각 선택하는 경우의 수를 구하면 된다.

가로줄 3개 중 2개를 고르는 경우의 수는 $\dfrac{3\times2}{2}=3$

세로줄 7개 중 2개를 고르는 경우의 수는 $\dfrac{7\times6}{2}=21$

따라서 만들 수 있는 직사각형의 개수는
$3\times21=63$

10 모든 경우의 수는 $\dfrac{5\times4}{2}=10$

글자가 만들어지는 경우의 수는 $3\times2=6$
따라서 구하는 확률은
$\dfrac{6}{10}=\dfrac{3}{5}$

11 가로의 세 수의 합이 12이므로 $a+5+b=12$, 즉
$a+b=7$이 되어야 한다. 이를 만족하는 순서쌍 (a, b)는
$(1, 6), (2, 5), (3, 4), (4, 3), (5, 2), (6, 1)$의 6가지이므로 그 확률은 $\dfrac{6}{36}=\dfrac{1}{6}$

12 ㄹ. $p+q=1$ (거짓)
따라서 옳은 것은 ㄱ, ㄴ, ㄷ, ㅁ이다.

13 전구에 불이 들어오지 않으려면 A가 열리거나 A는 닫히고 B, C가 모두 열린 경우이다.
따라서 구하는 확률은
$\dfrac{1}{2}+\left(\dfrac{1}{2}\times\dfrac{1}{2}\times\dfrac{1}{2}\right)=\dfrac{5}{8}$

14 색칠된 면이 하나도 없는 정육면체는 가운데 위치한 가로, 세로, 높이가 각각 2인 정육면체이므로 그 개수는
$2\times2\times2=8$이다.
따라서 구하는 확률은 $1-\dfrac{8}{64}=\dfrac{7}{8}$

15 점 A에서 출발하여 점 B에 오는 경우는 1, 5, 9의 3가지
이므로 그 확률은 $\dfrac{3}{12}=\dfrac{1}{4}$이고,
점 B에서 출발하여 점 D에 오는 경우는 2, 6, 10의 3가지
이므로 그 확률은 $\dfrac{3}{12}=\dfrac{1}{4}$이다.

따라서 구하는 확률은 $\dfrac{1}{4}\times\dfrac{1}{4}=\dfrac{1}{16}$

16 모든 경우의 수는 $6\times6=36$
(i) $ax-b=0$의 해가 2일 때, $2a-b=0$에서 $2a=b$
순서쌍 (a, b)는 $(1, 2), (2, 4), (3, 6)$의 3가지이므로
그 확률은 $\dfrac{3}{36}=\dfrac{1}{12}$ ······ ❶
(ii) $ax-b=0$의 해가 6일 때, $6a-b=0$에서 $6a=b$
순서쌍 (a, b)는 $(1, 6)$의 1가지이므로
그 확률은 $\dfrac{1}{36}$ ······ ❷
(i), (ii)에 의하여 구하는 확률은
$\dfrac{1}{12}+\dfrac{1}{36}=\dfrac{1}{9}$ ······ ❸

채점 기준	배점
❶ 주어진 방정식의 해가 2일 확률 구하기	40 %
❷ 주어진 방정식의 해가 6일 확률 구하기	40 %
❸ 해가 2 또는 6일 확률 구하기	20 %

17 모든 경우의 수는 $6\times6=36$
두 개의 주사위에서 모두 홀수의 눈이 나올 확률은
$\dfrac{3}{6}\times\dfrac{3}{6}=\dfrac{1}{4}$이므로 구하는 확률은 $1-\dfrac{1}{4}=\dfrac{3}{4}$

18 A, B, C가 불합격할 확률이 각각 $\dfrac{1}{2}, \dfrac{1}{3}, \dfrac{1}{4}$이므로
세 사람이 모두 불합격할 확률은 $\dfrac{1}{2}\times\dfrac{1}{3}\times\dfrac{1}{4}=\dfrac{1}{24}$
따라서 적어도 한 사람은 합격할 확률은 $1-\dfrac{1}{24}=\dfrac{23}{24}$

19 (i) A주머니에서 노란 공을 꺼냈을 때 B주머니에서
노란 공을 꺼낼 확률은 $\dfrac{2}{5}\times\dfrac{4}{6}=\dfrac{4}{15}$ ······ ❶
(ii) A주머니에서 파란 공을 꺼냈을 때 B주머니에서
노란 공을 꺼낼 확률은 $\dfrac{3}{5}\times\dfrac{3}{6}=\dfrac{3}{10}$ ······ ❷
따라서 구하는 확률은
$\dfrac{4}{15}+\dfrac{3}{10}=\dfrac{17}{30}$ ······ ❸

채점 기준	배점
❶ A 주머니에서 노란 공, B 주머니에서 노란 공을 꺼낼 확률 구하기	40 %
❷ A 주머니에서 파란 공, B 주머니에서 노란 공을 꺼낼 확률 구하기	40 %
❸ B 주머니에서 노란 공을 꺼낼 확률 구하기	20 %

20

구슬이 방 A에 들어가는 경우는 ②, ③, ④로 들어가는 경우이다.

②로 들어갈 확률은 $\frac{1}{3} \times \frac{1}{2} = \frac{1}{6}$

③으로 들어갈 확률은 $\frac{1}{3}$

④로 들어갈 확률은 $\frac{1}{3} \times \frac{1}{3} = \frac{1}{9}$

따라서 구하는 확률은

$\frac{1}{6} + \frac{1}{3} + \frac{1}{9} = \frac{11}{18}$

21 (i) A 주머니에서 흰 공을 꺼낼 확률은 $\frac{1}{2} \times \frac{2}{5} = \frac{1}{5}$

(ii) B 주머니에서 흰 공을 꺼낼 확률은 $\frac{1}{2} \times \frac{3}{6} = \frac{1}{4}$

(i), (ii)에 의하여 구하는 확률은 $\frac{1}{5} + \frac{1}{4} = \frac{9}{20}$

22 승우가 짝수를 뽑아 이기는 경우는 다음과 같다.

영우	승우	영우	승우
홀수	짝수		
홀수	홀수	홀수	짝수

따라서 구하는 확률은

$\frac{3}{5} \times \frac{2}{4} + \frac{3}{5} \times \frac{2}{4} \times \frac{1}{3} \times \frac{2}{2} = \frac{2}{5}$

01 $\frac{7}{50}$　　02 바꾸는 것이 유리하다.

01 1에서 50까지의 수 중에서 약수의 개수가 홀수인 수의 방의 문만 열려 있게 된다. 약수의 개수가 홀수인 수는 제곱수이므로 열려 있는 문은 1, 4, 9, 16, 25, 36, 49의 7개이다.

따라서 구하는 확률은 $\frac{7}{50}$이다.

02 상자에 사탕이 들어 있는 경우를 ○, 들어 있지 않은 경우를 ×라 하고 표를 만들어 보자.

상자 A	상자 B	상자 C
○	×	×
×	○	×
×	×	○

윤서가 상자 A를 고르고, 상자를 바꾸지 않았을 때 윤서가 고른 상자에 사탕이 들어 있을 경우는 3가지 중 1가지 밖에 없으므로 그 확률은 $\frac{1}{3}$이다.

그런데 윤서가 상자 A를 골랐다가 다른 상자로 바꾸었을 때, 윤서가 고른 상자에 사탕이 들어 있을 경우는 3가지 중 2가지이기 때문에 그 확률은 $\frac{2}{3}$이다.

따라서 윤서는 상자를 바꾸는 것이 유리하다.

SUMMA CUM LAUDE
MIDDLE SCHOOL MATHEMATICS

튼튼한 **개념!** 흔들리지 않는 **실력!**

숨마쿰라우데 중학수학 2-하 개념기본서

숨마쿰라우데란 최고의 영예를 뜻하는 말입니다

숨마쿰라우데라는 말은 라틴어로 SUMMA CUM LAUDE라고 씁니다. 이는 최고의 영예를 뜻하는 말인데요. 보통 미국 아이비리그 명문 대학들의 최우수 졸업자에게 부여되는 칭호입니다. 우리나라로 치면 '수석 졸업'이라는 뜻이 지요. 그러나 모든 일에 있어서 그렇듯 공부에 있어서도 결과 뿐 아니라 과정이 중요합니다. 최선을 다하는 과정이 있으면 좋은 결과가 따라올 뿐 아니라, 그 과정을 통해 얻어진 깨달음이 평생을 함께하기 때문입니다. 이룸이앤비 숨마쿰라우데는 바로 최선을 다하는 사람 모두에게 최고의 영예를 선사합니다.

개념을 확실히 잡으면 어떤 문제도 두렵지 않다!

수학 공부 도대체 어떻게 해야 할까요? 수많은 공부법과 요령들이 난무하지만 어떤 주장에도 빠지지 않는 내용이 바로 개념 이해의 필요성입니다. 덧셈을 배우면 덧셈을 통해 뺄셈을 배우고, 곱셈을 배우면 곱셈을 통해 나눗셈을 배웁니다. 역사 이야기처럼 수학 개념도 꼬리에 꼬리를 무는 연속성이 있는 것이므로 중간에 하나라도 빠진다면 그 다음 개념을 완벽히 이해할 수 없게 됩니다. 단계적 연계 학습을 하는 숨마쿰라우데로 흔들리지 않는 개념을 잡으세요. 수학의 참 재미를 발견하고, 어떤 문제가 나와도 두렵지 않을 것입니다.

스토리텔링 수학 학습의 결정판!

스토리텔링 학습이란 다양한 예나 이야기를 접목하여 개념과 원리를 쉽고 재미있게 설명하는 학습 방법입니다. "숨마쿰라우데 중학 수학"은 스토리텔링 방식으로 수학을 재미있게 설명해 놓은 최고의 스토리텔링 수학 학습서입 니다. QA를 통해 개념을 스스로 묻고 답하면서 공부해 보세요. 수학이 쉽고 재미있게 다가올 것입니다.

학습 교재의 새로운 신화! 이룸이앤비가 만듭니다!

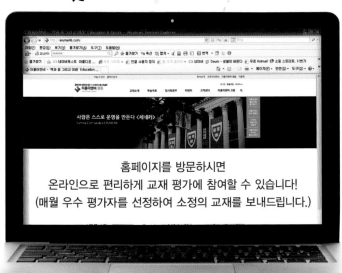

ERUM BOOKS　이룸이앤비 책에는 진한 감동이 있습니다

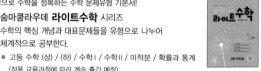